해커스 주택관리사

해커스 주택관리사 **2차 기본서 주택관리관계법규**

기본이론 단과강의 20% 할인쿠폰

A47DD833FCBEWKLA

해커스 주택관리사 사이트(house.Hackers.com)에 접속 후 로그인
▶ [나의 강의실 – 결제관리 – 쿠폰 확인] ▶ 본 쿠폰에 기재된 쿠폰번호 입력

1. 본 쿠폰은 해커스 주택관리사 동영상강의 사이트 내 2025년도 기본이론 단과강의 결제 시 사용 가능합니다.
2. 본 쿠폰은 1회에 한해 등록 가능하며, 다른 할인수단과 중복 사용 불가합니다.
3. 쿠폰사용기한 : **2025년 9월 30일** (등록 후 7일 동안 사용 가능)

KB199313

무료 온라인 전국 실전모의고사 응시방법

해커스 주택관리사 사이트(house.Hackers.com)에 접속 후 로그인
▶ [수강신청 – 전국 실전모의고사] ▶ 무료 온라인 모의고사 신청

* 기타 쿠폰 사용과 관련된 문의는 해커스 주택관리사 동영상강의 고객센터(1588-2332)로 연락하여 주시기 바랍니다.

해커스 주택관리사 인터넷 강의 & 직영학원

인터넷 강의
1588-2332
house.Hackers.com

강남학원
02-597-9000
2호선 강남역 9번 출구

해커스 주택관리사

수많은 합격생들이 증명하는
해커스 스타 교수진

민법	관리실무	관계법규	시설개론	회계원리	관계법규
민희열	김성환	조민수	송성길	강양구	한종민

합격생 송*성 님

해커스를 통해 공인중개사 합격 후, 주택관리사에도 도전하여 합격했습니다.
환급반을 선택한 게 동기부여가 되었고, 1년 만에 동차합격과 함께 환급도 받았습니다.
해커스 커리큘럼을 충실하게 따라서 공부하니 동차합격할 수 있었고,
다른 분들도 해커스커리큘럼만 따라 학습하시면 충분히 합격할 수 있을 거라
생각합니다.

합격생 송*섭 님

주택관리사를 준비하시는 분들은 해커스 인강과 함께 하면 반드시 합격합니다.
작년에 시험을 준비할 때 타사로 시작했는데 강의 내용이 어려워서 지인 추천을
받아 해커스 인강으로 바꾸고 합격했습니다. 해커스 교수님들은 모두 강의 실력이
1타 수준이기에 해커스로 시작하시는 것을 강력히 추천합니다.

해커스 주택관리사

기본서

2차 주택관리관계법규 ❶

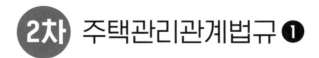

조민수

약력

현 | 해커스 주택관리사학원 주택관리관계법규 대표강사
해커스 주택관리사 주택관리관계법규 동영상강의 대표강사
여성의 광장 부동산공법 강사
씨엠에스디벨로퍼 대표이사(부동산개발, PM)
국가유공자임대주택단지 관리회사 대표

전 | 삼성화재 인재개발원 근무
우송대학교 자산관리학과 부동산공법 초빙교수(2011, 2012)
박문각/한국법학원/에듀윌 주택관리관계법규 강사 역임

저서

부동산실무 1, 시대고시, 2018
부동산공법 실무투자서, 더배움, 2018
부동산공법(기본서, 문제집), 강의바다, 2018~2020
부동산공법(기본서, 문제집), 메가랜드, 2019
부동산공법(요약집, 기출문제집, 체계도), 박문각, 2017~2023
주택관리관계법규(기본서, 문제집, 요약집), 박문각, 2013~2021
주택관리관계법규 체계도, 램플, 2020~2023
감정평가법규(기본서, 문제집, 체계도), 윌비스, 2020~2021
기초입문서(주택관리관계법규) 2차, 해커스패스, 2024~2025
주택관리관계법규(기본서), 해커스패스, 2024~2025

2025 해커스 주택관리사(보) 기본서 2차
주택관리관계법규 ❶

개정2판 1쇄 발행	2024년 10월 29일
지은이	조민수, 해커스 주택관리사시험 연구소
펴낸곳	해커스패스
펴낸이	해커스 주택관리사 출판팀
주소	서울시 강남구 강남대로 428 해커스 주택관리사
고객센터	1588-2332
교재 관련 문의	house@pass.com
	해커스 주택관리사 사이트(house.Hackers.com) 1 : 1 수강생 상담
학원강의 및 동영상강의	house.Hackers.com
ISBN	1권 979-11-7244-399-3 (14360)
	세트 979-11-7244-398-6 (14360)
Serial Number	02-01-01

주택관리사 시험 전문,
해커스 주택관리사 house.Hackers.com

₸╟Ħ 해커스 주택관리사

• 해커스 주택관리사학원 및 인터넷강의
• 해커스 주택관리사 무료 온라인 전국 실전모의고사
• 해커스 주택관리사 무료 학습자료 및 필수 합격정보 제공
• 해커스 주택관리사 동영상 기본이론 단과강의 20% 할인쿠폰 수록

주택관리사 합격을 위한 필수 기본서
기초부터 실전까지 한 번에!

주택관리사의 가장 큰 목표와 사명은 현재의 주거문화가 공동주택이라는 집단적인 공동체생활로 변모되는 가운데 국민의 주거생활 안락을 도모하고, 쉼터이자 재산의 중요한 근간이 되는 주택을 소중히 보존하며, 분쟁을 예방하고 모든 시설과 인적·물적 자원을 효율적으로 관리하는 것이라 생각됩니다. 그러한 관리자를 선발하는 시험인 주택관리사(보) 자격시험은 지금도 물론이지만 향후 사회수준이 발전할수록 더욱 각광받는 전문자격증으로 변화되어 갈 것으로 예견됩니다.

제27회 시험은 난이도를 다양하게 출제하고자 객관식 부분에서 기본적인 사항은 물론 보통의 수업과정에서 다루지 않는 문제와 시사적인 사항을 다수 출제함으로써 수험생들을 긴장하게 하였고, 종전까지는 기출영역을 중심으로 교과내용의 중요부분 정리만으로 60점 기준을 통과하는 정도의 학습이 중심이 되었다면, 향후에는 기본내용은 물론 응용패턴에 대한 다양한 훈련과 고득점을 위한 교과부분의 확인까지 필요로 하게 되었고, 최신 개정사항도 연중 체계적으로 정리해야 할 필요성이 명확하게 드러났습니다.

이에 이번 기본서 작업을 할 때에는 보다 치밀하게 내용들을 정리하여 빈틈없는 교재가 되도록 노력하였습니다. 출제경향을 반영하여 법률과 시행령, 시행규칙을 유기적으로 연결함으로써 한 부분에서 종합적으로 정리될 수 있게 구성하였고, 전체적인 윤곽과 체계를 한눈에 정리할 수 있는 체계도를 보조교재로 사용하여 기본서 페이지 순서대로 읽어 가면서 내용정리가 되도록 하였습니다.

본 교재의 특징은 다음과 같습니다.

1 기본서로서 법문에 충실하면서 체계 있게 정리되도록 중요사항을 중심으로 서술하였습니다.

2 최근 출제경향에 맞추어 기본학습사항과 보충학습사항을 구분하여 학습의 순서를 제시하였습니다.

3 최근 기출문제를 단원 사이에 배치함으로써 학습의 중요도를 선별할 수 있도록 하였습니다.

4 2025년 9월 시행이 공고된 법률까지 반영하여 내용에 착오가 없도록 하였고, 이후 추가로 개정되는 사항은 내년 4월, 7월, 9월 초 세 번에 걸쳐 정확하게 제시를 하여 혼선이 없도록 하겠습니다.

더불어 주택관리사(보) 시험 전문 해커스 주택관리사(house.Hackers.com)에서 학원강의나 인터넷 동영상강의를 함께 이용하여 꾸준히 수강한다면 학습효과를 극대화할 수 있을 것입니다.

본서가 수험생 여러분들에게 수험기간 동안 훌륭한 길잡이가 되어 줌으로써 수험생 모두가 합격의 영광을 누리기를 진심으로 기원합니다.

2024년 10월

조민수, 해커스 주택관리사시험 연구소

이 책의 차례

제1권

이 책의 특징

1 합격의 완성, 2025 주택관리사(보) 합격을 위한 필수 기본서

2025년도 제28회 주택관리사(보) 시험 대비를 위한 필수 기본서로서 꼭 필요한 기본이론을
엄선하여 수록하였고, 보다 효율적인 학습이 가능하도록 구성하였습니다. 또한 기출문제와
중요 지문을 풍부하게 수록하여 기초부터 실전 대비까지 한 번에 완성할 수 있도록 하였습니다.

2 기본기를 탄탄하게 다지는 체계적인 학습구성

단원열기 PART(미리보기)

이론학습 전 전체적인 흐름을 파악하고 중점을 두고 학습하여야 하는 부분을 미리 확인할 수
있도록 각 단원의 목차와 출제포인트를 연계하여 구성하였습니다. 여기에 '단원길라잡이'를
구체적으로 제시하여 앞으로의 학습방향을 효율적으로 세울 수 있도록 하였습니다.

기본이론 PART(이해하기)

기초용어부터 심화이론까지 풍부한 내용을 효과적으로 이해할 수 있도록 다양한 학습장치
를 수록하였습니다. 이를 통하여 이론을 차근차근 학습할 수 있으며, 실제 출제경향을 엿볼
수 있는 요소들을 적절히 배치하여 주택관리사(보) 시험에 최적화된 학습이 이루어지도록
하였습니다.

단원마무리 PART(점검하기)

완성도 높은 마무리학습을 할 수 있도록 앞서 공부한 내용을 되짚어 볼 수 있는 '2단계 마무
리STEP'을 수록하였습니다. 출제빈도가 높은 지문들을 다시 한 번 점검하고, 다양한 유형의
문제를 통해 실제 시험이 어떻게 출제되는지를 확인함으로써 학습성과를 점검할 수 있도록
하였습니다.

3 최신 개정법령 및 출제경향 반영

최신 개정법령 및 시험 출제경향을 철저하게 분석하여 이론과 문제에 모두 반영하였습니다. 또한 기출문제의 경향과 난이도가 충실히 반영된 문제들을 수록하여 주택관리사(보) 시험의 최신 경향을 익히고 실전에 충분히 대비할 수 있도록 하였습니다.

4 전략적 학습을 위한 3주/8주 완성 학습플랜 제공

학습자의 수준과 상황에 따라 활용할 수 있는 3주/8주 완성 학습플랜을 수록하였습니다. 개인의 전략에 맞춰 과목별 3주 완성 학습플랜과 전 과목 8주 완성 학습플랜 중 선택하여 학습할 수 있도록 구성하였으며, 제시된 학습플랜에 따라 매일 계획적으로 학습하여 공부의 흐름을 놓치지 않도록 하였습니다.

5 학습효과의 극대화를 위한 명쾌한 온 · 오프라인 강의 제공(house.Hackers.com)

체계적으로 학습하여 한 번에 합격을 이루고자 하는 학습자들을 위하여 해커스 주택관리사학원에서는 주택관리사 전문 교수진의 쉽고 명쾌한 강의를 제공하고 있습니다. 해커스 주택관리사(house.Hackers.com)에서는 학원강의를 온라인으로 학습할 수 있도록 동영상으로 제공하고 있으며, 1:1 학습문의를 통하여 교수님에게 직접 질문하고 답변을 받으며 현장강의를 듣는 것과 같은 학습효과를 얻을 수 있습니다.

6 다양한 무료 학습자료 및 필수 합격정보 제공(house.Hackers.com)

해커스 주택관리사(house.Hackers.com)에서는 제27회 기출문제 동영상 해설강의, 무료 온라인 전국 실전모의고사 그리고 각종 무료강의 등 다양한 무료 학습자료와 시험 안내자료, 시험가이드 등 필수 합격정보를 무료로 제공하고 있습니다. 이러한 유용한 자료와 정보들을 효과적으로 얻어 시험 관련 내용에 빠르게 대처할 수 있도록 하였습니다.

이 책의 구성

01 눈에 쏙! 흐름분석

단원별 출제비중과 구조 등을 시각적으로 제시하여 본격적으로 이론학습을 시작하기 전 단원의 출제경향과 흐름파악을 통한 전략적인 학습이 가능하도록 하였습니다.

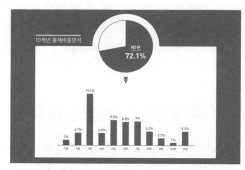

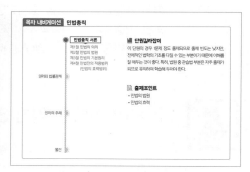

10개년 출제비중분석

최근 10개년의 출제비중을 시각적으로 제시하여 이론학습 전에 해당 편·장의 출제비중을 한눈에 확인할 수 있도록 하였습니다.

목차 내비게이션 / 단원길라잡이

'목차 내비게이션'을 통하여 학습하고 있는 편의 구조와 장의 위치 및 구성을 파악할 수 있으며, '단원길라잡이'를 통하여 중점적으로 학습하여야 할 핵심 내용을 먼저 확인한 후 학습의 방향을 잡을 수 있도록 하였습니다.

02 개념 쏙! 이론학습

학습에 도움을 줄 수 있는 다양한 코너를 마련하여 출제가 예상되는 중요 이론을 효과적으로 정리하고 실력을 쌓을 수 있도록 하였습니다.

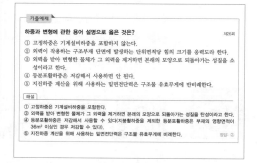

핵심 콕! 콕! / 더 알아보기

'핵심 콕! 콕!'을 통하여 출제 가능성이 높은 중요 이론을 확실히 이해하고 정리할 수 있도록 하였고, '더 알아보기'를 통하여 이론을 더욱 충실히 학습할 수 있도록 하였습니다.

기출예제

'기출예제'를 통하여 이론이 실제로 어떻게 출제되는지 바로 확인하며 출제유형을 파악하고, 이론에 대한 이해도를 높일 수 있도록 하였습니다.

03

실력 쑥! 확인학습

시험 출제경향과 난이도를 충실히 반영한 2단계 단원마무리를 통하여 학습한 내용을 확실히 점검하고 실전에 충분히 대비할 수 있도록 하였습니다.

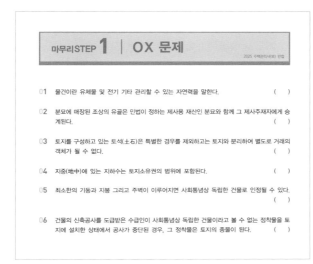

마무리STEP 1 OX 문제

출제빈도가 높은 중요 지문으로 구성된 OX 문제를 단원별로 제공하여 중요 내용을 다시 한 번 확인할 수 있도록 하였습니다.

마무리STEP 2 확인문제

해당 단원에서 자주 출제되는 기출문제를 엄선하여 수록하였으며, 기출유형 분석으로 출제 가능성이 높은 예상문제를 수록하여 실전에 충실히 대비할 수 있도록 하였습니다.

주택관리사 (보) 안내

주택관리사(보)의 정의

주택관리사(보)는 공동주택을 안전하고 효율적으로 관리하고 공동주택 입주자의 권익을 보호하기 위하여 운영 · 관리 · 유지 · 보수 등을 실시하고 이에 필요한 경비를 관리하며, 공동주택의 공용부분과 공동소유인 부대시설 및 복리시설의 유지 · 관리 및 안전관리 업무를 수행하기 위하여 주택관리사(보) 자격시험에 합격한 자를 말합니다.

주택관리사의 정의

주택관리사는 주택관리사(보) 자격시험에 합격한 자로서 다음의 어느 하나에 해당하는 경력을 갖춘 자로 합니다.

① 사업계획승인을 받아 건설한 50세대 이상 500세대 미만의 공동주택(「건축법」 제11조에 따른 건축허가를 받아 주택과 주택 외의 시설을 동일 건축물로 건축한 건축물 중 주택이 50세대 이상 300세대 미만인 건축물을 포함)의 관리사무소장으로 근무한 경력이 3년 이상인 자
② 사업계획승인을 받아 건설한 50세대 이상의 공동주택(「건축법」 제11조에 따른 건축허가를 받아 주택과 주택 외의 시설을 동일 건축물로 건축한 건축물 중 주택이 50세대 이상 300세대 미만인 건축물을 포함)의 관리사무소 직원(경비원, 청소원, 소독원은 제외) 또는 주택관리업자의 직원으로 주택관리 업무에 종사한 경력이 5년 이상인 자
③ 한국토지주택공사 또는 지방공사의 직원으로 주택관리 업무에 종사한 경력이 5년 이상인 자
④ 공무원으로 주택 관련 지도 · 감독 및 인 · 허가 업무 등에 종사한 경력이 5년 이상인 자
⑤ 공동주택관리와 관련된 단체의 임직원으로 주택 관련 업무에 종사한 경력이 5년 이상인 자
⑥ ①~⑤의 경력을 합산한 기간이 5년 이상인 자

주택관리사 전망과 진로

주택관리사는 공동주택의 관리 · 운영 · 행정을 담당하는 부동산 경영관리분야의 최고 책임자로서 계획적인 주택관리의 필요성이 높아지고, 주택의 형태 또한 공동주택이 증가하고 있는 추세로 볼 때 업무의 전문성이 높은 주택관리사 자격의 중요성이 높아지고 있습니다.

300세대 이상이거나 승강기 설치 또는 중앙난방방식의 150세대 이상 공동주택은 반드시 주택관리사 또는 주택관리사(보)를 채용하도록 의무화하는 제도가 생기면서 주택관리사(보)의 자격을 획득시 안정적으로 취업이 가능하며, 주택관리시장이 확대됨에 따라 공동주택관리업체 등을 설립 · 운영할 수도 있고, 주택관리법인에 참여하는 등 다양한 분야로의 진출이 가능합니다.

공무원이나 한국토지주택공사, SH공사 등에 근무하는 직원 및 각 주택건설업체에서 근무하는 직원의 경우 주택관리사(보) 자격증을 획득하게 되면 이에 상응하는 자격수당을 지급받게 되며, 승진에 있어서도 높은 고과점수를 받을 수 있습니다.

정부의 신주택정책으로 주택의 관리측면이 중요한 부분으로 부각되고 있는 실정이므로, 앞으로 주택관리사의 역할은 더욱 중요해질 것입니다.

① 공동주택, 아파트 관리소장으로 진출
② 아파트 단지 관리사무소의 행정관리자로 취업
③ 주택관리업 등록업체에 진출
④ 주택관리법인 참여
⑤ 주택건설업체의 관리부 또는 행정관리자로 참여
⑥ 한국토지주택공사, 지방공사의 중견 간부사원으로 취업
⑦ 주택관리 전문 공무원으로 진출

주택관리사의 업무

구분	분야	주요업무
행정관리업무	회계관리	예산편성 및 집행결산, 금전출납, 관리비 산정 및 징수, 공과금 납부, 회계상의 기록유지, 물품구입, 세무에 관한 업무
	사무관리	문서의 작성과 보관에 관한 업무
	인사관리	행정인력 및 기술인력의 채용·훈련·보상·통솔·감독에 관한 업무
	입주자관리	입주자들의 요구·희망사항의 파악 및 해결, 입주자의 실태파악, 입주자간의 친목 및 유대 강화에 관한 업무
	홍보관리	회보발간 등에 관한 업무
	복지시설관리	노인정·놀이터관리 및 청소·경비 등에 관한 업무
	대외업무	관리·감독관청 및 관련 기관과의 업무협조 관련 업무
기술관리업무	환경관리	조경사업, 청소관리, 위생관리, 방역사업, 수질관리에 관한 업무
	건물관리	건물의 유지·보수·개선관리로 주택의 가치를 유지하여 입주자의 재산을 보호하는 업무
	안전관리	건축물설비 또는 작업에서의 재해방지조치 및 응급조치, 안전장치 및 보호구설비, 소화설비, 유해방지시설의 정기점검, 안전교육, 피난훈련, 소방·보안경비 등에 관한 업무
	설비관리	전기설비, 난방설비, 급·배수설비, 위생설비, 가스설비, 승강기설비 등의 관리에 관한 업무

주택관리사 (보) 시험안내

응시자격

1. 응시자격: 연령, 학력, 경력, 성별, 지역 등에 제한이 없습니다.
2. 결격사유: 시험시행일 현재 다음 중 어느 하나에 해당하는 사람은 주택관리사 등이 될 수 없으며, 그 자격이 상실됩니다.
   - 피성년후견인 또는 피한정후견인
   - 파산선고를 받은 사람으로서 복권되지 아니한 사람
   - 금고 이상의 실형을 선고받고 그 집행이 끝나거나(집행이 끝난 것으로 보는 경우 포함) 집행이 면제된 날부터 2년이 지나지 아니한 사람
   - 금고 이상의 형의 집행유예를 선고받고 그 유예기간 중에 있는 사람
   - 주택관리사 등의 자격이 취소된 후 3년이 지나지 아니한 사람
3. 주택관리사(보) 자격시험에 있어서 부정한 행위를 한 응시자는 그 시험을 무효로 하고, 당해 시험시행일로부터 5년간 시험 응시자격을 정지합니다.

시험과목

구분	시험과목	시험범위
1차 (3과목)	회계원리	세부과목 구분 없이 출제
	공동주택시설개론	• 목구조·특수구조를 제외한 일반 건축구조와 철골구조, 장기수선계획 수립 등을 위한 건축적산 • 홈네트워크를 포함한 건축설비개론
	민법	• 총칙 • 물권, 채권 중 총칙·계약총칙·매매·임대차·도급·위임·부당이득·불법행위
2차 (2과목)	주택관리관계법규	다음의 법률 중 주택관리에 관련되는 규정 「주택법」,「공동주택관리법」,「민간임대주택에 관한 특별법」,「공공주택 특별법」,「건축법」,「소방기본법」,「소방시설 설치 및 관리에 관한 법률」,「승강기 안전관리법」,「전기사업법」,「시설물의 안전 및 유지관리에 관한 특별법」,「도시 및 주거환경정비법」,「도시재정비 촉진을 위한 특별법」,「집합건물의 소유 및 관리에 관한 법률」,「화재의 예방 및 안전관리에 관한 법률」
	공동주택관리실무	시설관리, 환경관리, 공동주택 회계관리, 입주자관리, 공동주거관리이론, 대외업무, 사무·인사관리, 안전·방재관리 및 리모델링, 공동주택 하자관리(보수공사 포함) 등

* 시험과 관련하여 법률·회계처리기준 등을 적용하여 정답을 구하여야 하는 문제는 시험시행일 현재 시행 중인 법령 등을 적용하여 그 정답을 구하여야 함

* 회계처리 등과 관련된 시험문제는 한국채택국제회계기준(K-IFRS)을 적용하여 출제됨

시험시간 및 시험방법

구분		시험과목 수	입실시간	시험시간	문제형식
1차 시험	1교시	2과목(과목당 40문제)	09:00까지	09:30~11:10(100분)	객관식 5지 택일형
	2교시	1과목(과목당 40문제)		11:40~12:30(50분)	
2차 시험		2과목(과목당 40문제)	09:00까지	09:30~11:10(100분)	객관식 5지 택일형 (과목당 24문제) 및 주관식 단답형 (과목당 16문제)

*주관식 문제 괄호당 부분점수제 도입
 1문제당 2.5점 배점으로 괄호당 아래와 같이 부분점수로 산정함
  • 3괄호: 3개 정답(2.5점), 2개 정답(1.5점), 1개 정답(0.5점)
  • 2괄호: 2개 정답(2.5점), 1개 정답(1점)
  • 1괄호: 1개 정답(2.5점)

원서접수방법

1. 한국산업인력공단 큐넷 주택관리사(보) 홈페이지(www.Q-Net.or.kr/site/housing)에 접속하여 소정의 절차를 거쳐 원서를 접수합니다.
2. 원서접수 시 최근 6개월 이내에 촬영한 탈모 상반신 사진을 파일(JPG 파일, 150픽셀×200픽셀)로 첨부하여 인터넷 회원가입 후 접수합니다.
3. 응시수수료는 1차 21,000원, 2차 14,000원(제27회 시험 기준)이며, 전자결제(신용카드, 계좌이체, 가상계좌) 방법을 이용하여 납부합니다.

합격자 결정방법

1. 제1차 시험: 과목당 100점을 만점으로 하여 모든 과목 40점 이상이고, 전 과목 평균 60점 이상의 득점을 한 사람을 합격자로 합니다.
2. 제2차 시험
  • 1차 시험과 동일하나, 모든 과목 40점 이상이고 전 과목 평균 60점 이상의 득점을 한 사람의 수가 선발예정인원에 미달하는 경우 모든 과목 40점 이상을 득점한 사람을 합격자로 합니다.
  • 2차 시험 합격자 결정 시 동점자로 인하여 선발예정인원을 초과하는 경우 그 동점자 모두를 합격자로 결정하고, 동점자의 점수는 소수점 둘째 자리까지만 계산하며 반올림은 하지 않습니다.

최종합격자 발표

시험시행일로부터 1차 약 1달 후, 2차 약 2달 후 한국산업인력공단 큐넷 주택관리사(보) 홈페이지(www.Q-Net.or.kr/site/housing)에서 확인 가능합니다.

학습플랜

8주 완성 학습플랜

- 일주일 동안 2과목을 번갈아 학습하여, 8주에 걸쳐 2차 과목을 1회독할 수 있는 학습플랜입니다.
- 주택관리사(보) 시험 공부를 처음 시작하는 수험생, 학원강의 커리큘럼에 맞추어 공부하는 수험생에게 추천합니다.

구분	월 주택관리 관계법규	화 공동주택 관리실무	수 주택관리 관계법규	목 공동주택 관리실무	금 주택관리 관계법규	토 공동주택 관리실무
1주차	1편 1장~ 2장 2절	1편 1장~ 3장 7절	1편 2장 3절~ 2장 OX문제	1편 3장 8절~ 4장 본문	1편 3장~4장	1편 4장 문제~5장
2주차	1편 5장~ 2편 2장	1편 6장~ 7장 본문	2편 3장~ 5장 2절	1편 7장 문제~9장	2편 5장 3절~ 8장 2절	1편 10장~11장
3주차	2편 8장 3절~ 3편 1장 2항	1편 12장 1절~2절 2항	3편 1장 3항~ 2장 5절	1편 12장 2절 3항~5항	3편 2장 6절~ 3편 5장 2절	1편 12장 3절 1항~3항
4주차	3편 5장 3절~ 3편 6장 5절	1편 12장 3절 4항~문제	3편 6장 6절~ 3편 객관식 문제	2편 1장	4편 1장~4장	2편 2장
5주차	4편 5장~ 5편 1장	2편 3장 1항~3항	5편 2장~5장	2편 3장 4항~ 4장 1절 문제	5편 6장~ 6편 2장	2편 4장 2절
6주차	6편 3장~ 3장 6절	2편 4장 3절	6편 3장 7절~7편	2편 4장 4절~6절	8편	2편 4장 7절~ 9절 1항
7주차	9편	2편 4장 9절 2항 01~06	10편	2편 4장 9절 2항 07~문제	11편	2편 4장 10절 01~06
8주차	12편	2편 4장 10절 07~4장 문제	13편	2편 5장 본문	14편	2편 5장 문제~6장

3주 완성 학습플랜 - [주택관리관계법규]

- 한 과목을 3주에 걸쳐 1회독할 수 있는 학습플랜입니다.
- 한 과목씩 집중적으로 공부하고 싶은 수험생에게 추천합니다.

구분	월	화	수	목	금	토
1주차	1편 2장 5절~ 1편 4장	1편 5장~ 2편 3장 2절	2편 3장 3절~ 2편 7장	2편 8장 ~ 3편 1장 2항	3편 1장 3항~ 3편 2장	3편 3장~ 6장 2절
2주차	3편 6장 3절~ 3편 객관식 문제	4편 1장~5장	4편 6장~ 5편 4장	5편 5장~ 6편 3장 04	6편 3장 05~ 7편 2절	7편 3절~8편
3주차	9편	10편	11편~ 12편 3절	12편 4절~ 13편 2절	13편	14편

학습플랜 이용 Tip

- 본인의 학습 진도와 상황에 적합한 학습플랜을 선택한 후, 매일·매주 단위의 학습량을 확인합니다.
- 목표한 분량을 완료한 후에는 ☑과 같이 체크하며 학습 진도를 스스로 점검합니다.

[1회독 시]
- 8주 완성 학습플랜에 따라 학습합니다.
- 처음부터 완벽하게 이해하려 하기보다는 용어와 흐름을 파악한다는 생각으로 학습하는 것이 좋습니다.
- 본문의 별색으로 표시된 부분을 위주로 이해하고, 이론과 연계된 기출문제를 확인하며 주요 내용을 파악합니다.

[2회독 시]
- 8주 완성 학습플랜에 따라 학습하되 1회독에서 이해한 내용을 바탕으로 체계를 잡고 주요 내용을 요약하며 학습합니다.
- '핵심 콕! 콕!'을 중심으로 중요한 내용의 체계를 잡고, 기출예제를 통하여 주요 내용을 점검하며 빈출되는 출제포인트를 익힙니다.

[3회독 시]
- 과목별 학습 진도와 상황을 고려하여 8주 완성 또는 3주 완성 학습플랜에 따라 학습합니다.
- 2회독까지 정리한 내용을 단원마무리 문제에 적용하여 출제경향을 파악하고 실전감각을 익히며 중요한 부분을 선별해 집중 학습하도록 합니다.

출제경향분석 및 수험대책

제27회(2024년) 시험 총평

제27회 시험 주택관리관계법규 과목은 전년도에 비하여 다소 쉽게 출제되었습니다. 반면, 공동주택관리실무 과목을 어렵게 출제하여 전년도와 비교하여 과목별로 난이도 조절을 반영한 시험이었다고 보여집니다.

이번 주택관리관계법규의 출제 난이도는 다소 예상치 못한 출제부분이나, 학습 시에 전혀 들추어보지 않았을 부분에서의 출제가 몇 문제가 보였지만 상 10문제, 중 22문제, 하 8문제 정도로 전반적으로는 그리 어렵지 않게 출제되었습니다.

기초 및 기본과정에서 다루었던 문제가 전체 출제 문항 수에서 절반 정도를 차지하였고, 심화과정이나 쟁점특강 등에서 다루었던 문제가 절반 정도로 구성되었다고 분석됩니다. 하지만 평소에 성실히 공부한 수험생이라면 무난하게 합격 점수를 얻었을 것입니다.

결론적으로 제27회 주택관리관계법규의 출제는 아주 무난하다고 판단됩니다.

제27회(2024년) 출제경향분석

구분	제18회	제19회	제20회	제21회	제22회	제23회	제24회	제25회	제26회	제27회	계	비율(%)
주택법	14	14	8	8	8	8	8	8	8	8	92	23
공동주택관리법			8	8	8	8	8	8	8	8	64	16
건축법	8	8	7	7	7	7	7	7	7	7	72	18
민간임대주택에 관한 특별법	4	4	2	2	2	2	2	2	2	2	24	6
공공주택 특별법			2	2	2	2	2	2	2	2	16	4
도시 및 주거환경정비법	2	2	2	2	2	2	2	2	2	2	20	5
도시재정비 촉진을 위한 특별법	1	1	1	1	1	1	1	1	1	1	10	2.5
시설물의 안전 및 유지관리에 관한 특별법	2	2	2	2	2	2	2	2	2	2	20	5
승강기 안전관리법	2	2	2	2	2	2	2	2	2	2	20	5
전기사업법	2	2	2	2	2	2	2	2	2	2	20	5
집합건물의 소유 및 관리에 관한 법률	1	1	1	1	1	1	1	1	1	1	10	2.5
소방기본법	2	2	1	1	1	1	1	1	1	1	12	3
화재의 예방 및 안전관리에 관한 법률									1	1	2	0.5
소방시설 설치 및 관리에 관한 법률	2	2	2	2	2	2	2	2		1	18	4.5
총계	40	40	40	40	40	40	40	40	40	40	400	100

제28회(2025년) 수험대책

이번 시험은 3,000여 명이 응시하여 1,600명을 선발하는 경쟁률이 2 : 1 정도가 되는 시험이었습니다. 전년도 26회 시험에서는 주택관리관계법규가 다소 어렵게 출제되고, 공동주택관리실무가 평이하게 출제되어 공동주택관리실무에서의 고득점자가 다수 발생하여 그 합격점수가 71점을 상회하였습니다.

이에 제27회 시험에서는 변화를 주어 관계법규를 전년도에 비하여 다소 쉽게 출제한 반면에, 공동주택관리실무를 다소 어렵게 출제한 경향을 보여, 합격 기준점이 전년도에 비하여 조금은 내려가지 않을까 예상됩니다.

무난한 출제였으나, 순환 출제경향에 따라 다음 제28회 때에는 그 난도가 주택관리관계법규는 다소 상승하지 않을까 생각됩니다. 그렇게 되면 수험생들의 학습량이 많아지게 됨에 따라 그 합격기준점도 지속적으로 상승될 것이라고 판단되어집니다.

효과적인 수험준비를 위해서는 평소의 학습뿐만 아니라 1차 시험 이후 2차 시험까지 2달여 기간 동안에 단계별로 효율적이고, 집중적인 학습이 필요합니다. 총 14개의 방대한 내용을 시험범위로 하고 있으므로 입문 · 기본 · 심화과정을 통하여 핵심내용을 충분히 숙지하고, 문제풀이와 모의고사를 통한 실전연습을 철저히 하여 대비하여야 합니다.

10개년 출제비중분석

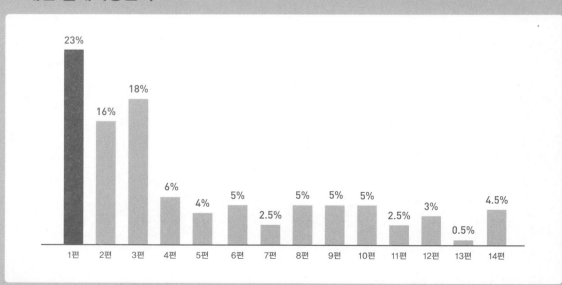

제1편

주택법

제1장 총칙

📖 **단원길라잡이**

주택법은 건축물 중 집단 주택과 대지에 관한 특별법적 성격을 갖는 법이다. 주택법은 총 8문제가 출제되며, 제1장 총칙에서는 매년 2문제 정도가 출제되므로, 용어의 전반에 대하여 정확하게 이해하고 정리하여야 한다.

📑 **출제포인트**

- 주택법령상 주택의 구분
- 도시형 생활주택
- 세대구분형 공동주택
- 용어의 정의

제1절 주택법의 제정목적

이 법은 쾌적하고 살기 좋은 주거환경 조성에 필요한 주택의 건설·공급 및 주택시장의 관리 등에 관한 사항을 정함으로써 국민의 주거안정과 주거수준의 향상에 이바지함을 목적으로 한다(법 제1조).

제2절 용어의 이해

01 주택의 정의

(1) 주택

주택이란 세대(世帶)의 구성원이 장기간 독립된 주거생활을 할 수 있는 구조로 된 건축물의 전부 또는 일부 및 그 부속토지를 말하며, 단독주택과 공동주택으로 구분한다(법 제2조 제1호).

(2) 단독주택

단독주택이란 1세대가 하나의 건축물 안에서 독립된 주거생활을 할 수 있는 구조로 된 주택을 말하며, 그 종류와 범위는 다음과 같이 구분한다(법 제2조 제2호, 영 제2조, 건축법 시행령 [별표 1]).

단독주택	
다중주택	다음의 요건을 모두 갖춘 주택을 말한다. ① 학생 또는 직장인 등 여러 사람이 장기간 거주할 수 있는 구조로 되어 있는 것 ② 독립된 주거의 형태를 갖추지 아니한 것(각 실별로 욕실은 설치할 수 있으나, 취사시설은 설치하지 아니한 것을 말한다) ③ 1개 동의 주택으로 쓰이는 바닥면적(부설주차장 면적은 제외한다)의 합계가 660제곱미터 이하이고, 주택으로 쓰는 층수(지하층은 제외한다)가 3개 층 이하일 것. 다만, 1층의 전부 또는 일부를 필로티 구조로 하여 주차장으로 사용하고 나머지 부분을 주택(주거 목적으로 한정한다) 외의 용도로 쓰는 경우에는 해당 층을 주택의 층수에서 제외한다. ④ 적정한 주거환경을 조성하기 위하여 건축조례로 정하는 실별 최소 면적, 창문의 설치 및 크기 등의 기준에 적합할 것

다가구주택	다음의 요건을 모두 갖춘 주택으로서 공동주택에 해당하지 아니하는 것 ① 주택으로 쓰는 층수(지하층은 제외한다)가 3개 층 이하일 것. 다만, 1층의 전부 또는 일부를 필로티 구조로 하여 주차장으로 사용하고 나머지 부분을 주택(주거 목적으로 한정한다) 외의 용도로 쓰는 경우에는 해당 층을 주택의 층수에서 제외한다. ② 1개 동의 주택으로 쓰이는 바닥면적(부설주차장 면적은 제외한다)의 합계가 660제곱미터 이하일 것 ③ 19세대(대지 내 동별 세대수를 합한 세대를 말한다) 이하가 거주할 수 있을 것

(3) 공동주택

공동주택이란 건축물의 벽·복도·계단이나 그 밖의 설비 등의 전부 또는 일부를 공동으로 사용하는 각 세대가 하나의 건축물 안에서 각각 독립된 주거생활을 할 수 있는 구조로 된 주택을 말한다. 공동주택의 종류와 범위는 다음과 같이 구분하며, 공급기준 및 건설기준 등을 고려하여 국토교통부령으로 그 종류를 세분할 수 있다(법 제2조 제3호, 영 제3조, 건축법 시행령 [별표 1]).

아파트	주택으로 쓰이는 층수가 5개 층 이상인 주택을 말한다.
연립주택	주택으로 쓰는 1개 동의 바닥면적(2개 이상의 동을 지하주차장으로 연결하는 경우에는 각각의 동으로 본다) 합계가 660제곱미터를 초과하고, 층수가 4개 층 이하인 주택
다세대주택	주택으로 쓰는 1개 동의 바닥면적 합계가 660제곱미터 이하이고, 층수가 4개 층 이하인 주택(2개 이상의 동을 지하주차장으로 연결하는 경우에는 각각의 동으로 본다)

> **더 알아보기** **공동주택의 층수 산정기준(건축법 시행령 [별표 1] 제2호)**
>
> 아파트와 연립주택의 층수를 산정할 때 1층 전부를 필로티 구조로 하여 주차장으로 사용하는 경우에는 필로티 부분을 층수에서 제외하고, 다세대에서 층수를 산정할 때 1층의 전부 또는 일부를 필로티 구조로 하여 주차장으로 사용하고 나머지 부분을 주택 외의 용도로 쓰는 경우에는 해당 층을 주택의 층수에서 제외하며, 층수를 산정할 때 지하층을 주택의 층수에서 제외한다.

(4) 세대구분형 공동주택

세대구분형 공동주택이란 공동주택의 주택 내부 공간의 일부를 세대별로 구분하여 생활이 가능한 구조로 하되, 그 구분된 공간 일부에 대하여 구분소유를 할 수 없는 주택으로서 다음의 구분에 따른 요건을 충족하는 공동주택을 말한다(법 제2조 제19호, 영 제9조).

① 사업계획의 승인을 받아 건설하는 공동주택의 경우: 다음의 요건을 모두 충족할 것

> ㉠ 세대별로 구분된 각각의 공간마다 별도의 욕실, 부엌과 현관을 설치할 것
> ㉡ 하나의 세대가 통합하여 사용할 수 있도록 세대간에 연결문 또는 경량구조의 경계벽 등을 설치할 것
> ㉢ 세대구분형 공동주택의 세대수가 해당 주택단지 안의 공동주택 전체 세대수의 3분의 1을 넘지 않을 것
> ㉣ 세대별로 구분된 각각의 공간의 주거전용면적 합계가 해당 주택단지 전체 주거전용면적 합계의 3분의 1을 넘지 않는 등 국토교통부장관이 정하여 고시하는 주거전용면적의 비율에 관한 기준을 충족할 것

② 공동주택관리법 제35조에 따른 행위의 허가를 받거나 신고를 하고 설치하는 공동주택의 경우: 다음의 요건을 모두 충족할 것

> ㉠ 구분된 공간의 세대수는 기존 세대를 포함하여 2세대 이하일 것
> ㉡ 세대별로 구분된 각각의 공간마다 별도의 욕실, 부엌과 구분 출입문을 설치할 것
> ㉢ 세대구분형 공동주택의 세대수가 해당 주택단지 안의 공동주택 전체 세대수의 10분의 1과 해당 동의 전체 세대수의 3분의 1을 각각 넘지 않을 것. 다만, 시장·군수·구청장이 부대시설의 규모 등 해당 주택단지의 여건을 고려하여 인정하는 범위에서 세대수의 기준을 넘을 수 있다.
> ㉣ 구조, 화재, 소방 및 피난안전 등 관계 법령에서 정하는 안전기준을 충족할 것

③ 세대수의 산정: 위 ①과 ②에 따라 건설 또는 설치되는 주택과 관련하여 법 제35조에 따른 주택건설기준 등을 적용하는 경우 세대구분형 공동주택의 세대수는 그 구분된 공간의 세대수에 관계없이 하나의 세대로 산정한다(영 제9조 제2항).

02 자금에 따른 주택의 구분(법 제2조 제5호·제6호·제7호)

국민주택	국민주택이란 다음의 어느 하나에 해당하는 주택으로서 국민주택규모 이하인 주택을 말한다. ① 국가·지방자치단체, 한국토지주택공사 또는 지방공사가 건설하는 주택 ② 국가·지방자치단체의 재정 또는 주택도시기금으로부터 자금을 지원받아 건설되거나 개량되는 주택
민영주택	민영주택이란 국민주택을 제외한 주택을 말한다.
국민주택규모	국민주택규모란 주거의 용도로만 쓰이는 면적(이하 '주거전용면적'이라 한다)이 1호(戶) 또는 1세대당 85제곱미터 이하인 주택(수도권정비계획법 제2조 제1호에 따른 수도권을 제외한 도시지역이 아닌 읍 또는 면 지역은 1호 또는 1세대당 주거전용면적이 100제곱미터 이하인 주택을 말한다)을 말한다. 이 경우 주거전용면적의 산정방법은 국토교통부령으로 정한다.

03 도시형 생활주택

(1) 의의와 구분

도시형 생활주택이란 300세대 미만의 국민주택규모에 해당하는 주택으로서 국토의 계획 및 이용에 관한 법률에 따른 도시지역에 건설하는 다음의 주택을 말한다(법 제2조 제20호, 영 제10조).

소형주택	다음의 요건을 모두 갖춘 공동주택 ① 세대별 주거전용면적은 60제곱미터 이하일 것 ② 세대별로 독립된 주거가 가능하도록 욕실 및 부엌을 설치할 것 ③ 지하층에는 세대를 설치하지 아니할 것
단지형 다세대주택	소형주택이 아닌 다세대주택. 다만, 건축위원회의 심의를 받은 경우에는 주택으로 쓰는 층수를 5개 층까지 건축할 수 있다.
단지형 연립주택	소형주택이 아닌 연립주택. 다만, 건축위원회의 심의를 받은 경우에는 주택으로 쓰는 층수를 5개 층까지 건축할 수 있다.

(2) 복합건축 제한

① 하나의 건축물에는 도시형 생활주택과 그 밖의 주택을 함께 건축할 수 없다. 다만, 다음의 어느 하나에 해당하는 경우는 예외로 한다(법 제36조 제2항, 영 제10조 제2항).

> ㉠ 소형주택과 주거전용면적이 85제곱미터를 초과하는 주택 1세대를 함께 건축하는 경우
> ㉡ 준주거지역 또는 상업지역에서 소형주택과 도시형 생활주택 외의 주택을 함께 건축하는 경우

② 하나의 건축물에는 단지형 연립주택 또는 단지형 다세대주택과 소형주택을 함께 건축할 수 없다(영 제10조 제3항).

04 기타 주택의 종류

(1) 에너지절약형 친환경주택

에너지절약형 친환경주택이란 저에너지건물 조성기술 등 대통령령으로 정하는 기술을 이용하여 에너지사용량을 절감하거나 이산화탄소배출량을 저감할 수 있도록 건설된 주택을 말하며, 그 종류와 범위는 대통령령으로 정한다(법 제2조 제21호, 영 제11조, 규정 제64조).

> **더 알아보기** 에너지절약형 친환경주택의 건설기준(규정 제64조)
>
> 사업계획승인을 받은 공동주택을 건설하는 경우에는 다음의 어느 하나 이상의 기술을 이용하여 주택의 총에너지사용량 또는 총이산화탄소배출량을 절감할 수 있는 에너지절약형 친환경주택(이하 '친환경주택'이라 한다)으로 건설하여야 하며, 주택을 건설하려는 자는 사업계획승인을 신청하는 경우에 친환경주택 에너지절약계획을 제출하여야 한다.
> 1. 고단열·고기능 외피구조, 기밀설계, 일조 확보 및 친환경자재 사용 등 저에너지건물 조성기술
> 2. 고효율 열원설비, 제어설비 및 고효율 환기설비 등 에너지 고효율 설비기술
> 3. 태양열, 태양광, 지열 및 풍력 등 신·재생에너지 이용기술
> 4. 자연지반의 보존, 생태면적률의 확보 및 빗물의 순환 등 생태적 순환기능 확보를 위한 외부환경 조성기술
> 5. 건물에너지 정보화 기술, 자동제어장치 및 지능형 전력망의 구축 및 이용촉진에 관한 법률에 따른 지능형 전력망 등 에너지 이용효율을 극대화하는 기술

(2) 건강친화형 주택

건강친화형 주택이란 건강하고 쾌적한 실내환경의 조성을 위하여 실내공기의 오염물질 등을 최소화할 수 있도록 대통령령으로 정하는 기준에 따라 건설된 주택을 말한다(법 제2조 제22호, 영 제12조, 규정 제65조).

> **더 알아보기** 건강친화형 주택의 설계기준(규정 제65조)
>
> 500세대 이상의 공동주택을 건설하는 경우에는 다음의 사항을 고려하여 세대 내의 실내공기 오염물질 등을 최소화할 수 있는 건강친화형 주택으로 건설하여야 한다.
> 1. 오염물질을 적게 방출하거나 오염물질의 발생을 억제 또는 저감시키는 건축자재(붙박이 가구 및 붙박이 가전제품을 포함한다)의 사용에 관한 사항
> 2. 청정한 실내환경 확보를 위한 마감공사의 시공관리에 관한 사항
> 3. 실내공기의 원활한 환기를 위한 환기설비의 설치, 성능검증 및 유지관리에 관한 사항
> 4. 환기설비 등을 이용하여 신선한 바깥의 공기를 실내에 공급하는 환기의 시행에 관한 사항

(3) 임대주택

임대주택이란 임대를 목적으로 하는 주택으로서, 공공주택 특별법 제2조 제1호 가목에 따른 공공임대주택과 민간임대주택에 관한 특별법 제2조 제1호에 따른 민간임대주택으로 구분한다(법 제2조 제8호).

(4) 토지임대부 분양주택

토지임대부 분양주택이란 토지의 소유권은 법 제15조에 따른 사업계획의 승인을 받아 토지임대부 분양주택 건설사업을 시행하는 자가 가지고, 건축물 및 복리시설(福利施設) 등에 대한 소유권[건축물의 전유부분(專有部分)에 대한 구분소유권은 이를 분양받은 자가 가지고, 건축물의 공용부분·부속건물 및 복리시설은 분양받은 자들이 공유한다]은 주택을 분양받은 자가 가지는 주택을 말한다(법 제2조 제9호).

(5) 장수명주택

장수명주택이란 구조적으로 오랫동안 유지·관리될 수 있는 내구성을 갖추고, 입주자의 필요에 따라 내부 구조를 쉽게 변경할 수 있는 가변성과 수리 용이성 등이 우수한 주택을 말한다(법 제2조 제23호).

05 준주택

준주택이란 주택 외의 건축물과 그 부속토지로서 주거시설로 이용가능한 시설 등을 말하며, 그 범위와 종류는 다음과 같다(법 제2조 제4호, 영 제4조).

> ① 건축법 시행령 [별표 1] 제4호 거목 및 제15호 다목에 따른 다중생활시설
> ② 건축법 시행령 [별표 1] 제11호 나목에 따른 노인복지시설 중 노인복지법 제32조 제1항 제3호의 노인복지주택
> ③ 건축법 시행령 [별표 1] 제14호 나목에 따른 오피스텔
> ④ 건축법 시행령 [별표 1] 제2호 라목에 따른 기숙사

06 공공택지, 주택단지

(1) 공공택지

공공택지란 다음의 어느 하나에 해당하는 공공사업에 의하여 개발·조성되는 공동주택이 건설되는 용지를 말한다(법 제2조 제24호).

> ① 주택법에 따른 국민주택건설사업 또는 대지조성사업
> ② 택지개발촉진법에 따른 택지개발사업. 다만, 같은 법 제7조 제1항 제4호에 따른 주택건설 등 사업자가 같은 법 제12조 제5항에 따라 활용하는 택지는 제외한다.
> ③ 산업입지 및 개발에 관한 법률에 따른 산업단지개발사업
> ④ 공공주택 특별법에 따른 공공주택지구조성사업

⑤ 민간임대주택에 관한 특별법에 따른 공공지원민간임대주택 공급촉진지구조성사업(같은 법 제23조 제1항 제2호에 해당하는 시행자가 같은 법 제34조에 따른 수용 또는 사용의 방식으로 시행하는 사업만 해당한다)

⑥ 도시개발법에 따른 도시개발사업[공공시행자(같은 법 제11조 제1항 제1호부터 제4호까지의 시행자)가 수용 또는 사용의 방식으로 시행하는 사업과 혼용방식 중 수용 또는 사용의 방식이 적용되는 구역에서 시행하는 사업만 해당한다]

⑦ 경제자유구역의 지정 및 운영에 관한 법률에 따른 경제자유구역개발사업(수용 또는 사용의 방식으로 시행하는 사업과 혼용방식 중 수용 또는 사용의 방식이 적용되는 구역에서 시행하는 사업만 해당한다)

⑧ 혁신도시 조성 및 발전에 관한 특별법에 따른 혁신도시개발사업

⑨ 신행정수도 후속대책을 위한 연기 · 공주지역 행정중심복합도시 건설을 위한 특별법에 따른 행정중심복합도시건설사업

⑩ 공익사업을 위한 토지 등의 취득 및 보상에 관한 법률 제4조에 따른 공익사업으로서 대통령령으로 정하는 사업

(2) 주택단지

① 주택단지란 법 제15조에 따른 주택건설사업계획 또는 대지조성사업계획의 승인을 받아 주택과 그 부대시설 및 복리시설을 건설하거나 대지를 조성하는 데 사용되는 일단(一團)의 토지를 말한다. 다만, 다음의 시설로 분리된 토지는 각각 별개의 주택단지로 본다(법 제2조 제12호, 영 제5조 제1항, 규칙 제3조 제1항).

ㄱ 철도 · 고속도로 · 자동차전용도로

ㄴ 폭 20미터 이상인 일반도로

ㄷ 폭 8미터 이상인 도시계획예정도로

ㄹ **보행자 및 자동차의 통행이 가능한 도로로서 다음의 어느 하나에 해당하는 도로**

ⓐ 국토의 계획 및 이용에 관한 법률에 따른 도시 · 군계획시설인 도로로서 주간선도로 · 보조간선도로 · 집산도로 및 폭 8미터 이상인 국지도로

ⓑ 도로법에 의한 일반국도 · 특별시도 · 광역시도 또는 지방도

ⓒ 그 밖에 관계 법령에 의하여 설치된 도로로서 ⓐ 및 ⓑ에 준하는 도로

주택법 제2조(정의) 규정의 일부이다. (   ) 안에 들어갈 아라비아 숫자를 쓰시오. 제26회

'주택단지'란 주택법 제15조에 따른 주택건설사업계획 또는 대지조성사업계획의 승인을 받아 주택과 그 부대시설 및 복리시설을 건설하거나 대지를 조성하는 데 사용되는 일단(一團)의 토지를 말한다. 다만, 다음 각 목의 시설로 분리된 토지는 각각 별개의 주택단지로 본다.
가. 〈생략〉
나. 폭 (㉠)미터 이상인 일반도로
다. 폭 (㉡)미터 이상인 도시계획예정도로
라. 〈생략〉

정답: ㉠ 20, ㉡ 8

② 위 ①의 ㉣에도 불구하고 사업계획승인권자가 다음의 요건을 모두 충족한다고 인정하여 사업계획을 승인한 도로는 주택단지의 구분기준이 되는 도로에서 제외한다(영 제5조 제2항, 규칙 제3조 제2항·제3항).

㉠ 인근 주민의 통행권 확보 및 교통편의 제고 등을 위해 기존의 도로를 다음의 기준에 모두 적합하게 유지·변경할 것
ⓐ 도시·군계획시설의 결정·구조 및 설치기준에 관한 규칙 제9조 제3호 다목 또는 라목에 따른 집산도로 또는 국지도로일 것
ⓑ 도로 폭이 15미터 미만일 것
ⓒ 설계속도가 30킬로미터 이하이거나 자동차 등의 통행속도를 30킬로미터 이내로 제한하여 운영될 것. 다만, 유지·변경되는 도로가 도시·군계획시설의 결정·구조 및 설치기준에 관한 규칙 제9조 제1호 라목에 따른 보행자우선도로인 경우는 제외한다.
㉡ 보행자 통행의 편리성 및 안전성을 확보하기 위하여 지하도, 육교, 횡단보도, 그 밖에 이와 유사한 시설을 설치해야 한다. 다만, 설치되는 도로가 도시·군계획시설의 결정·구조 및 설치기준에 관한 규칙 제9조 제1호 라목에 따른 보행자우선도로인 경우에는 예외로 할 수 있다.

07 주택부속시설

(1) 부대시설

부대시설이란 주택에 딸린 다음의 시설 또는 설비를 말한다(법 제2조 제13호).

① 주차장, 관리사무소, 담장 및 주택단지 안의 도로
② 건축법 제2조 제1항 제4호에 따른 건축설비
③ 위 시설과 설비에 준하는 것으로 대통령령(영 제6조)으로 정하는 시설 또는 설비

> **더 알아보기** 대통령령으로 정하는 부대시설 또는 설비(영 제6조)

1. 보안등 · 대문 · 경비실 · 자전거보관소
2. 조경시설 · 옹벽 · 축대
3. 안내표지판 · 공중화장실
4. 저수시설 · 지하양수시설 · 대피시설
5. 쓰레기 수거 및 처리시설 · 오수처리시설 · 정화조
6. 소방시설 · 냉난방공급시설(지역난방공급시설을 제외한다) 및 방범설비
7. 환경친화적 자동차의 개발 및 보급 촉진에 관한 법률 제2조 제3호에 따른 전기자동차에 전기를 충전하여 공급하는 시설
8. 전기통신사업법 등 다른 법령에 따라 거주자의 편익을 위해 주택단지에 의무적으로 설치해야 하는 시설로서 사업주체 또는 입주자의 설치 및 관리 의무가 없는 시설
9. 그 밖에 1.부터 8.까지의 시설 또는 설비와 비슷한 것으로서 사업계획승인권자가 주택의 사용 및 관리를 위해 필요하다고 인정하는 시설 또는 설비

(2) 복리시설

주택단지의 입주자 등의 생활복리를 위한 다음의 공동시설을 말한다(법 제2조 제14호).

> ① 어린이놀이터 · 근린생활시설 · 유치원 · 주민공동시설 및 경로당
> ② 그 밖의 입주자 등의 생활복리를 위하여 대통령령(영 제7조)이 정하는 공동시설

> **더 알아보기** 대통령령이 정하는 공동시설(영 제7조)

1. 제1종 근린생활시설 및 제2종 근린생활시설(장의사 · 총포판매소 · 단란주점 · 안마시술소 및 다중생활시설을 제외한다)
2. 종교시설
3. 판매시설 중 소매시장 · 상점
4. 교육연구시설, 노유자시설 및 수련시설
5. 업무시설 중 금융업소
6. 공동작업장 · 지식산업센터 · 사회복지관
7. 주민공동시설
8. 도시 · 군계획시설인 시장
9. 그 밖에 1.부터 8.까지의 시설과 비슷한 것으로서 국토교통부령으로 정하는 공동시설 또는 사업계획승인권자가 거주자의 생활복리 또는 편익을 위하여 필요하다고 인정하는 시설

주택법령상 복리시설에 해당하는 것을 모두 고른 것은? 제27회

┌───┐
│ ㉠ 어린이놀이터   ㉡ 다중생활시설   │
│ ㉢ 유치원   ㉣ 주차장   │
│ ㉤ 경로당   │
└───┘

① ㉠, ㉡, ㉣   ② ㉠, ㉡, ㉤
③ ㉠, ㉢, ㉤   ④ ㉡, ㉢, ㉣
⑤ ㉢, ㉣, ㉤

해설

㉡ 다중생활시설은 그 면적이 500제곱미터 미만인 경우에는 제2종 근린생활시설, 500제곱미터를 초과하는 경우에는 숙박시설에 해당하는 용도이다. 여기서 제2종 근린생활시설의 경우에는 복리시설에 해당할 수 있지만 장의사, 단란주점, 안마시술소, 총포판매소, 다중생활시설(고시원)은 복리시설에 해당하지 않는다.
㉣ 주차장은 부대시설에 해당한다.   정답: ③

(3) 기간시설

기간시설이란 도로 · 상하수도 · 전기시설 · 가스시설 · 통신시설 · 지역난방시설 등을 말한다(법 제2조 제16호).

(4) 기반시설

기반시설이란 국토의 계획 및 이용에 관한 법률 제2조 제6호에 따른 기반시설을 말한다(법 제2조 제15호).

(5) 간선시설

간선시설이란 도로 · 상하수도 · 전기시설 · 가스시설 · 통신시설 및 지역난방시설 등 주택단지(둘 이상의 주택단지를 동시에 개발하는 경우에는 각각의 주택단지를 말한다) 안의 기간시설을 그 주택단지 밖에 있는 같은 종류의 기간시설에 연결시키는 시설을 말한다. 다만, 가스시설 · 통신시설 및 지역난방시설의 경우에는 주택단지 안의 기간시설을 포함한다(법 제2조 제17호).

기출예제

주택법상 용어의 정의로 옳지 않은 것은?   제27회

① '주택'이란 세대의 구성원이 장기간 독립된 주거생활을 할 수 있는 구조로 된 건축물의 전부 또는 일부 및 그 부속토지를 말한다.

② '도시형 생활주택'이란 300세대 미만의 국민주택규모에 해당하는 주택으로서 대통령령으로 정하는 주택을 말한다.

③ '장수명 주택'이란 구조적으로 오랫동안 유지·관리될 수 있는 내구성을 갖추고, 입주자의 필요에 따라 내부구조를 쉽게 변경할 수 있는 가변성과 수리 용이성 등이 우수한 주택을 말한다.

④ '간선시설'이란 도로·상하수도·전기시설·가스시설·통신시설·지역난방시설 등을 말한다.

⑤ '건강친화형 주택'이란 건강하고 쾌적한 실내환경의 조성을 위하여 실내공기의 오염물질 등을 최소화할 수 있도록 대통령령으로 정하는 기준에 따라 건설된 주택을 말한다.

해설

도로·상하수도·전기시설·가스시설·통신시설·지역난방시설 등은 기간시설에 해당하며, 단지 내의 기간시설과 단지 밖의 동종 기간시설을 연결한 것이 간선시설이다.

정답: ④

08 공구

공구란 하나의 주택단지에서 다음의 기준에 따라 둘 이상으로 구분되는 일단의 구역으로, 착공신고 및 사용검사를 별도로 수행할 수 있는 구역을 말한다(법 제2조 제18호, 영 제8조).

① 다음의 어느 하나에 해당하는 시설을 설치하거나 공간을 조성하여 6미터 이상의 폭으로 공구간 경계를 설정할 것
   ㉠ 주택건설기준 등에 관한 규정 제26조에 따른 주택단지 안의 도로
   ㉡ 주택단지 안의 지상에 설치되는 부설주차장
   ㉢ 주택단지 안의 옹벽 또는 축대
   ㉣ 식재, 조경이 된 녹지
   ㉤ 그 밖에 어린이놀이터 등 부대시설이나 복리시설로서 사업계획승인권자가 적합하다고 인정하는 시설
② 공구별 세대수는 300세대 이상으로 할 것

09 리모델링

(1) 리모델링의 정의

리모델링이란 건축물의 노후화 억제 또는 기능 향상 등을 위한 다음의 어느 하나에 해당하는 행위를 말한다(법 제2조 제25호, 영 제13조).

> ① 대수선(大修繕)
> ② 법 제49조에 따른 사용검사일(주택단지 안의 공동주택 전부에 대하여 임시사용승인을 받은 경우에는 그 임시사용승인일을 말한다) 또는 건축법 제22조에 따른 사용승인일부터 15년 [15년 이상 20년 미만의 연수 중 특별시·광역시·특별자치시·도 또는 특별자치도(이하 '시·도'라 한다)의 조례로 정하는 경우에는 그 연수로 한다]이 경과된 공동주택을 각 세대의 주거전용면적의 30퍼센트 이내(세대의 주거전용면적이 85제곱미터 미만인 경우에는 40퍼센트 이내)에서 증축하는 행위. 이 경우 공동주택의 기능 향상 등을 위하여 공용부분에 대하여도 별도로 증축할 수 있다.
> ③ 위 ②에 따른 각 세대의 증축 가능 면적을 합산한 면적의 범위에서 기존 세대수의 15퍼센트 이내에서 세대수를 증가하는 증축행위(이하 '세대수 증가형 리모델링'이라 한다). 다만, 수직으로 증축하는 행위(이하 '수직증축형 리모델링'이라 한다)는 다음 요건을 모두 충족하는 경우로 한정한다.
> 　㉠ 최대 3개 층 이하로서 다음의 범위에서 증축할 것
> 　　ⓐ 수직증축형 리모델링의 대상이 되는 기존 건축물의 층수가 15층 이상인 경우: 3개 층
> 　　ⓑ 수직증축형 리모델링의 대상이 되는 기존 건축물의 층수가 14층 이하인 경우: 2개 층
> 　㉡ 수직증축형 리모델링의 대상이 되는 기존 건축물의 신축 당시 구조도를 보유하고 있을 것

(2) 리모델링 기본계획

리모델링 기본계획이란 세대수 증가형 리모델링으로 인한 도시과밀, 이주수요 집중 등을 체계적으로 관리하기 위하여 수립하는 계획을 말한다(법 제2조 제26호).

10 주택관리와 관련된 용어

(1) 입주자

입주자란 다음의 구분에 따른 자를 말한다(법 제2조 제27호).

> ① 법 제8조, 제54조, 제57조의2, 제64조, 제88조, 제91조 및 제104조의 경우: 주택을 공급받는 자
> ② 법 제66조의 경우: 주택의 소유자 또는 그 소유자를 대리하는 배우자 및 직계존비속

(2) 사용자

사용자란 공동주택관리법 제2조 제6호에 따른 사용자를 말한다(법 제2조 제28호).

(3) 관리주체

관리주체란 공동주택관리법 제2조 제10호에 따른 관리주체를 말한다(법 제2조 제29호).

11 주택법상의 주택규모

(1) 주거전용면적

주거전용면적(주거의 용도로만 쓰이는 면적을 말한다. 이하 같다)의 산정방법은 다음의 기준에 따른다(규칙 제2조).

① **단독주택의 경우:** 그 바닥면적에서 지하실(거실로 사용되는 면적은 제외한다), 본 건축물과 분리된 창고·차고 및 화장실의 면적을 제외한 면적. 다만, 그 주택이 건축법 시행령 [별표 1] 제1호 다목의 다가구주택에 해당하는 경우 그 바닥면적에서 본 건축물의 지상층에 있는 부분으로서 복도, 계단, 현관 등 2세대 이상이 공동으로 사용하는 부분의 면적도 제외한다.

② **공동주택의 경우:** 외벽의 내부선을 기준으로 산정한 면적으로 한다. 다만, 2세대 이상이 공동으로 사용하는 부분으로서 다음에 해당하는 공용면적을 제외하며, 이 경우 바닥면적에서 주거전용면적을 제외하고 남는 외벽면적은 공용면적에 가산한다.

> ㉠ 복도·계단·현관 등 공동주택의 지상층에 있는 공용면적
> ㉡ 위 ㉠의 공용면적을 제외한 지하층·관리사무소 등 그 밖의 공용면적

(2) 주택규모의 강화

국토교통부장관은 주택수급의 적정을 기하기 위하여 필요하다고 인정하는 때에는 사업주체가 건설하는 주택의 75퍼센트(주택조합이나 고용자가 건설하는 주택은 100퍼센트) 이하의 범위 안에서 일정 비율 이상을 국민주택규모로 건설하게 할 수 있으며, 그 건설비율은 주택단지별 사업계획에 적용한다(영 제46조).

12 다른 법률과의 관계

주택의 건설 및 공급에 관하여 다른 법률에 특별한 규정이 있는 경우를 제외하고는 이 법에서 정하는 바에 따른다(법 제3조).

01 주택법은 쾌적하고 살기 좋은 주거환경 조성에 필요한 주택의 건설·공급 및 주택의 관리 등에 관한 사항을 정함으로써 국민의 주거안정과 주거수준의 향상에 이바지함을 목적으로 한다.
( )

02 세대구분형 공동주택이란 공동주택의 주택 내부 공간의 일부를 세대별로 구분하여 생활이 가능한 구조로 하되, 그 구분된 공간 일부에 대하여 구분소유를 할 수 있는 주택으로서 각 구분에 따른 요건을 충족하는 공동주택을 말한다.
( )

03 도시형 생활주택의 소형주택은 주거전용면적이 30제곱미터 이상인 경우에는 욕실 및 보일러실을 제외한 부분을 세 개 이하의 침실(각각의 면적이 7제곱미터 이상인 것을 말한다)과 그 밖의 공간으로 구성할 수 있다.
( )

04 건강친화형 주택이란 저에너지건물 조성기술 등 대통령령으로 정하는 기술을 이용하여 에너지 사용량을 절감하거나 이산화탄소배출량을 저감할 수 있도록 건설된 주택을 말한다. ( )

---

01 × 주택법은 주택시장의 관리 등에 관한 사항을 정한다.

02 × 세대구분형 공동주택은 구분소유를 할 수 없는 주택이다.

03 × 소형주택의 공간구조기준은 삭제되어 주거전용면적이 60제곱미터 이하이면 된다.

04 × 에너지절약형 친환경주택에 대한 설명이다. 건강친화형 주택이란 건강하고 쾌적한 실내환경의 조성을 위하여 실내공기의 오염물질 등을 최소화할 수 있도록 대통령령으로 정하는 기준에 따라 건설된 주택을 말한다.

05 간선시설이란 도로 · 상하수도 · 전기시설 · 가스시설 · 통신시설 · 지역난방시설 등을 말한다.
( )

06 리모델링 기본계획이란 증축형 리모델링으로 인한 도시과밀, 이주수요 집중 등을 체계적으로 관리하기 위하여 수립하는 계획을 말한다. ( )

07 공동주택의 주거전용면적은 외벽의 중심선을 기준으로 산정한 면적으로 한다. ( )

08 국토교통부장관은 주택수급의 적정을 기하기 위하여 필요하다고 인정하는 때에는 사업주체가 건설하는 주택의 75퍼센트(주택조합이나 고용자가 건설하는 주택은 100퍼센트) 이하의 범위 안에서 일정 비율 이상을 국민주택규모로 건설하게 할 수 있다. ( )

---

05 × 기간시설에 대한 설명이다. 간선시설이란 도로 · 상하수도 · 전기시설 · 가스시설 · 통신시설 및 지역난방시설 등 주택단지(둘 이상의 주택단지를 동시에 개발하는 경우에는 각각의 주택단지를 말한다) 안의 기간시설을 그 주택단지 밖에 있는 같은 종류의 기간시설에 연결시키는 시설을 말한다.

06 × 리모델링 기본계획이란 세대수 증가형 리모델링으로 인한 도시과밀, 이주수요 집중 등을 체계적으로 관리하기 위하여 수립하는 계획을 말한다.

07 × 외벽의 내부선을 기준으로 한다.

08 ○

제 **2** 장 주택의 건설

📖 단원길라잡이

이 장은 주택건설에 관한 일반절차와 주택건설기준 및 건설촉진대책에 대하여 서술하고 있다. 매년 2~3문제 정도가 출제되는 만큼 상당히 중요한 부분으로 주택법의 중심이 되는 단원이라 할 수 있다. 이 단원에서는 주택건설절차의 흐름을 파악하면서 논점을 중심으로 학습하여야 하며 등록사업자, 주택조합, 사업계획승인의 절차와 요건, 매도청구권, 사용검사, 주택건설촉진대책에 관한 부분을 중점적으로 정리하여야 한다.

🔍 출제포인트

- 등록사업주체
- 공동사업주체
- 주택조합의 설립요건
- 조합원 모집신고
- 조합의 해산
- 사업계획승인대상
- 사업계획승인요건
- 사업계획승인권자
- 사업계획승인효과
- 사용검사 대상 및 절차

01 사업주체

사업주체란 이 법에 따라 주택건설사업계획 또는 대지조성사업계획의 승인을 얻어 그 사업을 시행하는 다음의 자를 말한다(법 제2조 제10호).

---

① 국가 · 지방자치단체
② 한국토지주택공사 또는 지방공사
③ 등록한 주택건설사업자 · 대지조성사업자
④ 그 밖에 주택법에 따라 주택건설사업 또는 대지조성사업을 시행하는 자

---

02 등록사업주체

(1) 등록대상

① 등록 ⇨ 국토교통부장관

연간 단독주택 20호, 공동주택 20세대. 다만, 도시형 생활주택(소형주택과 주거전용 면적이 85제곱미터를 초과하는 주택 1세대를 함께 건축하는 경우를 포함한다)은 30세대 이상의 주택건설사업을 시행하려는 자 또는 연간 1만제곱미터 이상의 대지조성사업을 시행하려는 자는 국토교통부장관에게 등록하여야 한다(법 제4조 제1항 본문, 영 제14조 제1항 · 제2항).

② 비등록사업주체: 다음의 사업주체의 경우에는 등록하지 아니한다(법 제4조 제1항 단서).

㉠ 국가 · 지방자치단체
㉡ 한국토지주택공사
㉢ 지방공사
㉣ 공익법인의 설립 · 운영에 관한 법률에 따라 주택건설사업을 목적으로 설립된 공익법인 (이하 '공익법인'이라 한다)
㉤ 주택조합(등록사업자와 공동으로 주택건설사업을 하는 주택조합만 해당한다)
㉥ 근로자를 고용하는 자(등록사업자와 공동으로 주택건설사업을 시행하는 고용자만 해당하며, 이하 '고용자'라 한다)

---

(2) 등록요건

주택건설사업 또는 대지조성사업의 등록을 하려는 자는 다음의 요건을 모두 갖추어야 한다. 이 경우 하나의 사업자가 주택건설사업과 대지조성사업을 함께 할 때에는 ① 및 ③의 기준은 중복하여 적용하지 아니한다(법 제4조 제2항, 영 제14조 제3항).

> ① 자본금 3억원(개인인 경우에는 자산평가액 6억원) 이상
> ② 주택건설사업의 경우에는 건축분야 기술인 1명 이상, 대지조성사업의 경우에는 토목분야 기술인 1명 이상
> ③ 사무실 면적: 사업의 수행에 필요한 사무장비를 갖출 수 있는 면적

(3) 등록의 결격사유

다음의 어느 하나에 해당하는 자는 주택건설사업 등의 등록을 할 수 없다(법 제6조).

> ① 미성년자 · 피성년후견인 또는 피한정후견인
> ② 파산선고를 받은 자로서 복권되지 아니한 자
> ③ 부정수표단속법 또는 이 법을 위반하여 금고 이상의 실형을 선고받고 그 집행이 끝나거나(집행이 끝난 것으로 보는 경우를 포함한다) 집행이 면제된 날부터 2년이 지나지 아니한 자
> ④ 부정수표단속법 또는 이 법을 위반하여 금고 이상의 형의 집행유예를 선고받고 그 유예기간 중에 있는 자
> ⑤ 등록이 말소(① · ②에 해당하여 말소된 경우는 제외한다)된 후 2년이 지나지 아니한 자
> ⑥ 임원 중에 ①부터 ⑤까지의 어느 하나에 해당하는 자가 있는 법인

(4) 등록절차

① **등록신청:** 주택건설사업 또는 대지조성사업의 등록을 하려는 자는 신청서에 국토교통부령으로 정하는 서류를 첨부하여 국토교통부장관에게 제출하여야 한다(법 제4조 제2항, 영 제15조 제1항).

② **등록증 교부:** 국토교통부장관은 주택건설사업 또는 대지조성사업의 등록을 한 자(이하 '등록사업자'라 한다)를 등록부에 등재하고 등록증을 발급하여야 한다(법 제4조 제2항, 영 제15조 제2항).

③ **변경신고:** 등록사업자는 등록사항에 변경이 있는 때에는 국토교통부령이 정하는 바에 따라 변경사유가 발생한 날부터 30일 이내에 국토교통부장관에게 신고하여야 한다(법 제4조 제2항, 영 제15조 제3항 본문). 다만, 자본금, 기술인의 수 또는 사무실 면적이 증가하거나 등록기준에 미달하지 아니하는 범위에서 감소한 경우에는 그러하지 아니하다(법 제4조 제2항, 영 제15조 제3항 단서, 규칙 제4조 제7항).

(5) 등록사업자에 대한 감독

① **등록말소 또는 영업정지**: 국토교통부장관은 등록사업자가 다음의 어느 하나에 해당하면 그 등록을 말소하거나 1년 이내의 기간을 정하여 영업의 정지를 명할 수 있다. 다만, ⊙ 또는 ⓜ에 해당하는 경우에는 그 등록을 말소하여야 한다(법 제8조 제1항).

> ⊙ 거짓이나 그 밖의 부정한 방법으로 등록한 경우
> ⓛ 등록기준에 미달하게 된 경우. 다만, 채무자 회생 및 파산에 관한 법률에 따라 법원이 회생절차개시의 결정을 하고 그 절차가 진행 중이거나 일시적으로 등록기준에 미달하는 등 대통령령으로 정하는 경우는 예외로 한다.
> ⓒ 고의 또는 과실로 공사를 잘못 시공하여 공중에게 위해를 끼치거나 입주자에게 재산상 손해를 입힌 경우
> ⓔ 등록 결격사유 중 어느 하나에 해당하게 된 경우. 다만, 법인의 임원 중 결격사유에 해당하는 사람이 있는 경우 6개월 이내에 그 임원을 다른 사람으로 임명한 경우에는 그러하지 아니하다.
> ⓜ 법 제90조를 위반하여 등록증의 대여 등을 한 경우
> ⓗ 등록증을 빌리거나 허락 없이 등록사업자의 성명 또는 상호로 이 법에서 정한 사업이나 업무를 수행 또는 시공한 경우
> ⓢ 법을 위반하여 이 법에서 정한 사업이나 업무를 수행 또는 시공하기 위하여 교사하거나 방조한 경우
> ⓞ 다음의 어느 하나에 해당하는 경우
>   ⓐ 건설기술 진흥법에 따른 시공상세도면의 작성 의무를 위반하거나 건설사업관리를 수행하는 건설기술인 또는 공사감독자의 검토·확인을 받지 아니하고 시공한 경우
>   ⓑ 건설기술 진흥법에 따른 시정명령을 이행하지 아니한 경우
>   ⓒ 건설기술 진흥법에 따른 품질시험 및 검사를 하지 아니한 경우
>   ⓓ 건설기술 진흥법에 따른 안전점검을 하지 아니한 경우
> ⓩ 택지개발촉진법을 위반하여 택지를 전매한 경우
> ⓩ 표시·광고의 공정화에 관한 법률 제17조 제1호에 따른 처벌을 받은 경우
> ⓚ 약관의 규제에 관한 법률 제34조 제2항에 따른 처분을 받은 경우
> ⓔ 그 밖에 이 법 또는 이 법에 따른 명령이나 처분을 위반한 경우

② **등록말소처분 등을 받은 자의 사업수행**: 등록말소 또는 영업정지처분을 받은 등록사업자는 그 처분 전에 사업계획승인을 받은 사업은 계속 수행할 수 있다. 다만, 등록말소처분을 받은 등록사업자가 그 사업을 계속 수행할 수 없는 중대하고 명백한 사유가 있을 경우에는 그러하지 아니하다(법 제9조).

③ **영업실적 등의 제출**
   ⊙ **매년 신고사항**: 등록사업자는 국토교통부령으로 정하는 바에 따라 매년 영업실적과 영업계획 및 기술인력 보유현황을 국토교통부장관에게 제출하여야 한다(법 제10조 제1항).

ⓛ 매월 신고사항: 등록사업자는 국토교통부령으로 정하는 바에 따라 월별 주택분양계획 및 분양실적을 국토교통부장관에게 제출하여야 한다(법 제10조 제2항).

> **더 알아보기 영업실적 등의 제출 및 확인(규칙 제6조)**
>
> 1. 등록사업자는 전년도의 영업실적과 해당 연도의 영업계획 및 기술인력 보유현황을 매년 1월 10일까지 주택사업자단체(이하 '협회'라 한다)에 제출하여야 한다. 이 경우 보유 기술인력의 명세서를 첨부하여야 한다.
> 2. 협회는 제출받은 영업실적 등을 종합한 후 매년 1월 31일까지 국토교통부장관에게 제출하여야 한다.
> 3. 협회는 제출받은 영업실적의 내용 중 주택건설사업 실적에 대하여 등록사업자가 확인을 요청하는 경우에는 확인서를 발급할 수 있다.
> 4. 등록사업자는 월별 주택분양계획 및 분양실적을 매월 5일까지 협회에 제출하여야 하며, 협회는 그 내용을 시 · 도별로 종합하여 매월 15일까지 시 · 도지사에게 통보하고 국토교통부장관에게 보고하여야 한다.

(6) 등록사업자의 시공기준

① **등록사업자의 직접시공**: 등록사업자가 법 제15조에 따른 사업계획승인(건축법에 따른 공동주택 건축허가를 포함한다)을 받아 분양 또는 임대를 목적으로 주택을 건설하는 경우로서 그 기술능력, 주택건설 실적 및 주택규모 등이 대통령령으로 정하는 기준에 해당하는 경우에는 그 등록사업자를 건설산업기본법 제9조에 따른 건설사업자로 보며 주택건설공사를 시공할 수 있다(법 제7조 제1항).

② **5개 층 이하의 시공기준**: 주택건설공사를 시공하려는 등록사업자는 다음의 요건을 모두 갖추어야 하며, 이 경우에 등록사업자가 건설할 수 있는 주택은 주택으로 쓰는 층수가 5개 층 이하인 주택으로 한다. 다만, 각 층 거실의 바닥면적 300제곱미터 이내마다 1개 소 이상의 직통계단을 설치한 경우에는 주택으로 쓰는 층수가 6개 층인 주택을 건설할 수 있다(영 제17조 제1항 · 제2항).

> ㉠ 자본금이 5억원(개인인 경우에는 자산평가액 10억원) 이상일 것
> ㉡ 건설기술 진흥법 시행령 [별표 1]에 따른 건축분야 및 토목분야 기술인 3명 이상을 보유하고 있을 것. 이 경우 건설기술 진흥법 시행령 [별표 1]에 따른 건설기술인으로서 다음에 해당하는 건설기술인 각 1명이 포함되어야 한다.
> ⓐ 건축시공 기술사 또는 건축기사
> ⓑ 토목분야 기술인
> ㉢ 최근 5년간의 주택건설 실적이 100호 또는 100세대 이상일 것

③ **6개 층 이상의 시공기준:** 위 ②에도 불구하고 다음의 어느 하나에 해당하는 등록사업자는 주택으로 쓰는 층수가 6개 층 이상인 주택을 건설할 수 있다(영 제17조 제3항).

> ㉠ 주택으로 쓰는 층수가 6개 층 이상인 아파트를 건설한 실적이 있는 자
> ㉡ 최근 3년간 300세대 이상의 공동주택을 건설한 실적이 있는 자

④ **시공규모:** 주택건설공사를 시공하는 등록사업자는 건설공사비(총공사비에서 대지구입비를 제외한 금액을 말한다)가 자본금과 자본준비금 · 이익준비금을 합한 금액의 10배(개인인 경우에는 자산평가액의 5배)를 초과하는 건설공사는 시공할 수 없다(영 제17조 제4항).

03 공동사업주체

(1) 토지소유자와 등록사업자

토지소유자가 주택을 건설하는 경우에는 주택건설사업 등의 등록을 하지 아니하여도 등록사업자와 공동으로 사업을 시행할 수 있으며, 공동사업을 하는 경우에는 다음의 요건을 갖추어 사업계획승인을 신청하여야 한다. 이 경우 토지소유자와 등록사업자를 공동사업주체로 본다(법 제5조 제1항, 영 제16조 제1항).

> ① 등록사업자가 다음의 어느 하나에 해당하는 자일 것
>   ㉠ 영 제17조 제1항 각 호의 요건(시공기준)을 모두 갖춘 자
>   ㉡ 건설산업기본법 제9조에 따른 건설업(건축공사업 또는 토목건축공사업만 해당한다)의 등록을 한 자
> ② 주택건설대지가 저당권 · 가등기담보권 · 가압류 · 전세권 · 지상권 등(이하 '저당권 등'이라 한다)의 목적으로 되어 있는 경우에는 그 저당권 등을 말소할 것. 다만, 저당권 등의 권리자로부터 해당 사업의 시행에 대한 동의를 받은 경우는 예외로 한다.
> ③ 토지소유자와 등록사업자간에 다음의 사항에 대하여 법 및 이 영이 정하는 범위에서 협약이 체결되어 있을 것
>   ㉠ 대지 및 주택(부대시설 및 복리시설을 포함한다)의 사용 · 처분
>   ㉡ 사업비의 부담
>   ㉢ 공사기간
>   ㉣ 그 밖에 사업 추진에 따르는 각종 책임 등 사업 추진에 필요한 사항

(2) 주택조합과 등록사업자

① 주택조합(세대수를 증가하지 아니하는 리모델링주택조합은 제외한다)이 그 구성원의 주택을 건설하는 경우에는 등록사업자(지방자치단체, 한국토지주택공사 및 지방공사를 포함한다)와 공동으로 사업을 시행할 수 있으며, 공동사업을 하는 경우에는 다음의 요건을 갖추어 사업계획승인을 신청하여야 한다. 이 경우 주택조합과 등록사업자를 공동사업주체로 본다(법 제5조 제2항, 영 제16조 제2항).

> ㉠ 등록사업자와 공동으로 사업을 시행하는 경우에는 해당 등록사업자가 (1)의 ①의 요건을 갖출 것
> ㉡ 주택조합이 주택건설대지의 소유권을 확보하고 있을 것. 다만, 지역주택조합 또는 직장 주택조합이 등록사업자와 공동으로 사업을 시행하는 경우로서 법 제21조 제1항 제1호에 따라 국토의 계획 및 이용에 관한 법률 제49조에 따른 지구단위계획의 결정이 필요한 사업인 경우에는 95퍼센트 이상의 소유권을 확보하여야 한다.
> ㉢ 위 (1)의 ② 및 ③의 요건을 갖출 것. 이 경우 (1)의 ②의 요건은 소유권을 확보한 대지에 대해서만 적용한다.

② 주택조합과 등록사업자가 공동으로 사업을 시행하면서 시공할 경우 등록사업자는 시공자로서의 책임뿐만 아니라 자신의 귀책사유로 사업 추진이 불가능하게 되거나 지연됨으로 인하여 조합원에게 입힌 손해를 배상할 책임이 있다(법 제11조 제4항).

(3) 고용자와 등록사업자

고용자가 그 근로자의 주택을 건설하는 경우에는 대통령령으로 정하는 바에 따라 등록사업자와 공동으로 사업을 시행하여야 하며, 공동으로 주택을 건설하려는 경우에는 다음의 요건을 모두 갖추어 사업계획승인을 신청하여야 한다. 이 경우 고용자와 등록사업자를 공동사업주체로 본다(법 제5조 제3항, 영 제16조 제2항).

> ① 위 (1)의 ①부터 ③까지의 요건을 모두 갖추고 있을 것
> ② 고용자가 해당 주택건설대지의 소유권을 확보하고 있을 것

01 주택조합의 구분

주택조합이란 많은 수의 구성원이 주택을 마련하거나 리모델링하기 위하여 결성하는 다음의 조합을 말한다(법 제2조 제11호).

지역주택조합	다음 구분에 따른 지역에 거주하는 주민이 주택을 마련하기 위하여 설립한 조합 ① 서울특별시 · 인천광역시 및 경기도 ② 대전광역시 · 충청남도 및 세종특별자치시 ③ 충청북도 ④ 광주광역시 및 전라남도 ⑤ 전북특별자치도 ⑥ 대구광역시 및 경상북도 ⑦ 부산광역시 · 울산광역시 및 경상남도 ⑧ 강원특별자치도 ⑨ 제주특별자치도
직장주택조합	같은 직장의 근로자가 주택을 마련하기 위하여 설립한 조합
리모델링주택조합	공동주택의 소유자가 그 주택을 리모델링하기 위하여 설립한 조합

02 주택조합의 설립

1. 지역주택조합과 직장주택조합

(1) 설립인가

많은 수의 구성원이 주택을 마련하기 위하여 주택조합을 설립하려는 경우(설립신고대상 직장주택조합의 경우는 제외한다)에는 관할 특별자치시장, 특별자치도지사, 시장 · 군수 또는 구청장(이하 '시장 · 군수 · 구청장'이라 한다)의 인가를 받아야 한다. 인가받은 내용을 변경하거나 주택조합을 해산하려는 경우에도 또한 같다(법 제11조 제1항).

(2) 설립요건

① 토지의 사용권원과 소유권의 확보: 주택을 마련하기 위하여 주택조합 설립인가를 받으려는 자는 다음의 요건을 모두 갖추어야 한다. 다만, 인가받은 내용을 변경하거나 해산하려는 경우에는 그러하지 아니하다(법 제11조 제2항).

> ㉠ 해당 주택건설대지의 80퍼센트 이상에 해당하는 토지의 사용권원을 확보할 것
> ㉡ 해당 주택건설대지의 15퍼센트 이상에 해당하는 토지의 소유권을 확보할 것

주택법 제11조(주택조합의 설립 등) 제2항 규정의 일부이다. (   ) 안에 들어갈 용어를 쓰시오.

> 주택을 마련하기 위하여 주택조합설립인가를 받으려는 자는 다음 각 호의 요건을 모두 갖추어 야 한다.
> 1. 해당 주택건설대지의 80퍼센트 이상에 해당하는 토지의 사용권원을 확보할 것
> 2. 해당 주택건설대지의 15퍼센트 이상에 해당하는 토지의 (   )(을)를 확보할 것

정답: 소유권

② **조합원 모집**: 주택조합(리모델링주택조합은 제외한다)은 주택조합 설립인가를 받는 날 부터 사용검사를 받는 날까지 계속하여 다음의 요건을 모두 충족해야 한다(영 제20조 제5항).

> ㉠ 주택건설 예정세대수(설립인가 당시의 사업계획서상 주택건설 예정세대수를 말하되, 임대주택으로 건설·공급하는 세대수는 제외)의 50퍼센트 이상의 조합원으로 구성할 것. 다만, 사업계획승인 등의 과정에서 세대수가 변경된 경우에는 변경된 세대수를 기준 으로 한다.
> ㉡ 조합원은 20명 이상일 것

③ **제출서류**: 지역주택조합 또는 직장주택조합의 설립·변경 또는 해산의 인가를 받으려 는 자는 신청서에 다음의 구분에 따른 서류를 첨부하여 주택건설대지를 관할하는 특별 자치시장, 특별자치도지사, 시장·군수 또는 구청장에게 제출하여야 한다(영 제20조 제1항, 규칙 제7조 제3항).

> ㉠ 설립인가 신청: 다음의 구분에 따른 서류
> ⓐ 창립총회의 회의록
> ⓑ 조합장 선출동의서
> ⓒ 조합원 전원이 자필로 연명한 조합규약
> ⓓ 조합원 명부
> ⓔ 사업계획서
> ⓕ 해당 주택건설대지의 80퍼센트 이상에 해당하는 토지의 사용권원을 확보하였음을 증명하는 서류
> ⓖ 해당 주택건설대지의 15퍼센트 이상에 해당하는 토지의 소유권을 확보하였음을 증명 하는 서류
> ⓗ 고용자가 확인한 근무확인서(직장주택조합의 경우에 한한다)
> ⓘ 조합원 자격이 있는 자임을 확인하는 서류

       ⓛ 변경인가 신청: 변경의 내용을 증명하는 서류
       ⓒ 해산인가 신청: 조합해산의 결의를 위한 총회의 의결정족수에 해당하는 조합원의 동의를
          받은 정산서

(3) 인가기준과 공고

① **인가기준**: 시장 · 군수 · 구청장은 해당 주택건설대지에 대한 다음의 사항을 종합적으로 검토하여 주택조합의 설립인가 여부를 결정하여야 한다. 이 경우 그 주택건설대지가 이미 인가를 받은 다른 주택조합의 주택건설대지와 중복되지 아니하도록 하여야 한다(영 제20조 제7항).

       ㉠ 법 또는 관계 법령에 따른 건축기준 및 건축제한 등을 고려하여 해당 주택건설대지에 주택건설이 가능한지 여부
       ㉡ 국토의 계획 및 이용에 관한 법률에 따라 수립되었거나 해당 주택건설사업기간에 수립될 예정인 도시 · 군계획에 부합하는지 여부
       ㉢ 이미 수립되어 있는 토지이용계획
       ㉣ 주택건설대지 중 토지 사용에 관한 권원을 확보하지 못한 토지가 있는 경우 해당 토지의 위치가 사업계획서상의 사업시행에 지장을 줄 우려가 있는지 여부

② **공고**: 시장 · 군수 · 구청장은 주택조합의 설립인가를 한 경우 다음의 사항을 해당 지방자치단체의 인터넷 홈페이지에 공고해야 한다. 이 경우 공고한 내용이 변경된 경우에도 또한 같다(영 제20조 제8항).

       ㉠ 조합의 명칭 및 사무소의 소재지
       ㉡ 조합설립 인가일
       ㉢ 주택건설대지의 위치
       ㉣ 조합원수
       ㉤ 토지의 사용권원 또는 소유권을 확보한 면적과 비율

(4) 설립신고

① **신고대상 직장주택조합**: 국민주택을 공급받기 위하여 직장주택조합을 설립하려는 자는 관할 시장 · 군수 · 구청장에게 신고하여야 한다. 신고한 내용을 변경하거나 직장주택조합을 해산하려는 경우에도 또한 같다(법 제11조 제5항).

② **제출서류**: 국민주택을 공급받기 위한 직장주택조합을 설립하려는 자는 신고서에 다음의 서류를 첨부하여 관할 시장 · 군수 · 구청장에게 제출하여야 한다(영 제24조 제1항).

> ㉠ 조합원 명부
> ㉡ 조합원이 될 사람이 해당 직장에 근무하는 사람임을 증명할 수 있는 서류
> ㉢ 무주택자임을 증명하는 서류

더 알아보기 **주택의 단체공급(주택공급에 관한 규칙 제33조)**

1. 사업주체는 입주자 모집공고일 현재 설립신고된 조합원이 20인 이상인 직장주택조합에 국민주택 등의 건설량의 40퍼센트의 범위 안에서 우선적으로 단체공급할 수 있다. 다만, 순위별로 단체공급을 받음으로써 그 주택조합의 남은 조합원수가 20명에 미달하는 경우에는 주택의 단체공급 신청에 있어서 그 수를 제한하지 아니한다.
2. 단체공급받으려는 조합원은 주택청약종합저축에 가입하여 매월 약정납입일에 월납입금을 6회 이상 납입한 자이어야 한다.
3. 사업주체는 단체공급에 경쟁이 있으면 다음의 순위에 따라 공급하여야 한다. 다만, 같은 순위에서 경쟁이 있는 때에는 신청조합원의 평균저축총액이 많은 조합에 우선공급하여야 한다.
   • 제1순위: 해당 주택건설지로부터 4킬로미터 이내에 조합원의 직장이 있는 조합
   • 제2순위: 해당 주택건설지로부터 8킬로미터 이내에 조합원의 직장이 있는 조합
   • 제3순위: 해당 주택건설지역에 조합원의 직장이 있는 조합

(5) 조합원 자격

지역주택조합과 직장주택조합의 조합원이 될 수 있는 사람은 다음의 구분에 따른 사람으로 한다. 다만, 조합원의 사망으로 그 지위를 상속받는 자는 다음의 요건에도 불구하고 조합원이 될 수 있다(영 제21조 제1항).

① **지역주택조합의 조합원**: 다음의 요건을 모두 갖춘 사람

㉠ 조합설립인가 신청일(해당 주택건설대지가 투기과열지구 안에 있는 경우에는 조합설립인가 신청일 1년 전의 날을 말한다)부터 해당 조합주택의 입주가능일까지 **주택을 소유하는지에 대하여 다음의 어느 하나에 해당할 것**

> ⓐ 국토교통부령으로 정하는 기준에 따라 세대주를 포함한 세대원[세대주와 동일한 세대별 주민등록표에 등재되어 있지 아니한 세대주의 배우자 및 그 배우자와 동일한 세대를 이루고 있는 사람을 포함한다. 이하 ⓑ에서 같다] 전원이 주택을 소유하고 있지 아니한 세대의 세대주일 것
> ⓑ 국토교통부령으로 정하는 기준에 따라 세대주를 포함한 세대원 중 1명에 한정하여 주거전용면적 85제곱미터 이하의 주택 1채를 소유한 세대의 세대주일 것

㉡ **동일한 지역에서 6개월 이상 거주**: 조합설립인가 신청일 현재 같은 지역에 6개월 이상 계속하여 거주하여 온 사람일 것

ⓒ 본인 또는 본인과 같은 세대별 주민등록표에 등재되어 있지 않은 배우자가 같은 또는 다른 지역주택조합의 조합원이거나 직장주택조합의 조합원이 아닐 것

> **더 알아보기** **주택 소유의 판정기준(규칙 제8조 제1항·제2항)**
>
> 1. 상속·유증 또는 주택소유자와의 혼인으로 인하여 주택을 취득한 때에는 사업주체로부터 주택공급에 관한 규칙 제52조 제3항에 따라 부적격자로 통보받은 날부터 3개월 이내에 해당 주택을 처분한 경우에는 주택을 소유하지 아니한 것으로 볼 것
> 2. 위 1. 외의 경우에는 주택공급에 관한 규칙 제53조의 규정을 준용할 것
> 3. 주택공급에 관한 규칙 제2조 제7호에 따른 당첨자(당첨자의 지위를 승계한 자를 포함한다)의 지위(당첨된 주택에 입주할 수 있는 권리·자격 등을 보유하고 있는 경우)를 포함한다.

② **직장주택조합의 조합원**: 다음의 요건을 모두 갖춘 사람

ⓐ 무주택자이거나 85제곱미터 이하인 주택 1채를 소유한 자일 것: 직장주택조합의 조합원은 위 ①의 ㉠에 해당하는 자일 것. 다만, 국민주택을 공급받기 위한 직장주택조합의 경우에는 무주택자에 한한다.

ⓑ 동일한 지역의 동일한 직장에 근무하는 자일 것: 조합설립인가 신청일 현재 동일한 특별시·광역시·특별자치시·특별자치도·시 또는 군(광역시의 관할 구역에 있는 군을 제외한다) 안에 소재하는 동일한 국가기관·지방자치단체·법인에 근무하는 자이어야 한다.

ⓒ 본인 또는 본인과 같은 세대별 주민등록표에 등재되어 있지 않은 배우자가 같은 또는 다른 지역주택조합의 조합원이거나 직장주택조합의 조합원이 아닐 것

2. 리모델링주택조합

(1) 설립인가

① **인가**: 주택을 리모델링하기 위하여 주택조합을 설립하려는 경우에는 관할 시장·군수·구청장의 인가를 받아야 한다. 인가받은 내용을 변경하거나 주택조합을 해산하려는 경우에도 또한 같다(법 제11조 제1항).

② **법인격**: 리모델링주택조합의 법인격에 관하여는 도시 및 주거환경정비법 제38조를 준용한다. 이 경우 '정비사업조합'은 '리모델링주택조합'으로 본다(법 제76조 제5항).

(2) 설립요건

① **결의증명**: 주택을 리모델링하기 위하여 주택조합을 설립하려는 경우에는 다음의 구분에 따른 구분소유자와 의결권의 결의를 증명하는 서류를 첨부하여 관할 시장·군수·구청장의 인가를 받아야 한다(법 제11조 제3항).

> ㉠ 주택단지 전체를 리모델링하고자 하는 경우에는 주택단지 전체의 구분소유자와 의결권의
> 각 3분의 2 이상의 결의 및 각 동의 구분소유자와 의결권의 각 과반수의 결의
> ㉡ 동을 리모델링하고자 하는 경우 그 동의 구분소유자 및 의결권의 각 3분의 2 이상의
> 결의

② **제출서류:** 리모델링주택조합의 설립·변경 또는 해산의 인가를 받으려는 자는 신청서에 다음의 구분에 따른 서류를 첨부하여 해당 주택의 소재지를 관할하는 시장·군수·구청장에게 제출하여야 한다(영 제20조 제1항, 규칙 제7조 제3항).

> ㉠ **설립인가 신청**
> ⓐ 창립총회의 회의록
> ⓑ 조합장 선출동의서
> ⓒ 조합원 전원이 자필로 연명한 조합규약
> ⓓ 조합원 명부
> ⓔ 사업계획서
> ⓕ 구분소유자와 의결권의 결의를 증명하는 서류
> ⓖ 건축기준의 완화 적용이 결정된 경우에는 그 증명서류
> ⓗ 해당 주택이 사용검사일 또는 사용승인일부터 다음의 구분에 따른 기간이 지났음을 증명하는 서류
>   • 대수선인 리모델링: 10년
>   • 증축인 리모델링: 사용검사일 또는 건축법 제22조에 따른 사용승인일부터 15년 (15년 이상 20년 미만의 연수 중 시·도의 조례로 정하는 경우에는 그 연수)
> ㉡ **변경인가 신청:** 변경의 내용을 증명하는 서류
> ㉢ **해산인가 신청:** 조합원의 동의를 받은 정산서

(3) 조합원 자격

리모델링주택조합의 조합원은 다음의 어느 하나에 해당하는 사람. 이 경우 해당 공동주택, 복리시설 또는 ③에 따른 공동주택 외의 시설의 소유권이 여러 명의 공유(共有)에 속할 때에는 그 여러 명을 대표하는 1명을 조합원으로 본다(영 제21조 제1항).

> ① 사업계획승인을 받아 건설한 공동주택의 소유자
> ② 복리시설을 함께 리모델링하는 경우에는 해당 복리시설의 소유자
> ③ 건축허가를 받아 분양을 목적으로 건설한 공동주택의 소유자

(4) 매도청구

① 리모델링의 허가를 신청하기 위한 동의율(75퍼센트, 50퍼센트, 75퍼센트, 법 제66조 제2항)을 확보한 경우 리모델링 결의를 한 리모델링주택조합은 그 리모델링 결의에 찬성하지 아니하는 자의 주택 및 토지에 대하여 매도청구를 할 수 있다(법 제22조 제2항).

② 매도청구에 관하여는 집합건물의 소유 및 관리에 관한 법률 제48조를 준용한다. 이 경우 구분소유권 및 대지사용권은 주택건설사업 또는 리모델링사업의 매도청구의 대상이 되는 건축물 또는 토지의 소유권과 그 밖의 권리로 본다(법 제22조 제3항).

03 주택조합의 조합원 모집과 지위이전

1. 조합원의 모집

(1) 모집신고

① 지역주택조합 또는 직장주택조합의 설립인가를 받기 위하여 조합원을 모집하려는 자는 해당 주택건설대지의 50퍼센트 이상에 해당하는 토지의 사용권원을 확보하여 관할 시장·군수·구청장에게 신고하고 조합원을 모집하여야 한다. 조합설립인가를 받기 전에 신고한 내용을 변경하는 경우에도 또한 같다(법 제11조의3 제1항).

② 조합원 모집신고를 받은 시장·군수·구청장은 신고내용이 이 법에 적합한 경우에는 신고서가 접수된 날부터 15일 이내에 신고의 수리 여부를 결정·통지하여야 하며, 신고를 수리하는 경우에는 신고대장에 관련 내용을 적고, 신고인에게 신고필증을 발급하여야 한다(법 제11조의3 제4항, 규칙 제7조의3 제4항).

(2) 신고의 수리 거부

시장·군수·구청장은 다음의 어느 하나에 해당하는 경우에는 조합원 모집신고를 수리할 수 없다(법 제11조의3 제5항).

> ① 이미 신고된 사업대지와 전부 또는 일부가 중복되는 경우
> ② 이미 수립되었거나 수립 예정인 도시·군계획, 이미 수립된 토지이용계획 또는 이 법이나 관계 법령에 따른 건축기준 및 건축제한 등에 따라 해당 주택건설대지에 조합주택을 건설할 수 없는 경우
> ③ 조합업무를 대행할 수 있는 자가 아닌 자와 업무대행계약을 체결한 경우 등 신고내용이 법령에 위반되는 경우
> ④ 신고한 내용이 사실과 다른 경우

주택법 제11조의3(조합원 모집신고 및 공개모집) 제1항 규정이다. (　　)에 들어갈 아라비아 숫자를 쓰시오. 제27회

> 제11조 제1항에 따라 지역주택조합 또는 직장주택조합의 설립인가를 받기 위하여 조합원을 모집하려는 자는 해당 주택건설대지의 (　　)퍼센트 이상에 해당하는 토지의 사용권원을 확보하여 관할 시장·군수·구청장에게 신고하고, 공개모집의 방법으로 조합원을 모집하여야 한다. 조합설립인가를 받기 전에 신고한 내용을 변경하는 경우에도 또한 같다.

정답: 50

(3) 공개모집

① **공개모집:** 지역주택조합 또는 직장주택조합의 조합원을 모집하려는 자는 모집신고가 수리된 후 다음의 구분에 따른 공개모집의 방법으로 조합원을 모집하여야 한다(법 제11조의3 제1항, 규칙 제7조의4 제1항).

> ㉠ **지역주택조합:** 조합원 모집대상 지역의 주민이 널리 볼 수 있는 일간신문 및 관할 시·군·자치구의 인터넷 홈페이지에 게시
> ㉡ **직장주택조합:** 조합원 모집대상 직장의 인터넷 홈페이지에 게시

② **선착순모집:** 위 ①에도 불구하고 공개모집 이후 조합원의 사망·자격상실·탈퇴 등으로 인한 결원을 충원하거나 미달된 조합원을 재모집하는 경우에는 신고하지 아니하고 선착순의 방법으로 조합원을 모집할 수 있다(법 제11조의3 제2항).

(4) 조합원의 모집자격과 설명의무

① **발기인:** 조합원을 모집하려는 주택조합의 발기인은 다음의 자격기준을 갖추어야 한다(법 제11조의3 제6항, 영 제24조의3 제1항).

> ㉠ **지역주택조합 발기인인 경우:** 다음의 요건을 모두 갖출 것
> 　ⓐ 조합원 모집신고를 하는 날부터 해당 조합설립인가일까지 조합원과 같은 요건을 갖출 것(무주택자 또는 85제곱미터 이하의 주택을 1채 소유한 자)
> 　ⓑ 조합원 모집신고를 하는 날의 1년 전부터 해당 조합설립인가일까지 계속하여 같은 지역에 거주할 것
> ㉡ **직장주택조합 발기인인 경우:** 다음의 요건을 모두 갖출 것
> 　ⓐ 위 ㉠의 ⓐ에 해당할 것
> 　ⓑ 조합원 모집신고를 하는 날 현재 직장주택조합원과 같은 조건(같은 도시에서 같은 직장 등에 근무한 자)에 해당할 것

② **발기인의 권리와 의무:** 주택조합의 발기인은 조합원 모집신고를 하는 날 주택조합에 가입한 것으로 본다. 이 경우 주택조합의 발기인은 그 주택조합의 가입 신청자와 동일한 권리와 의무가 있다(법 제11조의3 제7항).

③ **가입계약서:** 조합원을 모집하는 자(조합원 모집업무를 대행하는 자를 포함한다. 이하 '모집주체'라 한다)와 주택조합 가입 신청자는 다음의 사항이 포함된 주택조합 가입에 관한 계약서를 작성하여야 한다(법 제11조의3 제8항, 영 제24조의3 제2항).

④ **설명의무:** 모집주체는 위 ③의 가입계약서 내용을 주택조합 가입 신청자가 이해할 수 있도록 설명하여야 하며, 설명한 내용을 주택조합 가입 신청자가 이해하였음을 조합 가입계약 설명확인서에 주택조합 가입 신청자의 확인을 받아 해당 신청자에게 교부하여야 하며, 그 사본을 5년간 보관하여야 한다(법 제11조의4, 규칙 제7조의5).

(5) 조합원 모집광고 등에 관한 준수사항

① **모집광고의 내용:** 모집주체가 주택조합의 조합원을 모집하기 위하여 광고를 하는 경우에는 다음의 내용이 포함되어야 한다(법 제11조의5 제1항, 영 제24조의4 제1항).

> ㉠ '지역주택조합 또는 직장주택조합의 조합원 모집을 위한 광고'라는 문구
> ㉡ 조합원의 자격기준에 관한 내용
> ㉢ 주택건설대지의 사용권원 및 소유권을 확보한 비율
> ㉣ 조합의 명칭 및 사무소의 소재지
> ㉤ 조합원 모집신고 수리일

② **금지행위:** 모집주체가 조합원 가입을 권유하거나 모집광고를 하는 경우에는 다음의 행위를 하여서는 아니 된다(법 제11조의5 제2항, 영 제24조의4 제2항).

> ㉠ 조합주택의 공급방식, 조합원의 자격기준 등을 충분히 설명하지 않거나 누락하여 제한 없이 조합에 가입하거나 주택을 공급받을 수 있는 것으로 오해하게 하는 행위
> ㉡ 법 제5조 제4항에 따른 협약이나 사업계획승인을 통하여 확정될 수 있는 사항을 사전에 확정된 것처럼 오해하게 하는 행위
> ㉢ 사업추진 과정에서 조합원이 부담해야 할 비용이 추가로 발생할 수 있음에도 주택 공급가격이 확정된 것으로 오해하게 하는 행위
> ㉣ 주택건설대지의 사용권원 및 소유권을 확보한 비율을 사실과 다르거나 불명확하게 제공하는 행위
> ㉤ 조합사업의 내용을 사실과 다르게 설명하거나 그 내용의 중요한 사실을 은폐 또는 축소하는 행위
> ㉥ 시공자가 선정되지 않았음에도 선정된 것으로 오해하게 하는 행위

(6) 조합 가입 철회 및 가입비 등의 반환

① **가입비 등의 예치:** 모집주체는 주택조합의 가입을 신청한 자가 주택조합 가입을 신청하는 때에 납부하여야 하는 일체의 금전(이하 '가입비 등'이라 한다)을 예치기관에 예치하도록 하여야 한다(법 제11조의6 제1항).

② **가입의 철회:** 주택조합의 가입을 신청한 자는 가입비 등을 예치한 날부터 30일 이내에 주택조합 가입에 관한 청약을 철회할 수 있으며, 청약 철회를 서면으로 하는 경우에는 청약 철회의 의사를 표시한 서면을 발송한 날에 그 효력이 발생한다(법 제11조의6 제2항·제3항).

③ **가입비 등의 반환:** 모집주체는 주택조합의 가입을 신청한 자가 청약 철회를 한 경우 청약 철회 의사가 도달한 날부터 7일 이내에 예치기관의 장에게 가입비 등의 반환을 요청하여야 하며, 예치기관의 장은 반환 요청을 받은 경우 요청일부터 10일 이내에 그 가입비 등을 예치한 자에게 반환하여야 한다(법 제11조의6 제4항·제5항).

④ **손해배상청구의 금지:** 모집주체는 주택조합의 가입을 신청한 자에게 청약 철회를 이유로 위약금 또는 손해배상을 청구할 수 없다(법 제11조의6 제6항).

⑤ 위 ②에 따른 기간 이내에는 법 제11조 제8항(탈퇴) 및 제9항(비용환급)을 적용하지 않는다(법 제11조의6 제7항).

⑥ 위 ①에 따라 예치된 가입비 등의 관리, 지급 및 반환과 ②에 따른 청약 철회의 절차 및 방법 등에 관한 사항은 대통령령으로 정한다(법 제11조의6 제8항).

기출예제

주택법령상 주택조합의 가입 철회 및 가입비 등의 반환에 관한 설명으로 옳지 않은 것은?

제27회

① 청약 철회를 서면으로 하는 경우에는 청약 철회의 의사를 표시한 서면을 발송한 다음 날에 그 효력이 발생한다.

② 주택조합의 가입을 신청한 자는 가입비 등을 예치한 날부터 30일 이내에 주택조합 가입에 관한 청약을 철회할 수 있다.

③ 모집주체는 가입비 등을 예치한 날부터 30일이 지난 경우 예치기관의 장에게 가입비 등의 지급을 요청할 수 있다.

④ 모집주체는 주택조합의 가입을 신청한 자가 청약 철회를 한 경우 청약 철회 의사가 도달한 날부터 7일 이내에 예치기관의 장에게 가입비 등의 반환을 요청하여야 한다.

⑤ 예치기관의 장은 정보통신망을 이용하여 가입비 등의 예치·지급 및 반환 등에 필요한 업무를 수행할 수 있다.

해설

주택조합의 가입을 신청한 자는 가입비 등을 예치한 날부터 30일 이내에 주택조합 가입에 관한 청약을 철회할 수 있다. 이 경우 청약 철회의 의사를 표시한 서면을 발송한 날에 그 효력이 발생한다. 정답: ①

2. 조합원의 탈퇴 등

(1) 조합원 지위 인정의 특례

주택조합의 조합원이 근무·질병치료·유학·결혼 등 부득이한 사유로 인하여 세대주 자격을 일시적으로 상실한 경우로서 시장·군수·구청장이 인정하는 경우에는 조합원 자격이 있는 것으로 본다(영 제21조 제2항).

(2) 조합원 자격의 확인

시장·군수 또는 구청장은 지역주택조합 또는 직장주택조합에 대하여 다음의 행위를 하고자 하는 경우에는 국토교통부장관에게 주택전산망에 의한 전산검색을 의뢰하여 조합원 자격의 해당 여부를 확인하여야 한다(규칙 제8조 제3항).

> ① 주택조합의 설립인가(조합원의 교체·신규가입에 따른 변경인가를 포함한다)를 하고자 하는 경우
> ② 해당 주택조합에 대한 사업계획을 승인하고자 하는 경우
> ③ 해당 조합주택에 대하여 사용검사 또는 임시사용승인을 하고자 하는 경우

(3) 조합원의 탈퇴

조합원은 조합규약으로 정하는 바에 따라 조합에 탈퇴 의사를 알리고 탈퇴할 수 있으며, 탈퇴한 조합원(제명된 조합원을 포함한다)은 조합규약으로 정하는 바에 따라 부담한 비용의 환급을 청구할 수 있다(법 제11조 제8항·제9항).

3. 조합원의 지위이전 등

(1) 지역·직장주택조합 조합원의 교체·신규가입 등

① 원칙: 금지

지역주택조합 또는 직장주택조합은 그 설립인가를 받은 후에는 해당 조합원을 교체하거나 신규로 가입하게 할 수 없다. 다만, 다음의 어느 하나에 해당하는 경우에는 예외로 한다(영 제22조 제1항).

② 조합원의 추가모집: 조합원수가 주택건설 예정세대수를 초과하지 아니하는 범위에서 시장·군수 또는 구청장으로부터 조합원 추가모집의 승인을 받은 경우에는 조합원을 추가로 모집할 수 있으며(영 제22조 제1항 제1호), 조합원 추가모집의 승인과 조합원 추가모집에 따른 주택조합의 변경인가신청은 사업계획승인 신청일까지 하여야 한다(영 제22조 제3항).

③ 조합원의 충원: 다음의 어느 하나의 사유에 해당하면 결원이 발생한 범위에서 충원할 수 있다(영 제22조 제1항 제2호).

> ㉠ 조합원의 사망
> ㉡ 사업계획승인 이후[지역주택조합 또는 직장주택조합이 해당 주택건설대지 전부의 소유
>   권을 확보하지 아니하고 사업계획승인을 받은 경우(지구단위계획이 필요한 사업에서 등
>   록사업자와 공동으로 사업하는 경우)에는 해당 주택건설대지 전부의 소유권(해당 주택건
>   설대지가 저당권 등의 목적으로 되어 있는 경우에는 그 저당권 등의 말소를 포함한다)을
>   확보한 이후를 말한다]에 입주자로 선정된 지위가 양도·증여 또는 판결 등으로 변경된
>   경우. 다만, 전매가 금지되는 경우는 제외한다.
> ㉢ 조합원의 탈퇴 등으로 조합원수가 주택건설 예정세대수의 50퍼센트 미만이 되는 경우
> ㉣ 조합원이 무자격자로 판명되어 자격을 상실하는 경우
> ㉤ 사업계획승인 과정 등에서 주택건설 예정세대수가 변경되어 조합원수가 변경된 세대수
>   의 50퍼센트 미만이 되는 경우

④ **자격판단:** 조합원으로 추가모집되는 자와 충원되는 자에 대한 조합원 자격요건 충족
   여부의 판단은 해당 주택조합의 설립인가 신청일을 기준으로 한다(영 제22조 제2항).

(2) 리모델링주택 조합원의 지위이전

리모델링주택조합 설립에 동의한 자로부터 건축물을 취득한 자는 리모델링주택조합 설
립에 동의한 것으로 본다(영 제20조 제6항).

04 주택조합의 운영 및 감독

1. 조합의 발기인과 임원의 업무 등

(1) 실적보고 및 관련 자료의 공개

① **실적보고서의 작성:** 주택조합의 발기인 또는 임원은 다음의 사항이 포함된 해당 주택
   조합의 실적보고서를 사업연도별로 분기마다 해당 분기의 말일부터 30일 이내에 작성
   하여야 한다(법 제12조 제1항, 규칙 제11조 제2항).

> ㉠ 조합원(주택조합 가입 신청자를 포함한다. 이하 이 조에서 같다) 모집현황
> ㉡ 해당 주택건설대지의 사용권원 및 소유권 확보현황
> ㉢ 그 밖에 조합원이 주택조합의 사업 추진현황을 파악하기 위하여 필요한 사항으로서 국토
>   교통부령으로 정하는 사항

② **서류 등의 공개:** 주택조합의 발기인 또는 임원은 주택조합사업의 시행에 관한 다음의
   서류 및 관련 자료가 작성되거나 변경된 후 15일 이내에 이를 조합원이 알 수 있도록
   인터넷과 그 밖의 방법을 병행하여 공개하여야 한다. 이 경우 사업시행계획서를 인터
   넷으로 공개할 때에는 조합원의 50퍼센트 이상의 동의를 얻어 그 개략적인 내용만 공
   개할 수 있다(법 제12조 제2항, 규칙 제11조 제3항).

> ⓐ 조합규약
> ⓑ 공동사업주체의 선정 및 주택조합이 공동사업주체인 등록사업자와 체결한 협약서
> ⓒ 설계자 등 용역업체 선정 계약서
> ⓓ 조합총회 및 이사회, 대의원회 등의 의사록
> ⓔ 사업시행계획서
> ⓕ 해당 주택조합사업의 시행에 관한 공문서
> ⓖ 회계감사보고서
> ⓗ 분기별 사업실적보고서
> ⓘ 법 제11조의2 제4항에 따라 업무대행자가 제출한 실적보고서
> ⓙ 그 밖에 주택조합사업 시행에 관하여 대통령령으로 정하는 서류 및 관련 자료

③ 보고: 주택조합의 발기인 또는 임원은 원활한 사업추진과 조합원의 권리 보호를 위하여 연간 자금운용계획 및 자금집행실적 등 국토교통부령으로 정하는 서류 및 자료를 매년 2월 말까지 정기적으로 시장 · 군수 · 구청장에게 제출하여야 한다(법 제12조 제4항, 규칙 제11조 제5항 · 제6항).

(2) 조합의 발기인과 임원의 자격

① 결격사유: 다음의 어느 하나에 해당하는 사람은 조합의 발기인 또는 임원이 될 수 없다(법 제13조 제1항).

> ⓐ 미성년자 · 피성년후견인 또는 피한정후견인
> ⓑ 파산선고를 받은 사람으로서 복권되지 아니한 사람
> ⓒ 금고 이상의 실형을 선고받고 그 집행이 종료(종료된 것으로 보는 경우를 포함한다)되거나 집행이 면제된 날부터 2년이 지나지 아니한 사람
> ⓓ 금고 이상의 형의 집행유예를 선고받고 그 유예기간 중에 있는 사람
> ⓔ 금고 이상의 형의 선고유예를 받고 그 선고유예기간 중에 있는 사람
> ⓕ 법원의 판결 또는 다른 법률에 따라 자격이 상실 또는 정지된 사람
> ⓖ 해당 주택조합의 공동사업주체인 등록사업자 또는 업무대행사의 임직원

② 당연퇴직 등: 주택조합의 발기인이나 임원이 다음의 어느 하나에 해당하는 경우 해당 발기인은 그 지위를 상실하고 해당 임원은 당연히 퇴직한다(법 제13조 제2항).

> ⓐ 주택조합의 발기인이 자격기준을 갖추지 아니하게 되거나 주택조합의 임원이 조합원 자격을 갖추지 아니하게 되는 경우
> ⓑ 주택조합의 발기인 또는 임원이 ①의 결격사유에 해당하게 되는 경우

③ **퇴직 등의 효과:** 위 ②에 따라 지위가 상실된 발기인 또는 퇴직된 임원이 지위상실이나 퇴직 전에 관여한 행위는 그 효력을 상실하지 아니한다(법 제13조 제3항).

④ **겸직 금지의 의무:** 주택조합의 임원은 다른 주택조합의 임원, 직원 또는 발기인을 겸할 수 없다(법 제13조 제4항).

2. 조합총회 등

(1) 총회의결사항

① **의결:** 총회의 의결을 하는 경우에는 조합원의 100분의 10 이상이 직접 출석하여야 한다. 다만, 창립총회 또는 다음의 사항을 의결하는 총회의 경우에는 조합원의 100분의 20 이상이 직접 출석하여, 총회에서 반드시 의결을 거쳐야 한다(영 제20조 제3항·제4항, 규칙 제7조 제6항).

> ㉠ 조합규약(영 제20조 제2항 각 호의 사항만 해당한다)의 변경
> ㉡ 자금의 차입과 그 방법·이자율 및 상환방법
> ㉢ 예산으로 정한 사항 외에 조합원에게 부담이 될 계약의 체결
> ㉣ 법 제11조의2 제1항에 따른 업무대행자(이하 '업무대행자'라 한다)의 선정·변경 및 업무대행계약의 체결
> ㉤ 시공자의 선정·변경 및 공사계약의 체결
> ㉥ 조합임원의 선임 및 해임
> ㉦ 사업비의 조합원별 분담명세 확정(리모델링주택조합의 경우 법 제68조 제4항에 따른 안전진단 결과에 따라 구조설계의 변경이 필요한 경우 발생할 수 있는 추가비용의 분담안을 포함한다) 및 변경
> ㉧ 사업비의 세부항목별 사용계획이 포함된 예산안
> ㉨ 조합해산의 결의 및 해산시의 회계보고

② **결과 통지:** 주택조합의 발기인은 총회의 결과를 총회 개최일부터 10일 이내에 서면으로 관할 시장·군수·구청장에게 통지해야 한다(규칙 제11조의2).

3. 조합에 대한 감독 등

(1) 주택조합에 대한 감독

① 국토교통부장관 또는 시장·군수·구청장은 주택공급에 관한 질서를 유지하기 위하여 특히 필요하다고 인정되는 경우에는 국가가 관리하고 있는 행정전산망 등을 이용하여 주택조합 구성원의 자격 등에 관하여 필요한 사항을 확인할 수 있다(법 제14조 제1항).

② 시장·군수·구청장은 주택조합 또는 주택조합의 구성원이 다음의 어느 하나에 해당하는 경우에는 주택조합의 설립인가를 취소할 수 있다(법 제14조 제2항).

> ㉠ 거짓이나 그 밖의 부정한 방법으로 설립인가를 받은 경우
> ㉡ 법 제94조에 따른 명령이나 처분을 위반한 경우

(2) 주택조합의 회계감사 등

① **회계감사**: 주택조합은 다음에 해당하는 날부터 30일 이내에 주식회사 등의 외부감사에 관한 법률에 따른 감사인의 회계감사를 받아야 하며, 그 감사결과를 관할 시장·군수·구청장에게 보고하고, 인터넷에 게재하는 등 해당 조합원이 열람할 수 있도록 하여야 한다(법 제14조의3 제1항, 영 제26조 제1항).

> ㉠ 주택조합 설립인가를 받은 날부터 3개월이 지난 날
> ㉡ 사업계획승인(사업계획승인 대상이 아닌 리모델링인 경우에는 허가를 말한다)을 받은 날부터 3개월이 지난 날
> ㉢ 사용검사 또는 임시사용승인을 신청한 날

② **감사단위**: 회계감사에 대해서는 주식회사 등의 외부감사에 관한 법률 제16조에 따른 회계감사기준을 적용한다(영 제26조 제2항).

③ **결과 통보**: 회계감사를 실시한 자는 회계감사 종료일부터 15일 이내에 회계감사 결과를 관할 시장·군수 또는 구청장과 해당 주택조합에 각각 통보하여야 한다(영 제26조 제3항).

④ **시정 요구**: 시장·군수 또는 구청장은 통보받은 회계감사 결과의 내용을 검토하여 위법 또는 부당한 사항이 있다고 인정되는 경우에는 그 내용을 해당 주택조합에 통보하고 시정을 요구할 수 있다(영 제26조 제4항).

⑤ **장부 등 보관**: 주택조합의 임원 또는 발기인은 계약금 등(해당 주택조합사업에 관한 모든 수입에 따른 금전을 말한다)의 징수·보관·예치·집행 등 모든 거래행위에 관하여 장부를 월별로 작성하여 그 증빙서류와 함께 법 제11조에 따른 주택조합 해산인가를 받는 날까지 보관하여야 한다. 이 경우 주택조합의 임원 또는 발기인은 전자문서 및 전자거래 기본법 제2조 제2호에 따른 정보처리시스템을 통하여 장부 및 증빙서류를 작성하거나 보관할 수 있다(법 제14조의3 제2항).

4. 조합의 사업종결 및 해산결정

(1) 주택조합의 사업 종결

① **총회의 개최**: 주택조합의 발기인은 조합원 모집신고가 수리된 날부터 2년이 되는 날까지 주택조합 설립인가를 받지 못하는 경우에 그 2년이 되는 날부터 3개월 이내에 주택조합 가입 신청자 전원으로 구성되는 총회를 개최하여 의결을 거쳐 주택조합 사업의 종결 여부를 결정하도록 하여야 한다(법 제14조의2 제2항, 영 제25조의2 제1항).

② **소집 통지**: ①에 따라 총회를 소집하려는 주택조합의 임원 또는 발기인은 총회가 개최되기 7일 전까지 회의 목적, 안건, 일시 및 장소를 정하여 조합원 또는 주택조합 가입 신청자에게 통지하여야 한다(법 제14조의2 제3항).

③ **종결 여부의 결정**: ①에 따라 개최하는 총회에서 주택조합 사업의 종결 여부를 결정하는 경우 다음의 사항을 포함해야 한다(영 제25조의2 제2항).

> ㉠ 사업의 종결시 회계보고에 관한 사항
> ㉡ 청산절차, 청산금의 징수·지급방법 및 지급절차 등 청산계획에 관한 사항

④ **총회의 의결**: ①에 따라 개최하는 총회는 주택조합 가입 신청자의 3분의 2 이상의 찬성으로 의결한다. 이 경우 주택조합 가입 신청자의 100분의 20 이상이 직접 출석해야 한다(영 제25조의2 제3항).

(2) 주택조합의 해산

① **총회의 개최**: 주택조합은 주택조합의 설립인가를 받은 날부터 3년이 되는 날까지 사업계획승인을 받지 못하는 경우에 그 3년이 되는 날부터 3개월 이내에 총회를 개최하여 의결을 거쳐 주택조합의 해산 여부를 결정하도록 하여야 한다(법 제14조의2 제1항, 영 제25조의2 제1항).

② **소집 통지**: ①에 따라 총회를 소집하려는 주택조합의 임원 또는 발기인은 총회가 개최되기 7일 전까지 회의 목적, 안건, 일시 및 장소를 정하여 조합원 또는 주택조합 가입 신청자에게 통지하여야 한다(법 제14조의2 제3항).

(3) 청산인의 선임

① **선임**: 주택조합의 해산을 결의하거나 사업의 종결을 결의하는 경우 청산인을 선임하여야 한다. 이 경우 주택조합의 임원 또는 발기인이 청산인이 된다. 다만, 조합규약 또는 총회의 결의로 달리 정한 경우에는 그에 따른다(법 제14조의2 제4항, 영 제25조의2 제4항).

② **통지**: 주택조합의 발기인은 총회의 결과(사업의 종결을 결의한 경우에는 청산계획을 포함한다)를 총회 개최일부터 10일 이내에 서면으로 관할 시장·군수·구청장에게 통지해야 한다(법 제14조의2 제5항, 규칙 제11조의2).

05 **주택조합의 사업**

1. 주택조합업무의 대행

(1) 업무대행자

주택조합(리모델링주택조합은 제외한다) 및 그 조합의 구성원(주택조합의 발기인을 포함한다)은 조합원 가입 알선 등 주택조합의 업무를 공동사업주체인 등록사업자 또는 다음의 어느 하나에 해당하는 자에게만 대행하도록 하여야 한다(법 제11조의2 제1항).

> ① 등록사업자
> ② 공인중개사법 제9조에 따른 중개업자
> ③ 도시 및 주거환경정비법 제102조에 따른 정비사업 전문관리업자
> ④ 부동산개발업의 관리 및 육성에 관한 법률 제4조에 따른 등록사업자
> ⑤ 자본시장과 금융투자업에 관한 법률에 따른 신탁업자
> ⑥ 그 밖에 다른 법률에 따라 등록한 자로서 대통령령으로 정하는 자

(2) 대행범위

① 업무대행자의 업무범위는 다음과 같다(법 제11조의2 제2항, 규칙 제7조의2 제1항).

> ㉠ 조합원 모집, 토지 확보, 조합설립인가 신청 등 조합설립을 위한 업무의 대행
> ㉡ 사업성 검토 및 사업계획서 작성업무의 대행
> ㉢ 설계자 및 시공자 선정에 관한 업무의 지원
> ㉣ 사업계획승인 신청 등 사업계획승인을 위한 업무의 대행
> ㉤ 계약금 등 자금의 보관 및 그와 관련된 업무의 대행
> ㉥ 총회 일시·장소 및 안건의 통지 등 총회 운영업무 지원
> ㉦ 조합임원 선거관리업무 지원

② 업무대행자는 업무의 실적보고서를 해당 분기의 말일부터 20일 이내에 주택조합 또는 주택조합의 발기인에게 제출해야 한다(법 제11조의2 제4항, 규칙 제7조의2 제2항).

(3) 대행자의 책임

① **자금 보관업무**: 주택조합 및 주택조합의 발기인은 (2)의 ① ㉤에 따른 업무 중 계약금 등 자금의 보관업무는 (1)의 ⑤에 따른 신탁업자에게 대행하도록 하여야 한다(법 제11조의2 제3항).
② **실적보고서의 제출**: 조합의 업무대행자는 사업연도별로 분기마다 해당 업무의 실적보고서를 작성하여 주택조합 또는 주택조합의 발기인에게 제출하여야 한다(법 제11조의2 제4항).

③ **신의성실의 의무**: 주택조합의 업무를 대행하는 자는 신의에 따라 성실하게 업무를 수행하여야 하고, 자신의 귀책사유로 주택조합(발기인을 포함한다) 또는 조합원(주택조합 가입 신청자를 포함한다)에게 손해를 입힌 경우에는 그 손해를 배상할 책임이 있다(법 제11조의2 제5항).

④ **표준업무대행계약서**: 국토교통부장관은 주택조합의 원활한 사업추진 및 조합원의 권리 보호를 위하여 공정거래위원회 위원장과 협의를 거쳐 표준업무대행계약서를 작성·보급할 수 있다(법 제11조의2 제6항).

2. 주택조합사업의 시공보증

주택조합이 공동사업주체인 시공자를 선정한 경우 그 시공자는 공사의 시공보증[시공자가 공사의 계약상 의무를 이행하지 못하거나 의무이행을 하지 아니할 경우 보증기관에서 시공자를 대신하여 계약이행의무를 부담하거나 총공사금액의 50퍼센트 이하에서 대통령령으로 정하는 비율(30퍼센트) 이상의 범위에서 주택조합이 정하는 금액을 납부할 것을 보증하는 것을 말한다]을 위하여 조합원에게 공급되는 주택에 대한 다음의 어느 하나의 보증서를 조합에 제출하여야 하고, 사업계획승인권자는 착공신고를 받는 경우에는 시공보증서 제출 여부를 확인하여야 한다(법 제14조의4 제1항·제2항, 영 제26조의2, 규칙 제11조의3).

① 건설산업기본법에 따른 공제조합이 발행한 보증서
② 주택도시기금법에 따른 주택도시보증공사가 발행한 보증서
③ 은행법 제2조 제2호에 따른 금융기관, 한국산업은행법에 따른 한국산업은행, 한국수출입은행법에 따른 한국수출입은행, 중소기업은행법에 따른 중소기업은행이 발행한 지급보증서
④ 보험업법에 따른 보험회사가 발행한 보증보험증권

3. 주택조합의 사업시행

(1) 사업계획승인 신청

주택조합은 설립인가를 받은 날부터 2년 이내에 사업계획승인(사업계획승인대상이 아닌 리모델링인 경우에는 리모델링 허가를 말한다)을 신청하여야 한다(영 제23조 제1항).

(2) 대지의 확보

주택조합은 등록사업자가 소유하는 공공택지를 주택건설대지로 사용해서는 아니 된다. 다만, 경매 또는 공매를 통하여 취득한 공공택지는 예외로 한다(영 제23조 제2항).

(3) 조합의 주택공급

주택조합(리모델링주택조합은 제외한다)은 그 구성원을 위하여 건설하는 주택을 그 조합원에게 우선공급할 수 있으며, 설립신고대상 직장주택조합에 대하여는 사업주체가 국민주택을 그 직장주택조합원에게 우선공급할 수 있다(법 제11조 제6항).

(4) 손해배상책임

주택조합과 등록사업자가 공동으로 사업을 시행하면서 시공할 경우 등록사업자는 시공자로서의 책임뿐만 아니라 자신의 귀책사유로 사업 추진이 불가능하게 되거나 지연됨으로 인하여 조합원에게 입힌 손해를 배상할 책임이 있다(법 제11조 제4항).

제3절 사업계획승인

01 사업계획승인대상

(1) 원칙

다음의 주택건설사업 또는 대지조성사업을 시행하려는 자는 사업계획승인신청서에 주택과 그 부대시설 및 복리시설의 배치도, 대지조성공사 설계도서 등 대통령령으로 정하는 서류를 첨부하여 사업계획승인권자에게 제출하고 사업계획승인을 받아야 한다(법 제15조 제1항, 영 제27조 제1항).

① 주택건설사업의 경우

> ㉠ 단독주택: 30호. 다만, 다음의 어느 하나에 해당하는 주택인 경우에는 50호로 한다.
>   ⓐ 공공택지를 조성하는 공공사업에 따라 조성된 용지를 개별 필지로 구분하지 아니하고 일단의 토지로 공급받아 해당 토지에 건설하는 단독주택
>   ⓑ 한옥
> ㉡ 공동주택: 30세대(리모델링의 경우에는 증가하는 세대수를 기준으로 한다). 다만, 다음의 어느 하나에 해당하는 공동주택을 건설(리모델링의 경우는 제외한다)하는 경우에는 50세대로 한다.
>   ⓐ 다음의 요건을 모두 갖춘 단지형 연립주택 또는 단지형 다세대주택
>   • 세대별 주거전용 면적이 30제곱미터 이상일 것
>   • 해당 주택단지 진입도로의 폭이 6미터 이상일 것. 다만, 해당 주택단지의 진입도로가 두 개 이상인 경우에는 다음의 요건을 모두 갖추면 진입도로의 폭을 4미터 이상 6미터 미만으로 할 수 있다.
>   − 두 개의 진입도로 폭의 합계가 10미터 이상일 것
>   − 폭 4미터 이상 6미터 미만인 진입도로는 영 제5조에 따른 도로와 통행거리가 200미터 이내일 것
>   ⓑ 도시 및 주거환경정비법에 따른 정비구역에서 주거환경개선사업[같은 법 제23조 제1항 제1호에 해당하는 방법(스스로 개량하는 방법)으로 시행하는 경우만 해당한다]을 시행하기 위하여 건설하는 공동주택. 다만, 같은 법 시행령 제8조 제3항 제6호에 따른 정비기반시설의 설치계획대로 정비기반시설 설치가 이루어지지 아니한 지역으로서 시장·군수·구청장이 지정·고시하는 지역에서 건설하는 공동주택은 제외한다.

② 대지조성사업의 경우: 면적 1만제곱미터 이상의 대지조성사업을 시행하려는 경우

(2) 예외

주택 외의 시설과 주택을 동일 건축물로 건축하는 경우 등 다음에 해당하는 경우에는 사업계획승인대상에서 제외한다(법 제15조 제1항 단서, 영 제27조 제4항).

① 다음의 요건을 모두 갖춘 사업의 경우
  ㉠ 준주거지역 또는 상업지역(유통상업지역은 제외한다)에서 300세대 미만의 주택과 주택 외의 시설을 동일 건축물로 건축하는 경우일 것
  ㉡ 해당 건축물의 연면적에서 주택의 연면적이 차지하는 비율이 90퍼센트 미만일 것
② 농어촌정비법 제2조 제10호에 따른 생활환경정비사업 중 농업협동조합법 제2조 제4호에 따른 농업협동조합중앙회가 조달하는 자금으로 시행하는 사업인 경우

02 사업계획승인권자

사업계획승인대상 주택건설사업 또는 대지조성사업을 시행하고자 하는 자는 다음의 구분에 따른 사업계획승인권자에게 사업계획의 승인을 받아야 하며(법 제15조 제1항, 영 제27조 제3항), 사업계획승인을 받으려는 자는 사업계획승인신청서에 주택과 그 부대시설 및 복리시설의 배치도, 대지조성공사 설계도서 등 대통령령으로 정하는 서류를 첨부하여 사업계획승인권자에게 제출하여야 한다(법 제15조 제2항, 영 제27조 제3항·제6항).

① 주택건설사업 또는 대지조성사업으로서 해당 대지면적이 10만제곱미터 이상인 경우: 특별시장·광역시장·특별자치시장·도지사 또는 특별자치도지사(이하 '시·도지사'라 한다) 또는 지방자치법 제198조에 따라 서울특별시·광역시 및 특별자치시를 제외한 인구 50만 이상의 대도시의 시장
② 주택건설사업 또는 대지조성사업으로서 해당 대지면적이 10만제곱미터 미만인 경우: 특별시장·광역시장·특별자치시장·특별자치도지사 또는 시장·군수
③ 국토교통부장관이 사업계획승인권자인 경우
  ㉠ 국가·한국토지주택공사가 시행하는 경우
  ㉡ 330만제곱미터 이상의 규모로 택지개발촉진법에 따른 택지개발사업 또는 도시개발법에 따른 도시개발사업을 추진하는 지역 중 국토교통부장관이 지정·고시하는 지역에서 주택건설사업을 시행하는 경우
  ㉢ 수도권·광역시 지역의 긴급한 주택난 해소가 필요하거나 지역균형개발 또는 광역적 차원의 조정이 필요하여 국토교통부장관이 지정·고시하는 지역 안에서 주택건설사업을 시행하는 경우
  ㉣ 국가, 지방자치단체, 한국토지주택공사, 지방공사가 단독 또는 공동으로 총지분의 50퍼센트를 초과하여 출자한 위탁관리 부동산투자회사(해당 부동산투자회사의 자산관리회사가 한국토지주택공사인 경우만 해당한다)가 공공주택 특별법 제2조 제3호 나목에 따른 공공주택건설사업을 시행하는 경우

사업계획승인의 성격(서울고법 1998.9.24, 97구12015)

주택건설촉진법상의 주택건설사업계획승인처분은 수익적 처분으로서 법에 저촉되는 바가 없다고 하더라도 공익상의 필요를 참작하여 그 신청을 거부할 수 있는 재량행위이며 엄격한 의미의 기속행위가 아니다.

03 분할승인

(1) 공구별 분할시행

주택건설사업을 시행하려는 자는 해당 주택단지를 공구별로 분할하여 주택을 건설·공급할 수 있으며, 주택건설규모를 산정함에 있어 다음의 구분에 따른 동일한 사업주체가 일단의 주택단지를 수개의 구역으로 분할하여 주택을 건설하려는 경우에는 전체 구역의 주택건설호수 또는 세대수의 규모를 주택건설규모로 산정한다. 이 경우 주택의 건설기준, 부대시설 및 복리시설의 설치기준과 대지의 조성기준의 적용에 있어서는 전체 구역을 하나의 대지로 본다(법 제15조 제3항, 영 제27조 제5항).

> ① 사업주체가 개인인 경우: 개인인 사업주체와 그의 배우자 또는 직계존비속
> ② 사업주체가 법인인 경우: 법인인 사업주체와 그 법인의 임원

(2) 분할시행대상 주택단지

전체 세대수가 600세대 이상인 주택단지는 공구별로 분할하여 주택을 건설·공급할 수 있으며, 주택단지의 공구별 분할 건설·공급의 절차와 방법에 관한 세부기준은 국토교통부장관이 정하여 고시한다(영 제28조).

04 사업계획승인의 요건 등

(1) 원칙과 예외

주택건설사업계획의 승인을 받으려는 자는 해당 주택건설대지의 소유권을 확보하여야 한다. 다만, 다음의 어느 하나에 해당하는 경우에는 그러하지 아니하다(법 제21조 제1항).

> ① 국토의 계획 및 이용에 관한 법률에 따른 지구단위계획의 결정이 필요한 주택건설사업의 해당 대지면적의 80퍼센트 이상을 사용할 수 있는 권원[등록사업자와 공동으로 사업을 시행하는 주택조합(리모델링주택조합은 제외한다)의 경우에는 95퍼센트 이상의 소유권을 말한다]을 확보하고(국공유지가 포함된 경우에는 해당 토지의 관리청이 해당 토지를 사업주체에게 매각하거나 양여할 것을 확인한 서류를 사업계획승인권자에게 제출하는 경우에는 확보한 것으로 본다), 확보하지 못한 대지가 매도청구대상이 되는 대지에 해당하는 경우

② 사업주체가 주택건설대지의 소유권을 확보하지 못하였으나 그 대지를 사용할 수 있는 권원을 확보한 경우
③ 국가 · 지방자치단체 · 한국토지주택공사 · 지방공사가 주택건설사업을 하는 경우
④ 리모델링 결의를 한 리모델링주택조합이 매도청구를 하는 경우

(2) 계획과 승인의 기준

① **부대시설 · 복리시설 설치계획**: 사업계획은 쾌적하고 문화적인 주거생활을 하는 데에 적합하도록 수립되어야 하며, 그 사업계획에는 부대시설 및 복리시설의 설치에 관한 계획 등이 포함되어야 한다(법 제15조 제5항).
② **기반시설 기부채납**: 사업계획승인권자는 사업계획을 승인할 때 사업주체가 제출하는 사업계획에 해당 주택건설사업 또는 대지조성사업과 직접적으로 관련이 없거나 과도한 기반시설의 기부채납을 요구하여서는 아니 된다(법 제17조 제1항).

05 매도청구

(1) 매도청구의 대상

지구단위계획의 결정이 필요한 주택건설사업의 해당 대지면적의 80퍼센트 이상을 사용할 수 있는 권원을 확보하여 사업계획승인을 받은 사업주체는 다음에 따라 해당 주택건설대지 중 사용할 수 있는 권원을 확보하지 못한 대지(건축물을 포함한다)의 소유자에게 그 대지를 시가로 매도할 것을 청구할 수 있다. 이 경우 매도청구대상이 되는 대지의 소유자와 매도청구를 하기 전에 3개월 이상 협의를 하여야 한다(법 제22조 제1항).

① **주택건설대지면적 중** 95퍼센트 이상에 대하여 사용권원을 확보한 경우: 사용권원을 확보하지 못한 대지의 모든 소유자에게 매도청구 가능
② **① 외의 경우**: 사용권원을 확보하지 못한 대지의 소유자 중 지구단위계획구역 결정고시일 10년 이전에 해당 대지의 소유권을 취득하여 계속 보유하고 있는 자(대지의 소유기간을 산정할 때 대지소유자가 직계존속 · 직계비속 및 배우자로부터 상속받아 소유권을 취득한 경우에는 피상속인의 소유기간을 합산한다)를 제외한 소유자에게 매도청구 가능

(2) 소유자의 확인이 곤란한 대지의 경우

① **공고**: 지구단위계획의 결정이 필요한 주택건설사업에서 사업계획승인을 받은 사업주체는 해당 주택건설대지 중 사용할 수 있는 권원을 확보하지 못한 대지의 소유자가 있는 곳을 확인하기가 현저히 곤란한 경우에는 전국적으로 배포되는 둘 이상의 일간신문에 두 차례 이상 공고하고, 공고한 날부터 30일 이상이 지났을 때에는 매도청구대상의 대지로 본다(법 제23조 제1항).

② 공탁: 사업주체는 매도청구대상 대지의 감정평가액에 해당하는 금액을 법원에 공탁하고 주택건설사업을 시행할 수 있으며, 이에 따른 대지의 감정평가액은 사업계획승인권자가 추천하는 감정평가 및 감정평가사에 관한 법률에 따른 감정평가법인 등 2인 이상이 평가한 금액을 산술평균하여 산정한다(법 제23조 제2항·제3항).

(3) 준용

매도청구에 관하여는 집합건물의 소유 및 관리에 관한 법률을 준용한다. 이 경우 구분소유권 및 대지사용권은 주택건설사업 또는 리모델링사업의 매도청구의 대상이 되는 건축물 또는 토지의 소유권과 그 밖의 권리로 본다(법 제22조 제3항).

06 사업계획승인의 절차

(1) 승인결정

사업계획승인권자는 사업계획승인의 신청을 받았을 때에는 정당한 사유가 없으면 신청받은 날부터 60일 이내에 사업주체에게 승인 여부를 통보하여야 하며, 국토교통부장관은 주택건설사업계획의 승인을 한 때에는 지체 없이 관할 시·도지사에게 그 내용을 통보하여야 한다(영 제30조 제1항·제2항).

> **판례** 승인기간의 성격(대판 1996.8.20, 95누10877)
>
> 주택건설사업계획의 승인 여부는 정당한 사유가 없는 한 신청수리 후 60일 내에 결정하도록 되어 있지만, 그 규정은 가능한 한 조속히 그 승인사무를 처리하도록 정한 훈시규정에 불과할 뿐 강행규정이나 효력규정이라고 할 수는 없으므로, 행정청이 그 기간을 경과하여 주택건설사업승인 거부처분을 하였다고 해서 그 거부처분이 위법하다고 할 수는 없다. 따라서 주택건설사업계획승인신청을 수리한 행정청이 그 처리기간을 넘겨 나중에 결정·고시된 도시계획(최고고도지구)을 이유로 승인을 거부하였더라도, 정당한 이유 없이 처리를 지연한 것이 아니어서 적법하다.

(2) 고시 · 송부

사업계획승인권자는 사업계획을 승인하였을 때에는 다음의 사항을 포함하여 고시하고 국토교통부장관은 관할 시장·군수 또는 구청장에게, 특별시장·광역시장 또는 도지사는 관할 시장·군수 또는 구청장에게 각각 사업계획승인서 및 관계 서류의 사본을 지체 없이 송부하여야 한다(법 제15조 제6항, 영 제30조 제5항).

① 사업의 명칭
② 사업주체의 성명·주소(법인인 경우에는 법인의 명칭·소재지와 대표자의 성명·주소)
③ 사업시행지의 위치·면적 및 건설주택의 규모
④ 사업시행기간
⑤ 법 제19조 제1항에 따라 고시가 의제되는 사항

(3) 변경승인

① 승인받은 사업계획을 변경하려면 사업계획승인권자로부터 변경승인을 받아야 한다. 다만, 국토교통부령으로 정하는 다음의 경미한 사항을 변경하는 경우에는 그러하지 아니하다. 다만, ㉠·㉢ 및 ㉦은 사업주체가 국가·지방자치단체·한국토지주택공사 또는 지방공사인 경우로 한정한다(법 제15조 제4항, 규칙 제13조 제5항).

> ㉠ 총사업비의 20퍼센트의 범위에서의 사업비 증감. 다만, 국민주택을 건설하는 경우로서 지원받는 주택도시기금이 증가되는 경우는 제외한다.
> ㉡ 건축물이 아닌 부대시설 및 복리시설의 설치기준 변경으로서 다음의 요건을 모두 갖춘 변경
>   ⓐ 해당 부대시설 및 복리시설 설치기준 이상으로의 변경일 것
>   ⓑ 위치변경(건축설비의 위치변경은 제외한다)이 발생하지 아니하는 변경일 것
> ㉢ 대지면적의 20퍼센트의 범위에서의 면적 증감. 다만, 지구경계의 변경을 수반하거나 토지 또는 토지에 정착된 물건 및 그 토지나 물건에 관한 소유권 외의 권리를 수용할 필요를 발생시키는 경우는 제외한다.
> ㉣ 세대수 또는 세대당 주택공급면적을 변경하지 아니하는 범위에서의 내부구조의 위치나 면적 변경(사업계획승인을 받은 면적의 10퍼센트 범위에서의 변경으로 한정한다)
> ㉤ 내장 재료 및 외장 재료의 변경(재료의 품질이 사업계획승인을 받을 당시의 재료와 같거나 그 이상인 경우로 한정한다)
> ㉥ 사업계획승인의 조건으로 부과된 사항을 이행함에 따라 발생되는 변경. 다만, 공공시설 설치계획의 변경이 필요한 경우는 제외한다.
> ㉦ 건축물의 설계와 용도별 위치를 변경하지 아니하는 범위에서의 건축물의 배치조정 및 주택단지 안 도로의 선형변경
> ㉧ 건축법 시행령 제12조 제3항 각 호의 어느 하나에 해당하는 사항(일괄변경신고)의 변경

② 사업계획승인권자는 주택도시기금을 지원받은 사업주체에게 사업계획의 변경승인을 하였을 때에는 그 내용을 해당 사업에 대한 융자를 취급한 기금수탁자에게 통지하여야 하며, 주택도시기금을 지원받은 사업주체가 사업주체를 변경하기 위하여 사업계획의 변경승인을 신청하는 경우에는 기금수탁자로부터 사업주체 변경에 관한 동의서를 받아 첨부하여야 한다(영 제30조 제3항·제4항).

07 사업계획승인의 효과

(1) 공사의 착수

① **착수의 의무**: 사업계획승인을 받은 사업주체는 승인받은 사업계획대로 사업을 시행하여야 하고, 다음의 구분에 따라 공사를 시작하여야 한다(법 제16조 제1항 본문).

> ㉠ **사업계획승인을 받은 경우**: 승인받은 날부터 5년 이내
> ㉡ **공구별 분할사업계획승인을 받은 경우**
> ⓐ **최초로 공사를 진행하는 공구**: 승인받은 날부터 5년 이내
> ⓑ **최초로 공사를 진행하는 공구 외의 공구**: 해당 주택단지에 대한 최초 착공신고일부터 2년 이내

② **착수의 신고**: 사업계획승인을 받은 사업주체가 공사를 시작하려는 경우에는 국토교통부령으로 정하는 바에 따라 사업계획승인권자에게 신고하여야 하며, 사업계획승인권자는 신고를 받은 날부터 20일 이내에 신고수리 여부를 신고인에게 통지하여야 한다(법 제16조 제2항·제3항).

③ **매도청구대상 대지에서의 착수기준**: 사업주체가 ②에 따라 신고한 후 공사를 시작하려는 경우 사업계획승인을 받은 해당 주택건설대지에 매도청구대상이 되는 대지가 포함되어 있으면 해당 매도청구대상 대지에 대하여는 그 대지의 소유자가 매도에 대하여 합의를 하거나 매도청구에 관한 법원의 승소판결(확정되지 아니한 판결을 포함한다)을 받은 경우에만 공사를 시작할 수 있다(법 제21조 제2항).

④ **착수기간의 연장**: 사업계획승인권자는 다음의 정당한 사유가 있다고 인정하는 경우에는 사업주체의 신청을 받아 그 사유가 없어진 날부터 1년의 범위에서 위 ①의 ㉠과 ㉡의 ⓐ에 따른 공사의 착수기간을 연장할 수 있다(법 제16조 제1항 단서, 영 제31조).

> ㉠ 매장문화재 보호 및 조사에 관한 법률 제11조에 따라 문화재청장의 매장문화재 발굴허가를 받은 경우
> ㉡ 해당 사업시행지에 대한 소유권 분쟁(소송절차가 진행 중인 경우에 한한다)으로 인하여 공사착수가 지연되는 경우
> ㉢ 사업계획승인의 조건으로 부과된 사항을 이행함에 따라 공사착수가 지연되는 경우
> ㉣ 천재지변 또는 사업주체에게 책임이 없는 불가항력적인 사유로 인하여 공사착수가 지연되는 경우
> ㉤ 공공택지의 개발·조성을 위한 계획에 포함된 기반시설의 설치 지연으로 공사착수가 지연되는 경우
> ㉥ 해당 지역의 미분양주택 증가 등으로 사업성이 악화될 우려가 있거나 주택건설경기가 침체되는 등 공사에 착수하지 못할 부득이한 사유가 있다고 사업계획승인권자가 인정하는 경우

(2) 인·허가 등의 의제

① 의제사항: 사업계획승인권자가 법 제15조에 따라 사업계획을 승인 또는 변경승인할 때 다음의 허가·인가·결정·승인 또는 신고 등(이하 '인·허가 등'이라 한다)에 관하여 ②의 ㉡에 따른 관계 행정기관의 장과 협의한 사항에 대하여는 해당 인·허가 등을 받은 것으로 보며, 사업계획의 승인고시가 있은 때에는 다음의 관계 법률에 따른 고시가 있은 것으로 본다(법 제19조 제1항).

사업계획승인에 따른 인·허가 의제사항

1. 건축법 제11조에 따른 건축허가, 같은 법 제14조에 따른 건축신고, 같은 법 제16조에 따른 허가·신고사항의 변경 및 같은 법 제20조에 따른 가설건축물의 건축허가 또는 신고
2. 공간정보의 구축 및 관리 등에 관한 법률 제15조 제3항에 따른 지도 등의 간행 심사
3. 공유수면 관리 및 매립에 관한 법률 제8조에 따른 공유수면의 점용·사용허가, 같은 법 제10조에 따른 협의 또는 승인, 같은 법 제17조에 따른 점용·사용 실시계획의 승인 또는 신고, 같은 법 제28조에 따른 공유수면의 매립면허, 같은 법 제35조에 따른 국가 등이 시행하는 매립의 협의 또는 승인 및 같은 법 제38조에 따른 공유수면매립실시계획의 승인
4. 광업법 제42조에 따른 채굴계획의 인가
5. 국토의 계획 및 이용에 관한 법률 제30조에 따른 도시·군관리계획(같은 법 제2조 제4호 다목의 계획 및 마목의 계획 중 같은 법 제51조 제1항에 따른 지구단위계획구역 및 지구단위계획만 해당한다)의 결정, 같은 법 제56조에 따른 개발행위의 허가, 같은 법 제86조에 따른 도시·군계획시설사업 시행자의 지정, 같은 법 제88조에 따른 실시계획의 인가, 같은 법 제118조에 따른 토지거래계약의 허가 및 같은 법 제130조 제2항에 따른 타인의 토지에의 출입허가
6. 농어촌정비법 제23조에 따른 농업생산기반시설의 사용허가
7. 농지법 제34조에 따른 농지전용(農地轉用)의 허가 또는 협의
8. 도로법 제36조에 따른 도로공사 시행의 허가, 같은 법 제61조에 따른 도로점용의 허가
9. 도시개발법 제3조에 따른 도시개발구역의 지정, 같은 법 제11조에 따른 시행자의 지정, 같은 법 제17조에 따른 실시계획의 인가 및 같은 법 제64조 제2항에 따른 타인의 토지에의 출입허가
10. 사도법 제4조에 따른 사도(私道)의 개설허가
11. 사방사업법 제14조에 따른 토지의 형질변경 등의 허가, 같은 법 제20조에 따른 사방지(砂防地) 지정의 해제
12. 산림보호법 제9조 제1항 및 같은 조 제2항 제1호·제2호에 따른 산림보호구역에서의 행위의 허가·신고. 다만, 산림자원의 조성 및 관리에 관한 법률에 따른 채종림 및 시험림과 산림보호법에 따른 산림유전자원보호구역의 경우는 제외한다.

---

13. 산림자원의 조성 및 관리에 관한 법률 제36조 제1항·제4항에 따른 입목벌채 등의 허가·신고. 다만, 같은 법에 따른 채종림 및 시험림과 산림보호법에 따른 산림유전 자원보호구역의 경우는 제외한다.

14. 산지관리법 제14조·제15조에 따른 산지전용허가 및 산지전용신고, 같은 법 제15조 의2에 따른 산지일시사용 허가·신고

15. 소하천정비법 제10조에 따른 소하천공사 시행의 허가, 같은 법 제14조에 따른 소하 천 점용 등의 허가 또는 신고

16. 수도법 제17조 또는 제49조에 따른 수도사업의 인가, 같은 법 제52조에 따른 전용상 수도 설치의 인가

17. 연안관리법 제25조에 따른 연안정비사업실시계획의 승인

18. 유통산업발전법 제8조에 따른 대규모점포의 등록

19. 장사 등에 관한 법률 제27조 제1항에 따른 무연분묘의 개장 허가

20. 지하수법 제7조 또는 제8조에 따른 지하수 개발·이용의 허가 또는 신고

21. 초지법 제23조에 따른 초지전용의 허가

22. 택지개발촉진법 제6조에 따른 행위의 허가

23. 하수도법 제16조에 따른 공공하수도에 관한 공사 시행의 허가, 같은 법 제34조 제2 항에 따른 개인하수처리시설의 설치신고

24. 하천법 제30조에 따른 하천공사 시행의 허가 및 하천공사실시계획의 인가, 같은 법 제33조에 따른 하천의 점용허가 및 같은 법 제50조에 따른 하천수의 사용허가

25. 부동산 거래신고 등에 관한 법률 제11조에 따른 토지거래계약에 관한 허가

② 의제절차

　㉠ **서류의 제출**: 인·허가 등의 의제를 받으려는 자는 사업계획승인을 신청할 때에 해 당 법률에서 정하는 관계 서류를 함께 제출하여야 한다(법 제19조 제2항).

　㉡ **관계 행정기관의 장과의 협의**: 사업계획승인권자는 사업계획을 승인하려는 경우 그 사업계획에 의제사항에 해당하는 사항이 포함되어 있는 경우에는 해당 법률에서 정하는 관계 서류를 미리 관계 행정기관의 장에게 제출한 후 협의하여야 한다. 이 경우 협의요청을 받은 관계 행정기관의 장은 해당 법률에서 규정한 인·허가 등의 기준을 위반하여 협의에 응하여서는 안 되고, 사업계획승인권자의 협의요청을 받 은 날부터 20일 이내에 의견을 제출하여야 하며, 그 기간 내에 의견을 제출하지 아니한 경우에는 협의가 완료된 것으로 본다(법 제19조 제3항·제4항).

③ **수수료 등 면제**: 50퍼센트 이상의 국민주택을 건설하는 사업주체가 ①에 따라 다른 법 률에 따른 인·허가 등을 받은 것으로 보는 경우에는 관계 법률에 따라 부과되는 수수 료 등을 면제한다(법 제19조 제5항, 영 제36조).

08 사업계획승인의 취소

(1) 취소사유

사업계획승인권자는 다음의 어느 하나에 해당하는 경우 그 사업계획의 승인을 취소(② 또는 ③에 해당하는 경우 주택분양보증이 된 사업은 제외한다)할 수 있다(법 제16조 제4항).

① 사업주체가 사업계획승인을 받은 후 5년 이내에 공사를 시작하지 아니한 경우(단, 분할승인의 경우 최초공구 외의 공구의 경우는 제외한다)
② 사업주체가 경매 · 공매 등으로 인하여 대지소유권을 상실한 경우
③ 사업주체의 부도 · 파산 등으로 공사의 완료가 불가능한 경우

(2) 취소절차

사업계획승인권자는 (1)의 ② 또는 ③의 사유로 사업계획승인을 취소하고자 하는 경우에는 사업주체에게 사업계획 이행, 사업비 조달계획 등 다음의 내용이 포함된 사업정상화계획을 제출받아 계획의 타당성을 심사한 후 취소 여부를 결정하여야 한다(법 제16조 제5항, 영 제32조).

① 공사일정, 준공예정일 등 사업계획의 이행에 관한 계획
② 사업비 확보 현황 및 방법 등이 포함된 사업비 조달계획
③ 해당 사업과 관련된 소송 등 분쟁사항의 처리계획

(3) 사업주체의 변경

사업계획승인권자는 취소사유에 해당하는 경우에도 해당 사업의 시공자 등이 해당 주택건설대지의 소유권 등을 확보하고 사업주체 변경을 위하여 사업계획의 변경승인을 요청하는 경우에 이를 승인할 수 있다(법 제16조 제6항).

09 사업계획의 통합심의

(1) 통합심의사항

사업계획승인권자는 필요하다고 인정하는 경우에 도시계획 · 건축 · 교통 등 사업계획승인과 관련된 다음의 사항을 통합하여 검토 · 심의할 수 있다. 이 경우 사업계획승인을 받으려는 자가 통합심의를 신청하는 경우 통합심의를 하여야 한다. 다만, 사업계획의 특성 및 규모 등으로 인하여 다음 중 어느 하나에 대하여 통합심의가 적절하지 아니하다고 인정하는 경우에는 그 사항을 제외하고 통합심의를 할 수 있다(법 제18조 제1항 · 제2항).

> ① 건축법에 따른 건축심의
> ② 국토의 계획 및 이용에 관한 법률에 따른 도시·군관리계획 및 개발행위 관련 사항
> ③ 대도시권 광역교통 관리에 관한 특별법에 따른 광역교통 개선대책
> ④ 도시교통정비 촉진법에 따른 교통영향평가
> ⑤ 경관법에 따른 경관심의
> ⑥ 그 밖에 사업계획승인권자가 필요하다고 인정하여 통합심의에 부치는 사항

(2) 통합심의의 신청

① 사업계획승인을 받으려는 자가 통합심의를 신청하는 경우 (1)의 각 사항과 관련된 서류를 첨부하여야 한다. 이 경우 사업계획승인권자는 통합심의를 효율적으로 처리하기 위하여 필요한 경우 제출기한을 정하여 제출하도록 할 수 있다(법 제18조 제3항).

② 사업계획승인권자가 시장·군수·구청장인 경우로서 시·도지사가 (1)의 어느 하나에 해당하는 권한을 가진 경우에는 사업계획승인권자가 시·도지사에게 통합심의를 요청할 수 있다(법 제18조 제4항).

(3) 공동위원회

① 통합심의를 하는 지방자치단체의 장은 다음의 어느 하나에 해당하는 위원회에 속하고 해당 위원회의 위원장의 추천을 받은 위원들과 사업계획승인권자가 속한 지방자치단체 및 통합심의를 하는 지방자치단체 소속 공무원으로 소집된 공동위원회를 구성하여 통합심의를 하여야 한다. 이 경우 공동위원회의 구성, 통합심의의 방법 및 절차에 관한 사항은 대통령령으로 정한다(법 제18조 제5항).

> ㉠ 건축법에 따른 중앙건축위원회 및 지방건축위원회
> ㉡ 국토의 계획 및 이용에 관한 법률에 따라 해당 주택단지가 속한 시·도에 설치된 지방도시계획위원회
> ㉢ 대도시권 광역교통 관리에 관한 특별법에 따라 광역교통 개선대책에 대하여 심의권한을 가진 국가교통위원회
> ㉣ 도시교통정비 촉진법에 따른 교통영향평가심의위원회
> ㉤ 경관법에 따른 경관위원회
> ㉥ 위 (1)의 ⑥에 대하여 심의권한을 가진 관련 위원회

② **공동위원회의 구성**: 공동위원회는 위원장 및 부위원장 각 1명을 포함하여 25명 이상 30명 이하의 위원(각 위원회의 위원이 각각 5명 이상이 되어야 한다)으로 구성하되, 위원장은 위 ①의 각 위원회의 위원장의 추천을 받은 위원 중에서 호선하며, 부위원장은 사업계획승인권자가 속한 지방자치단체 소속 공무원 중에서 위원장이 지명한다(영 제33조).

(4) 통합심의의 효과

사업계획승인권자는 통합심의를 한 경우 특별한 사유가 없으면 심의 결과를 반영하여 사업계획을 승인하여야 하며, 통합심의를 거친 경우에는 위 (1)의 각 사항에 대한 검토 · 심의 · 조사 · 협의 · 조정 또는 재정을 거친 것으로 본다(법 제18조 제6항 · 제7항).

제4절 주택의 설계와 시공 및 감리

01 주택의 설계

사업계획승인을 받아 건설되는 주택(부대시설과 복리시설을 포함한다)을 설계하는 자는 대통령령으로 정하는 설계도서 작성기준에 맞게 설계하여야 하고 주택을 시공하는 자와 사업주체는 설계도서에 맞게 시공하여야 한다(법 제33조).

02 표본설계도서

(1) 작성 및 승인

한국토지주택공사, 지방공사 또는 등록사업자는 동일한 규모의 주택을 대량으로 건설하고자 하는 경우에는 국토교통부령이 정하는 바에 따라 국토교통부장관에게 주택의 형별로 표본설계도서를 작성 · 제출하여 그 승인을 받을 수 있다(영 제29조 제1항).

(2) 협의와 통보

국토교통부장관은 표본설계도서의 승인을 하려는 때에는 관계 행정기관의 장과 협의하여야 하며, 협의요청을 받은 기관은 정당한 사유가 없으면 그 요청을 받은 날부터 15일 이내에 국토교통부장관에게 의견을 통보하여야 하고, 국토교통부장관은 표본설계도서의 승인을 하였을 때에는 그 내용을 시 · 도지사에게 통보하여야 한다(영 제29조 제2항 · 제3항).

03 주택건설공사의 시공

(1) 시공자

사업계획승인을 받은 주택의 건설공사는 건설산업기본법에 따른 토목건축공사업 또는 건축공사업의 등록을 한 자 또는 법 제7조에 따라 건설사업자로 간주하는 등록사업자가 아니면 이를 시공할 수 없다(법 제34조 제1항, 영 제44조 제1항).

(2) 방수 · 위생 및 냉난방 설비공사의 시공자

공동주택의 방수 · 위생 및 냉난방 설비공사는 건설산업기본법 제9조에 따른 건설사업자로서 대통령령으로 정하는 자(특정 열사용기자재를 설치 · 시공하는 경우에는 에너지이용 합리화법에 따른 시공업자를 말한다)가 아니면 이를 시공할 수 없다. 여기서 대통령령으로 정하는 자란 다음의 어느 하나에 해당하는 건설업의 등록을 한 자를 말한다(법 제34조 제2항, 영 제44조 제2항).

> ① 방수설비공사: 미장 · 방수 · 조적공사업
> ② 위생설비공사: 기계설비공사업
> ③ 냉난방설비공사: 기계설비공사업 · 난방시공업(난방설비공사로 한정한다)

(3) 설계와 시공의 분리

국가 또는 지방자치단체인 사업주체는 사업계획승인을 받은 주택건설공사의 설계와 시공을 분리하여 발주하여야 한다. 다만, 주택건설공사 중 총공사비(대지구입비를 제외한다)가 500억원 이상인 대형공사로서 기술관리상 설계와 시공을 분리하여 발주할 수 없는 공사의 경우에는 국가를 당사자로 하는 계약에 관한 법률 시행령에 따른 일괄입찰방법으로 시행할 수 있다(법 제34조 제3항, 영 제44조 제3항 · 제4항).

04 주택건설공사의 감리

(1) 감리자의 지정

① 감리자의 지정 및 자격: 사업계획승인권자는 주택건설사업계획을 승인하였을 때와 시장 · 군수 · 구청장이 리모델링의 허가를 하였을 때에는 다음의 구분에 따라 해당 주택건설공사를 감리할 자로 지정하여야 하며, 이 경우 인접한 둘 이상의 주택단지에 대해서는 감리자를 공동으로 지정할 수 있다(법 제43조 제1항 본문, 영 제47조 제1항).

> ㉠ 300세대 미만의 주택건설공사: 다음의 어느 하나에 해당하는 자(해당 주택건설공사를 시공하는 자의 계열회사는 제외한다)
>   ⓐ 건축사법 제23조 제1항에 따라 건축사사무소 개설신고를 한 자
>   ⓑ 건설기술 진흥법 제26조 제1항에 따라 등록한 건설엔지니어링사업자
> ㉡ 300세대 이상의 주택건설공사: 건설기술 진흥법에 따라 등록한 건설엔지니어링사업자

② **감리자 지정의 예외:** 사업주체가 국가 · 지방자치단체 · 한국토지주택공사 · 지방공사 또는 대통령령으로 정하는 자인 경우와 건축법에 따라 공사감리를 하는 도시형 생활주택의 경우에는 그러하지 아니하다(법 제43조 제1항 단서).

③ **책임범위 등:** 사업주체(리모델링의 허가만 받은 자도 포함한다)와 감리자간의 책임 내용 및 범위는 이 법에서 규정한 것 외에는 당사자간의 계약으로 정하고, 국토교통부장관은 계약을 체결할 때 사업주체와 감리자간에 공정하게 계약이 체결되도록 하기 위하여 감리용역표준계약서를 정하여 보급할 수 있다(법 제43조 제4항 · 제5항).

④ 다음의 단체 및 협회는 감리자를 지정하기 위하여 공동으로 주택건설공사 감리비 지급기준을 정하여 국토교통부장관의 승인을 받아야 한다. 승인받은 사항을 변경하려는 경우에도 또한 같다(법 제43조 제2항).

> ○ 법 제85조에 따른 주택사업자단체
> ○ 건설기술 진흥법 제69조에 따른 건설엔지니어링사업자단체
> ○ 건축사법 제31조에 따른 대한건축사협회

(2) 감리자의 업무

① **감리원의 배치:** 감리자는 다음의 기준에 따라 감리원을 배치하여 감리를 하여야 한다(영 제47조 제4항).

> ○ 국토교통부령이 정하는 감리자격이 있는 자를 공사현장에 상주시켜 감리할 것
> ○ 공사에 대한 감리업무를 총괄하는 총괄감리원 1인과 공사분야별 감리원을 각각 배치할 것
> ○ 총괄감리원은 주택건설공사 전 기간에 걸쳐 배치하고, 공사분야별 감리원은 해당 공사의 기간 동안 배치할 것
> ○ 감리원을 해당 주택건설공사 외의 건설공사에 중복하여 배치하지 아니할 것

② **감리자의 업무:** 감리자는 자기에게 소속된 자를 ①에 따라 감리원으로 배치하고, 다음의 업무를 수행하여야 한다(법 제44조 제1항, 영 제49조).

> ○ 시공자가 설계도서에 맞게 시공하는지 여부의 확인
> ○ 시공자가 사용하는 건축자재가 관계 법령에 따른 기준에 맞는 건축자재인지 여부의 확인
> ○ 주택건설공사에 대하여 건설기술 진흥법에 따른 품질시험을 하였는지 여부의 확인
> ○ 시공자가 사용하는 마감자재 및 제품이 사업주체가 시장 · 군수 · 구청장에게 제출한 마감자재 목록표 및 영상물 등과 동일한지 여부의 확인

ⓜ 주택건설공사의 하수급인이 건설산업기본법 제16조에 따른 시공자격을 갖추었는지 여부의 확인

    ○ 이를 위하여 감리자는 수급인으로부터 하수급인의 시공자격에 관한 자료를 제출받아야 한다.

ⓑ 그 밖에 대통령령으로 정하는 다음의 업무

    ⓐ 설계도서가 해당 지형 등에 적합한지에 대한 확인

    ⓑ 설계변경에 관한 적정성 확인

    ⓒ 시공계획·예정공정표 및 시공도면 등의 검토·확인

    ⓓ 국토교통부령으로 정하는 주요 공정이 예정공정표대로 완료되었는지 여부의 확인

    ⓔ 예정공정표보다 공사가 지연된 경우 대책의 검토 및 이행 여부의 확인

    ⓕ 방수·방음·단열시공의 적정성 확보, 재해의 예방, 시공상의 안전관리 및 그 밖에 건축공사의 질적 향상을 위하여 국토교통부장관이 정하여 고시하는 사항에 대한 검토·확인

기출예제

주택법령상 주택건설공사에 대한 감리자의 업무에 해당하는 것을 모두 고른 것은? 제27회

ㄱ 시공자가 설계도서에 맞게 시공하는지 여부의 확인
ㄴ 시공자가 사용하는 건축자재가 관계 법령에 따른 기준에 맞는 건축자재인지 여부의 확인
ㄷ 예정공정표보다 공사가 지연된 경우 대책의 검토 및 이행 여부의 확인
ㄹ 시공계획·예정공정표 및 시공도면 등의 검토·확인

① ㄱ, ㄴ, ㄷ   ② ㄱ, ㄴ, ㄹ
③ ㄱ, ㄷ, ㄹ   ④ ㄴ, ㄷ, ㄹ
⑤ ㄱ, ㄴ, ㄷ, ㄹ

해설

주택법령상의 감리자의 업무

1. 시공자가 설계도서에 맞게 시공하는지 여부의 확인
2. 시공자가 사용하는 건축자재가 관계 법령에 따른 기준에 맞는 건축자재인지 여부의 확인
3. 주택건설공사에 대하여 품질시험을 하였는지 여부의 확인
4. 시공자가 사용하는 마감자재 및 제품이 제출한 마감자재목록표 및 영상물 등과 동일한지 여부의 확인
5. 주택건설공사의 하수급인이 시공자격을 갖추었는지 여부의 확인
6. 그 밖에 주택건설공사의 감리에 관한 사항으로서 대통령령으로 정하는 다음의 사항
   • 설계도서가 해당 지형 등에 적합한지에 대한 확인
   • 설계변경에 관한 적정성 확인
   • 시공계획·예정공정표 및 시공도면 등의 검토·확인
   • 국토교통부령으로 정하는 주요 공정이 예정공정표대로 완료되었는지 여부의 확인
   • 예정공정표보다 공사가 지연된 경우 대책의 검토 및 이행 여부의 확인
   • 방수·방음·단열시공의 적정성 확보, 재해의 예방, 시공상의 안전관리 및 그 밖에 건축공사의 질적 향상을 위하여 국토교통부장관이 정하여 고시하는 사항에 대한 검토·확인

정답: ⑤

③ 감리업무의 보고: 감리자는 감리업무의 수행 상황을 국토교통부령으로 정하는 바에 따라 사업계획승인권자(리모델링의 허가만 받은 경우는 허가권자를 말한다) 및 사업주체에게 보고하여야 하며(법 제44조 제2항), 감리업무 수행을 위하여 필요한 경우에는 주택건설공사의 수급인(하수급인을 포함한다)에게 수급인의 건설기술인 배치에 관한 자료의 제공을 요청할 수 있고, 감리자는 감리업무 수행 중 주택건설공사의 수급인이 공사현장에 건설기술인을 배치하지 않은 사실을 확인한 경우에는 이를 사업주체 또는 사업계획승인권자에게 통보할 수 있다(영 제52조의2 제1항·제2항).

④ 위반사항 발견시 조치

   ㉠ 시정 통지 및 보고: 감리자는 감리업무를 수행하면서 위반사항을 발견하였을 때에는 지체 없이 시공자 및 사업주체에게 위반사항을 시정할 것을 통지하고, 7일 이내에 사업계획승인권자에게 그 내용을 보고하여야 한다(법 제44조 제3항).

   ㉡ 공사중지 및 이의신청 등: 시공자 및 사업주체는 시정통지를 받은 경우에는 즉시 해당 공사를 중지하고 위반사항을 시정한 후 감리자의 확인을 받아야 한다(법 제44조 제4항 전단). 이 경우 감리자의 시정통지에 이의가 있을 때에는 즉시 그 공사를 중지하고 사업계획승인권자에게 서면으로 이의신청을 할 수 있는데(법 제44조 제4항 후단), 사업계획승인권자는 이에 따른 이의신청이 있는 때에는 그 이의신청을 받은 날부터 10일 이내에 그 처리결과를 회신하여야 하며, 감리자에게도 그 결과를 통보하여야 한다(법 제44조 제5항, 영 제50조).

기출예제

주택법령상 주택건설공사에 대한 감리자에 관한 설명으로 옳지 않은 것은?   제26회

① 감리자는 그의 업무를 수행하면서 위반사항을 발견하였을 때에는 지체 없이 시공자 및 사업주체에게 위반사항을 시정할 것을 통지하고, 14일 이내에 사업계획승인권자에게 그 내용을 보고하여야 한다.

② 사업주체는 감리자와 주택법 제43조 제3항에 따른 계약을 체결한 경우 사업계획승인권자에게 계약내용을 통보하여야 하며, 이 경우 통보를 받은 사업계획승인권자는 즉시 사업주체 및 감리자에게 공사감리비 예치 및 지급방식에 관한 내용을 안내하여야 한다.

③ 사업계획승인권자는 감리자가 감리업무 수행 중 발견한 위반사항을 알고도 묵인한 경우 감리자를 교체하고, 그 감리자에 대하여는 1년의 범위에서 감리업무의 지정을 제한할 수 있다.

④ 주택건설공사에 대하여 건설기술 진흥법 제55조에 따른 품질시험을 하였는지 여부의 확인은 감리자의 업무에 해당한다.

⑤ 예정공정표보다 공사가 지연된 경우 대책의 검토 및 이행 여부의 확인은 감리자의 업무에 해당한다.

감리자는 위반사항을 발견하면 지체 없이 시공자 및 사업주체에게 시정 통지하고, 7일 이내에 사업계획승인권자에게 보고하여야 한다. 이 경우 시공자 및 사업주체는 즉시 공사를 중지하고 위반사항을 시정한 후 감리자의 확인을 받아야 하며, 이의가 있을 때에는 즉시 공사를 중지하고 사업계획승인권자에게 서면으로 이의신청을 할 수 있고, 사업계획승인권자는 그 이의신청을 받은 날부터 10일 이내에 그 처리결과를 회신하여야 한다.

정답: ①

⑤ **감리비**: 사업주체는 공사감리비를 국토교통부령으로 정하는 바에 따라 사업계획승인권자에게 예치하여야 하고, 사업계획승인권자는 예치받은 공사감리비를 감리자에게 국토교통부령으로 정하는 절차 등에 따라 지급하여야 한다. 다만, 감리자가 감리업무를 소홀히 하여 사업계획승인권자로부터 실태점검에 따라 시정명령을 받은 경우 사업계획승인권자는 감리자가 시정명령을 이행완료할 때까지 감리비 지급을 유예할 수 있다(법 제44조 제6항·제7항).

> **더 알아보기** | **감리비의 예치방법 등**(규칙 제18조의2)
>
> 1. 사업주체는 감리자와 계약을 체결한 경우 사업계획승인권자에게 계약 내용을 통보하여야 한다. 이 경우 통보를 받은 사업계획승인권자는 즉시 사업주체 및 감리자에게 공사감리비 예치 및 지급방식에 관한 내용을 안내하여야 한다.
> 2. 사업주체는 해당 공사감리비를 계약에서 정한 지급예정일 14일 전까지 사업계획승인권자에게 예치하여야 한다.
> 3. 감리자는 계약에서 정한 공사감리비 지급예정일 7일 전까지 사업계획승인권자에게 공사감리비 지급을 요청하여야 하며, 사업계획승인권자는 감리업무 수행상황을 확인한 후 공사감리비를 지급하여야 한다.
> 4. 사업계획승인권자는 공사감리비를 지급한 경우 그 사실을 즉시 사업주체에게 통보하여야 한다.

> **기출예제**
>
> 주택법 시행규칙 제18조의2(공사감리비의 예치 및 지급 등) 규정의 일부이다. ( )에 들어갈 아라비아 숫자를 쓰시오.
> 제27회
>
> ① 〈생략〉
> ② 사업주체는 해당 공사감리비를 계약에서 정한 지급예정일 (㉠)일 전까지 사업계획승인권자에게 예치하여야 한다.
> ③ 감리자는 계약에서 정한 공사감리비 지급예정일 (㉡)일 전까지 사업계획승인권자에게 공사감리비 지급을 요청해야 하며, 사업계획승인권자는 제18조 제4항에 따른 감리업무 수행 상황을 확인한 후 공사감리비를 지급해야 한다.
>
> 정답: ㉠ 14, ㉡ 7

⑥ 부실감리자에 대한 제재
  ㉠ 감리자 교체 등: 사업계획승인권자는 감리자가 다음의 어느 하나에 해당하는 경우에는 감리자를 교체하고, 그 감리자에 대하여는 1년의 범위에서 감리업무의 지정을 제한할 수 있는데(법 제43조 제3항, 영 제48조 제1항), 감리자를 교체하고자 하는 때에는 해당 감리자 및 시공자·사업주체의 의견을 들어야 한다(영 제48조 제2항·제3항).

> ⓐ 감리업무 수행 중 발견한 위반사항을 묵인한 경우
> ⓑ 이의신청 결과 시정통지가 3회 이상 잘못된 것으로 판정된 경우
> ⓒ **공사기간 중 공사현장에** 1개월 이상 감리원을 상주시키지 아니한 **경우**: 이 경우 기간 계산은 감리원별로 상주시켜야 할 기간에 각 감리원이 상주하지 아니한 기간을 합산한다.
> ⓓ 감리자의 지정에 관한 서류를 거짓 그 밖의 부정한 방법으로 작성·제출한 경우
> ⓔ 감리자 스스로 감리업무 수행의 포기 의사를 밝힌 경우. 다만, 다음의 사유로 감리업무 수행을 포기한 경우에는 감리업무 지정제한을 하여서는 아니 된다.
> • 사업주체의 부도·파산 등으로 인한 공사 중단
> • 1년 이상의 착공 지연
> • 그 밖에 천재지변 등 부득이한 사유

  ㉡ 등록말소 등: 사업계획승인권자는 지정·배치된 감리자 또는 감리원(다른 법률에 따른 감리자 또는 그에게 소속된 감리원을 포함한다)이 그 업무를 수행할 때 고의 또는 중대한 과실로 감리를 부실하게 하거나 관계 법령을 위반하여 감리를 함으로써 해당 사업주체 또는 입주자 등에게 피해를 입히는 등 주택건설공사가 부실하게 된 경우에는 그 감리자의 등록 또는 감리원의 면허나 그 밖의 자격인정 등을 한 행정기관의 장에게 등록말소·면허취소·자격정지·영업정지나 그 밖에 필요한 조치를 하도록 요청할 수 있다(법 제47조).

(3) 감리자에 대한 실태점검

① 사업계획승인권자는 주택건설공사의 부실방지, 품질 및 안전 확보를 위하여 해당 주택건설공사의 감리자를 대상으로 각종 시험 및 자재확인 업무에 대한 이행 실태 등 대통령령으로 정하는 사항에 대하여 실태점검을 실시할 수 있다(법 제48조 제1항).
② 사업계획승인권자는 실태점검 결과 감리업무의 소홀이 확인된 경우에는 시정명령을 하거나 감리자 교체를 하여야 한다(법 제48조 제2항).
③ 사업계획승인권자는 실태점검에 따른 감리자에 대한 시정명령 또는 교체 지시사실을 국토교통부령으로 정하는 바에 따라 국토교통부장관에게 보고하여야 하며, 국토교통부장관은 해당 내용을 종합관리하여 감리자 지정에 관한 기준에 반영할 수 있다(법 제48조 제3항).

(4) 수직증축형 리모델링의 감리

① **건축구조기술사의 협력**: 수직증축형 리모델링(세대수가 증가되지 아니하는 리모델링을 포함한다. 이하 같다)의 감리자는 감리업무 수행 중에 다음의 어느 하나에 해당하는 사항이 확인된 경우에는 국가기술자격법에 따른 건축구조기술사(해당 건축물의 리모델링 구조설계를 담당한 자를 말하며, 이하 '건축구조기술사'라 한다)의 협력을 받아야 한다. 다만, 구조설계를 담당한 건축구조기술사가 사망하는 등 대통령령으로 정하는 사유로 감리자가 협력을 받을 수 없는 경우에는 대통령령으로 정하는 건축구조기술사의 협력을 받아야 한다(법 제46조 제1항).

> ⊙ 수직증축형 리모델링 허가시 제출한 구조도 또는 구조계산서와 다르게 시공하고자 하는 경우
> ⓛ 내력벽, 기둥, 바닥, 보 등 건축물의 주요구조부에 대하여 수직증축형 리모델링 허가시 제출한 도면보다 상세한 도면 작성이 필요한 경우
> ⓒ 내력벽, 기둥, 바닥, 보 등 건축물의 주요구조부의 철거 또는 보강 공사를 하는 경우로서 국토교통부령으로 정하는 경우
> ② 그 밖에 건축물의 구조에 영향을 미치는 사항으로서 국토교통부령으로 정하는 경우

② **건축구조기술사의 업무**: 협력을 요청받은 건축구조기술사는 독립되고 공정한 입장에서 성실하게 업무를 수행하여야 하며, 건축구조기술사는 분기별 감리보고서 및 최종 감리보고서에 감리자와 함께 서명날인하여야 하고, 수직증축형 리모델링을 하려는 자는 감리자에게 협력한 건축구조기술사에게 적정한 대가를 지급하여야 한다(법 제46조 제2항·제3항·제4항).

제5절 **사전방문과 품질점검**

01 사전방문 등

(1) 사전방문

사업주체는 사용검사를 받기 전에 입주예정자가 해당 주택을 방문하여 공사 상태를 미리 점검(이하 '사전방문'이라 한다)할 수 있게 하여야 한다(법 제48조의2 제1항).

(2) 조치 요구 등

① 입주예정자는 사전방문 결과 하자(공사상 잘못으로 인하여 균열·침하·파손·들뜸·누수 등이 발생하여 안전상·기능상 또는 미관상의 지장을 초래할 정도의 결함을 말한

다)가 있다고 판단하는 경우 사업주체에게 보수공사 등 적절한 조치를 해줄 것을 요청할 수 있다(법 제48조의2 제2항).

② 위 ①에 따라 하자(④에 따라 사용검사권자가 하자가 아니라고 확인한 사항은 제외한다)에 대한 조치요청을 받은 사업주체는 다음의 구분에 따른 시기까지 보수공사 등의 조치계획을 수립한 사업주체는 사전방문 기간의 종료일부터 7일 이내에 사용검사권자에게 해당 조치계획을 제출하고, 해당 계획에 따라 보수공사 등의 조치를 완료해야 한다(법 제48조의2 제3항, 영 제53조의2 제2항·제3항).

> ㉠ 중대한 하자인 경우: 사용검사를 받기 전. 다만, 특별한 사유가 있는 경우에는 입주예정자와 협의(공용부분의 경우에는 입주예정자 3분의 2 이상의 동의를 받아야 한다)하여 정하는 날로 하되, 사용검사를 받은 날부터 90일 이내에 조치를 완료하도록 노력해야 한다.
> ㉡ 그 밖의 하자인 경우: 다음의 구분에 따른 시기. 다만, 특별한 사유가 있거나 입주예정자와 협의(공용부분의 경우에는 입주예정자 3분의 2 이상의 동의를 받아야 한다)한 경우에는 입주예정자와 협의하여 정하는 날로 하되, 전유부분은 입주예정자에게 인도한 날부터, 공용부분은 사용검사를 받은 날부터 각각 180일 이내에 조치를 완료하도록 노력해야 한다.
> ⓐ 전유부분: 입주예정자에게 인도하기 전
> ⓑ 공용부분: 사용검사를 받기 전
> ㉢ '특별한 사유'란 다음의 어느 하나에 해당하여 사용검사를 받기 전까지 중대한 하자에 대한 보수공사 등의 조치를 완료하기 어렵다고 사용검사권자로부터 인정받은 사유를 말한다.
> ⓐ 공사 여건상 자재, 장비 또는 인력 등의 수급이 곤란한 경우
> ⓑ 공정 및 공사의 특성상 사용검사를 받기 전까지 보수공사 등을 하기 곤란한 경우
> ⓒ 그 밖에 천재지변이나 부득이한 사유가 있는 경우

③ 위 ②의 ㉠에 따른 중대한 하자란 다음과 같다(법 제48조의2 제3항, 영 제53조의2 제4항).

> ㉠ 내력구조부 하자: 다음의 어느 하나에 해당하는 결함이 있는 경우로서 공동주택의 구조안전상 심각한 위험을 초래하거나 초래할 우려가 있는 정도의 결함이 있는 경우
> ⓐ 철근콘크리트 균열
> ⓑ 건축법 제2조 제1항 제7호의 주요구조부의 철근 노출
> ㉡ 시설공사별 하자: 다음의 어느 하나에 해당하는 결함이 있는 경우로서 입주예정자가 공동주택에서 생활하는 데 안전상·기능상 심각한 지장을 초래하거나 초래할 우려가 있는 정도의 결함이 있는 경우
> ⓐ 토목 구조물 등의 균열
> ⓑ 옹벽·차도·보도 등의 침하(沈下)

ⓒ 누수, 누전, 가스 누출

ⓓ 가스배관 등의 부식, 배관류의 동파

ⓔ 다음의 어느 하나에 해당하는 기구 · 설비 등의 기능이나 작동 불량 또는 파손
- 급수 · 급탕 · 배수 · 위생 · 소방 · 난방 · 가스설비 및 전기 · 조명기구
- 발코니 등의 안전 난간 및 승강기

④ 위 ②에도 불구하고 입주예정자가 요청한 사항이 하자가 아니라고 판단하는 사업주체는 조치계획을 제출할 때 다음의 서류를 첨부하여 사용검사를 하는 시장 · 군수 · 구청장(사용검사권자)에게 하자 여부를 확인해 줄 것을 요청할 수 있다. 이 경우 사용검사권자는 판정기준(하자의 범위는 공동주택관리법 시행령 제37조 각 호의 구분에 따르며, 하자의 판정기준은 같은 국토교통부장관이 정하여 고시하는 바에 따른다)에 따라 하자 여부를 판단해야 하며, 하자 여부를 판단하기 위하여 필요한 경우에는 공동주택 품질점검단에 자문할 수 있으며, 사용검사권자는 확인요청을 받은 날부터 7일 이내에 하자 여부를 확인하여 해당 사업주체에게 통보해야 한다(법 제48조의2 제4항, 영 제53조의3).

㉠ 입주예정자가 보수공사 등의 조치를 요청한 내용

㉡ 입주예정자가 보수공사 등의 조치를 요청한 부분에 대한 설계도서 및 현장사진

㉢ 하자가 아니라고 판단하는 이유

㉣ 감리자의 의견

㉤ 그 밖에 하자가 아님을 증명할 수 있는 자료

⑤ 사업주체는 입주예정자에게 전유부분을 인도하는 날에 다음의 사항을 서면(전자문서를 포함한다)으로 알려야 하고, 조치계획에 따라 조치를 모두 완료한 때에는 사용검사권자에게 그 결과를 제출해야 한다(영 제53조의3 제4항 · 제5항).

㉠ 조치를 완료한 사항

㉡ 조치를 완료하지 못한 경우에는 그 사유와 조치계획

㉢ 위 ④에 따라 사용검사권자에게 확인을 요청하여 하자가 아니라고 확인받은 사항

(3) 표준양식

국토교통부장관은 사전방문에 필요한 표준양식을 정하여 보급하고 활용하게 할 수 있다(법 제48조의2 제6항).

02 품질점검단

(1) 설치 · 운영

① **설치 · 운영:** 시 · 도지사는 사전방문을 실시하고 사용검사를 신청하기 전에 공동주택의 품질을 점검하여 사업계획의 내용에 적합한 공동주택이 건설되도록 할 목적으로 주택 관련 분야 등의 전문가로 구성된 공동주택 품질점검단을 설치 · 운영할 수 있다. 이 경우 시 · 도지사는 품질점검단의 설치 · 운영에 관한 사항을 조례로 정하는 바에 따라 대도시 시장에게 위임할 수 있다(법 제48조의3 제1항).

② **구성:** 품질점검단의 위원은 다음의 어느 하나에 해당하는 사람 중에서 시 · 도지사(권한을 위임받은 대도시 시장을 포함한다)가 임명하거나 위촉하며, 공무원이 아닌 위원의 임기는 2년으로 하며, 두 차례만 연임할 수 있다(영 제53조의4 제1항 · 제2항).

> ⊙ 건축사법 제2조 제1호의 건축사
> ⓛ 국가기술자격법에 따른 건축분야 기술사 자격을 취득한 사람
> ⓒ 공동주택관리법 제67조 제2항에 따른 주택관리사 자격을 취득한 사람
> ⓓ 건설기술 진흥법 시행령 [별표 1]에 따른 특급건설기술인
> ⓜ 고등교육법 제2조의 학교 또는 연구기관에서 주택 관련 분야의 조교수 이상 또는 이에 상당하는 직에 있거나 있었던 사람
> ⓑ 건축물이나 시설물의 설계 · 시공 관련 분야의 박사학위를 취득한 사람
> ⓢ 건축물이나 시설물의 설계 · 시공 관련 분야의 석사학위를 취득한 후 이와 관련된 분야에서 5년 이상 종사한 사람
> ⓞ 공무원으로서 공동주택 관련 지도 · 감독 및 인 · 허가 업무 등에 종사한 경력이 5년 이상인 사람
> ⓩ 다음의 어느 하나에 해당하는 기관의 임직원으로서 건축물 및 시설물의 설계 · 시공 및 하자보수와 관련된 업무에 5년 이상 재직한 사람
> • 공공기관의 운영에 관한 법률 제4조의 공공기관
> • 지방공기업법 제3조 제1항의 지방공기업

(2) 시공품질 등의 점검

① **점검결과의 제출:** 품질점검단은 300세대 이상(시 · 도지사가 필요하다고 인정하는 경우에는 조례로 정하는 바에 따라 300세대 미만인 공동주택으로 정할 수 있다)의 공동주택의 건축 · 구조 · 안전 · 품질관리 등에 대한 시공품질을 대통령령으로 정하는 바에 따라 점검결과를 시 · 도지사(위 (1) ①의 후단의 경우에는 대도시 시장)와 사용검사권자에게 제출하여야 한다(법 제48조의3 제2항, 영 제53조의5 제1항).

② **점검대상:** 품질점검단은 공동주택 관련 법령, 입주자모집공고, 설계도서, 마감자재 목록표 등 관련 자료를 토대로 다음의 사항을 점검해야 한다(영 제53조의5 제2항).

> ㉠ 공동주택의 공용부분
> ㉡ 공동주택 일부 세대의 전유부분
> ㉢ 영 제53조의3 제2항에 따라 사용검사권자가 하자 여부를 판단하기 위해 품질점검단에 자문을 요청한 사항 중 현장조사가 필요한 사항

③ **점검방법:** 사업주체는 ①에 따른 품질점검단의 점검에 협조하여야 하며, 사용검사권자는 품질점검단의 시공품질 점검을 위하여 필요한 경우에는 사업주체, 감리자 등 관계자에게 공동주택의 공사현황 등 국토교통부령으로 정하는 서류 및 관련 자료의 제출을 요청할 수 있다. 이 경우 자료제출을 요청받은 자는 정당한 사유가 없으면 이에 따라야 한다(법 제48조의3 제3항·제4항).

④ **점검결과의 보관 및 공개:** 사용검사권자는 ①에 따라 제출받은 점검결과를 사용검사가 있은 날부터 2년 이상 보관하여야 하며, 입주자(입주예정자를 포함한다)가 관련 자료의 공개를 요구하는 경우에는 이를 공개하여야 한다(법 제48조의3 제5항).

(3) 점검결과에 따른 조치

① **의견청취:** 사용검사권자는 품질점검단으로부터 점검결과를 제출받은 때에는 의견을 청취하기 위하여 사업주체에게 그 내용을 즉시 통보해야 하며, 사업주체는 통보받은 점검결과에 대하여 이견(異見)이 있는 경우 통보받은 날부터 5일 이내에 관련 자료를 첨부하여 사용검사권자에게 의견을 제출할 수 있다(영 제53조의6 제1항·제2항).

② **조치명령:** 사용검사권자는 품질점검단 점검결과 및 ①에 따라 제출받은 의견을 검토한 결과 하자에 해당한다고 판단하는 때에는 의견 제출일부터 5일 이내에 보수·보강 등의 조치를 명해야 한다(영 제56조의6 제3항). 이 경우 대통령령으로 정하는 중대한 하자는 대통령령으로 정하는 특별한 사유가 없으면 사용검사를 받기 전까지 조치하도록 명하여야 한다(법 제48조의3 제6항, 영 제53조의6 제4항·제5항).

(4) 조치명령에 대한 이의신청

① 위 **(3)**에 따라 보수·보강 등의 조치명령을 받은 사업주체는 대통령령(영 제53조의2 제6항)으로 정하는 바에 따라 조치를 하고, 그 결과를 사용검사권자에게 보고하여야 한다. 다만, 조치명령에 이의가 있는 사업주체는 사용검사권자에게 이의신청을 할 수 있다(법 제48조의3 제7항, 영 제53조의6).

② 위 **②**에 따라 조치명령에 이의가 있는 사업주체는 조치명령을 받은 날부터 5일 이내에 사용검사권자에게 다음의 자료를 제출해야 하며, 사용검사권자는 이의신청을 받은 날부터 5일 이내에 사업주체에게 검토결과를 통보해야 한다(영 제53조의7).

         ⓐ 사용검사권자의 조치명령에 대한 이의신청 내용 및 이유
         ⓑ 이의신청 내용 관련 설계도서 및 현장사진
         ⓒ 감리자의 의견
         ⓓ 그 밖에 이의신청 내용을 증명할 수 있는 자료

③ 사용검사권자는 공동주택의 시공품질 관리를 위하여 사업주체에게 통보받은 사전방문후 조치결과, 조치명령, 조치결과, 이의신청 등에 관한 사항을 대통령령으로 정하는 정보시스템(공동주택관리법령상의 하자관리정보시스템)에 등록하여야 한다(법 제48조의3 제8항, 영 제53조의6 제7항).

제6절 | 사용검사

01 사용검사권자와 검사단위

(1) 사용검사권자와 검사단위의 기준

사업주체는 사업계획승인을 받아 시행하는 주택건설사업 또는 대지조성사업을 완료한 경우에는 주택(부대시설과 복리시설을 포함한다) 또는 대지에 대하여 국토교통부령으로 정하는 바에 따라 시장·군수·구청장(국가 또는 한국토지주택공사가 사업주체인 경우와 국토교통부장관으로부터 사업계획의 승인을 받은 경우에는 국토교통부장관)의 사용검사를 받아야 한다(법 제49조 제1항 본문, 영 제54조 제1항).

(2) 예외 – 공구별 및 동별 사용검사

공구별로 분할하여 사업계획을 승인받은 경우에는 완공된 주택에 대하여 공구별로 사용검사(분할 사용검사)를 받을 수 있고, 다음의 사유가 있는 경우에는 공사가 완료된 주택에 대하여 동별로 사용검사(동별 사용검사)를 받을 수 있다(법 제49조 제1항 단서, 영 제54조 제2항).

① 사업계획승인의 조건으로 부과된 사항의 미이행
② 하나의 주택단지의 입주자를 분할 모집하여 전체 단지의 사용검사를 마치기 전에 입주가 필요한 경우
③ 그 밖에 사업계획승인권자가 동별로 사용검사를 받을 필요가 있다고 인정하는 경우

02 사용검사 신청의 예외

(1) 사업주체가 파산 등으로 사용검사를 받을 수 없는 경우

사업주체가 파산 등으로 주택건설사업을 계속할 수 없는 경우에는 해당 주택의 시공보증 자가 잔여공사를 시공하고 사용검사를 받아야 한다. 다만, 시공보증자가 없거나 시공보 증자가 파산 등으로 시공을 할 수 없는 경우에는 입주예정자의 과반수의 동의를 얻어 구 성된 10명 이내의 입주예정자대표회의가 시공자를 정하여 잔여공사를 시공하고 사용검 사를 받아야 한다(법 제49조 제3항, 영 제55조 제1항). 이 경우 사용검사를 받은 자의 구분 에 따라 시공보증자 또는 세대별 입주자의 명의로 건축물관리대장 등재 및 소유권보존등 기를 할 수 있다(영 제55조 제2항).

(2) 사업주체가 정당한 이유 없이 사용검사를 위한 절차를 이행하지 아니하는 경우

사업주체가 정당한 이유 없이 사용검사를 위한 절차를 이행하지 아니하는 경우에는 해당 주택의 시공을 보증한 자, 해당 주택의 시공자 또는 입주예정자가 사용검사를 받을 수 있으며, 이 경우 사용검사권자는 사업주체가 사용검사를 받지 아니하는 정당한 이유를 밝히지 못하는 한 사용검사를 거부하거나 지연할 수 없다(법 제49조 제3항). 이 경우 사용 검사권자는 사업주체에게 사용검사를 받지 아니하는 정당한 이유를 제출할 것을 요청하 여야 한다. 이 경우 사업주체는 요청을 받은 날부터 7일 이내에 의견을 통지하여야 한다(영 제55조 제4항).

03 사용검사 등의 특례에 따른 하자보수보증금 면제

(1) 사업주체가 파산 등으로 입주예정자가 사용검사를 받는 경우

법 제49조 제3항에 따라 사업주체의 파산 등으로 입주예정자가 사용검사를 받을 때에는 공동주택관리법 제38조 제1항에도 불구하고 입주예정자의 대표회의가 사용검사권자에 게 사용검사를 신청할 때 하자보수보증금을 예치하여야 한다(법 제50조 제1항).

(2) 하자보수보증금의 면제

① 위 (1)에 따라 입주예정자의 대표회의가 하자보수보증금을 예치할 경우 법 제49조 제4항에도 불구하고 2015년 12월 31일 당시 법 제15조에 따른 사업계획승인을 받아 사실상 완공된 주택에 사업주체의 파산 등으로 법 제49조 제1항 또는 제3항에 따른 사용검사를 받지 아니하고 무단으로 점유하여 거주(이하 '무단거주'라 한다)하는 입주 예정자가 2016년 12월 31일까지 사용검사권자에게 사용검사를 신청할 때에는 다음의 구분에 따라 공동주택관리법 제38조 제1항에 따른 하자보수보증금을 면제하여야 한다 (법 제50조 제2항).

② 위 ①의 각 무단거주한 날은 주택에 최초로 입주예정자가 입주한 날을 기산일로 한다. 이 경우 입주예정자가 입주한 날은 주민등록 신고일이나 전기·수도요금 영수증 등으로 확인하며, 무단거주하는 입주예정자가 사용검사를 받았을 때에는 법 제49조 제2항을 준용한다. 이 경우 '사업주체'를 '무단거주하는 입주예정자'로 본다(법 제50조 제3항·제4항).

③ 위 ①에 따라 입주예정자의 대표회의가 하자보수보증금을 예치한 경우 공동주택관리법 제36조 제2항에 따른 담보책임기간은 ①에 따라 면제받은 기간만큼 줄어드는 것으로 본다(법 제50조 제5항).

04 사용검사의 절차

사용검사권자는 사용검사의 대상인 주택 또는 대지가 사업계획의 내용에 적합한지 여부를 확인하여야 하며(영 제54조 제3항), 이에 따른 사용검사는 그 신청일부터 15일 이내에 하여야 한다(영 제54조 제4항).

05 사용검사의 효과

(1) 주택 또는 대지의 사용

사업주체 또는 입주예정자는 사용검사를 받은 후가 아니면 주택 또는 대지를 사용하게 하거나 이를 사용할 수 없다. 다만, 사용검사권자의 임시사용승인을 받은 경우에는 그러하지 아니하다(법 제49조 제4항).

(2) 임시사용승인

① 임시사용승인의 단위: 임시사용승인을 얻고자 하는 자는 대지조성사업의 경우에는 구획별로 공사가 완료된 때, 주택건설사업의 경우에는 건축물의 동별로 공사가 완료된 때에 사용검사권자에게 임시사용승인을 신청하여야 한다(법 제49조 제4항 단서, 영 제56조 제1항·제2항). 이 경우 임시사용승인의 대상이 공동주택인 경우에는 세대별로 임시사용승인을 할 수 있다(영 제56조 제3항 후단).

② 임시사용승인의 조건: 사용검사권자는 임시사용승인의 신청을 받은 때에는 임시사용 승인대상인 주택 또는 대지가 사업계획의 내용에 적합하고 사용에 지장이 없는 경우에 한하여 임시사용을 승인할 수 있다(영 제56조 제3항 전단).

제7절 주택건설촉진대책

01 주택건설에 필요한 토지 등의 수용 · 사용

(1) 주체 및 대상

국가 · 지방자치단체 · 한국토지주택공사 및 지방공사인 사업주체가 국민주택을 건설하거나 국민주택을 건설하기 위한 대지를 조성하는 경우에는 토지나 토지에 정착한 물건 및 그 토지나 물건에 관한 소유권 외의 권리(이하 '토지 등'이라 한다)를 수용하거나 사용할 수 있다(법 제24조 제2항).

(2) 규정의 준용

토지 등을 수용하거나 사용하는 경우 이 법에 규정된 것 외에는 공익사업을 위한 토지 등의 취득 및 보상에 관한 법률을 준용한다(법 제27조 제1항). 준용하는 경우에는 '공익사업을 위한 토지 등의 취득 및 보상에 관한 법률에 따른 사업인정'을 '사업계획승인'으로 본다(법 제27조 제2항 본문). 다만, 재결신청은 공익사업을 위한 토지 등의 취득 및 보상에 관한 법률에도 불구하고 사업계획승인을 받은 주택건설사업 기간 이내에 할 수 있다(법 제27조 제2항 단서).

02 타인의 토지 등의 출입 · 장애물 제거 · 일시사용 등

(1) 주체 및 목적

국가 · 지방자치단체 · 한국토지주택공사 및 지방공사인 사업주체가 사업계획의 수립을 위한 조사 또는 측량을 하려는 경우와 국민주택사업을 시행하기 위하여 필요한 경우에는 다음의 행위를 할 수 있다(법 제24조 제1항).

> ① 타인의 토지에 출입하는 행위
> ② 특별한 용도로 이용되지 아니하고 있는 타인의 토지를 재료적치장 또는 임시도로로 일시사용하는 행위
> ③ 특히 필요한 경우 죽목 · 토석이나 그 밖의 장애물을 변경하거나 제거하는 행위

(2) 출입 등으로 인한 손실보상

위 (1)에 따른 행위로 인하여 손실을 입은 자가 있는 경우에는 그 행위를 한 사업주체가 그 손실을 보상하여야 한다. 손실보상에 관하여는 그 손실을 보상할 자와 손실을 입은 자가 협의하여야 하며, 협의가 성립되지 아니하거나 협의를 할 수 없는 경우에는 관할 토지수용위원회에 재결을 신청할 수 있는데, 이에 따른 관할 토지수용위원회의 재결에 관하여는 공익사업을 위한 토지 등의 취득 및 보상에 관한 법률(제83조부터 제87조까지)을 준용한다(법 제25조).

03 토지의 매수 · 보상업무의 위탁

국가 또는 한국토지주택공사인 사업주체는 주택건설사업 또는 대지조성사업을 위한 토지매수업무와 손실보상업무를 매수할 토지 및 위탁조건을 명시하여 관할 지방자치단체의 장에게 위탁할 수 있다. 이 경우 그 토지매수금액과 손실보상금액의 2퍼센트의 범위에서 대통령령으로 정하는 요율의 위탁수수료를 해당 지방자치단체에 지급하여야 한다(법 제26조, 영 제38조 제1항).

04 서류 등의 무료열람 등

국민주택을 건설 · 공급하는 사업주체는 주택건설사업 또는 대지조성사업을 시행할 때 필요한 경우에는 등기소나 그 밖의 관계 행정기관의 장에게 필요한 서류의 열람 · 등사나 그 등본 또는 초본의 발급을 무료로 청구할 수 있다(법 제32조).

05 체비지의 우선매수청구

(1) 체비지의 우선매각

사업주체가 국민주택용지로 사용하기 위하여 도시개발사업시행자(도시개발법에 따른 환지방식에 의하여 사업을 시행하는 도시개발사업의 시행자를 말한다)에게 체비지의 매각을 요구한 경우 그 도시개발사업시행자는 경쟁입찰방법에 따라 체비지의 총면적의 50퍼센트의 범위에서 이를 우선적으로 사업주체에게 매각할 수 있다(법 제31조 제1항, 영 제42조 본문). 다만, 매각을 요구하는 사업주체가 하나인 때에는 수의계약에 의할 수 있다(영 제42조 단서).

(2) 체비지의 양도가격

체비지의 양도가격은 국토교통부령으로 정하는 바에 따라 감정평가 및 감정평가사에 관한 법률에 따른 감정평가법인 등 2인 이상의 감정평가가격을 산술평균한 가격을 기준으로 산정한다. 다만, 주거전용면적 85제곱미터 이하의 임대주택을 건설하거나 주거전용면적 60제곱미터 이하의 국민주택을 건설하는 경우에는 조성원가를 기준으로 할 수 있다 (법 제31조 제3항, 규칙 제16조 제1항·제2항).

06 국·공유지의 우선매각 등

(1) 우선매각 등 대상사업

국가 또는 지방자치단체는 그가 소유하는 토지를 매각하거나 임대할 때 다음의 어느 하나의 목적으로 그 토지의 매수 또는 임차를 원하는 자가 있으면 그에게 우선적으로 그 토지를 매각하거나 임대할 수 있다(법 제30조 제1항, 영 제41조).

① 국민주택규모의 주택을 50퍼센트 이상으로 건설하는 주택의 건설
② 주택조합이 건설하는 주택의 건설
③ 위 ① 또는 ②의 주택을 건설하기 위한 대지의 조성

(2) 환매 등

국가 또는 지방자치단체는 국가 또는 지방자치단체로부터 토지를 매수하거나 임차한 자가 그 매수일 또는 임차일부터 2년 이내에 국민주택규모의 주택 또는 조합주택을 건설하지 아니하거나 그 주택을 건설하기 위한 대지조성사업을 시행하지 아니한 경우에는 환매하거나 임대계약을 취소할 수 있다(법 제30조 제2항).

07 간선시설의 설치

(1) 설치의무대상 및 설치의무자

사업주체가 100호(리모델링의 경우에는 늘어나는 세대수가 100세대) 이상의 주택건설사업을 시행하는 경우 또는 1만 6천 500제곱미터 이상의 대지조성사업을 시행하는 경우 다음에 해당하는 자는 각각 해당 간선시설을 설치하여야 한다. 다만, ①에 해당하는 시설로서 사업주체가 주택건설사업계획 또는 대지조성사업계획에 포함하여 설치하려는 경우에는 그러하지 아니하다(법 제28조 제1항, 영 제39조 제1항).

① 도로 및 상하수도시설 ⇨ 지방자치단체
② 전기시설·통신시설·가스시설 또는 지역난방시설 ⇨ 해당 시설을 공급하는 자
③ 우체통 ⇨ 국가

(2) 설치시기

간선시설은 특별한 사유가 없으면 사용검사일까지 설치를 완료하여야 한다(법 제28조 제2항).

(3) 설치비용

① **설치비용의 부담**: 간선시설의 설치비용은 설치의무자가 부담한다. 이 경우 도로 및 상하수도 간선시설의 설치비용은 그 비용의 50퍼센트의 범위에서 국가가 보조할 수 있다(법 제28조 제3항).

② **사업주체가 설치한 경우의 비용상환**

  ㉠ **설치비용의 상환요구**: 간선시설 설치의무자가 사용검사일까지 간선시설의 설치를 완료하지 못할 특별한 사유가 있는 경우에는 사업주체가 그 간선시설을 자기부담으로 설치하고 간선시설 설치의무자에게 그 비용의 상환을 요구할 수 있다(법 제28조 제7항).

  ㉡ **설치비 상환계약**: 사업주체가 ㉠에 따라 간선시설을 자기부담으로 설치하려는 경우 간선시설 설치의무자는 사업주체와 간선시설의 설치비 상환계약을 체결하여야 한다(영 제40조 제1항).

  ㉢ **상환기간**: 간선시설의 설치비 상환계약에서 정하는 설치비의 상환기간은 해당 공사의 사용검사일부터 3년 이내로 하여야 한다(영 제40조 제2항).

  ㉣ **상환금액**: 간선시설 설치의무자가 간선시설의 설치비 상환계약에 따라 상환하여야 하는 금액은 다음의 금액을 합산한 금액으로 한다(영 제40조 제3항).

> ⓐ 설치비용
> ⓑ 상환 완료시까지의 설치비용에 대한 이자. 이 경우 이자율은 설치비 상환계약 체결일 당시의 정기예금 금리(은행법에 따라 설립된 은행 중 수신고를 기준으로 한 전국 상위 6개 시중은행의 1년 만기 정기예금 금리의 산술평균을 말한다)로 하되, 상환계약에서 달리 정한 경우에는 그에 따른다.

③ **전기지중선로의 설치비용**: 전기간선시설을 지중선로(地中線路)로 설치하는 경우에는 전기를 공급하는 자와 지중에 설치할 것을 요청하는 자가 각각 50퍼센트의 비율로 그 설치비용을 부담한다. 다만, 사업지구 밖의 기간시설로부터 그 사업지구 안의 가장 가까운 주택단지(사업지구 안에 1개의 주택단지가 있는 경우에는 그 주택단지를 말한다)의 경계선까지 전기간선시설을 설치하는 경우에는 전기를 공급하는 자가 부담한다(법 제28조 제4항).

④ **도로·상하수도의 설치대행**: 지방자치단체는 사업주체가 자신의 부담으로 지방자치단체의 설치의무에 해당하지 아니하는 도로 또는 상하수도시설(해당 주택건설사업 또는 대지조성사업과 직접적으로 관련이 있는 경우로 한정한다)의 설치를 요청할 경우에는 이에 따를 수 있다(법 제28조 제5항).

01 기준의 설정

(1) 사업주체가 건설·공급하는 주택의 건설 등에 관한 다음의 기준은 대통령령(주택건설기준 등에 관한 규정)으로 정한다(법 제35조 제1항, 규정 제45조).

> ① 법 제35조 제1항 제1호에 따른 주택 및 시설의 배치, 주택과의 복합건축 등에 관한 주택건설기준
> ② 법 제35조 제1항 제2호에 따른 주택의 구조·설비기준
> ③ 법 제35조 제1항 제3호에 따른 부대시설의 설치기준
> ④ 법 제35조 제1항 제4호에 따른 복리시설의 설치기준
> ⑤ 법 제35조 제1항 제5호에 따른 대지조성기준
> ⑥ 법 제36조에 따른 도시형 생활주택의 건설기준
> ⑦ 법 제37조에 따른 에너지절약형 친환경주택 등의 건설기준
> ⑧ 법 제38조에 따른 장수명 주택의 건설기준 및 인증제도
> ⑨ 법 제39조에 따른 공동주택성능등급의 표시
> ⑩ 법 제40조에 따른 환기시설 설치기준
> ⑪ 법 제41조에 따른 바닥충격음 성능등급 인정
> ⑫ 법 제42조에 따른 소음방지대책 수립에 필요한 실외소음도와 실외소음도를 측정하는 기준, 실외소음도 측정기관의 지정 요건 및 측정에 소요되는 수수료 등 실외소음도 측정에 필요한 사항

(2) 지방자치단체는 그 지역의 특성, 주택의 규모 등을 고려하여 주택건설기준 등의 범위에서 조례로 구체적인 기준을 정할 수 있다(법 제35조 제2항).

(3) 사업주체는 위 **(1)** 및 **(2)**의 기준에 따라 주택건설사업 또는 대지조성사업을 시행하여야 한다(법 제35조 제3항).

02 시설의 배치기준 – 소음방지대책의 수립

(1) 수립

사업계획승인권자는 주택의 건설에 따른 소음의 피해를 방지하고 주택건설지역 주민의 평온한 생활을 유지하기 위하여 주택건설사업을 시행하려는 사업주체에게 대통령령으로 정하는 바에 따라 소음방지대책을 수립하도록 하여야 한다(법 제42조 제1항).

(2) 협의

사업계획승인권자는 다음의 주택건설지역이 도로와 인접한 경우에는 해당 도로의 관리청과 소음방지대책을 미리 협의하여야 한다. 다만, 주택건설지역이 환경영향평가법 시행령 [별표 3] 제1호의 사업구역에 포함된 경우로서 환경영향평가를 통하여 소음저감대책

을 수립한 후 해당 도로의 관리청과 협의를 완료하고 개발사업의 실시계획을 수립한 경우는 제외한다. 협의하는 경우 해당 도로의 관리청은 소음 관계 법률에서 정하는 소음기준 범위 내에서 필요한 의견을 제시할 수 있다(법 제42조 제2항, 규정 제9조 제5항).

> ① 고속국도로부터 300미터 이내에 주택건설지역이 있는 경우
> ② 일반국도(자동차 전용도로 또는 왕복 6차로 이상인 도로만 해당한다)와 같은 법 제14조에 따른 특별시도·광역시도(자동차 전용도로만 해당한다)로부터 150미터 이내에 주택건설지역이 있는 경우

(3) 소음방지대책

사업주체는 공동주택을 건설하는 지점의 소음도(실외소음도)가 65데시벨 미만이 되도록 하되, 65데시벨 이상인 경우에는 방음벽·수림대 등의 방음시설을 설치하여 해당 공동주택의 건설지점의 소음도가 65데시벨 미만이 되도록 소음방지대책을 수립하여야 한다. 다만, 공동주택이 국토의 계획 및 이용에 관한 법률에 따른 도시지역(주택단지 면적이 30만제곱미터 미만인 경우로 한정한다) 또는 소음·진동관리법 제27조에 따라 지정된 지역에 건축되는 경우로서 다음의 기준을 모두 충족하는 경우에는 그 공동주택의 6층 이상인 부분에 대하여 본문을 적용하지 아니한다(규정 제9조 제1항).

> ① 세대 안에 설치된 모든 창호를 닫은 상태에서 거실에서 측정한 소음도(실내소음도)가 45데시벨 이하일 것
> ② 공동주택의 세대 안에 건축법 시행령 제87조 제2항에 따라 정하는 기준에 적합한 환기설비를 갖출 것

03 부대시설의 설치기준

(1) 진입도로

① 공동주택을 건설하는 주택단지는 기간도로와 접하거나 기간도로로부터 해당 단지에 이르는 진입도로가 있어야 한다. 이 경우 기간도로와 접하는 폭 및 진입도로의 폭은 다음 표와 같다(규정 제25조 제1항).

주택단지의 총세대수	기간도로와 접하는 폭 또는 진입도로의 폭
300세대 미만	6미터 이상
300세대 이상 500세대 미만	8미터 이상
500세대 이상 1천세대 미만	12미터 이상
1천세대 이상 2천세대 미만	15미터 이상
2천세대 이상	20미터 이상

② 주택단지가 2 이상이면서 해당 주택단지의 진입도로가 하나인 경우 그 진입도로의 폭은 해당 진입도로를 이용하는 모든 주택단지의 세대수를 합한 총세대수를 기준으로 하여 산정한다(규정 제25조 제2항).

③ 공동주택을 건설하는 주택단지의 진입도로가 2 이상으로서 다음 표의 기준에 적합한 경우에는 ①의 규정을 적용하지 아니할 수 있다. 이 경우 폭 4미터 이상 6미터 미만인 도로는 기간도로와 통행거리 200미터 이내인 때에 한하여 이를 진입도로로 본다(규정 제25조 제3항).

주택단지의 총세대수	폭 4미터 이상의 진입도로 중 2개의 진입도로 폭의 합계
300세대 미만	10미터 이상
300세대 이상 500세대 미만	12미터 이상
500세대 이상 1천세대 미만	16미터 이상
1천세대 이상 2천세대 미만	20미터 이상
2천세대 이상	25미터 이상

(2) 주택단지 안의 도로

① 원칙: 공동주택을 건설하는 주택단지에는 폭 1.5미터 이상의 보도를 포함한 폭 7미터 이상의 도로(보행자전용도로, 자전거도로는 제외한다)를 설치하여야 한다(규정 제26조 제1항).

② 예외: 다음의 어느 하나에 해당하는 경우에는 도로의 폭을 4미터 이상으로 할 수 있다. 이 경우 해당 도로에는 보도를 설치하지 아니할 수 있다(규정 제26조 제2항).

> ㉠ 해당 도로를 이용하는 공동주택의 세대수가 100세대 미만이고 해당 도로가 막다른 도로로서 그 길이가 35미터 미만인 경우
> ㉡ 그 밖에 주택단지 내의 막다른 도로 등 사업계획승인권자가 부득이하다고 인정하는 경우

③ 단지 내 과속방지턱 등의 설치: 주택단지 안의 도로는 유선형(流線型) 도로로 설계하거나 도로 노면의 요철(凹凸) 포장 또는 과속방지턱의 설치 등을 통하여 도로의 설계속도(도로설계의 기초가 되는 속도를 말한다)가 시속 20킬로미터 이하가 되도록 하여야 한다(규정 제26조 제3항).

④ 어린이안전보호구역의 설치: 500세대 이상의 공동주택을 건설하는 주택단지 안의 도로에는 어린이 통학버스의 정차가 가능하도록 차량의 진출입이 쉬운 곳에 승합자동차의 주차가 가능한 면적 이상의 공간으로 설치하여야 하며, 그 주변의 도로면 또는 교통안전표지판 등에 차량 속도제한 표시를 하는 등 어린이 안전 확보에 필요한 조치를 한 어린이안전보호구역을 1개 소 이상 설치하여야 한다(규정 제26조 제4항, 규칙 제6조 제1항).

(3) 주차장

주택단지에는 다음의 기준(소수점 이하의 끝수는 이를 한 대로 본다)에 따라 주차장을 설치해야 한다(규정 제27조 제1항).

① 주택단지에는 주택의 전용면적의 합계를 기준으로 하여 다음 표에서 정하는 면적당 대수의 비율로 산정한 주차대수 이상의 주차장을 설치하되, 세대당 주차대수가 1대(세대당 전용면적이 60제곱미터 이하인 경우에는 0.7대) 이상이 되도록 해야 한다. 다만, 지역별 차량보유율 등을 고려하여 설치기준의 5분의 1(세대당 전용면적이 60제곱미터 이하인 경우에는 2분의 1)의 범위에서 특별시 · 광역시 · 특별자치시 · 특별자치도(관할 구역에 지방자치단체인 시 · 군이 없는 특별자치도를 말한다) · 시 · 군 또는 자치구의 조례로 강화하여 정할 수 있다.

주택규모별 (전용면적: m²)	주차장 설치기준(대/m²)			
	특별시	수도권 내의 시지역 및 광역시, 특별자치시	수도권 내의 군지역 및 그 밖의 시지역	그 밖의 지역
85 이하	1/75	1/85	1/95	1/110
85 초과	1/65	1/70	1/75	1/85

② 소형주택은 ①에도 불구하고 세대당 주차대수가 0.6대(세대당 전용면적이 30제곱미터 미만인 경우에는 0.5대) 이상이 되도록 주차장을 설치하여야 한다. 다만, 지역별 차량보유율 등을 고려하여 다음의 구분에 따라 특별시 · 광역시 · 특별자치시 · 특별자치도(관할 구역 안에 지방자치단체인 시 · 군이 없는 특별자치도를 말한다) · 시 · 군 또는 자치구의 조례로 강화하거나 완화하여 정할 수 있다.

> ㉠ 민간임대주택에 관한 특별법의 철도역과 환승시설에 해당하는 시설로부터 통행거리 500미터 이내에 건설하는 소형주택으로서 다음의 요건을 모두 갖춘 경우: 설치기준의 10분의 7 범위에서 완화
> ⓐ 공공주택 특별법의 공공임대주택일 것
> ⓑ 임대기간 동안 자동차를 소유하지 않을 것을 임차인 자격요건으로 하여 임대할 것. 다만, 장애인복지법에 따른 장애인 등에 대해서는 특별시 · 광역시 · 특별자치시 · 도 · 특별자치도의 조례로 자동차 소유 요건을 달리 정할 수 있다.
> ㉡ 그 밖의 경우: 설치기준의 2분의 1 범위에서 강화 또는 완화

③ 주택단지에 건설하는 주택(부대시설 및 주민공동시설을 포함한다)외의 시설에 대하여는 주차장법이 정하는 바에 따라 산정한 부설주차장을 설치하여야 한다.

④ 노인복지법에 의하여 노인복지주택을 건설하는 경우 해당 주택단지에는 ①의 규정에 불구하고 세대당 주차대수가 0.3대(세대당 전용면적이 60제곱미터 이하인 경우에는 0.2대) 이상이 되도록 하여야 한다.

(4) 관리사무소

① 50세대 이상의 공동주택을 건설하는 주택단지에는 다음의 시설을 모두 설치하되, 그 면적의 합계가 10제곱미터에 50세대를 넘는 매 세대마다 500제곱센티미터를 더한 면 적 이상이 되도록 설치해야 한다. 다만, 그 면적의 합계가 100제곱미터를 초과하는 경우에는 설치면적을 100제곱미터로 할 수 있다(규정 제28조 제1항).

> ㉠ 관리사무소
> ㉡ 경비원 등 공동주택 관리업무에 종사하는 근로자를 위한 휴게시설

② 휴게시설은 산업안전보건법에 따라 설치해야 한다(규정 제28조 제3항).

(5) 보안등

① 주택단지 안의 어린이놀이터 및 도로(폭 15미터 이상인 도로의 경우에는 도로의 양측)에는 보안등을 설치하여야 한다. 이 경우 해당 도로에 설치하는 보안등의 간격은 50미터 이내로 하여야 한다(규정 제33조 제1항).

② 보안등에는 외부의 밝기에 따라 자동으로 켜지고 꺼지는 장치 또는 시간을 조절하는 장치를 부착하여야 한다(규정 제33조 제2항).

(6) 영상정보처리기기의 설치

의무관리대상 공동주택을 건설하는 주택단지에는 다음의 기준에 따라 보안 및 방범 목적을 위한 개인정보 보호법 시행령 제3조 제1호 또는 제2호에 따른 영상정보처리기기를 설치해야 한다(규정 제39조, 규칙 제9조).

① 승강기, 어린이놀이터 및 각 동의 출입구마다 개인정보 보호법 시행령 제3조 제1호 또는 제2호에 따른 영상정보처리기기의 카메라를 설치할 것

② 영상정보처리기기의 카메라는 전체 또는 주요 부분이 조망되고 잘 식별될 수 있도록 설치하되, 카메라의 해상도는 130만 화소 이상일 것

③ 영상정보처리기기의 카메라수와 녹화장치의 모니터수가 같도록 설치할 것. 다만, 모니터 화면이 다채널로 분할 가능하고 다음의 요건을 모두 충족하는 경우에는 그렇지 않다.

> ㉠ 다채널의 카메라 신호를 1대의 녹화장치에 연결하여 감시할 경우에 연결된 카메라 신호 가 전부 모니터 화면에 표시돼야 하며 1채널의 감시화면의 대각선 방향 크기는 최소한 4인치 이상일 것
> ㉡ 다채널 신호를 표시한 모니터 화면은 채널별로 확대 감시 기능이 있을 것
> ㉢ 녹화된 화면의 재생이 가능하며 재생할 경우에 화면의 크기 조절 기능이 있을 것

④ 개인정보 보호법 시행령 제3조 제2호에 따른 네트워크 카메라를 설치하는 경우에는 다음의 요건을 모두 충족할 것

> ㉠ 인터넷 장애가 발생하더라도 영상정보가 끊어지지 않고 지속적으로 저장될 수 있도록 필요한 기술적 조치를 할 것
> ㉡ 서버 및 저장장치 등 주요 설비는 국내에 설치할 것
> ㉢ 공동주택관리법 시행규칙 [별표 1]의 장기수선계획의 수립기준에 따른 수선주기 이상으로 운영될 수 있도록 설치할 것

04 복리시설의 설치기준

(1) 근린생활시설 등

하나의 건축물에 설치하는 근린생활시설 및 소매시장·상점을 합한 면적(전용으로 사용되는 면적을 말하며, 같은 용도의 시설이 2개 소 이상 있는 경우에는 각 시설의 바닥면적을 합한 면적으로 한다)이 1천제곱미터를 넘는 경우에는 주차 또는 물품의 하역 등에 필요한 공터를 설치하여야 하고, 그 주변에는 소음·악취의 차단과 조경을 위한 식재 그 밖에 필요한 조치를 취하여야 한다(규정 제50조 제4항).

(2) 주민공동시설

① 설치대상 및 기준면적
  ㉠ 100세대 이상의 주택을 건설하는 주택단지에는 다음에 따라 산정한 면적 이상의 주민공동시설을 설치하여야 한다. 다만, 지역 특성, 주택 유형 등을 고려하여 특별시·광역시·특별자치시·특별자치도·시 또는 군의 조례로 주민공동시설의 설치면적을 그 기준의 4분의 1 범위에서 강화하거나 완화하여 정할 수 있다(규정 제55조의2 제1항).

  > ⓐ 100세대 이상 1천세대 미만: 세대당 2.5제곱미터를 더한 면적
  > ⓑ 1천세대 이상: 500제곱미터에 세대당 2제곱미터를 더한 면적

  ㉡ 위 ㉠에 따른 면적은 각 시설별로 전용으로 사용되는 면적을 합한 면적으로 산정한다. 다만, 실외에 설치되는 시설의 경우에는 그 시설이 설치되는 부지면적으로 한다(규정 제55조의2 제2항).

② 설치대상 주민공동시설: 위 ①에 따른 주민공동시설을 설치하는 경우 해당 주택단지에는 다음의 구분에 따른 시설이 포함되어야 한다. 다만, 해당 주택단지의 특성, 인근 지역의 시설 설치 현황 등을 고려할 때 사업계획승인권자가 설치할 필요가 없다고 인정하는 시설이거나 입주예정자의 과반수가 서면으로 반대하는 다함께돌봄센터는 설치하지 않을 수 있다(규정 제55조의2 제3항).

> ⊙ 150세대 이상: 경로당, 어린이놀이터
> ⓒ 300세대 이상: 경로당, 어린이놀이터, 어린이집
> ⓒ 500세대 이상: 경로당, 어린이놀이터, 어린이집, 주민공동시설, 작은도서관, 다함께돌
> 봄센터

05 바닥충격음 성능등급 및 성능검사

(1) 공동주택의 바닥구조

공동주택의 세대 내의 층간바닥(화장실의 바닥은 제외한다)은 다음의 기준을 모두 충족
해야 한다(규정 제14조의2).

① 콘크리트 슬래브 두께는 210밀리미터[라멘구조(보와 기둥을 통해서 내력이 전달되는
구조)의 공동주택은 150밀리미터] 이상으로 할 것. 다만, 다음의 어느 하나에 해당하
는 주택의 층간바닥은 예외로 한다.

> ⊙ 법 제51조 제1항에 따라 인정받은 공업화주택
> ⓒ 목구조(주요 구조부를 목재의 지속가능한 이용에 관한 법률에 따른 목재 또는 목재제품
> 으로 구성하는 구조를 말한다) 공동주택

② 각 층간바닥은 바닥충격음 차단성능[바닥의 경량충격음(비교적 가볍고 딱딱한 충격에
의한 바닥충격음을 말한다) 및 중량충격음(무겁고 부드러운 충격에 의한 바닥충격음을
말한다)이 각각 49데시벨 이하인 성능을 말한다]을 갖춘 구조일 것. 다만, 다음의 층
간바닥은 그렇지 않다.

> ⊙ 라멘구조의 공동주택(법 제51조 제1항에 따라 인정받은 공업화주택은 제외한다)의 층간
> 바닥
> ⓒ ⊙의 공동주택 외의 공동주택 중 발코니, 현관 등 국토교통부령으로 정하는 부분의 층간
> 바닥

(2) 바닥충격음 성능등급 인정기관 및 성능검사기관의 지정

① 성능등급인정기관: 국토교통부장관은 주택건설기준 중 공동주택 바닥충격음 차단구조
의 성능등급을 인정하는 기관(바닥충격음 성능등급 인정기관)을 지정할 수 있으며,
인정기관이 다음의 어느 하나에 해당하는 경우 그 지정을 취소할 수 있다. 다만, ⊙에
해당하는 경우에는 그 지정을 취소하여야 한다(법 제41조 제1항·제2항).

② 성능검사기관: 국토교통부장관은 성능검사를 전문적으로 수행하기 위하여 성능을 검사하는 기관(바닥충격음 성능검사기관)을 다음의 요건을 갖춘 자를 대상으로 지정할 수 있으며, 국토교통부장관은 바닥충격음 성능검사기관의 업무를 수행하는 데에 필요한 비용을 지원할 수 있다(법 제41조의2 제2항, 제4항, 규정 제60조의9 제1항).

(3) 바닥충격음 성능등급의 인정

① 인정: 바닥충격음 차단 성능인정을 받으려는 자는 바닥충격음 성능등급 인정기관으로부터 바닥충격음 차단 성능인정을 받아야 하며(규정 제60조의3 제1항), 그 성능등급 인정의 유효기간은 인정을 받은 날부터 5년으로 하나, 유효기간이 끝나기 전에 유효기간을 연장할 수 있다. 이 경우 연장되는 유효기간은 연장될 때마다 3년을 초과할 수 없다(규정 제60조의7).

② 특례: 사업주체가 콘크리트 슬래브 두께 250밀리미터 이상으로 바닥구조를 시공하는 경우 사업계획승인권자는 국토의 계획 및 이용에 관한 법률에 따라 지구단위계획으로 정한 건축물 높이의 최고한도의 100분의 115를 초과하지 아니하는 범위에서 조례로 정하는 기준에 따라 건축물 높이의 최고한도를 완화하여 적용할 수 있다(법 제41조 제8항. 규정 제60조의8).

(4) 바닥충격음 성능등급

국토교통부장관은 바닥충격음 차단구조의 성능을 검사하기 위하여 바닥충격음 성능등급 및 성능검사의 기준(성능검사기준)을 마련하여 고시하여야 하며, 바닥충격음 차단성능 인정을 받으려는 자는 국토교통부장관이 정하여 고시하는 방법 및 절차 등에 따라 바닥충격음 성능등급 인정기관으로부터 바닥충격음 차단성능 인정을 받아야 한다(법 제41조의2 제1항, 규정 제60조의3).

(5) 바닥충격음 성능검사

① **검사대상**: 사업주체는 사업계획승인을 받아 시행하는 주택건설사업의 경우 사용검사를 받기 전에 바닥충격음 성능검사기관으로부터 성능검사기준에 따라 바닥충격음 차단구조의 성능을 검사(성능검사)를 받아 그 결과를 사용검사권자에게 제출하여야 한다(법 제41조의2 제5항).

② **검사방법**(규정 제60조의10).

    ㉠ 성능검사를 받으려는 사업주체는 건설하는 주택의 바닥충격음 차단구조에 대한 시공이 완료된 후 바닥충격음 성능검사기관의 장에게 성능검사를 신청해야 한다.

    ㉡ 신청을 받은 바닥충격음 성능검사기관의 장은 주택 각 세대의 평면유형, 면적 및 층수 등을 고려하여 구분한 세대 단위별로 성능검사를 실시할 세대를 무작위로 선정하여 성능검사를 실시해야 한다.

    ㉢ 바닥충격음 성능검사기관의 장은 성능검사를 완료하면 지체 없이 사업주체에게 그 결과를 통보해야 한다. 이 경우 사업주체가 요청하면 성능검사결과를 통보할 때 사용검사를 하는 시장·군수·구청장(사용검사권자)에게도 이를 통보할 수 있다. 이 경우 사업주체가 사용검사권자에게 성능검사결과를 제출한 것으로 본다.

③ **권고조치**: 사용검사권자는 ①에 따른 성능검사결과가 경량충격음 또는 중량충격음이 49데시벨을 초과하는 경우에는 사업주체에게 보완 시공, 손해배상 등의 조치를 권고할 수 있다(법 제41조의2 제6항, 규정 제60조의12 제1항).

④ **조치계획**: ③에 따라 조치를 권고받은 사업주체는 권고받은 날부터 10일 이내에 사용검사권자에게 권고사항에 대한 조치계획서를 제출해야 한다. 다만, 기술적 검토에 시간이 걸리는 등 불가피한 경우에는 사용검사권자와 협의하여 그 기간을 연장할 수 있다(규정 제60조의12 제3항).

⑤ **조치결과**: ③에 따라 조치를 권고받은 사업주체는 조치기한이 지난 날부터 5일 내에 권고사항에 대한 조치결과를 사용검사권자에게 제출하여야 한다(법 제41조의2 제7항, 규정 제60조의12 제4항).

⑥ **조치 통보**: 사업주체는 사용검사권자에게 제출한 성능검사결과 및 제출한 조치결과를 입주예정일 전까지 입주예정자에게 문서(전자문서를 포함한다)로 알려야 한다(법 제41조의2 제8항, 규정 제60조의13).

⑦ **정책 수립**: 국토교통부장관은 층간소음 저감정책을 수립하기 위하여 필요하다고 판단하는 경우 사용검사권자에게 제출된 성능검사결과 및 조치결과를 국토교통부장관에게 제출하도록 요청할 수 있다. 이 경우 자료 제출을 요청받은 사용검사권자는 정당한 사유가 없으면 이에 따라야 한다(법 제41조의2 제9항).

⑧ 우수시공자 선정: 바닥충격음 성능검사기관은 성능검사결과를 토대로 다음의 요건을 모두 갖춘 시공자 중에서 전년도에 사용검사를 받은 주택단지별 성능검사결과의 평균값(해당 주택단지가 1개인 경우에는 그 주택단지의 성능검사결과를 말한다)이 높은 상위 10개의 시공자를 우수시공자로 선정할 수 있으며, 선정한 우수시공자를 선정한 경우에는 해당 기관의 인터넷 홈페이지를 통해 공개한다(법 제41조의2 제10항, 규정 제60조의14).

> ○ 전년도에 사용검사를 받은 공동주택이 총 500세대 이상일 것
> ○ 전년도에 사용검사를 받은 주택단지 중에서 성능검사기준에 미달하는 주택단지가 없을 것

05 공동주택 성능등급의 표시

사업주체가 500세대 이상의 공동주택을 공급할 때에는 주택의 성능 및 품질을 입주자가 알수 있도록 녹색건축물 조성 지원법에 따라 다음의 공동주택 성능에 대한 등급을 발급받아 입주자모집공고에 표시하여야 한다(법 제39조, 규정 제58조).

① 경량충격음·중량충격음·화장실소음·경계소음 등 소음 관련 등급
② 리모델링 등에 대비한 가변성 및 수리 용이성 등 구조 관련 등급
③ 조경·일조확보율·실내공기질·에너지절약 등 환경 관련 등급
④ 커뮤니티시설, 사회적 약자 배려, 홈네트워크, 방범안전 등 생활환경 관련 등급
⑤ 화재·소방·피난안전 등 화재·소방 관련 등급

06 장수명주택과 공업화주택

(1) 장수명주택

① 장수명주택의 건설기준과 인증제도: 국토교통부장관은 구조적으로 오래 유지관리될 수 있는 내구성을 갖추고, 입주자의 필요에 따라 내부 구조를 쉽게 변경할 수 있는 가변성과 수리 용이성 등이 우수한 주택(이하 '장수명주택'이라 한다)의 건설기준을 정하여 고시할 수 있다. 또한 장수명주택의 공급 활성화를 유도하기 위하여 장수명주택 인증제도를 시행할 수 있고, 이를 위하여 국토교통부장관은 인증기관을 지정하고 관련 업무를 위탁할 수 있다(법 제38조 제1항·제2항·제5항).

② **장수명주택의 등급과 지원**: 사업주체가 1천세대 이상의 주택을 공급하고자 하는 때에는 인증제도에 따라 일반등급 이상의 등급을 인정받아야 하며, 국가, 지방자치단체 및 공공기관의 장은 장수명주택을 공급하는 사업주체 및 장수명주택 취득자에 대하여 법률 등으로 정하는 바에 따라 행정상·세제상의 지원을 할 수 있다(법 제38조 제3항·제4항, 규정 제65조의2).

   ◉ **장수명주택의 등급**
- 최우수등급
- 우수등급
- 양호등급
- 일반등급

③ **장수명주택의 특례**: 장수명주택의 인증제도에 따라 인증등급 중 우수등급 이상의 등급을 인정받은 경우 국토의 계획 및 이용에 관한 법률에도 불구하고 건폐율·용적률은 다음의 구분에 따라 조례로 그 제한을 완화할 수 있다(법 제38조 제7항).

> ㉠ **건폐율**: 국토의 계획 및 이용에 관한 법률 제77조 및 같은 법 시행령 제84조 제1항에 따라 조례로 정한 건폐율의 100분의 115를 초과하지 아니하는 범위에서 완화. 다만, 국토의 계획 및 이용에 관한 법률 제77조에 따른 건폐율의 최대한도를 초과할 수 없다.
> ㉡ **용적률**: 국토의 계획 및 이용에 관한 법률 제78조 및 같은 법 시행령 제85조 제1항에 따라 조례로 정한 용적률의 100분의 115를 초과하지 아니하는 범위에서 완화. 다만, 국토의 계획 및 이용에 관한 법률 제78조에 따른 용적률의 최대한도를 초과할 수 없다.

(2) 공업화주택

① **공업화주택의 인정**: 국토교통부장관은 주요구조부의 전부 또는 일부를 국토교통부령으로 정하는 성능기준 및 생산기준에 따라 조립식 등 공업화공법으로 건설하는 주택을 공업화주택으로 인정할 수 있으며, 공업화주택 인정의 유효기간은 공업화주택의 인정 공고일부터 5년으로 한다(법 제51조 제1항, 규정 제61조의2 제5항).

② **공업화주택의 건설**: 국토교통부장관 또는 시·도지사는 다음의 구분에 따라 주택을 건설하려는 자에 대하여 건설산업기본법 제9조 제1항에도 불구하고 대통령령으로 정하는 바에 따라 해당 주택을 건설하게 할 수 있다(법 제51조 제2항).

> ㉠ **국토교통부장관**: 건설기술관리법 제18조에 따라 국토교통부장관이 고시한 새로운 건설기술을 적용하여 건설하는 주택
> ㉡ **시·도지사 또는 시장·군수**: 공업화주택

③ **공업화주택의 인정 취소**: 국토교통부장관은 공업화주택을 인정받은 자가 다음의 어느 하나에 해당하는 행위를 한 경우에는 공업화주택의 인정을 취소할 수 있다. 다만, ㉠에 해당하는 경우에는 그 인정을 취소하여야 한다(법 제52조).

> ㉠ 거짓이나 그 밖의 부정한 방법으로 인정을 받은 경우
> ㉡ 인정을 받은 기준보다 낮은 성능으로 공업화주택을 건설한 경우

④ **공업화주택의 건설 촉진**
  ㉠ 국토교통부장관, 시·도지사 또는 시장·군수는 사업주체가 건설할 주택을 공업화주택으로 건설하도록 사업주체에게 권고할 수 있다(법 제53조 제1항).
  ㉡ 공업화주택의 건설 및 품질 향상과 관련하여 국토교통부령으로 정하는 기술능력을 갖추고 있는 자가 공업화주택을 건설하는 경우에는 법 제33조(주택의 설계 및 시공)·제43조(주택의 감리 등) 및 건축사법 제4조(설계 또는 공사감리 등)를 적용하지 아니한다(법 제53조 제2항).

마무리STEP **1** | OX 문제

2025 주택관리사(보) 주택관리관계법규

01 연간 단독주택 30호, 공동주택 30세대. 다만, 도시형 생활주택(소형주택과 주거전용면적이 85 제곱미터를 초과하는 주택 1세대를 함께 건축하는 경우를 포함한다)은 20세대 이상의 주택건설 사업을 시행하려는 자 또는 연간 1만제곱미터 이상의 대지조성사업을 시행하려는 자는 국토교 통부장관에게 등록하여야 한다. ( )

02 주택건설공사를 시공하는 등록사업자는 건설공사비(총공사비에서 대지구입비를 제외한 금액을 말한다)가 자본금과 자본준비금 · 이익준비금을 합한 금액의 10배(개인인 경우에는 자산평가액 의 5배)를 초과하는 건설공사는 시공할 수 없다. ( )

03 주택조합(세대수를 증가하지 아니하는 리모델링주택조합은 제외한다)이 그 구성원의 주택을 건 설하는 경우에는 등록사업자(지방자치단체, 한국토지주택공사 및 지방공사를 포함한다)와 공동 으로 사업을 시행하여야 한다. ( )

04 국민주택을 공급받기 위하여 직장주택조합을 설립하려는 자는 관할 시장 · 군수 · 구청장의 설 립인가를 받아야 한다. 신고한 내용을 변경하거나 직장주택조합을 해산하려는 경우에도 또한 같다. ( )

---

01 ✕ 연간 단독주택 20호, 공동주택 20세대. 다만, 도시형 생활주택(소형주택과 주거전용면적이 85제곱미터를 초과하는 주택 1세대를 함께 건축하는 경우를 포함한다)은 30세대 이상의 주택건설사업을 시행하려는 자 또는 연간 1만제곱미터 이상의 대지조성사업을 시행하려는 자는 국토교통부장관에게 등록하여야 한다.

02 ○

03 ✕ 공동으로 사업을 시행할 수 있다.

04 ✕ 국민주택을 공급받기 위하여 직장주택조합을 설립하려는 자는 관할 시장 · 군수 · 구청장에게 신고하여야 한다. 신고한 내용을 변경하거나 직장주택조합을 해산하려는 경우에도 또한 같다.

05 주택을 리모델링하기 위하여 주택조합을 설립하려는 경우에는 주택단지 전체를 리모델링하고자 하는 경우에는 주택단지 전체의 구분소유자와 의결권의 각 3분의 2 이상의 결의 및 각 동의 구분소유자와 의결권의 각 과반수의 결의를 받아야 한다. ( )

06 리모델링의 허가를 신청하기 위한 동의율을 확보한 경우 리모델링 결의를 한 리모델링주택조합은 그 리모델링 결의에 찬성하지 아니하는 자의 주택 및 토지에 대하여 매도청구를 할 수 있다. ( )

07 지역주택조합 또는 직장주택조합의 설립인가를 받기 위하여 조합원을 모집하려는 자는 해당 주택건설대지의 80퍼센트 이상에 해당하는 토지의 사용권원을 확보하여 관할 시장·군수·구청장에게 신고하고 조합원을 모집하여야 한다. ( )

08 공개모집 이후 조합원의 사망·자격상실·탈퇴 등으로 인한 결원을 충원하거나 미달된 조합원을 재모집하는 경우에는 신고하고 선착순의 방법으로 조합원을 모집할 수 있다. ( )

09 주택조합의 발기인은 조합원 모집신고가 수리된 날부터 2년이 되는 날까지 주택조합 설립인가를 받지 못하는 경우에 그 2년이 되는 날부터 3개월 이내에 주택조합 가입신청자 전원으로 구성되는 총회를 개최하여 의결을 거쳐 주택조합사업의 종결 여부를 결정하도록 하여야 한다. ( )

10 주택조합은 주택조합의 설립인가를 받은 날부터 3년이 되는 날까지 사업계획승인을 받지 못하는 경우에 그 3년이 되는 날부터 3개월 이내에 총회를 개최하여 의결을 거쳐 주택조합의 해산 여부를 결정하도록 하여야 한다. ( )

---

05 ○

06 ○

07 ✕ 지역주택조합 또는 직장주택조합의 설립인가를 받기 위하여 조합원을 모집하려는 자는 해당 주택건설대지의 50퍼센트 이상에 해당하는 토지의 사용권원을 확보하여 관할 시장·군수·구청장에게 신고하고 조합원을 모집하여야 한다.

08 ✕ 충원하거나 미달된 조합원을 재모집하는 경우에는 신고하지 아니하고 선착순의 방법으로 조합원을 모집할 수 있다.

09 ○

10 ○

11 주택건설사업계획의 승인을 받으려는 자는 해당 주택건설대지의 소유권을 확보하여야 한다.

( )

12 지구단위계획의 결정이 필요한 주택건설사업의 해당 대지면적의 80퍼센트 이상을 사용할 수 있는 권원을 확보하여 사업계획승인을 받은 사업주체는 해당 주택건설대지 중 사용할 수 있는 권원을 확보하지 못한 대지(건축물을 제외한다)의 소유자에게 그 대지를 시가로 매도할 것을 청구할 수 있다.

( )

13 사업계획승인권자는 사업계획승인의 신청을 받았을 때에는 정당한 사유가 없으면 신청받은 날부터 30일 이내에 사업주체에게 승인 여부를 통보하여야 한다.

( )

14 한국토지주택공사, 지방공사 또는 등록사업자는 동일한 규모의 주택을 대량으로 건설하고자 하는 경우에는 국토교통부령이 정하는 바에 따라 국토교통부장관에게 주택의 형별로 표본설계도서를 작성·제출하여 그 승인을 받을 수 있다.

( )

15 국가 또는 지방자치단체인 사업주체는 사업계획승인을 받은 주택건설공사의 설계와 시공을 분리하여 발주하여야 한다. 다만, 주택건설공사 중 총공사비(대지구입비를 제외한다)가 500억원 이상인 대형공사로서 기술관리상 설계와 시공을 분리하여 발주할 수 없는 공사의 경우에는 국가를 당사자로 하는 계약에 관한 법률 시행령에 따른 일괄입찰방법으로 시행할 수 있다.

( )

16 사업주체는 공사감리비를 감리자에게 국토교통부령으로 정하는 절차 등에 따라 지급하여야 한다.

( )

---

11 ○

12 × 건축물을 포함한다.

13 × 60일 이내에 사업주체에게 승인 여부를 통보하여야 한다.

14 ○

15 ○

16 × 사업주체는 공사감리비를 국토교통부령으로 정하는 바에 따라 사업계획승인권자에게 예치하여야 하고, 사업계획승인권자는 예치받은 공사감리비를 감리자에게 국토교통부령으로 정하는 절차 등에 따라 지급하여야 한다.

17 사업주체는 사용검사를 받기 전에 입주예정자가 해당 주택을 방문하여 공사상태를 미리 점검할 수 있게 하여야 한다. ( )

18 사업계획승인권자는 사전방문을 실시하고 사용검사를 신청하기 전에 공동주택의 품질을 점검하여 사업계획의 내용에 적합한 공동주택이 건설되도록 할 목적으로 주택 관련 분야 등의 전문가로 구성된 공동주택 품질점검단을 설치·운영할 수 있다. ( )

19 품질점검단은 300세대 이상의 공동주택의 건축·구조·안전·품질관리 등에 대한 시공품질을 대통령령으로 정하는 바에 따라 점검하여 그 결과를 시·도지사와 사용검사권자에게 제출하여야 한다. ( )

20 공구별로 분할하여 사업계획을 승인받은 경우에는 완공된 주택에 대하여 공구별로 사용검사(분할 사용검사)를 받을 수 있고, 일정한 사유가 있는 경우에는 공사가 완료된 주택에 대하여 동별로 사용검사(동별 사용검사)를 받을 수 있다. ( )

21 임시사용승인의 대상이 주택인 경우에는 세대별로 임시사용승인을 할 수 있다. ( )

22 사업주체가 국민주택을 건설하거나 국민주택을 건설하기 위한 대지를 조성하는 경우에는 토지나 토지에 정착한 물건 및 그 토지나 물건에 관한 소유권 외의 권리(토지 등)를 수용하거나 사용할 수 있다. ( )

---

17 ○

18 × 시·도지사는 공동주택 품질점검단을 설치·운영할 수 있다.

19 ○

20 ○

21 × 임시사용승인의 대상이 공동주택인 경우에는 세대별로 임시사용승인을 할 수 있다.

22 × 국가·지방자치단체·한국토지주택공사 및 지방공사인 사업주체가 국민주택을 건설하거나 국민주택을 건설하기 위한 대지를 조성하는 경우이다.

23 국가 또는 한국토지주택공사인 사업주체는 주택건설사업 또는 대지조성사업을 위한 토지매수 업무와 손실보상업무를 매수할 토지 및 위탁조건을 명시하여 관할 지방자치단체의 장에게 위탁할 수 있다. 이 경우 그 토지매수금액과 손실보상금액의 4퍼센트의 범위에서 대통령령으로 정하는 요율의 위탁수수료를 해당 지방자치단체에 지급하여야 한다. ( )

24 사업주체가 국민주택용지로 사용하기 위하여 도시개발사업시행자에게 체비지의 매각을 요구한 경우 그 도시개발사업시행자는 경쟁입찰방법에 따라 체비지 전체를 이를 우선적으로 사업주체에게 매각할 수 있다. ( )

25 100세대 이상의 주택건설공사에서 간선시설의 설치비용은 사업주체가 부담한다. 이 경우 도로 및 상하수도 간선시설의 설치비용은 그 비용의 50퍼센트의 범위에서 국가가 보조할 수 있다. ( )

26 사업주체가 500세대 이상의 주택을 공급하고자 하는 때에는 인증제도에 따라 일반등급 이상의 등급을 인정받아야 한다. ( )

---

23 × 2퍼센트의 범위에서 대통령령으로 정하는 요율의 위탁수수료를 해당 지방자치단체에 지급하여야 한다.

24 × 체비지의 총면적의 50퍼센트의 범위에서 이를 우선적으로 사업주체에게 매각할 수 있다.

25 × 간선시설의 설치비용은 설치의무자가 부담한다.

26 × 사업주체가 1천세대 이상의 주택을 공급하고자 하는 경우이다.

제 3 장 주택의 공급

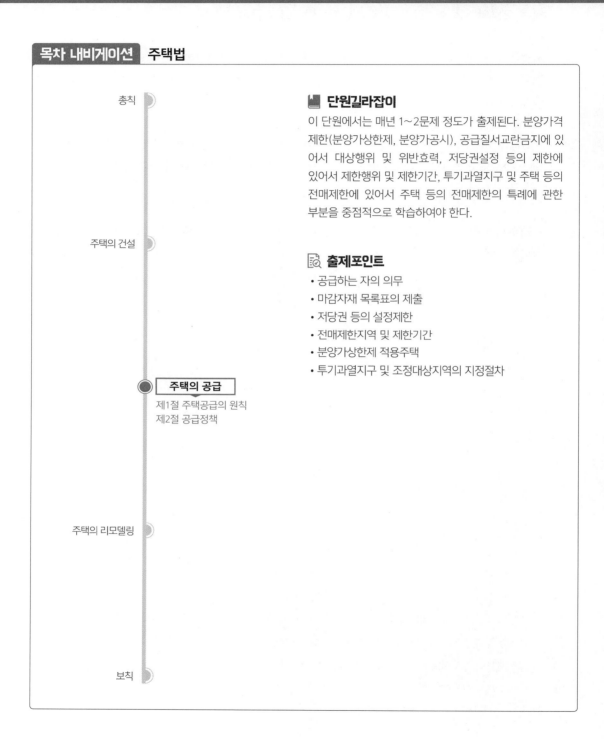

목차 내비게이션 **주택법**

📖 **단원길라잡이**

이 단원에서는 매년 1~2문제 정도가 출제된다. 분양가격 제한(분양가상한제, 분양가공시), 공급질서교란금지에 있어서 대상행위 및 위반효력, 저당권설정 등의 제한에 있어서 제한행위 및 제한기간, 투기과열지구 및 주택 등의 전매제한에 있어서 주택 등의 전매제한의 특례에 관한 부분을 중점적으로 학습하여야 한다.

📑 **출제포인트**

- 공급하는 자의 의무
- 마감자재 목록표의 제출
- 저당권 등의 설정제한
- 전매제한지역 및 제한기간
- 분양가상한제 적용주택
- 투기과열지구 및 조정대상지역의 지정절차

주택공급이라 함은 주택법 제54조의 적용대상이 되는 주택 및 복리시설을 분양 또는 임대하는 것을 말한다(규칙 제2조).

제1항 주택을 공급하는 자의 의무

01 공급의 원칙

(1) 사업주체(건축법 제11조에 따른 건축허가를 받아 주택 외의 시설과 주택을 동일 건축물로 하여 법 제15조 제1항에 따른 호수 이상으로 건설·공급하는 건축주와 법 제49조에 따라 사용검사를 받은 주택을 사업주체로부터 일괄하여 양수받은 자를 포함한다. 이하 이 장에서 같다)는 다음에서 정하는 바에 따라 주택을 건설·공급하여야 한다(법 제54조 제1항 전단).

> ① 사업주체(공공주택사업자는 제외한다)가 입주자를 모집하려는 경우: 국토교통부령으로 정하는 바에 따라 시장·군수·구청장의 승인(복리시설의 경우에는 신고를 말한다)을 받을 것
> ② **사업주체가 건설하는 주택을 공급하려는 경우**
>   ㉠ 국토교통부령으로 정하는 입주자모집의 시기(사업주체 또는 시공자가 영업정지를 받거나 건설기술 진흥법 제53조에 따른 벌점이 국토교통부령으로 정하는 기준에 해당하는 경우 등에 달리 정한 입주자모집의 시기를 포함한다)·조건·방법·절차, 입주금(입주예정자가 사업주체에게 납입하는 주택가격을 말한다. 이하 같다)의 납부 방법·시기·절차, 주택공급계약의 방법·절차 등에 적합할 것
>   ㉡ 국토교통부령으로 정하는 바에 따라 벽지·바닥재·주방용구·조명기구 등을 제외한 부분의 가격을 따로 제시하고, 이를 입주자가 선택할 수 있도록 할 것

(2) 이 경우 국가유공자, 보훈보상대상자, 장애인, 철거주택의 소유자, 그 밖에 국토교통부령으로 정하는 대상자에게는 국토교통부령으로 정하는 바에 따라 입주자 모집조건 등을 달리 정하여 별도로 공급할 수 있다(법 제54조 제1항 후단).

(3) 주택의 공급업무의 대행 등

   ① 사업주체는 주택을 효율적으로 공급하기 위하여 필요하다고 인정하는 경우 주택의 공급업무의 일부를 제3자로 하여금 대행하게 할 수 있다(법 제54조의2 제1항).

   ② 위 ①에도 불구하고 사업주체가 입주자자격, 공급순위 등을 증명하는 서류의 확인 등 국토교통부령으로 정하는 업무를 대행하게 하는 경우 국토교통부령으로 정하는 바에 따라 다음의 어느 하나에 해당하는 자(이하 '분양대행자'라 한다)에게 대행하게 하여야 한다(법 제54조의2 제2항).

> ㉠ 등록사업자
> ㉡ 건설산업기본법 제9조에 따른 건설사업자로서 대통령령으로 정하는 자
> ㉢ 도시 및 주거환경정비법 제102조에 따른 정비사업 전문관리업자
> ㉣ 부동산개발업의 관리 및 육성에 관한 법률 제4조에 따른 등록사업자
> ㉤ 다른 법률에 따라 등록하거나 인가 또는 허가를 받은 자로서 국토교통부령으로 정하는 자

③ 사업주체가 ②에 따라 업무를 대행하게 하는 경우 분양대행자에 대한 교육을 실시하는 등 국토교통부령으로 정하는 관리·감독 조치를 시행하여야 한다(법 제54조의2 제3항).

02 마감자재 목록표 등

(1) 목록표 등의 제출

사업주체가 시장·군수·구청장의 입주자모집승인을 받으려는 경우(사업주체가 국가·지방자치단체·한국토지주택공사 및 지방공사인 경우에는 견본주택을 건설하는 경우를 말한다)에는 견본주택에 사용되는 마감자재의 규격·성능 및 재질을 적은 목록표(이하 '마감자재 목록표'라 한다)와 견본주택의 각 실의 내부를 촬영한 영상물 등을 제작하여 승인권자에게 제출하여야 한다(법 제54조 제3항).

(2) 정보의 제공

사업주체는 주택공급계약을 체결할 때 입주예정자에게 다음의 자료 또는 정보를 제공하여야 한다. 다만, 입주자모집공고에 이를 표시(인터넷에 게재하는 경우를 포함한다)한 경우에는 그러하지 아니하다(법 제54조 제4항).

> ① 견본주택에 사용된 마감자재 목록표
> ② 공동주택 발코니의 세대간 경계벽에 피난구를 설치하거나 경계벽을 경량구조로 건설한 경우 그에 관한 정보

(3) 목록표 등의 보관

시장·군수·구청장은 마감자재 목록표와 영상물 등을 사용검사가 있은 날부터 2년 이상 보관하여야 하며, 입주자가 열람을 요구하는 경우에는 이를 공개하여야 한다(법 제54조 제5항).

(4) 마감자재의 변경

사업주체가 마감자재 생산업체의 부도 등으로 인한 제품의 품귀 등 부득이한 사유로 인하여 사업계획승인 또는 마감자재 목록표의 마감자재와 다르게 마감자재를 시공·설치하려는 경우에는 당초의 마감자재와 같은 질 이상으로 설치하여야 하며(법 제54조 제6항), 사업주체가 마감자재 목록표의 자재와 다른 마감자재를 시공·설치하려는 경우에는 그 사실을 입주예정자에게 알려야 한다(법 제54조 제7항).

(5) 표시·광고 사본의 제출

사업주체는 공급하려는 주택에 대하여 기반시설의 설치·정비 또는 개량에 관한 사항이 포함된 표시 및 광고를 한 경우 주택공급계약 체결기간의 시작일부터 30일 이내에 해당 표시 또는 광고의 사본을 시장·군수·구청장에게 제출하여야 한다. 이 경우 시장·군수·구청장은 제출받은 표시 또는 광고의 사본을 사용검사가 있은 날부터 2년 이상 보관하여야 하며, 입주자가 열람을 요구하는 경우 이를 공개하여야 한다(법 제54조 제8항, 영 제58조 제1항).

03 견본주택의 건축기준

(1) 사업주체가 주택의 판매촉진을 위하여 견본주택을 건설하려는 경우 견본주택의 내부에 사용하는 마감자재 및 가구는 사업계획승인의 내용과 같은 것으로 시공·설치하여야 한다(법 제60조 제1항).

(2) 사업주체는 견본주택의 내부에 사용하는 마감자재를 사업계획승인 또는 마감자재 목록표와 다른 마감자재로 설치하는 경우로서 다음의 어느 하나에 해당하는 경우에는 일반인이 그 해당 사항을 알 수 있도록 국토교통부령으로 정하는 바에 따라 그 공급가격을 표시하여야 한다(법 제60조 제2항).

> ① 분양가격에 포함되지 아니하는 품목을 견본주택에 전시하는 경우
> ② 마감자재 생산업체의 부도 등으로 인한 제품의 품귀 등 부득이한 경우

(3) 견본주택에는 마감자재 목록표와 사업계획승인을 받은 서류 중 평면도와 시방서(示方書)를 갖춰 두어야 하며, 견본주택의 배치·구조 및 유지관리 등은 국토교통부령으로 정하는 기준에 맞아야 한다(법 제60조 제3항).

04 저당권설정 등의 제한

(1) 제한행위 및 제한기간

사업주체는 주택건설사업에 의하여 건설된 주택 및 대지에 대하여는 입주자모집공고승인 신청일(주택조합의 경우에는 사업계획승인 신청일을 말한다) 이후부터 입주예정자가 그 주택 및 대지의 소유권이전등기를 신청할 수 있는 날 이후 60일까지의 기간 동안 입주예정자의 동의 없이 다음의 어느 하나에 해당하는 행위를 하여서는 아니 된다. 여기서 '소유권이전등기를 신청할 수 있는 날'이란 사업주체가 입주예정자에게 통보한 입주가능일을 말한다(법 제61조 제1항·제2항).

> ① 해당 주택 및 대지에 저당권 또는 가등기담보권 등 담보물권을 설정하는 행위
> ② 해당 주택 및 대지에 전세권·지상권 또는 등기되는 부동산임차권을 설정하는 행위
> ③ 해당 주택 및 대지를 매매 또는 증여 등의 방법으로 처분하는 행위

(2) 입주자의 동의 없이 저당권설정 등을 할 수 있는 경우

위 (1)에도 불구하고 주택의 건설을 촉진하기 위하여 다음의 어느 하나에 해당하는 경우에는 입주자의 동의 없이 저당권설정 등을 할 수 있다(법 제61조 제1항 단서, 영 제71조).

> ① 해당 주택의 입주자에게 주택구입자금의 일부를 융자하여 줄 목적으로 주택도시기금이나 다음의 금융기관으로부터 주택건설자금의 융자를 받는 경우
>   ㉠ 은행법에 따른 은행
>   ㉡ 중소기업은행법에 따른 중소기업은행
>   ㉢ 상호저축은행법에 따른 상호저축은행
>   ㉣ 보험업법에 따른 보험회사
>   ㉤ 그 밖의 법률에 따라 금융업무를 행하는 기관으로서 국토교통부령으로 정하는 것
> ② 해당 주택의 입주자에게 주택구입자금의 일부를 융자하여 줄 목적으로 ①의 각 금융기관으로부터 주택구입자금의 융자를 받는 경우
> ③ 사업주체가 파산(채무자 회생 및 파산에 관한 법률 등에 의한 법원의 결정·인가를 포함한다. 이하 같다)·합병·분할·등록말소·영업정지 등의 사유로 사업을 시행할 수 없게 되어 사업주체가 변경되는 경우

(3) 부기등기

① 부기등기의 명시내용

  ㉠ 대지의 경우: 저당권설정 등의 제한을 할 때 사업주체는 "이 토지는 주택법에 따라 입주자를 모집한 토지(주택조합의 경우에는 주택건설사업계획승인이 신청된 토지를 말한다)로서 입주예정자의 동의 없이는 해당 토지에 대하여 양도 또는 제한물권

을 설정하거나 압류·가압류·가처분 등 소유권에 제한을 가하는 일체의 행위를 할 수 없음"이라는 내용을 명시하여야 한다(법 제61조 제3항, 영 제72조 제1항 전단).

    ⓒ **주택의 경우**: 저당권설정 등의 제한을 할 때 사업주체는 "이 주택은 부동산등기법에 따라 소유권보존등기를 마친 주택으로서 입주예정자의 동의 없이는 해당 주택에 대하여 양도 또는 제한물권을 설정하거나 압류·가압류·가처분 등 소유권에 제한을 가하는 일체의 행위를 할 수 없음"이라는 내용을 명시하여야 한다(법 제61조 제3항, 영 제72조 제1항 후단).

② **부기등기의 예외**: 다만, 사업주체가 국가·지방자치단체 및 한국토지주택공사 등 공공기관이거나 해당 대지가 사업주체의 소유가 아닌 경우 등 대통령령으로 정하는 경우에는 그러하지 아니하다(법 제61조 제3항 단서, 영 제72조 제3항).

더 알아보기 | **부기등기 의무가 면제되는 경우(영 제72조 제2항)**

1. 대지의 경우

다음의 어느 하나에 해당하는 경우. 이 경우 ④ 또는 ⑤에 해당되는 경우로서 법원의 판결이 확정되어 소유권을 확보하거나 권리가 말소되었을 때에는 지체 없이 부기등기를 하여야 한다.

① 사업주체가 국가·지방자치단체·한국토지주택공사 또는 지방공사인 경우

② 사업주체가 택지개발촉진법 등 관계 법령에 의하여 조성된 택지를 공급받아 주택을 건설하는 경우로서 해당 대지의 지적정리가 되지 아니하여 소유권을 확보할 수 없는 경우. 이 경우 대지의 지적정리가 완료된 때에는 지체 없이 부기등기를 하여야 한다.

③ 조합원이 주택조합에 대지를 신탁한 경우

④ 해당 대지가 다음 ㉠부터 ㉢까지 중 어느 하나에 해당하는 경우. 다만, ㉡ 및 ㉢의 경우에는 감정평가액을 공탁하여야 한다.

    ㉠ 매도청구소송을 제기하여 법원의 승소판결(판결이 확정될 것을 요구하지 아니한다)을 받은 경우

    ㉡ 해당 대지의 소유권 확인이 곤란하여 매도청구소송을 제기한 경우

    ㉢ 사업주체가 소유권을 확보하지 못한 대지로서 최초로 주택건설사업계획승인을 받은 날 이후 소유권이 제3자에게 이전된 대지에 대하여 매도청구소송을 제기한 경우

⑤ 사업주체가 소유권을 확보한 대지에 저당권, 가등기담보권, 전세권, 지상권 및 등기되는 부동산임차권이 설정된 경우로서 이들 권리의 말소소송을 제기하여 승소판결(판결이 확정될 것을 요구하지 아니한다)을 받은 경우

2. 주택의 경우

해당 주택의 입주자로 선정된 지위를 취득한 자가 없는 경우. 다만, 소유권보존등기 후 입주자모집공고의 승인을 신청하는 경우를 제외한다.

---

③ **부기등기의 시기:** 부기등기는 주택건설대지에 대하여는 입주자모집공고승인 신청(주택건설대지 중 주택조합이 사업계획승인 신청일까지 소유권을 확보하지 못한 부분이 있는 경우에는 그 부분에 대한 소유권이전등기를 말한다)과 동시에 하여야 하고, 건설된 주택에 대하여는 소유권보존등기와 동시에 하여야 한다(법 제61조 제4항).

④ **부기등기의 효력:** 부기등기일 이후에 해당 대지 또는 주택을 양수하거나 제한물권을 설정받은 경우 또는 압류 · 가압류 · 가처분 등의 목적물로 한 경우에는 그 효력을 무효로 한다. 다만, 사업주체의 경영부실로 입주예정자가 그 대지를 양수받는 경우 등 다음에 해당하는 경우에는 그러하지 아니하다(법 제61조 제5항, 영 제72조 제4항).

> ㉠ 영 제71조 제1호 또는 제2호에 해당하여 해당 대지에 저당권, 가등기담보권, 전세권, 지상권 및 등기되는 부동산임차권을 설정하는 경우
> ㉡ 영 제71조 제3호에 해당하여 다른 사업주체가 해당 대지를 양수하거나 시공보증자 또는 입주예정자가 해당 대지의 소유권을 확보하거나 압류 · 가압류 · 가처분 등을 하는 경우

(4) 주택건설대지의 신탁

① **신탁사유:** 사업주체가 다음의 사유에 해당되어 주택도시보증공사가 분양보증을 하면서 주택건설대지를 주택도시보증공사에 신탁하게 할 경우에는 저당권설정 등의 제한과 부기등기에도 불구하고 사업주체는 그 주택건설대지를 신탁할 수 있다(법 제61조 제6항, 영 제72조 제5항).

> ㉠ 최근 2년간 연속된 경상손실로 인하여 자기자본이 잠식된 경우
> ㉡ 자산에 대한 부채의 비율이 500퍼센트를 초과하는 경우
> ㉢ 사업주체가 부기등기를 하지 아니하고 주택도시보증공사에 해당 대지를 신탁하고자 하는 경우

② **신탁계약의 조건:** 위 ①에 따라 사업주체가 주택건설대지를 신탁하는 경우 신탁등기일 이후부터 입주예정자가 해당 주택건설대지의 소유권이전등기를 신청할 수 있는 날 이후 60일까지의 기간 동안 해당 신탁의 종료를 원인으로 하는 사업주체의 소유권이전등기청구권에 대한 압류 · 가압류 · 가처분 등은 효력이 없음을 신탁계약조항에 포함하여야 한다(법 제61조 제7항).

③ **신탁대지에 대한 압류 등 무효:** 위 ①에 따른 신탁등기일 이후부터 입주예정자가 해당 주택건설대지의 소유권이전등기를 신청할 수 있는 날 이후 60일까지의 기간 동안 해당 신탁의 종료를 원인으로 하는 사업주체의 소유권이전등기청구권을 압류 · 가압류 · 가처분 등의 목적물로 한 경우에는 그 효력을 무효로 한다(법 제61조 제8항).

(5) 사용검사 후 매도청구 등

① 매도청구: 주택(복리시설을 포함한다)의 소유자들은 주택단지 전체 대지에 속하는 일부의 토지에 대한 소유권이전등기말소소송 등에 따라 제49조의 사용검사(동별 사용검사를 포함한다)를 받은 이후에 해당 토지의 소유권을 회복한 자(실소유자)에게 해당 토지를 시가(市價)로 매도할 것을 청구할 수 있다(법 제62조 제1항).

② 매도청구의 소송: 주택의 소유자들은 대표자를 선정하여 ①에 따른 매도청구에 관한 소송을 제기할 수 있고, 그 판결은 주택의 소유자 전체에 대하여 효력이 있다. 이 경우 대표자는 주택의 소유자 전체의 4분의 3 이상의 동의를 받아 선정한다(법 제62조 제2항·제3항).

③ 매도청구 대상규모: 매도청구를 하려는 경우에는 해당 토지의 면적이 주택단지 전체 대지면적의 5퍼센트 미만이어야 한다(법 제62조 제4항).

④ 매도청구 기간: 매도청구의 의사표시는 실소유자가 해당 토지소유권을 회복한 날부터 2년 이내에 해당 실소유자에게 송달되어야 한다(법 제62조 제5항).

⑤ 비용: 주택의 소유자들은 매도청구로 인하여 발생한 비용의 전부를 사업주체에게 구상할 수 있다(법 제62조 제6항).

기출예제

주택법 제62조(사용검사 후 매도청구 등) 규정의 일부이다. (   )에 들어갈 아라비아 숫자를 쓰시오.   제27회

---

① 주택(복리시설을 포함한다. 이하 이 조에서 같다)의 소유자들은 주택단지 전체 대지에 속하는 일부의 토지에 대한 소유권이전등기 말소소송 등에 따라 제49조의 사용검사(동별 사용검사를 포함한다. 이하 이 조에서 같다)를 받은 이후에 해당 토지의 소유권을 회복한 자(이하 이 조에서 '실소유자'라 한다)에게 해당 토지를 시가로 매도할 것을 청구할 수 있다.

② 주택의 소유자들은 대표자를 선정하여 제1항에 따른 매도청구에 관한 소송을 제기할 수 있다. 이 경우 대표자는 주택의 소유자 전체의 (㉠)분의 (㉡) 이상의 동의를 받아 선정한다.

③ 제1항에 따라 매도청구를 하려는 경우에는 해당 토지의 면적이 주택단지 전체 대지 면적의 (㉢)퍼센트 미만이어야 한다.

정답: ㉠ 4, ㉡ 3, ㉢ 5

제2항 주택을 공급받으려는 자의 의무

주택을 공급받으려는 자는 국토교통부령으로 정하는 입주자자격, 재당첨 제한 및 공급순위 등에 맞게 주택을 공급받아야 한다. 이 경우 법 제63조 제1항에 따른 투기과열지구 및 제63조의2 제1항에 따른 조정대상지역에서 건설·공급되는 주택을 공급받으려는 자의 입주자자격, 재당첨 제한 및 공급순위 등은 주택의 수급 상황 및 투기 우려 등을 고려하여 국토교통부령으로 지역별로 달리 정할 수 있다(법 제54조 제2항).

01 금융정보 등 확인

(1) 자료제공의 요청

국토교통부장관은 주택을 공급받으려는 자의 입주자자격을 확인하기 위하여 필요하다고 인정하는 경우에는 주민등록 전산정보(주민등록번호·외국인등록번호 등 고유식별번호를 포함한다), 가족관계 등록사항, 국세, 지방세, 금융, 토지, 건물(건물등기부·건축물대장을 포함한다), 자동차, 건강보험, 국민연금, 고용보험 및 산업재해보상보험 등의 자료 또는 정보의 제공을 관계 기관의 장에게 요청할 수 있다. 이 경우 관계 기관의 장은 특별한 사유가 없으면 이에 따라야 한다(법 제55조 제1항).

(2) 동의서면의 제출

국토교통부장관이 (1)에 따라 금융정보·신용정보 또는 보험정보(이하 '금융정보 등'이라 한다)의 제공을 요청하는 경우 해당 금융정보 등 명의인의 정보제공에 대한 동의서면을 함께 제출하여야 한다. 이 경우 금융정보 등의 제공사실을 명의인에게 통보하지 아니할 수 있다(법 제55조 제3항).

02 주택공급질서 교란행위 금지

(1) 대상행위

누구든지 이 법에 따라 건설·공급되는 주택을 공급받거나 공급받게 하기 위하여 다음의 어느 하나에 해당하는 증서 또는 지위를 양도·양수(매매·증여나 그 밖에 권리변동을 수반하는 모든 행위를 포함하되, 상속·저당의 경우는 제외한다)하거나 이를 알선하거나, 양도·양수 또는 이를 알선할 목적으로 하는 광고(각종 간행물·유인물·전화·인터넷, 그 밖의 매체를 통한 행위를 포함한다)를 하여서는 아니 되며, 누구든지 거짓이나 그 밖의 부정한 방법으로 이 법에 따라 건설·공급되는 증서나 지위 또는 주택을 공급받거나 공급받게 하여서는 아니 된다(법 제65조 제1항, 영 제74조 제1항).

> ① 주택조합의 설립 등에 따라 주택을 공급받을 수 있는 지위
> ② 주택상환사채
> ③ 입주자저축증서
> ④ 그 밖에 주택을 공급받을 수 있는 증서 또는 지위로서 다음에 해당하는 것
>   ㉠ 시장·군수 또는 구청장이 발행한 무허가건물확인서·건물철거예정증명서 또는 건물철거확인서
>   ㉡ 공공사업의 시행으로 인한 이주대책에 의하여 주택을 공급받을 수 있는 지위 또는 이주대책대상자확인서

(2) 위반시 효력

① **지위무효화 또는 계약취소**: 국토교통부장관 또는 사업주체는 다음의 어느 하나에 해당하는 자에 대하여는 그 주택공급을 신청할 수 있는 지위를 무효로 하거나 이미 체결된 주택의 공급계약을 취소하여야 한다(법 제65조 제2항). 다만, 국토교통부장관 또는 사업주체는 위반한 공급질서 교란행위가 있었다는 사실을 알지 못하고 주택 또는 주택의 입주자로 선정된 지위를 취득한 매수인이 해당 공급질서 교란행위와 관련이 없음을 시장·군수·구청장으로부터 확인받은 경우에는 이미 체결된 주택의 공급계약을 취소하여서는 아니 된다(법 제65조 제6항).

> ㉠ 위 (1)을 위반하여 증서 또는 지위를 양도하거나 양수한 자
> ㉡ 위 (1)을 위반하여 거짓이나 그 밖의 부정한 방법으로 증서나 지위 또는 주택을 공급받은 자

② **주택의 강제취득**: 사업주체가 (1)을 위반한 자에게 다음의 금액을 합산한 금액에서 감가상각비를 공제한 금액을 지급한 경우에는 그 지급한 날에 그 주택을 취득한 것으로 본다(법 제65조 제3항, 영 제74조 제2항).

> ㉠ 입주금
> ㉡ 융자금의 상환원금
> ㉢ 위 ㉠ 및 ㉡의 금액을 합산한 금액에 생산자물가상승률을 곱한 금액

③ **퇴거명령**: 위 ②의 경우 사업주체가 매수인에게 주택가격을 지급하거나, 매수인을 알 수 없어 주택가격의 수령 통지를 할 수 없는 경우 등 다음의 사유에 해당하는 경우로서 주택가격을 그 주택이 있는 지역을 관할하는 법원에 공탁한 경우에는 그 주택에 입주한 자에 대하여 기간을 정하여 퇴거를 명할 수 있다(법 제65조 제4항, 영 제74조 제3항).

㉠ 매수인을 알 수 없어 주택가액 수령의 통지를 할 수 없는 경우
　　　㉡ 매수인에게 주택가액의 수령을 3회 이상 통지(통지일부터 다음 통지일까지의 기간이 1개월 이상이어야 한다)하였으나 매수인이 수령을 거부한 경우
　　　㉢ 매수인이 주소지에 3개월 이상 살지 아니하여 주택가액의 수령이 불가능한 경우
　　　㉣ 주택의 압류 또는 가압류로 인하여 매수인에게 주택가액을 지급할 수 없는 경우

④ 입주자격의 제한: 국토교통부장관은 (1)을 위반한 자에 대하여 위반한 행위를 적발한 날부터 10년까지 주택의 입주자자격을 제한할 수 있으며, 그 위반한 행위를 적발한 행정기관은 지체 없이 그 명단을 국토교통부장관 및 주택청약업무 수행기관에 알려야 한다(법 제65조 제5항, 규칙 제56조).

03 전매제한

(1) 제한대상

사업주체가 건설·공급하는 주택[해당 주택의 입주자로 선정된 지위(입주자로 선정되어 그 주택에 입주할 수 있는 권리·자격·지위 등을 말한다)를 포함한다]으로서 다음의 어느 하나에 해당하는 경우에는 10년 이내의 범위에서 대통령령으로 정하는 기간이 지나기 전에는 그 주택을 전매(매매·증여나 그 밖에 권리의 변동을 수반하는 모든 행위를 포함하되, 상속의 경우는 제외한다)하거나 이의 전매를 알선할 수 없다. 이 경우 전매제한기간은 주택의 수급 상황 및 투기 우려 등을 고려하여 대통령령으로 지역별로 달리 정할 수 있다(법 제64조 제1항, 영 제73조 제2항·제3항).

① 투기과열지구에서 건설·공급되는 주택
② 조정대상지역에서 건설·공급되는 주택. 다만, 법 제63조의2 제1항 제2호에 해당하는 조정대상지역 중 주택의 수급 상황 등을 고려하여 공공택지 외의 택지에서 건설·공급되는 주택은 제외한다.
③ 분양가상한제 적용주택. 다만, 수도권 외의 지역 중 주택의 수급 상황 및 투기 우려 등을 고려하여 광역시가 아닌 지역, 광역시 중 도시지역이 아닌 지역으로서 투기과열지구가 지정되지 아니하거나 법 제63조에 따라 지정 해제된 지역 중 공공택지 외의 택지에서 건설·공급되는 분양가상한제 적용주택은 제외한다.
④ 공공택지 외의 택지에서 건설·공급되는 주택. 다만, 법 제57조 제2항 각 호의 주택 및 수도권 외의 지역 중 광역시가 아닌 지역, 광역시 중 도시지역이 아닌 지역으로서 공공택지 외의 택지에서 건설·공급되는 주택은 제외한다.
⑤ 공공재개발사업(법 제57조 제1항 제2호 지역에 한정한다)에서 건설·공급하는 주택
⑥ 토지임대부 분양주택

(2) 전매행위 제한기간

① 공통사항

　ㄱ 전매행위 제한기간은 해당 주택의 입주자로 선정된 날부터 기산한다.

　ㄴ 아래 ② 내지 ⑤에 따른 전매행위 제한기간이 2 이상일 경우에는 그중 가장 긴 기간을 적용한다. 다만, 법 제63조의2 제1항 제2호에 따라 지정된 조정대상지역의 위축지역의 경우에는 가장 짧은 기간을 적용한다.

　ㄷ 주택에 대한 전매행위 제한기간 이내에 해당 주택에 대한 소유권이전등기를 완료한 경우 소유권이전등기를 완료한 때에 전매행위 제한기간이 지난 것으로 본다. 이 경우 주택에 대한 소유권이전등기에는 대지를 제외한 건축물에 대해서만 소유권이전등기를 하는 경우를 포함한다.

② 투기과열지구에서 건설·공급되는 주택

　ㄱ 수도권: 3년

　ㄴ 수도권 외의 지역: 1년

③ 조정대상지역에서 건설·공급되는 주택: 다음의 구분에 따른 기간

　ㄱ 과열지역

　　ⓐ 수도권: 3년

　　ⓑ 수도권 외의 지역: 1년

　ㄴ 위축지역

　　ⓐ 공공택지에서 건설·공급되는 주택: 6개월

　　ⓑ 공공택지 외의 택지에서 건설·공급되는 주택: 없음

④ 분양가상한제 적용주택

　ㄱ 공공택지에서 건설·공급되는 주택: 다음의 구분에 따른 기간

　　ⓐ 수도권: 3년

　　ⓑ 수도권 외의 지역: 1년

　ㄴ 공공택지 외의 택지에서 건설·공급되는 주택: 다음의 구분에 따른 기간

　　ⓐ 투기과열지구: 위 ②의 구분에 따른 기간

　　ⓑ 투기과열지구가 아닌 지역: 아래 ⑤의 구분에 따른 기간

⑤ 공공택지 외의 택지에서 건설·공급되는 주택

수도권	과밀억제권역	1년
	성장관리권역 및 자연보전권역	6개월
수도권 외 지역	광역시 중 도시지역	6개월
	그 밖의 지역	−

⑥ 공공재개발사업에서 건설·공급하는 주택: 위 ④의 ㄴ에 따른 기간

⑦ 토지임대부 분양주택: 10년

(3) 전매제한의 특례

① 위 (1)의 ①~⑤의 주택을 공급받은 자의 생업상의 사정 등으로 전매가 불가피하다고 인정되는 경우로서 다음의 어느 하나에 해당하여 한국토지주택공사(사업주체가 공공주택 특별법 제4조의 공공주택사업자인 경우에는 공공주택사업자를 말한다)의 동의를 받은 경우에는 위 (1)을 적용하지 아니한다. 다만, (1)의 ③의 주택을 공급받은 자가 전매하는 경우에는 한국토지주택공사가 그 주택을 우선 매입할 수 있다(법 제64조 제2항, 영 제73조 제4항).

> ㉠ 세대원(세대주가 포함된 세대의 구성원을 말한다. 이하 같다)이 근무 또는 생업상의 사정이나 질병치료·취학·결혼으로 인하여 세대원 전원이 다른 광역시, 시 또는 군(광역시의 관할구역에 있는 군을 제외한다)으로 이전하는 경우. 다만, 수도권으로 이전하는 경우를 제외한다.
> ㉡ 상속에 따라 취득한 주택으로 세대원 전원이 이전하는 경우
> ㉢ 세대원 전원이 해외로 이주하거나 2년 이상의 기간 해외에 체류하고자 하는 경우
> ㉣ 이혼으로 인하여 입주자로 선정된 지위 또는 주택을 그 배우자에게 이전하는 경우
> ㉤ 공익사업을 위한 토지 등의 취득 및 보상에 관한 법률에 따라 공익사업의 시행으로 주거용 건축물을 제공한 자가 사업시행자로부터 이주대책용 주택을 공급받은 경우(사업시행자의 알선으로 공급받은 경우를 포함한다)로서 시장·군수 또는 구청장이 확인하는 경우
> ㉥ 위 (1)의 ③부터 ⑤에 해당하는 주택의 소유자가 국가·지방자치단체 및 금융기관(영 제71조 제1호 각 목의 금융기관을 말한다)에 대한 채무를 이행하지 못하여 경매 또는 공매가 시행되는 경우
> ㉦ 입주자로 선정된 지위 또는 주택의 일부를 그 배우자에게 증여하는 경우
> ㉧ 실직·파산 또는 신용불량으로 경제적 어려움이 발생한 경우

② 위 ①에 따른 동의를 받으려는 사람은 국토교통부령으로 정하는 전매동의신청서를 한국토지주택공사에 제출해야 한다. 이 경우 한국토지주택공사는 해당 동의신청서를 접수한 날부터 14일 이내에 동의 여부를 신청인에게 통보해야 하며, 한국토지주택공사는 (1)의 ④의 주택을 우선매입하려는 경우에는 통보를 할 때 우선매입 의사를 함께 통보해야 한다(영 제73조 제5항·제6항).

(4) 부기등기

① 사업주체가 위 (1)의 ③·④·⑥에 해당하는 주택을 공급하는 경우에는 그 주택의 소유권을 제3자에게 이전할 수 없음을 소유권에 관한 등기에 부기등기하여야 한다(법 제64조 제4항).

② 위 ①에 따른 부기등기는 주택의 소유권보존등기와 동시에 하여야 하며, 부기등기에는 "이 주택은 최초로 소유권이전등기가 된 후에는 주택법 제64조 제1항에서 정한 기간

이 지나기 전에 한국토지주택공사(한국토지주택공사가 우선매입한 주택을 공급받는 자를 포함한다) 외의 자에게 소유권을 이전하는 어떠한 행위도 할 수 없음"을 명시하여야 한다(법 제64조 제5항).

(5) 위반시 효력

① **강제취득**: 전매제한을 위반하여(토지임대부 분양주택은 제외한다) 주택의 입주자로 선정된 지위의 전매가 이루어진 경우, 사업주체가 매입비용을 그 매수인에게 지급한 경우에는 그 지급한 날에 사업주체가 해당 입주자로 선정된 지위를 취득한 것으로 보며, 위 (3)의 ① 단서에 따라 한국토지주택공사가 분양가상한제 적용주택을 우선매입하는 경우에도 매입비용을 준용하되, 해당 주택의 분양가격과 인근지역 주택매매가격의 비율 및 해당 주택의 보유기간 등을 고려하여 대통령령으로 정하는 바에 따라 매입금액을 달리 정할 수 있다(법 제64조 제3항).

② **입주자격의 제한**: 국토교통부장관은 전매제한을 위반한 자에 대하여 위반행위를 적발한 날부터 10년까지 주택의 입주자자격을 제한할 수 있다(법 제64조 제7항, 규칙 제56조 제1항).

③ **신고포상금의 지급**: 시·도지사는 법을 위반하여 분양권 등을 전매하거나 알선하는 자를 주무관청에 신고한 자에게 대통령령으로 정하는 바에 따라 포상금을 지급할 수 있다(법 제92조).

제2절 공급정책

제1항 주택의 분양가격의 제한

01 분양가상한제

(1) 적용대상

사업주체가 법 제54조에 따라 일반인에게 공급하는 공동주택 중 다음의 어느 하나에 해당하는 지역에서 공급하는 주택의 경우에는 이 조에서 정하는 기준에 따라 산정되는 분양가격 이하로 공급(이에 따라 공급되는 주택을 '분양가상한제 적용주택'이라 한다. 이하 같다)하여야 한다(법 제57조 제1항).

> ① 공공택지
> ② 공공택지 외의 택지에서 주택가격 상승 우려가 있어 국토교통부장관이 주거정책심의위원회의 심의를 거쳐 지정하는 지역

(2) 적용 제외

다음의 어느 하나에 해당하는 경우에는 위 (1)을 적용하지 아니한다(법 제57조 제2항, 영 제58조의4).

> ① 도시형 생활주택
> ② 경제자유구역의 지정 및 운영에 관한 특별법에 따라 지정·고시된 경제자유구역에서 건설·공급하는 공동주택으로서 같은 법 제25조에 따른 경제자유구역위원회에서 외자유치 촉진과 관련이 있다고 인정하여 분양가격 제한을 적용하지 아니하기로 심의·의결한 경우
> ③ 관광진흥법 제70조 제1항 또는 제2항에 따라 지정된 관광특구에서 건설·공급하는 공동주택으로서 해당 건축물의 층수가 50층 이상이거나 높이가 150미터 이상인 경우
> ④ 한국토지주택공사 또는 지방공사가 **다음의 정비사업의** 시행자로 **참여하면서**, 전체 세대수의 10퍼센트 이상을 임대주택으로 건설·공급하는 해당 사업에서 건설·공급하는 주택
>   ㉠ 도시 및 주거환경정비법에 따른 정비사업으로서 정비구역 면적이 2만제곱미터 미만인 사업이거나, 해당 정비사업에서 건설·공급하는 주택의 전체 세대수가 200세대 미만인 사업
>   ㉡ 빈집 및 소규모주택 정비에 관한 특례법에 따른 소규모주택정비사업
> ⑤ 주거환경개선사업 및 공공재개발사업에서 건설·공급하는 주택
> ⑥ 주거재생혁신지구에서 시행하는 혁신지구재생사업에서 건설·공급하는 주택
> ⑦ 도심 공공주택 복합사업에서 건설·공급하는 주택

02 분양가상한제 적용지역의 지정 및 해제

(1) 지정

국토교통부장관은 주택가격상승률이 물가상승률보다 현저히 높은 지역으로서 그 지역의 주택가격, 주택거래 등과 지역 주택시장 여건 등을 고려하였을 때 주택가격이 급등하거나 급등할 우려가 있는 지역 중 투기과열지역으로서 다음의 어느 하나에 해당하는 지역에 대하여 주거정책심의위원회 심의를 거쳐 분양가상한제 적용지역으로 지정할 수 있다(법 제58조 제1항, 영 제61조 제1항).

> ① 분양가상한제 적용지역으로 지정하는 날이 속하는 달의 바로 전달(이하 '분양가상한제 적용 직전월'이라 한다)부터 소급하여 12개월간의 아파트 분양가격상승률이 물가상승률(해당 지역이 포함된 시·도 소비자물가상승률을 말한다)의 2배를 초과한 지역. 이 경우 해당 지역의 아파트 분양가격상승률을 산정할 수 없는 경우에는 해당 지역이 포함된 특별시·광역시·특별자치시·특별자치도 또는 시·군의 아파트 분양가격상승률을 적용한다.
> ② 분양가상한제 적용직전월부터 소급하여 3개월간의 주택매매거래량이 전년 동기 대비 20퍼센트 이상 증가한 지역

③ 분양가상한제 적용직전월부터 소급하여 주택공급이 있었던 2개월 동안 해당 지역에서 공급되는 주택의 월평균 청약경쟁률이 모두 5대 1을 초과하였거나 해당 지역에서 공급되는 국민주택규모 주택의 월평균 청약경쟁률이 모두 10대 1을 초과한 지역

(2) 지정 및 해제절차

① **의견청취**: 국토교통부장관이 분양가상한제 적용지역을 지정(해제)하는 경우에는 미리 시·도지사의 의견을 들어야 한다(법 제58조 제2항).

② **심의**: 국토교통부장관은 분양가상한제 적용지역으로 계속 지정할 필요가 없다고 인정하는 경우에는 주거정책심의위원회 심의를 거쳐 분양가상한제 적용지역의 지정을 해제하여야 한다(법 제58조 제4항).

③ **공고 등**: 국토교통부장관은 분양가상한제 적용지역을 지정(해제)하였을 때에는 지체 없이 이를 공고하고, 그 지정지역을 관할하는 시장·군수·구청장에게 공고 내용을 통보하여야 한다. 이 경우 시장·군수·구청장은 사업주체로 하여금 입주자모집공고시 해당 지역에서 공급하는 주택이 분양가상한제 적용주택이라는 사실을 공고하게 하여야 한다(법 제58조 제3항).

④ **해제**: 국토교통부장관은 분양가상한제 적용지역으로 계속 지정할 필요가 없다고 인정하는 경우에는 주거정책심의위원회 심의를 거쳐 분양가상한제 적용지역의 지정을 해제하여야 한다(법 제58조 제4항).

⑤ **해제요청**: 분양가상한제 적용지역으로 지정된 지역의 시·도지사, 시장, 군수 또는 구청장은 분양가상한제 적용지역의 지정 후 해당 지역의 주택가격이 안정되는 등 분양가상한제 적용지역으로 계속 지정할 필요가 없다고 인정하는 경우에는 국토교통부장관에게 그 지정의 해제를 요청할 수 있고, 해제를 요청받은 국토교통부장관은 요청받은 날부터 40일 이내에 주거정책심의위원회의 심의를 거쳐 분양가상한제 적용지역 지정의 해제 여부를 결정하여야 한다. 이 경우 국토교통부장관은 관계 시·도지사, 시장, 군수 또는 구청장에게 그 결과를 통보하여야 한다(법 제58조 제6항, 영 제61조 제3항).

03 분양가상한제 적용주택의 입주자의 거주의무 등

(1) 거주의무

① 다음의 어느 하나에 해당하는 주택의 입주자(상속받은 자는 제외한다. 이하 '거주의무자'라 한다)는 해당 주택의 최초 입주가능일부터 3년 이내(토지임대부 분양주택의 경우에는 최초 입주가능일)에 입주하여야 하고, 해당 주택의 분양가격과 국토교통부장관이 고시한 방법으로 결정된 인근지역 주택매매가격의 비율에 따라 5년 이내의 범위에서 거주의무기간 동안 계속하여 해당 주택에 거주하여야 한다(법 제57조의2 제1항 전단, 영 제60조의2 제1항).

> ⊙ 수도권에서 건설·공급하는 분양가상한제 적용주택
> ⓐ 공공택지에서 건설·공급되는 주택의 경우
>   • 분양가격이 법 제57조의2 제1항 각 호 외의 부분 본문에 따라 국토교통부장관이 정하여 고시하는 방법으로 결정된 인근지역 주택매매가격의 80퍼센트 미만인 주택: 5년
>   • 분양가격이 인근지역 주택매매가격의 80퍼센트 이상 100퍼센트 미만인 주택: 3년
> ⓑ 공공택지 외의 택지에서 건설·공급되는 주택의 경우
>   • 분양가격이 인근지역 주택매매가격의 80퍼센트 미만인 주택: 3년
>   • 분양가격이 인근지역 주택매매가격의 80퍼센트 이상 100퍼센트 미만인 주택: 2년
> ⓛ 토지임대부 분양주택의 경우: 5년

② 위 ①에도 불구하고 다음에서 정하는 부득이한 사유가 있는 경우 그 기간은 해당 주택에 거주한 것으로 본다. 이 경우 ⓛ부터 ②까지의 규정에 해당하는지는 한국토지주택공사(사업주체가 공공주택사업자인 경우에는 공공주택사업자를 말한다)의 확인을 받아야 한다(법 제57조의2 제1항 후단, 영 제60조의2 제2항).

> ⊙ 다음의 어느 하나에 해당하는 경우
> ⓐ 수도권 분양가상한제 주택에 입주하기 위해 준비기간이 필요한 경우. 이 경우 해당 주택에 거주한 것으로 보는 기간은 최초 입주가능일 이후 3년이 되는 날부터 90일까지(최초 입주가능일부터 3년이 되는 날 전에 입주하는 경우에는 입주일 전날부터 역산하여 최초 입주가능일까지의 기간으로 하되, 90일을 한도로 한다)로 한다.
> ⓑ 수도권 분양가상한제에 따른 주택에서의 거주를 중단했다가 거주를 재개하기 위해 입주하는 경우로서 준비기간이 필요한 경우. 이 경우 해당 주택에 거주한 것으로 보는 기간은 거주를 중단한 날의 다음 날 이후 3년이 되는 날부터 90일까지(거주를 중단한 날의 다음 날부터 3년이 되는 날 전에 입주하는 경우에는 입주일 전날부터 역산하여 거주를 중단한 날의 다음 날까지의 기간으로 하되, 90일을 한도로 한다)로 한다.
> ⓒ 토지임대부 분양주택에 입주하기 위해 준비기간이 필요한 경우. 이 경우 해당 주택에 거주한 것으로 보는 기간은 최초 입주가능일부터 90일까지로 한다.
> ⓛ 법 제57조의2 제1항 각 호 외의 부분 본문에 따른 거주의무자가 거주의무기간 중 근무·생업·취학 또는 질병치료를 위하여 해외에 체류하는 경우
> ⓒ 거주의무자가 주택의 특별공급을 받은 군인으로서 인사발령에 따라 거주의무기간 중 해당 주택건설지역(주택을 건설하는 특별시·광역시·특별자치시·특별자치도 또는 시·군의 행정구역을 말한다. 이하 같다)이 아닌 지역에 거주하는 경우
> ② 거주의무자가 거주의무기간 중 세대원(거주의무자가 포함된 세대의 구성원을 말한다. 이하 같다)의 근무·생업·취학 또는 질병치료를 위하여 세대원 전원이 다른 주택건설지역에 거주하는 경우. 다만, 수도권 안에서 거주를 이전하는 경우는 제외한다.

ⓜ 거주의무자가 거주의무기간 중 혼인 또는 이혼으로 입주한 주택에서 퇴거하고 해당 주택에 계속 거주하려는 거주의무자의 직계존속·비속, 배우자(종전 배우자를 포함한다) 또는 형제자매가 자신으로 세대주를 변경한 후 거주의무기간 중 남은 기간을 승계하여 거주하는 경우

ⓗ 영유아보육법 제10조 제5호에 따른 가정어린이집을 설치·운영하려는 자가 같은 법 제13조에 따라 해당 주택에 가정어린이집의 설치를 목적으로 인가를 받은 경우. 이 경우 해당 주택에 거주한 것으로 보는 기간은 가정어린이집을 설치·운영하는 기간으로 한정한다.

ⓢ 법 제64조 제2항 본문에 따라 전매제한이 적용되지 않는 경우. 다만, 영 제73조 제4항 제7호 또는 제8호에 해당하는 경우는 제외한다.

ⓞ 거주의무자의 직계비속이 초·중등교육법 제2조에 따른 학교에 재학 중인 학생으로서 주택의 최초 입주가능일 현재 해당 학기가 끝나지 않은 경우. 이 경우 해당 주택에 거주한 것으로 보는 기간은 학기가 끝난 후 90일까지로 한정한다.

(2) 매입신청 등

① 매입신청: 거주의무자는 (1)에 따른 거주의무를 이행하지 아니한 경우 해당 주택을 양도(매매·증여나 그 밖에 권리변동을 수반하는 모든 행위를 포함하되, 상속의 경우는 제외한다)할 수 없다. 다만, 거주의무자가 (1) 각 내용 외의 부분 단서 이외의 사유로 거주의무기간 이내에 거주를 이전하려는 경우 거주의무자는 대통령령으로 정하는 바에 따라 한국토지주택공사(사업주체가 공공주택 특별법 제4조에 따른 공공주택사업자인 경우에는 공공주택사업자를 말한다)에 해당 주택의 매입을 신청하여야 한다(법 제57조의2 제2항).

② 매입: 한국토지주택공사는 매입신청을 받거나 거주의무자 등이 거주의무를 위반하였다는 사실을 알게 된 경우 위반사실에 대한 의견청취를 하는 등 대통령령으로 정하는 절차를 거쳐 대통령령으로 정하는 특별한 사유가 없으면 해당 주택을 매입하여야 한다(법 제57조의2 제3항).

③ 취득: 한국토지주택공사가 ②에 따라 주택을 매입하는 경우 거주의무자 등에게 그가 납부한 입주금과 그 입주금에 은행법에 따른 은행의 1년 만기 정기예금의 평균이자율을 적용한 이자를 합산한 금액(이하 '매입비용'이라 한다)을 지급한 때에는 그 지급한 날에 한국토지주택공사가 해당 주택을 취득한 것으로 본다(법 제57조의2 제4항).

(3) 부기등기

① 부기등기: 사업주체는 (1)에 따른 주택을 공급하는 경우에는 거주의무자가 거주의무기간을 거주하여야 해당 주택을 양도할 수 있음을 소유권에 관한 등기에 부기등기하여야 한다. 이 경우 부기등기는 주택의 소유권보존등기와 동시에 하여야 하며, 부기등기에 포함되어야 할 표기내용 등은 대통령령으로 정한다(법 제57조의2 제5항).

② 부기등기의 말소: 거주의무자 등은 거주의무기간을 거주한 후 지방자치단체의 장으로부터 그 거주사실을 확인받은 경우 부기등기 사항을 말소할 수 있다. 이 경우 거주사실의 확인 등의 절차 · 방법 등에 필요한 사항은 대통령령으로 정한다(법 제57조의2 제6항).

(4) 재취득자의 거주의무

① 한국토지주택공사는 (3)의 ② · ③에 따라 재취득한 주택을 다음에 따라 재공급하여야 하며, 주택을 제공급받은 사람은 거주의무기간 중 잔여기간을 계속하여 거주하지 아니하고 그 주택을 양도할 수 없다. 다만, (1)의 ②의 사유에 해당하는 경우 그 기간은 해당 주택에 거주한 것으로 본다(법 제57조의2 제7항, 규칙 제23조의4 제1항).

> ⊙ 토지임대부 분양주택 또는 공공주택 특별법의 공공분양주택의 경우에는 같은 법 시행규칙 [별표 6]에 따른 입주자 자격을 충족하는 사람을 대상으로 공급할 것
> ⊙ 그 외의 주택의 경우에는 주택공급에 관한 규칙 제27조 및 제28조에 따라 공급할 것

② 위 ①에 따라 주택을 재공급받은 사람이 ①의 단서 이외의 사유로 거주의무기간 이내에 거주를 이전하려는 경우에는 대통령령으로 정하는 바에 따라 한국토지주택공사에 해당 주택의 매입을 신청하여야 한다(법 제57조의2 제8항).
③ 한국토지주택공사가 위에 따라 주택을 취득하거나 주택을 재공급하는 경우에는 법 제64조 제1항(전매제한)을 적용하지 아니한다(법 제57조의2 제9항).

(5) 거주실태조사

국토교통부장관 또는 지방자치단체의 장은 거주의무자 등의 실제 거주 여부를 확인하기 위하여 거주의무자 등에게 필요한 서류 등의 제출을 요구할 수 있으며, 소속 공무원으로 하여금 해당 주택에 출입하여 조사하게 하거나 관계인에게 필요한 질문을 하게 할 수 있다. 이 경우 서류 등의 제출을 요구받거나 해당 주택의 출입 · 조사 또는 필요한 질문을 받은 거주의무자 등은 모든 세대원의 해외출장 등 특별한 사유가 없으면 이에 따라야 한다(법 제57조의3 제1항).

04 분양가격의 구성

분양가격은 택지비와 건축비로 구성되며, 구체적인 명세, 산정방식, 감정평가기관 선정방법 등은 국토교통부령으로 정한다(법 제57조 제3항 전단).

(1) 택지비

택지비는 다음에 따라 산정한 금액으로 한다(법 제57조 제3항 후단, 영 제59조 제1항).

① 공공택지에서 주택을 공급하는 경우에는 해당 택지의 공급가격에 국토교통부령으로 정하는 택지와 관련된 비용을 가산한 금액

② 공공택지 외의 택지에서 분양가상한제 적용주택을 공급하는 경우에는 감정평가 및 감정평가사에 관한 법률에 따라 감정평가한 가액에 국토교통부령으로 정하는 택지와 관련된 비용을 가산한 금액. 다만, 택지매입가격이 다음의 어느 하나에 해당하는 경우에는 해당 매입가격(대통령령으로 정하는 범위 내에 한한다)에 국토교통부령으로 정하는 택지와 관련된 비용을 가산한 금액을 택지비로 볼 수 있다. 이 경우 택지비는 주택단지 전체에 동일하게 적용하여야 한다.
  ㉠ 민사집행법, 국세징수법, 지방세기본법에 따른 경·공매 낙찰가격
  ㉡ 국가·지방자치단체 등 공공기관으로부터 매입한 가격
  ㉢ 부동산등기부 또는 법인장부에 해당 택지의 거래가액이 기록되어 있는 경우

(2) 건축비

분양가격 구성항목 중 건축비는 국토교통부장관이 정하여 고시하는 건축비(이하 '기본형 건축비'라 한다)에 국토교통부령으로 정하는 금액을 더한 금액으로 한다. 이 경우 기본형 건축비는 시장·군수·구청장이 해당 지역의 특성을 고려하여 국토교통부령으로 정하는 범위에서 따로 정하여 고시할 수 있다(법 제57조 제4항).

05 분양가격의 공시

(1) 공공택지에서의 분양가 공시

사업주체는 분양가상한제 적용주택으로서 공공택지에서 공급하는 주택에 대하여 입주자모집승인을 받았을 때에는 입주자모집공고에 다음(국토교통부령으로 정하는 세분류를 포함한다)에 대하여 분양가격을 공시하여야 한다(법 제57조 제5항).

① 택지비
② 공사비
③ 간접비
④ 그 밖에 국토교통부령으로 정하는 비용

(2) 공공택지 외의 택지에서의 분양가 공시

시장·군수·구청장이 공공택지 외의 택지에서 공급되는 분양가상한제 적용주택 중 분양가 상승 우려가 큰 지역으로서 대통령령으로 정하는 기준에 해당되는 지역에서 공급되는 주택에 대하여 입주자모집승인을 하는 경우에는 다음의 구분에 따라 분양가격을 공시하여야 한다. 이 경우 ②부터 ⑥까지의 금액은 기본형 건축비(특별자치시·특별자치도·시·군·구별 기본형 건축비가 따로 있는 경우에는 시·군·구별 기본형 건축비)의 항목별 가액으로 한다(법 제57조 제6항).

①	택지비
②	직접공사비
③	간접공사비
④	설계비
⑤	감리비
⑥	부대비
⑦	그 밖에 국토교통부령으로 정하는 비용

> **더 알아보기** **대통령령으로 정하는 기준에 해당하는 지역**(영 제59조 제5항)
>
> 1. 수도권 안의 투기과열지구
> 2. 다음의 어느 하나에 해당하는 지역으로서 주거정책심의위원회의 심의를 거쳐 국토교통부장관
>   이 지정하는 지역
>   • 수도권 밖의 투기과열지구 중 그 지역의 주택가격의 상승률, 주택의 청약경쟁률 등을 고
>   려하여 국토교통부장관이 정하여 고시하는 기준에 해당되는 지역
>   • 해당 지역을 관할하는 시장·군수 또는 구청장이 주택가격의 상승률, 주택의 청약경쟁률
>   이 지나치게 상승할 우려가 크다고 판단하여 국토교통부장관에게 지정을 요청하는 지역

(3) 공시

① **공시내용에 포함할 사항:** 분양가를 공시를 할 때 국토교통부령으로 정하는 택지비 및
  건축비에 가산되는 비용의 공시에는 분양가심사위원회의 심사를 받은 내용과 산출근
  거를 포함하여야 한다(법 제57조 제7항).
② **주의문구의 명시:** 사업주체는 입주자모집을 하는 경우에는 입주자모집공고안에 "분양
  가격의 항목별 공시 내용은 사업에 실제 소요된 비용과 다를 수 있다."는 문구를 명시
  하여야 한다(영 제60조).

06 분양가심사위원회

(1) 설치

시장·군수·구청장은 분양가상한제 및 분양가공시제에 관한 사항을 심의하기 위하여
사업계획승인 신청(도시 및 주거환경정비법 제28조에 따른 사업시행계획인가, 건축법
제11조에 따른 건축허가를 포함한다)이 있는 날부터 20일 이내에 분양가심사위원회를
설치·운영하여야 한다. 다만, 사업주체가 국가·지방자치단체·한국토지주택공사 또는
지방공사인 경우에는 해당 기관의 장이 위원회를 설치·운영하여야 한다(법 제59조 제1항,
영 제62조).

(2) 기능

위원회는 다음의 사항을 심의한다(영 제63조).

> ① 분양가격 및 발코니 확장비용 산정의 적정성 여부
> ② 분양가격 공시내역의 적정성 여부
> ③ 특별자치시·특별자치도·시·군·구별 기본형 건축비 산정의 적정성 여부
> ④ 분양가상한제 적용주택과 관련된 제2종 국민주택채권 매입예정상한액 산정의 적정성 여부
> ⑤ 분양가상한제 적용주택의 전매행위제한과 관련된 인근지역 주택매매가격 산정의 적정성 여부

(3) 효과

시장·군수·구청장은 입주자모집승인을 할 때에는 분양가심사위원회의 심사결과에 따라 승인 여부를 결정하여야 한다(법 제59조 제2항).

(4) 구성

① **구성원**: 분양가심사위원회는 주택 관련 분야 교수, 주택건설 또는 주택관리 분야 전문직 종사자, 관계 공무원 또는 변호사·회계사·감정평가사 등 관련 전문가 10명 이내로 구성하되, 민간위원을 6명 이상 포함하여야 한다(법 제59조 제3항, 영 제64조 제1항).

② **위원**

　㉠ 시장·군수·구청장은 주택건설 또는 주택관리 분야에 관한 학식과 경험이 풍부한 사람으로서 다음의 어느 하나에 해당하는 사람 6명을 위원회 위원으로 위촉하되, 등록사업자의 임직원과 임직원이었던 사람으로서 3년이 지나지 않은 사람은 위촉해서는 안 된다(영 제64조 제1항).

> ⓐ 법학·경제학·부동산학·건축학·건축공학 등 주택 분야와 관련된 학문을 전공한 자로서 고등교육법에 따른 대학에서 조교수 이상으로 1년 이상 재직한 자
> ⓑ 변호사·회계사·감정평가사 또는 세무사의 직에 1년 이상 근무한 자
> ⓒ 토목·건축·전기·기계 또는 주택 분야 업무에 5년 이상 종사한 자
> ⓓ 주택관리사로서 공동주택 관리사무소장의 직에 5년 이상 근무한 자
> ⓔ 건설공사비 관련 연구실적이 있거나 공사비 산정업무에 3년 이상 종사한 사람

　㉡ 시장·군수·구청장은 다음의 어느 하나에 해당하는 사람 4명을 위원으로 임명하거나 위촉해야 한다. 이 경우 다음에 해당하는 위원을 각각 1명 이상 임명 또는 위촉해야 한다(영 제64조 제2항).

ⓐ 국가 또는 지방자치단체에서 주택사업 인·허가 등 관련 업무를 하는 5급 이상 공무원으로서 해당 기관의 장으로부터 추천을 받은 사람. 다만, 해당 시·군·구에 소속된 공무원은 추천을 필요로 하지 아니한다.

ⓑ 다음의 어느 하나에 해당하는 기관에서 주택사업 관련 업무에 종사하고 있는 임직원으로서 해당 기관의 장으로부터 추천을 받은 사람
- 한국토지주택공사
- 지방공사
- 주택도시기금법에 따른 주택도시보증공사
- 한국부동산원법에 따른 한국부동산원

ⓒ 임기: 민간위원의 임기는 2년으로 하며, 두 차례만 연임할 수 있다(영 제64조 제3항).

ⓓ 의무: 분양가심사위원회의 위원은 업무를 수행할 때에는 신의와 성실로써 공정하게 심사를 하여야 한다(법 제59조 제4항).

(5) 회의

위원회의 회의는 시장·군수 또는 구청장이나 위원장이 필요하다고 인정하는 경우에 소집하며, 시장·군수 또는 구청장은 회의 개최일부터 7일 전까지 회의와 관련된 사항을 위원에게 알려야 하고, 위원회의 회의는 재적위원 과반수의 출석으로 개의하고, 출석위원 과반수의 찬성으로 의결한다(영 제65조).

제2항 투기억제

01 투기과열지구

(1) 지정권자

국토교통부장관 또는 시·도지사는 주택가격의 안정을 위하여 필요한 경우에는 주거정책심의위원회(시·도지사의 경우에는 시·도 주거정책심의위원회를 말한다)의 심의를 거쳐 일정한 지역을 투기과열지구로 지정하거나 이를 해제할 수 있다. 이 경우 투기과열지구는 그 지정목적을 달성할 수 있는 최소한의 범위에서 시·군·구 또는 읍·면·동의 지역단위로 지정하되, 택지개발지구(택지개발촉진법 제2조 제3호에 따른 택지개발지구를 말한다) 등 해당 지역여건을 고려하여 지정단위를 조정할 수 있다(법 제63조 제1항).

(2) 지정대상지역

투기과열지구는 해당 지역의 주택가격상승률이 물가상승률보다 현저히 높은 지역으로서 그 지역의 청약경쟁률·주택가격·주택보급률 및 주택공급계획 등과 지역 주택시장 여건 등을 고려하였을 때 주택에 대한 투기가 성행하고 있거나 성행할 우려가 있는 지역 중 대통령령으로 정하는 기준을 충족하는 곳이어야 한다(법 제63조 제2항).

핵심 콕! 콕! 투기과열지구의 지정대상지역(영 제72조의2)

1. 투기과열지구로 지정하는 날이 속하는 달의 바로 전달(이하 '투기과열지구 지정직전월'이라 한다)부터 소급하여 주택공급이 있었던 2개월 동안 해당 지역에서 공급되는 주택의 월별 평균 청약경쟁률이 모두 5대 1을 초과했거나 국민주택규모 주택의 월별 평균 청약경쟁률이 모두 10대 1을 초과한 곳

2. 다음의 어느 하나에 해당하여 주택공급이 위축될 우려가 있는 곳
   • 투기과열지구 지정직전월의 주택분양실적이 전달보다 30퍼센트 이상 감소한 곳
   • 법 제15조에 따른 사업계획승인 건수나 건축법 제11조에 따른 건축허가 건수(투기과열지구 지정직전월부터 소급하여 6개월간의 건수를 말한다)가 직전 연도보다 급격하게 감소한 곳

3. 신도시 개발이나 주택의 전매행위 성행 등으로 투기 및 주거불안의 우려가 있는 곳으로서 다음의 어느 하나에 해당하는 곳
   • 시 · 도별 주택보급률이 전국 평균 이하인 경우
   • 시 · 도별 자가주택비율이 전국 평균 이하인 경우
   • 해당 지역의 분양주택(투기과열지구로 지정하는 날이 속하는 연도의 직전 연도에 분양된 주택을 말한다)의 수가 법 제56조 제1항에 따른 입주자저축에 가입한 사람으로서 국토교통부령으로 정하는 사람의 수보다 현저히 적은 곳

○ 투기과열지구 지정기준 충족 여부를 판단할 때 위에 규정된 기간에 대한 통계가 없는 경우에는 그 기간과 가장 가까운 월 또는 연도에 대한 통계를 위에 규정된 기간에 대한 통계로 본다.

(3) 지정절차

① **의견청취와 협의:** 국토교통부장관이 투기과열지구를 지정하거나 해제할 경우에는 미리 시 · 도지사의 의견을 듣고 그 의견에 대한 검토의견을 회신하여야 하며, 시 · 도지사가 투기과열지구를 지정하거나 해제할 경우에는 국토교통부장관과 협의하여야 한다(법 제63조 제5항).

② **공고 및 통보:** 국토교통부장관 또는 시 · 도지사는 투기과열지구를 지정하였을 때에는 지체 없이 이를 공고하고, 국토교통부장관은 그 투기과열지구를 관할하는 특별자치시장 · 특별자치도지사 · 시장 · 군수 또는 구청장에게, 특별시장 · 광역시장 또는 도지사는 그 투기과열지구를 관할하는 시장 · 군수 또는 구청장에게 각각 공고 내용을 통보하여야 한다. 이 경우 시장 · 군수 · 구청장은 사업주체로 하여금 입주자모집공고시 해당 주택건설지역이 투기과열지구에 포함된 사실을 공고하게 하여야 한다. 투기과열지구 지정을 해제하는 경우에도 또한 같다(법 제63조 제3항).

(4) 지정의 해제

① **원칙:** 국토교통부장관 또는 시 · 도지사는 투기과열지구에서 지정사유가 없어졌다고 인정하는 경우에는 지체 없이 투기과열지구 지정을 해제하여야 한다(법 제63조 제4항).

② **재검토**: 국토교통부장관은 반기마다 주거정책심의위원회의 회의를 소집하여 투기과열지구로 지정된 지역별로 해당 지역의 주택가격 안정 여건의 변화 등을 고려하여 투기과열지구 지정의 유지 여부를 재검토하여야 하며, 재검토 결과 투기과열지구 지정의 해제가 필요하다고 인정되는 경우에는 지체 없이 투기과열지구 지정을 해제하고 이를 공고하여야 한다(법 제63조 제6항).

③ **해제의 요청**

    ㉠ 투기과열지구로 지정된 지역의 시·도지사 또는 시장·군수·구청장은 투기과열지구 지정 후 해당 지역의 주택가격이 안정되는 등 지정사유가 없어졌다고 인정되는 경우에는 국토교통부장관 또는 시·도지사에게 투기과열지구 지정의 해제를 요청할 수 있다(법 제63조 제7항).

    ㉡ 투기과열지구 지정의 해제를 요청받은 국토교통부장관 또는 시·도지사는 요청받은 날부터 40일 이내에 주거정책심의위원회의 심의를 거쳐 투기과열지구 지정의 해제 여부를 결정하여 그 투기과열지구를 관할하는 지방자치단체의 장에게 심의결과를 통보하여야 한다(법 제63조 제8항).

    ㉢ 국토교통부장관 또는 시·도지사는 심의결과 투기과열지구에서 그 지정사유가 없어졌다고 인정될 때에는 지체 없이 투기과열지구 지정을 해제하고 이를 공고하여야 한다(법 제63조 제9항).

02 조정대상지역

(1) 지정권자 및 지정대상지역

국토교통부장관은 다음의 어느 하나에 해당하는 지역으로서 국토교통부령으로 정하는 기준을 충족하는 지역을 주거정책심의위원회의 심의를 거쳐 조정대상지역으로 지정할 수 있다. 이 경우 ①에 해당하는 조정대상지역의 지정은 그 지정목적을 달성할 수 있는 최소한의 범위에서 시·군·구 또는 읍·면·동의 지역단위로 지정하되, 택지개발지구 등 해당 지역여건을 고려하여 지정단위를 조정할 수 있다(법 제63조의2 제1항, 영 제72조의3).

① **과열지역**: 조정대상지역으로 지정하는 날이 속하는 달의 바로 전달(이하 '조정대상지역 지정직전월'이라 한다)부터 소급하여 3개월간의 해당 지역 주택가격상승률이 그 지역이 속하는 시·도 소비자물가상승률의 1.3배를 초과한 지역으로서 다음에 해당하는 지역

> ㉠ 조정대상지역 지정직전월부터 소급하여 주택공급이 있었던 2개월 동안 해당 지역에서 공급되는 주택의 월별 평균 청약경쟁률이 모두 5대 1을 초과했거나 국민주택규모 주택의 월별 평균 청약경쟁률이 모두 10대 1을 초과한 지역

     ⓛ 조정대상지역 지정직전월부터 소급하여 3개월간의 분양권(주택의 입주자로 선정된 지위를 말한다) 전매거래량이 직전 연도의 같은 기간보다 30퍼센트 이상 증가한 지역

     ⓒ 시·도별 주택보급률 또는 자가주택비율이 전국 평균 이하인 지역

② **위축지역**: 조정대상지역 지정직전월부터 소급하여 6개월간의 평균 주택가격상승률이 마이너스 1퍼센트 이하인 지역으로서 다음에 해당하는 지역

     ㉠ 조정대상지역 지정직전월부터 소급하여 3개월 연속 주택매매거래량이 직전 연도의 같은 기간보다 20퍼센트 이상 감소한 지역

     ⓛ 조정대상지역 지정직전월부터 소급하여 3개월간의 평균 미분양주택(법 제15조 제1항에 따른 사업계획승인을 받아 입주자를 모집했으나 입주자가 선정되지 않은 주택을 말한다)의 수가 직전 연도의 같은 기간보다 2배 이상인 지역

     ⓒ 해당 지역이 속하는 시·도의 주택보급률 또는 자가주택비율이 전국 평균을 초과하는 지역

(2) 사전협의

국토교통부장관은 (1)에 따라 조정대상지역을 지정하는 경우 다음의 사항을 미리 관계 기관과 협의할 수 있다(법 제63조의2 제2항).

     ① 주택도시기금법에 따른 주택도시보증공사의 보증업무 및 주택도시기금의 지원 등에 관한 사항

     ② 주택 분양 및 거래 등과 관련된 금융·세제 조치 등에 관한 사항

     ③ 그 밖에 주택시장의 안정 또는 실수요자의 주택거래 활성화를 위하여 대통령령으로 정하는 사항

(3) 지정절차

① **의견청취**: 국토교통부장관은 조정대상지역을 지정하는 경우에는 미리 시·도지사의 의견을 들어야 한다(법 제63조의2 제3항).

② **공고 및 통보**: 국토교통부장관은 조정대상지역을 지정하였을 때에는 지체 없이 이를 공고하고, 그 조정대상지역을 관할하는 시장·군수·구청장에게 공고 내용을 통보하여야 한다. 이 경우 시장·군수·구청장은 사업주체로 하여금 입주자모집공고시 해당 주택건설지역이 조정대상지역에 포함된 사실을 공고하게 하여야 한다(법 제63조의2 제4항).

(4) 지정의 해제

① **원칙**: 국토교통부장관은 조정대상지역으로 유지할 필요가 없다고 판단되는 경우에는 주거정책심의위원회의 심의를 거쳐 조정대상지역의 지정을 해제하여야 한다(법 제63조의2 제5항).

② **재검토:** 국토교통부장관은 반기마다 주거정책심의위원회의 회의를 소집하여 조정대상지역으로 지정된 지역별로 해당 지역의 주택가격 안정 여건의 변화 등을 고려하여 조정대상지역 지정의 유지 여부를 재검토하여야 한다. 이 경우 재검토 결과 조정대상지역 지정의 해제가 필요하다고 인정되는 경우에는 지체 없이 조정대상지역 지정을 해제하고 이를 공고하여야 한다(법 제63조의2 제7항).

③ **해제요청:** 조정대상지역으로 지정된 지역의 시·도지사 또는 시장·군수·구청장은 조정대상지역 지정 후 해당 지역의 주택가격이 안정되는 등 조정대상지역으로 유지할 필요가 없다고 판단되는 경우에는 국토교통부장관에게 그 지정의 해제를 요청할 수 있으며, 국토교통부장관은 조정대상지역 지정의 해제를 요청받은 경우에는 주거기본법 제8조에 따른 주거정책심의위원회의 심의를 거쳐 요청받은 날부터 40일 이내에 해제 여부를 결정하고, 그 결과를 해당 지역을 관할하는 시·도지사 또는 시장·군수·구청장에게 통보하여야 한다(법 제63조의2 제8항, 규칙 제25조의3).

제3항 임대주택의 건설·공급

01 대상

사업주체(리모델링을 시행하는 자는 제외한다)가 다음의 사항을 포함한 사업계획승인신청서(건축법의 허가신청서를 포함한다)를 제출하는 경우 사업계획승인권자(건축허가권자를 포함한다)는 국토의 계획 및 이용에 관한 법률의 용도지역별 용적률 범위에서 특별시·광역시·특별자치시·특별자치도·시 또는 군의 조례로 정하는 기준에 따라 용적률을 완화하여 적용할 수 있으며(법 제20조 제1항), 이에 따라 용적률을 완화하여 적용하는 경우 사업주체는 완화된 용적률의 30퍼센트 이상 60퍼센트 이하의 범위에서 시·도의 조례로 정하는 비율 이상에 해당하는 면적을 임대주택으로 공급하여야 한다(법 제20조 제2항 전단, 영 제37조 제1항).

> ① 30호 이상의 주택과 주택 외의 시설을 동일 건축물로 건축하는 계획
> ② 임대주택의 건설·공급에 관한 사항

02 대상주택의 선정

사업주체는 공급되는 주택의 전부(주택조합의 경우에는 조합원에게 공급하고 남은 주택)를 대상으로 공개추첨의 방법에 의하여 인수자에게 공급하는 임대주택을 선정하여야 하며, 그 선정결과를 지체 없이 인수자에게 통보하여야 한다(법 제20조 제5항).

03 공급

(1) 공급 및 인수

사업주체는 임대주택을 국토교통부장관, 시·도지사, 한국토지주택공사 또는 지방공사에 공급하여야 하며 시·도지사가 우선인수할 수 있다. 다만, 시·도지사가 임대주택을 인수하지 아니하는 경우 다음의 구분에 따라 국토교통부장관에게 인수자 지정을 요청하여야 한다(법 제20조 제2항). 국토교통부장관은 특별자치시장·특별자치도지사·시장·군수 또는 구청장으로부터 인수자 지정의 요청을 받은 경우 30일 이내에 인수자를 지정하여 시·도지사에게 통보하여야 하며, 국토교통부장관으로부터 통보를 받은 시·도지사는 지체 없이 국토교통부장관이 지정한 인수자와 임대주택의 인수에 관하여 협의하여야한다(영 제37조 제2항·제3항).

> ① 특별시장·광역시장 또는 도지사가 인수하지 아니하는 경우: 관할 시장·군수 또는 구청장이 사업계획승인(건축허가를 포함한다) 신청 사실을 특별시장·광역시장 또는 도지사에게 통보한 후 국토교통부장관에게 인수자 지정 요청
> ② 특별자치시장 또는 특별자치도지사가 인수하지 아니하는 경우: 특별자치시장 또는 특별자치도지사가 직접 국토교통부장관에게 인수자 지정 요청

(2) 공급가격

공급되는 임대주택의 공급가격은 공공주택 특별법에 따라 임대주택의 매각시 적용하는 공공건설임대주택의 분양전환가격 산정기준에서 정하는 건축비로 하고, 그 부속토지는 인수자에게 기부채납한 것으로 본다(법 제20조 제3항).

(3) 사업계획에의 반영

사업주체는 사업계획승인을 신청하기 전에 미리 용적률의 완화로 건설되는 임대주택의 규모 등에 관하여 인수자와 협의하여 사업계획승인신청서에 반영하여야 한다(법 제20조 제4항).

(4) 등기촉탁

사업주체는 임대주택의 준공인가(건축법의 사용승인을 포함한다)를 받은 후 지체 없이 인수자에게 등기를 촉탁 또는 신청하여야 한다. 이 경우 사업주체가 거부 또는 지체하는 경우에는 인수자가 등기를 촉탁 또는 신청할 수 있다(법 제20조 제6항).

01 사업주체(공공주택사업자를 포함한다)가 입주자를 모집하려는 경우에 시장·군수·구청장의 승인(복리시설의 경우에는 신고를 말한다)을 받아야 한다. ( )

02 시장·군수·구청장은 마감자재 목록표와 영상물 등을 제출받은 날부터 2년 이상 보관하여야 하며, 입주자가 열람을 요구하는 경우에는 이를 공개하여야 한다. ( )

03 사업주체는 주택건설사업에 의하여 건설된 주택 및 대지에 대하여는 입주자모집공고승인 신청일(주택조합의 경우에는 사업계획승인 신청일을 말한다) 이후부터 입주예정자가 그 주택 및 대지의 소유권이전등기를 신청할 수 있는 날까지의 기간 동안 입주예정자의 동의 없이 저당권 등을 설정하는 행위를 하여서는 아니 된다. ( )

04 전매행위 제한기간은 해당 주택의 입주자로 선정된 날부터 기산한다. ( )

05 사업주체가 일반인에게 공급하는 공동주택은 주택법으로 정하는 기준에 따라 산정되는 분양가격 이하로 공급하여야 한다. ( )

---

01 × 공공주택사업자는 제외한다.

02 × 사용검사가 있은 날부터 2년 이상 보관하여야 한다.

03 × 입주자모집공고승인 신청일(주택조합의 경우에는 사업계획승인 신청일을 말한다) 이후부터 입주예정자가 그 주택 및 대지의 소유권이전등기를 신청할 수 있는 날 이후 60일까지의 기간 동안이다.

04 ○

05 × 공공택지, 공공택지 외의 택지로서 주택가격 상승 우려가 있어 제58조에 따라 국토교통부장관이 주거기본법 제8조에 따른 주거정책심의위원회의 심의를 거쳐 지정하는 지역 중 어느 하나에 해당하는 지역에서 공급하는 주택의 경우에 분양가상한제 적용을 받는다.

06 관광진흥법 제70조 제1항 또는 제2항에 따라 지정된 관광특구에서 건설 · 공급하는 공동주택으로서 해당 건축물의 층수가 50층 이상이거나 높이가 150미터 이상인 경우에 분양가상한제 적용주택이다. ( )

07 사업주체가 수도권에서 건설 · 공급하는 분양가상한제 적용주택의 입주자는 해당 주택의 최초 입주가능일부터 10년 이내의 범위에서 대통령령으로 정하는 기간(거주의무기간) 동안 계속하여 해당 주택에 거주하여야 한다. ( )

08 분양가격 구성항목 중 건축비는 국토교통부장관이 정하여 고시하는 건축비(이하 '기본형 건축비'라 한다)에 국토교통부령으로 정하는 금액을 더한 금액으로 한다. 이 경우 기본형 건축비는 시장 · 군수 · 구청장이 해당 지역의 특성을 고려하여 국토교통부령으로 정하는 범위에서 따로 정하여 고시할 수 있다. ( )

09 시장 · 군수 · 구청장은 분양가상한제 및 분양가공시제에 관한 사항을 심의하기 위하여 입주자모집의 신청이 있는 날부터 20일 이내에 분양가심사위원회를 설치 · 운영하여야 한다. ( )

10 국토교통부장관이 투기과열지구를 지정하거나 해제할 경우에는 미리 시 · 도지사의 의견을 듣고 그 의견에 대한 검토의견을 회신하여야 하며, 시 · 도지사가 투기과열지구를 지정하거나 해제할 경우에는 시장 · 군수 · 구청장의 의견을 들어야 한다. ( )

11 국토교통부장관은 반기마다 주거정책심의위원회의 회의를 소집하여 조정대상지역으로 지정된 지역별로 해당 지역의 주택가격 안정 여건의 변화 등을 고려하여 조정대상지역 지정의 유지 여부를 재검토하여야 한다. ( )

---

06 ✕ 관광진흥법 제70조 제1항 또는 제2항에 따라 지정된 관광특구에서 건설 · 공급하는 공동주택으로서 해당 건축물의 층수가 50층 이상이거나 높이가 150미터 이상인 경우에 분양가상한제를 적용하지 않는다.

07 ✕ 5년 이내에서 정해진다.

08 ○

09 ✕ 사업계획승인 신청이 있는 날부터 20일 이내에 분양가심사위원회를 설치 · 운영하여야 한다.

10 ✕ 시 · 도지사가 투기과열지구를 지정하거나 해제할 경우에는 국토교통부장관과 협의하여야 한다.

11 ○

제 **4** 장 주택의 리모델링

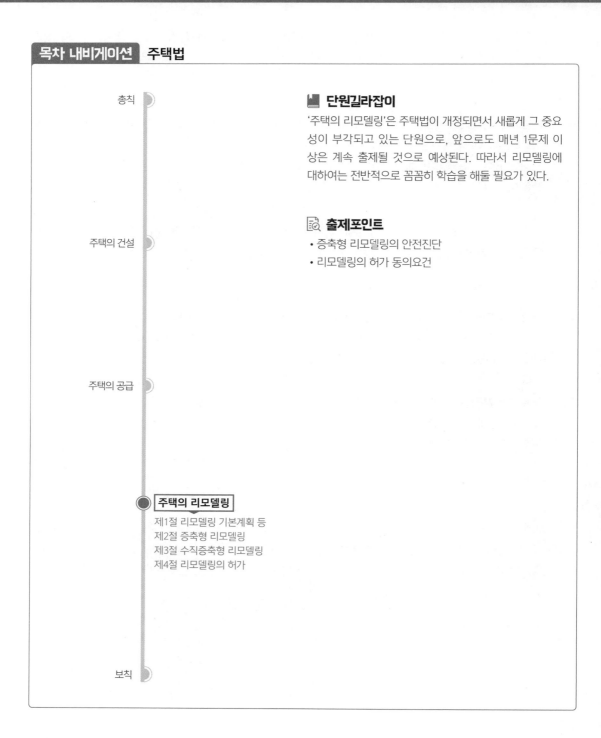

단원길라잡이
'주택의 리모델링'은 주택법이 개정되면서 새롭게 그 중요성이 부각되고 있는 단원으로, 앞으로도 매년 1문제 이상은 계속 출제될 것으로 예상된다. 따라서 리모델링에 대하여는 전반적으로 꼼꼼히 학습을 해둘 필요가 있다.

출제포인트
• 증축형 리모델링의 안전진단
• 리모델링의 허가 동의요건

제1절 리모델링 기본계획 등

(1) 리모델링 기본계획의 수립

특별시장 · 광역시장 및 대도시의 시장은 관할구역에 대하여 다음의 사항을 포함한 리모델링 기본계획을 10년 단위로 수립하여야 한다. 다만, 세대수 증가형 리모델링에 따른 도시과밀의 우려가 적은 경우 등 대통령령으로 정하는 경우에는 리모델링 기본계획을 수립하지 아니할 수 있다(법 제71조 제1항, 영 제80조 제2항). 그리고 대도시가 아닌 시의 시장은 세대수 증가형 리모델링에 따른 도시과밀이나 일시집중 등이 우려되어 도지사가 리모델링 기본계획의 수립이 필요하다고 인정한 경우 리모델링 기본계획을 수립하여야 하며, 리모델링 기본계획의 작성기준 및 작성방법 등은 국토교통부장관이 정한다(법 제71조 제2항 · 제3항).

① 계획의 목표 및 기본방향
② 도시기본계획 등 관련 계획 검토
③ 리모델링 대상 공동주택 현황 및 세대수 증가형 리모델링 수요 예측
④ 세대수 증가에 따른 기반시설의 영향 검토
⑤ 일시집중 방지 등을 위한 단계별 리모델링 시행방안
⑥ 도시과밀 방지 등을 위한 계획적 관리와 리모델링의 원활한 추진을 지원하기 위한 사항으로서 특별시 · 광역시 또는 대도시의 조례로 정하는 사항

> **더 알아보기** | **리모델링 기본계획을 수립하지 아니할 수 있는 경우(영 제80조 제1항)**
>
> 1. 특별시 · 광역시의 경우
>   세대수 증가형 리모델링(세대수를 증가하는 증축행위를 말한다. 이하 같다)에 따른 도시과밀이나 이주수요의 일시집중 우려가 적은 경우로서 특별시장 · 광역시장이 시 · 도 도시계획위원회의 심의를 거쳐 리모델링 기본계획을 수립할 필요가 없다고 인정하는 경우
>
> 2. 대도시
>   세대수 증가형 리모델링에 따른 도시과밀이나 이주수요의 일시집중 우려가 적은 경우로서 대도시 시장의 요청으로 도지사가 시 · 도 도시계획위원회의 심의를 거쳐 리모델링 기본계획을 수립할 필요가 없다고 인정하는 경우

(2) 수립절차

① **의견청취:** 특별시장 · 광역시장 및 대도시의 시장(대도시가 아닌 시의 시장을 포함한다)은 리모델링 기본계획을 수립하거나 변경하려면 14일 이상 주민에게 공람하고, 지방의회의 의견을 들어야 한다. 이 경우 지방의회는 의견제시를 요청받은 날부터 30일 이내에 의견을 제시하여야 하며, 30일 이내에 의견을 제시하지 아니하는 경우에는 이의가 없는 것으로 본다. 다만, 대통령령으로 정하는 경미한 변경인 경우에는 주민공람 및 지방의회 의견청취절차를 거치지 아니할 수 있다(법 제72조 제1항).

② **협의와 심의:** 특별시장 · 광역시장 및 대도시의 시장은 리모델링 기본계획을 수립하거나 변경하려면 관계 행정기관의 장과 협의한 후 시 · 도 도시계획위원회 또는 시 · 군 · 구 도시계획위원회의 심의를 거쳐야 하며, 협의를 요청받은 관계 행정기관의 장은 특별한 사유가 없으면 그 요청을 받은 날부터 30일 이내에 의견을 제시하여야 한다(법 제72조 제2항 · 제3항).

③ **승인:** 대도시의 시장(대도시가 아닌 시의 시장을 포함한다)은 리모델링 기본계획을 수립하거나 변경하려면 도지사의 승인을 받아야 하며, 도지사는 리모델링 기본계획을 승인하려면 시 · 도 도시계획위원회의 심의를 거쳐야 한다(법 제72조 제4항).

④ **고시:** 특별시장 · 광역시장 및 대도시의 시장은 리모델링 기본계획을 수립하거나 변경한 때에는 이를 지체 없이 해당 지방자치단체의 공보에 고시하여야 한다(법 제73조 제1항).

⑤ **타당성 검토:** 특별시장 · 광역시장 및 대도시의 시장은 5년마다 리모델링 기본계획의 타당성 여부를 검토하여 그 결과를 리모델링 기본계획에 반영하여야 한다(법 제73조 제2항).

(3) 리모델링 지원센터

시장 · 군수 · 구청장은 리모델링의 원활한 추진을 지원하기 위하여 다음의 업무를 수행하는 리모델링 지원센터를 설치하여 운영할 수 있다(법 제75조).

---

① 리모델링주택조합 설립을 위한 업무 지원
② 설계자 및 시공자 선정 등에 대한 지원
③ 권리변동계획 수립에 관한 지원
④ 그 밖에 지방자치단체의 조례로 정하는 사항

---

(4) 세대수 증가형 리모델링의 시기 조정

① 국토교통부장관은 세대수 증가형 리모델링의 시행으로 주변 지역에 현저한 주택부족이나 주택시장의 불안정 등이 발생될 우려가 있는 때에는 주거정책심의위원회의 심의를 거쳐 특별시장·광역시장·대도시의 시장에게 리모델링 기본계획을 변경하도록 요청하거나, 시장·군수·구청장에게 세대수 증가형 리모델링의 사업계획 승인 또는 허가의 시기를 조정하도록 요청할 수 있으며, 요청을 받은 특별시장·광역시장·대도시의 시장 또는 시장·군수·구청장은 특별한 사유가 없으면 그 요청에 따라야 한다 (법 제74조 제1항).

② 시·도지사는 세대수 증가형 리모델링의 시행으로 주변 지역에 현저한 주택부족이나 주택시장의 불안정 등이 발생될 우려가 있는 때에는 주거기본법 제9조에 따른 시·도 주거정책심의위원회의 심의를 거쳐 대도시의 시장에게 리모델링 기본계획을 변경하도록 요청하거나, 시장·군수·구청장에게 세대수 증가형 리모델링의 사업계획 승인 또는 허가의 시기를 조정하도록 요청할 수 있으며, 요청을 받은 대도시의 시장 또는 시장·군수·구청장은 특별한 사유가 없으면 그 요청에 따라야 한다(법 제74조 제2항).

제2절 증축형 리모델링

(1) 안전진단의 실시

증축형 리모델링을 하려는 자는 시장·군수·구청장에게 안전진단을 요청하여야 하며, 안전진단을 요청받은 시장·군수·구청장은 해당 건축물의 증축 가능 여부의 확인 등을 위하여 다음의 기관에 의뢰하여 안전진단을 실시하여야 한다. 안전진단을 의뢰받은 기관은 리모델링을 하려는 자가 추천한 건축구조기술사(구조설계를 담당할 자를 말한다)와 함께 안전진단을 실시하여야 한다(법 제68조 제1항·제2항, 영 제78조 제1항).

> ① 안전진단전문기관
> ② 국토안전관리원
> ③ 한국건설기술연구원

(2) 안전진단의 효과

시장·군수·구청장이 (1)에 따른 안전진단으로 건축물 구조의 안전에 위험이 있다고 평가하여 도시 및 주거환경정비법에 따른 재건축사업 및 빈집 및 소규모주택 정비에 관한 특례법에 따른 소규모재건축사업의 시행이 필요하다고 결정한 건축물은 증축형 리모델링을 하여서는 아니 된다(법 제68조 제3항).

(3) 구조안전의 확인을 위한 안전진단

시장·군수·구청장은 수직증축형 리모델링을 허가한 후에 해당 건축물의 구조안전성 등에 대한 상세 확인을 위하여 안전진단을 실시하여야 한다. 이 경우 안전진단을 의뢰받은 기관은 (1)에 따른 건축구조기술사와 함께 안전진단을 실시하여야 하며, 리모델링을 하려는 자는 안전진단 후 구조설계의 변경 등이 필요한 경우에는 건축구조기술사로 하여금 이를 보완하도록 하여야 한다(법 제68조 제4항). 이 경우 시장·군수·구청장은 (1)에 따른 안전진단을 실시한 기관에 안전진단을 의뢰해서는 아니 된다. 다만, 다음의 어느 하나에 해당하는 경우에는 그러하지 아니하다(영 제78조 제2항).

> ① 위 (1)에 따라 안전진단을 실시한 기관이 국토안전관리원 또는 한국건설기술연구원인 경우
> ② 위 (3)에 따른 안전진단 의뢰(2회 이상 지방자치단체를 당사자로 하는 계약에 관한 법률 제9조 제1항 또는 제2항에 따라 입찰에 부치거나 수의계약을 시도하는 경우로 한정한다)에 응하는 기관이 없는 경우

(4) 안전진단의 결과보고 등

안전진단을 의뢰받은 기관은 국토교통부장관이 정하여 고시하는 기준에 따라 안전진단을 실시하고, 안전진단 결과보고서를 작성하여 안전진단을 요청한 자와 시장·군수·구청장에게 제출하여야 한다(법 제68조 제5항). 시장·군수·구청장은 안전진단을 실시하는 비용의 전부 또는 일부를 리모델링을 하려는 자에게 부담하게 할 수 있다(법 제68조 제6항).

제3절 수직증축형 리모델링

(1) 안전성 검토

① 시장·군수·구청장은 수직증축형 리모델링을 하려는 자가 건축법에 따른 건축위원회의 심의를 요청하는 경우 구조계획상 증축범위의 적정성 등에 대하여 국토안전관리원 또는 한국건설기술연구원에 안전성 검토를 의뢰하여야 한다(법 제69조 제1항, 영 제79조 제1항).

② 시장·군수·구청장은 수직증축형 리모델링을 하려는 자의 허가 신청이 있거나 안전진단 결과 국토교통부장관이 정하여 고시하는 설계도서의 변경이 있는 경우 제출된 설계도서상 구조안전의 적정성 여부 등에 대하여 ①에 따라 검토를 수행한 전문기관에 안전성 검토를 의뢰하여야 한다(법 제69조 제2항).

③ 위 ① 및 ②에 따라 검토의뢰를 받은 전문기관은 검토한 결과를 안전성 검토를 의뢰받은 날부터 30일(검토의뢰를 받은 전문기관이 부득이하게 검토기간의 연장이 필요하다고 인정하여 20일의 범위에서 그 기간을 연장할 수 있다) 이내에 시장·군수·구청장에게 제출하여야 하며, 시장·군수·구청장은 특별한 사유가 없는 경우 이 법 및 관계 법률에 따른 위원회의 심의 또는 허가시 제출받은 안전성 검토결과를 반영하여야 한다(법 제69조 제3항, 영 제79조 제2항).

④ 시장·군수·구청장은 안전성 검토비용의 전부 또는 일부를 리모델링을 하려는 자에게 부담하게 할 수 있다(법 제69조 제4항).

(2) 구조설계도서의 작성

수직증축형 리모델링의 설계자는 국토교통부장관이 정하여 고시하는 구조기준에 맞게 구조설계도서를 작성하여야 한다(법 제70조).

제4절 리모델링의 허가

(1) 리모델링의 허가요건

공동주택(부대시설과 복리시설을 포함한다)의 입주자·사용자 또는 관리주체가 공동주택을 리모델링하려고 하는 경우에는 다음의 기준을 갖추어 시장·군수·구청장의 허가를 받아야 한다(법 제66조 제1항, 영 제75조 제1항 [별표 4]).

구분	세부기준
동의비율	① 입주자·사용자 또는 관리주체의 경우: 공사기간, 공사방법 등이 적혀 있는 동의서에 입주자 전체의 동의를 받아야 한다. ② 리모델링주택조합의 경우: 다음의 사항이 적혀 있는 결의서에 주택단지 전체를 리모델링하는 경우에는 주택단지 전체 구분소유자 및 의결권의 각 75퍼센트 이상의 동의와 각 동별 구분소유자 및 의결권의 각 50퍼센트 이상의 동의를 받아야 하며(리모델링을 하지 않는 별동의 건축물로 입주자 공유가 아닌 복리시설 등의 소유자는 권리변동이 없는 경우에 한정하여 동의비율 산정에서 제외한다), 동을 리모델링하는 경우에는 그 동의 구분소유자 및 의결권의 각 75퍼센트 이상의 동의를 받아야 한다. ㉠ 리모델링 설계의 개요 ㉡ 공사비 ㉢ 조합원의 비용분담 명세

	③ 입주자대표회의 경우: 다음의 사항이 적혀 있는 결의서에 주택단지의 소유자 전원의 동의를 받아야 한다. ㉠ 리모델링 설계의 개요 ㉡ 공사비 ㉢ 소유자의 비용분담 명세
허용행위	① 공동주택 　㉠ 리모델링은 주택단지별 또는 동별로 한다. 　㉡ 복리시설을 분양하기 위한 것이 아니어야 한다. 다만, 1층을 필로티 구조로 전용하여 세대의 일부 또는 전부를 부대시설 및 복리시설 등으로 이용하는 경우에는 그렇지 않다. 　㉢ ㉡에 따라 1층을 필로티 구조로 전용하는 경우 제13조에 따른 수직증축 허용범위를 초과하여 증축하는 것이 아니어야 한다. 　㉣ 내력벽의 철거에 의하여 세대를 합치는 행위가 아니어야 한다. ② 입주자 공유가 아닌 복리시설 등 　㉠ 사용검사를 받은 후 10년 이상 지난 복리시설로서 공동주택과 동시에 리모델링하는 경우로서 시장·군수·구청장이 구조안전에 지장이 없다고 인정하는 경우로 한정한다. 　㉡ 증축은 기존 건축물 연면적 합계의 10분의 1 이내여야 하고, 증축범위는 건축법 시행령 제6조 제2항 제2호 나목에 따른다. 다만, 주택과 주택 외의 시설이 동일 건축물로 건축된 경우는 주택의 증축 면적비율의 범위 안에서 증축할 수 있다.

주택법령상 공동주택의 리모델링에 관한 설명으로 옳지 않은 것은?　　　제26회

① 공동주택의 소유자가 리모델링에 의하여 일부 공용부분(집합건물의 소유 및 관리에 관한 법률에 따른 공용부분을 말한다)의 면적을 전유부분의 면적으로 변경한 경우에는 규약으로 달리 정하지 않는 한 그 소유자의 나머지 공용부분의 면적은 변하지 아니하는 것으로 본다.

② 리모델링주택조합이 동을 리모델링하는 경우 리모델링 설계의 개요, 공사비, 조합원의 비용분담 명세가 적혀 있는 결의서에 그 동의 구분소유자 및 의결권의 각 50퍼센트 이상의 동의를 받아야 한다.

③ 리모델링주택조합은 법인으로 한다.

④ 공동주택의 관리주체가 리모델링을 하려는 경우 공사기간, 공사방법 등이 적혀 있는 동의서에 입주자 전체의 동의를 받아야 한다.

⑤ 수직증축형 리모델링의 설계자는 국토교통부장관이 정하여 고시하는 구조기준에 맞게 구조설계도서를 작성하여야 한다.

리모델링 행위허가 동의

- 리모델링조합: 단지 전체를 리모델링하는 경우에는 전체 구분소유자 및 의결권의 각 75퍼센트 이상의 동의와 각 동별 구분소유자 및 의결권의 각 50퍼센트 이상의 동의를 받아야 하며, 동을 리모델링하는 경우에는 그 동의 구분소유자 및 의결권의 각 75퍼센트 이상의 동의를 받아야 한다.
- 입주자대표회의: 주택단지의 소유자 전원의 동의를 받아야 한다.
- 입주자·사용자·관리주체: 주택단지의 입주자 전체의 동의를 받아야 한다.   정답: ②

(2) 허가신청의 예외

위 **(1)**에도 불구하고 대통령령으로 정하는 경우에는 리모델링주택조합이나 소유자 전원의 동의를 받은 입주자대표회의가 시장·군수·구청장의 허가를 받아 리모델링을 할 수 있으며, 리모델링에 동의한 소유자는 리모델링주택조합 또는 입주자대표회의가 시장·군수·구청장에게 허가신청서를 제출하기 전까지 서면으로 동의를 철회할 수 있다(법 제66조 제2항, 영 제75조 제3항).

(3) 리모델링의 허가신청 절차

공동주택(부대시설과 복리시설을 포함한다)의 입주자·사용자 또는 관리주체가 공동주택을 리모델링하려고 허가를 받으려고 하는 경우에는 허가신청서에 다음의 서류를 첨부하여 시장·군수·구청장에게 제출하여야 한다(법 제66조 제1항, 영 제75조 제2항, 규칙 제28조 제2항).

① 리모델링하려는 건축물의 종별에 따른 건축법 시행규칙 제6조 제1항 각 호의 서류 및 도서. 다만, 증축을 포함하는 리모델링의 경우에는 건축법 시행규칙 [별표 3] 제1호에 따른 건축계획서 중 구조계획서(기존 내력벽, 기둥, 보 등 골조의 존치계획서를 포함한다), 지질조사서 및 시방서를 포함한다.
② 영 [별표 4] 제1호에 따른 입주자의 동의서 및 법 제22조에 따른 매도청구권 행사를 입증할 수 있는 서류
③ 세대를 합치거나 분할하는 등 세대수를 증감시키는 행위를 하는 경우에는 그 동의 변경 전과 변경 후의 평면도
④ 법 제2조 제25호 다목에 따른 세대수 증가형 리모델링(이하 '세대수 증가형 리모델링'이라 한다)을 하는 경우에는 법 제67조에 따른 권리변동계획서
⑤ 법 제68조 제1항에 따른 증축형 리모델링을 하는 경우에는 같은 조 제5항에 따른 안전진단결과서
⑥ 리모델링주택조합의 경우에는 주택조합설립인가서 사본

(4) 시공자의 선정

① 리모델링을 하는 경우 법 제11조 제1항에 따라 설립인가를 받은 리모델링주택조합의 총회 또는 소유자 전원의 동의를 받은 입주자대표회의에서 건설산업기본법 제9조에 따른 건설사업자 또는 제7조 제1항에 따라 건설사업자로 보는 등록사업자를 시공자로 선정하여야 한다(법 제66조 제3항).

② 시공자를 선정하는 경우에는 국토교통부장관이 정하는 경쟁입찰의 방법으로 하여야 한다. 다만, 시공자 선정을 위하여 국토교통부장관이 정하는 경쟁입찰의 방법으로 2회 이상 경쟁입찰을 하였으나 입찰자의 수가 해당 경쟁입찰의 방법에서 정하는 최저입찰 자수에 미달하여 경쟁입찰의 방법으로 시공자를 선정할 수 없게 된 경우에는 그러하지 아니하다(법 제66조 제4항, 영 제76조 제1항).

(5) 도시계획위원회의 심의

시장·군수·구청장이 세대수 증가형 리모델링(50세대 이상으로 세대수가 증가하는 경우로 한정한다)을 허가하려는 경우에는 기반시설에의 영향이나 도시·군관리계획과의 부합 여부 등에 대하여 시·군·구 도시계획위원회의 심의를 거쳐야 하고, 리모델링 기본계획 수립 대상지역에서 세대수 증가형 리모델링을 허가하려는 시장·군수·구청장은 해당 리모델링 기본계획에 부합하는 범위에서 허가하여야 한다(법 제66조 제6항·제9항, 영 제76조 제2항).

(6) 권리변동계획의 수립

세대수가 증가되는 리모델링을 하는 경우에는 기존 주택의 권리변동, 비용분담 등 다음의 사항에 대한 계획(권리변동계획)을 수립하여 사업계획승인 또는 행위허가를 받아야 한다(법 제67조, 영 제77조 제1항). 이 경우 ①과 ②에 따라 대지 및 건축물의 권리변동 명세를 작성하거나 조합원의 비용분담 금액을 산정하는 경우에는 감정평가 및 감정평가사에 관한 법률에 따른 감정평가법인 등이 리모델링 전후의 재산 또는 권리에 대하여 평가한 금액을 기준으로 할 수 있다(영 제77조 제2항).

> ① 리모델링 전후의 대지 및 건축물의 권리변동 명세
> ② 조합원의 비용분담
> ③ 사업비
> ④ 조합원 외의 자에 대한 분양계획
> ⑤ 그 밖에 리모델링과 관련한 권리 등에 대하여 해당 시·도 또는 시·군의 조례로 정하는 사항

(7) 사용검사

공동주택의 입주자·사용자·관리주체·입주자대표회의 또는 리모델링주택조합이 리모델링에 관하여 시장·군수·구청장의 허가를 받은 후 그 공사를 완료하였을 때에는 시장·군수·구청장의 사용검사를 받아야 하며, 사용검사에 관하여는 법 제49조를 준용한다(법 제66조 제7항).

(8) 리모델링의 특례

① 대지사용권의 변동: 공동주택의 소유자가 리모델링에 의하여 전유부분의 면적이 늘거나 줄어드는 경우에는 대지사용권은 변하지 아니하는 것으로 본다. 다만, 세대수 증가를 수반하는 리모델링의 경우에는 권리변동계획에 따른다(법 제76조 제1항).

② 공용부분의 변경: 공동주택의 소유자가 리모델링에 의하여 일부 공용부분의 면적을 전유부분의 면적으로 변경한 경우에는 그 소유자의 나머지 공용부분의 면적은 변하지 아니하는 것으로 본다(법 제76조 제2항).

③ 예외: 대지사용권 및 공용부분의 면적에 관하여는 ①과 ②에도 불구하고 소유자가 집합건물의 소유 및 관리에 관한 법률에 따른 규약으로 달리 정한 경우에는 그 규약에 따른다(법 제76조 제3항).

④ 임차권 등 계약기간: 임대차계약 당시 다음의 어느 하나에 해당하여 그 사실을 임차인에게 고지한 경우로서 리모델링 허가를 받은 경우에는 해당 리모델링 건축물에 관한 임대차계약에 대하여 주택임대차보호법 제4조 제1항 및 상가건물임대차보호법 제9조 제1항을 적용하지 아니한다(법 제76조 제4항).

> ㉠ 임대차계약 당시 해당 건축물의 소유자들(입주자대표회의를 포함한다)이 법 제11조 제1항에 따른 리모델링주택조합 설립인가를 받은 경우
> ㉡ 임대차계약 당시 해당 건축물의 입주자대표회의가 직접 리모델링을 실시하기 위하여 법 제68조 제1항에 따라 관할 시장·군수·구청장에게 안전진단을 요청한 경우

(9) 부정행위의 금지

공동주택의 리모델링과 관련하여 다음의 어느 하나에 해당하는 자는 부정하게 재물 또는 재산상의 이익을 취득하거나 제공하여서는 아니 된다(법 제77조).

> ① 입주자
> ② 사용자
> ③ 관리주체
> ④ 입주자대표회의 또는 그 구성원
> ⑤ 리모델링주택조합 또는 그 구성원

01 특별시장·광역시장 및 시장 또는 군수는 관할구역에 대하여 리모델링 기본계획을 5년 단위로 수립하여야 한다. ( )

02 리모델링을 하려는 자는 전부 시장·군수·구청장에게 안전진단을 요청하여야 하며, 안전진단을 요청받은 시장·군수·구청장은 해당 건축물의 증축 가능 여부의 확인 등을 위하여 안전진단을 실시하여야 한다. ( )

03 시장·군수·구청장이 안전진단으로 건축물 구조의 안전에 위험이 있다고 평가하여 도시 및 주거환경정비법에 따른 재건축사업 및 빈집 및 소규모주택 정비에 관한 특례법에 따른 소규모재건축사업의 시행이 필요하다고 결정한 건축물은 리모델링을 하여서는 아니 된다. ( )

04 세대수가 증가되는 리모델링을 하는 경우에는 기존 주택의 권리변동, 비용분담 등에 대한 계획(권리변동계획)을 수립하여 사업계획승인 또는 행위허가를 받아야 한다. ( )

05 공동주택의 소유자가 리모델링에 의하여 전유부분의 면적이 늘거나 줄어드는 경우에는 대지사용권은 변하지 아니하는 것으로 본다. 다만, 세대수 증가를 수반하는 리모델링의 경우에는 리모델링 기본계획에 따른다. ( )

01 ✕ 특별시장·광역시장 및 대도시의 시장은 관할구역에 대하여 리모델링 기본계획을 10년 단위로 수립하여야 한다.
02 ✕ 증축형 리모델링을 하려는 자는 시장·군수·구청장에게 안전진단을 요청하여야 한다.
03 ✕ 증축형 리모델링을 하여서는 아니 된다.
04 ○
05 ✕ 권리변동계획에 따른다.

house.Hackers.com

제 5 장 보칙

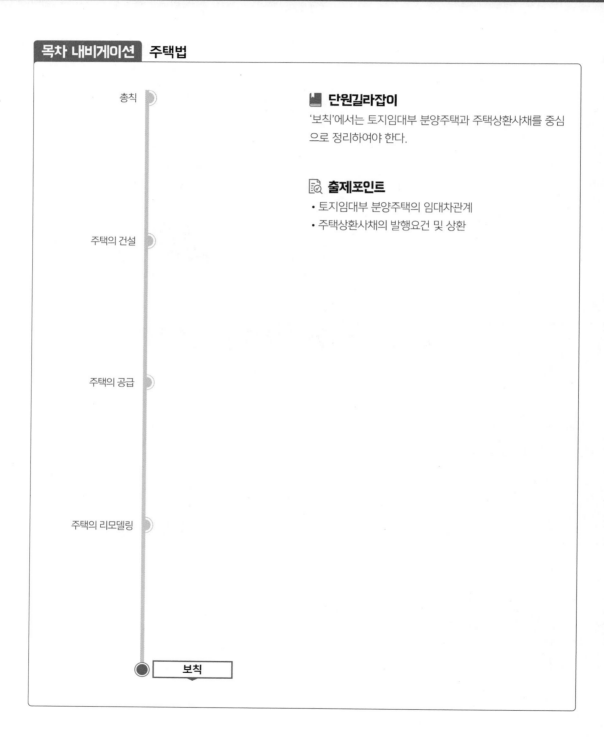
📖 **단원길라잡이**

'보칙'에서는 토지임대부 분양주택과 주택상환사채를 중심으로 정리하여야 한다.

🔍 **출제포인트**

- 토지임대부 분양주택의 임대차관계
- 주택상환사채의 발행요건 및 상환

01 토지임대부 분양주택

토지임대부 분양주택이란 토지의 소유권은 사업계획의 승인을 받아 토지임대부 분양주택 건설사업을 시행하는 자가 가지고, 건축물 및 복리시설 등에 대한 소유권(건축물의 전유부분에 대한 구분소유권은 이를 분양받은 자가 가지고, 건축물의 공용부분·부속건물 및 복리시설은 분양받은 자들이 공유한다)은 주택을 분양받은 자가 가지는 주택을 말한다(법 제2조 제9호).

(1) 토지임대부 분양주택의 토지에 관한 임대차관계

① **임대차기간 등**: 토지임대부 분양주택의 토지에 대한 임대차기간은 40년 이내로 한다. 이 경우 토지임대부 분양주택 소유자의 75퍼센트 이상이 계약갱신을 청구하는 경우 40년의 범위에서 이를 갱신할 수 있으며, 토지임대부 분양주택을 공급받은 자가 토지소유자와 임대차계약을 체결한 경우 해당 주택의 구분소유권을 목적으로 그 토지 위에 임대차기간 동안 지상권이 설정된 것으로 본다(법 제78조 제1항·제2항).

② **임대차계약**: 토지임대부 분양주택의 토지에 대한 임대차계약을 체결하고자 하는 자는 국토교통부령으로 정하는 표준임대차계약서를 사용하여야 하며, 토지임대부 분양주택을 양수한 자 또는 상속받은 자는 임대차계약을 승계한다(법 제78조 제3항·제4항).

③ **임대료 등**: 토지임대부 분양주택의 월별 토지임대료는 다음의 구분에 따라 산정한 금액을 12개월로 분할한 금액 이하로 하며, 토지소유자는 산정한 월별 토지임대료의 납부기한을 정하여 토지임대주택 소유자에게 고지하되, 구체적인 납부방법, 연체료율 등에 관한 사항은 표준임대차계약서에서 정하는 바에 따른다(법 제78조 제5항, 영 제81조 제1항·제4항).

> ㉠ **공공택지에 토지임대주택을 건설하는 경우**: 해당 공공택지의 조성원가에 입주자모집공고일이 속하는 달의 전전달의 은행법에 따른 은행의 3년 만기 정기예금 평균이자율을 적용하여 산정한 금액
>
> ㉡ **공공택지 외의 택지에 토지임대주택을 건설하는 경우**: 감정평가 및 감정평가사에 관한 법률에 따라 감정평가한 가액에 입주자모집공고일이 속하는 달의 전전달의 은행법에 따른 은행의 3년 만기 정기예금 평균이자율을 적용하여 산정한 금액. 이 경우 감정평가액의 산정시기와 산정방법 등은 국토교통부령으로 정한다.

④ **임대료의 전환**: 위 ③에 따른 토지임대료는 월별 임대료를 원칙으로 하되, 토지소유자와 주택을 공급받은 자가 합의한 경우는 토지임대료를 선납하거나 보증금으로 전환하려는 경우 그 선납 토지임대료 또는 보증금을 산정할 때 적용되는 이자율은 은행법에 따른 은행의 3년 만기 정기예금 평균이자율 이상이어야 한다(법 제78조 제6항, 영 제82조).

⑤ **임대료의 증액**: 토지소유자는 토지임대주택을 분양받은 자와 토지임대료에 관한 약정 (이하 '토지임대료약정'이라 한다)을 체결한 후 2년이 지나기 전에는 토지임대료의 증액을 청구할 수 없으며, 토지임대료약정 체결 후 2년이 지나 토지임대료의 증액을 청구하는 경우에는 시·군·구의 평균지가상승률을 고려하여 증액률을 산정하되, 주택임대차보호법 시행령 제8조 제1항에 따른 차임 등의 증액청구 한도 비율을 초과해서는 아니 된다(영 제81조 제2항·제3항).

⑥ **기타**: 위에서 정한 사항 외에 토지임대부 분양주택 토지의 임대차관계는 토지소유자와 주택을 공급받은 자간의 임대차계약에 따르며, 이 법에서 정하지 아니한 사항은 집합건물의 소유 및 관리에 관한 법률, 민법 순으로 적용한다(법 제78조 제7항·제8항).

(2) 토지임대부 분양주택의 공공매입

① 토지임대부 분양주택을 공급받은 자는 법 제64조 제1항에도 불구하고 전매제한기간이 지나기 전에 대통령령으로 정하는 바에 따라 한국토지주택공사에 해당 주택의 매입을 신청할 수 있다(법 제78조의2 제1항).

② 한국토지주택공사는 ①에 따라 매입신청을 받거나 법 제64조 제1항(전매제한)을 위반하여 토지임대부 분양주택의 전매가 이루어진 경우 대통령령으로 정하는 특별한 사유 (한국토지주택공사의 부도·파산 또는 이와 유사한 사유로서 한국토지주택공사가 해당 주택을 매입하는 것이 어렵다고 국토교통부장관이 인정하는 사유)가 없으면 대통령령으로 정하는 절차를 거쳐 해당 주택을 매입하여야 한다(법 제78조의2 제2항, 영 제60조의2).

③ 한국토지주택공사가 ②에 따라 주택을 매입하는 경우 다음의 구분에 따른 금액을 그 주택을 양도하는 자에게 지급한 때에는 그 지급한 날에 한국토지주택공사가 해당 주택을 취득한 것으로 본다(법 제78조의2 제3항).

> ㉠ ①에 따라 매입신청을 받은 경우: 해당 주택의 매입비용과 보유기간 등을 고려하여 대통령령으로 정하는 금액
> ㉡ 법 제64조 제1항을 위반하여 전매가 이루어진 경우: 해당 주택의 매입비용

④ 한국토지주택공사가 ②에 따라 주택을 매입하는 경우에는 전매제한 규정을 적용하지 아니한다(법 제78조의2 제4항).

(3) 토지임대부 분양주택의 재건축

① **재건축 결정**: 토지임대부 분양주택의 소유자가 임대차기간이 만료되기 전에 도시 및 주거환경정비법 등 도시개발 관련 법률에 따라 해당 주택을 철거하고 재건축을 하고자 하는 경우 집합건물의 소유 및 관리에 관한 법률 제47조부터 제49조까지에 따라 토지소유자의 동의를 받아 재건축할 수 있다. 이 경우 토지소유자는 정당한 사유 없이 이를 거부할 수 없다(법 제79조 제1항).

② **재건축주택의 성격**: 위 ①에 따라 재건축한 주택은 토지임대부 분양주택으로 한다. 이 경우 재건축한 주택의 준공인가일부터 임대차기간 동안 토지소유자와 재건축한 주택의 조합원 사이에 토지의 임대차기간에 관한 계약이 성립된 것으로 본다. 다만, 토지소유자와 주택소유자가 합의한 경우에는 토지임대부 분양주택이 아닌 주택으로 전환할 수 있다(법 제79조 제3항·제4항).

02 주택상환사채

(1) 발행

① **발행권자**: 한국토지주택공사와 등록사업자는 주택상환사채를 발행할 수 있다(법 제80조 제1항).

② **발행절차**

㉠ **발행승인**: 주택상환사채를 발행하려는 자는 주택상환사채발행계획서에 다음의 서류를 첨부하여 국토교통부장관의 승인을 받아야 한다(법 제80조 제2항, 영 제85조 제1항).

> ⓐ 주택상환사채 상환용 주택의 건설을 위한 택지에 대한 소유권 또는 그 밖에 사용할 수 있는 권리를 증명할 수 있는 서류
> ⓑ 주택상환사채에 대한 금융기관 또는 주택도시보증공사의 보증서
> ⓒ 금융기관과의 발행대행계약서 및 납입금 관리계약서

㉡ **통보**: 국토교통부장관은 주택상환사채의 발행승인을 한 때에는 주택상환사채 발행 대상지역을 관할하는 시·도지사에게 그 내용을 통보하여야 한다(영 제85조 제3항).

㉢ **모집공고안의 작성·제출**: 주택상환사채의 발행승인을 얻은 자는 주택상환사채를 모집하기 전에 국토교통부령이 정하는 바에 의하여 주택상환사채 모집공고안을 작성하여 국토교통부장관에게 제출하여야 한다(영 제85조 제4항).

③ **등록사업자의 발행요건**: 등록사업자는 자본금·자산평가액 및 기술인력 등이 다음의 기준에 맞고 금융기관 또는 주택도시보증공사의 보증을 받은 경우에만 주택상환사채를 발행할 수 있다(법 제80조 제1항 후단, 영 제84조 제1항·제2항).

> ㉠ 등록사업자는 다음의 요건을 갖춘 경우 주택상환사채를 발행할 수 있다.
> ⓐ 법인으로서 자본금이 5억원 이상일 것
> ⓑ 건설산업기본법 제9조에 따라 건설업 등록을 한 자일 것
> ⓒ 최근 3년간 연평균 주택건설실적이 300호 이상일 것
> ㉡ 등록사업자가 발행할 수 있는 주택상환사채의 규모는 최근 3년간의 연평균 주택건설호수 이내로 한다.

④ **발행방법 등**: 주택상환사채는 기명증권(記名證券)으로 하고(법 제81조 제2항), 액면 또는 할인의 방법으로 발행하며, 주택상환사채의 발행자는 주택상환사채대장을 비치하고, 주택상환사채권의 발행 및 상환에 관한 사항을 적어야 한다(영 제83조 제1항·제3항).

⑤ **납입금 사용**

　　㉠ 주택상환사채의 납입금은 다음의 용도로만 사용할 수 있다(영 제87조 제1항).

> ⓐ 택지의 구입 및 조성
> ⓑ 주택건설자재의 구입
> ⓒ 건설공사비에의 충당
> ⓓ 그 밖에 주택상환을 위하여 필요한 비용으로서 국토교통부장관의 승인을 받은 비용에의 충당

　　㉡ 주택상환사채의 납입금은 해당 보증기관과 주택상환사채 발행자가 협의하여 정하는 금융기관에서 관리한다(영 제87조 제2항).

　　㉢ 위 ㉡에 따라 납입금을 관리하는 금융기관은 국토교통부장관이 요청하는 경우에는 납입금 관리상황을 보고하여야 한다(영 제87조 제3항).

⑥ **등록사업자의 등록말소와 주택상환사채의 효력**: 등록사업자의 등록이 말소된 경우에도 등록사업자가 발행한 주택상환사채의 효력에는 영향을 미치지 아니한다(법 제82조 제4항).

(2) 양도 및 상환 등

① **양도 또는 중도해약**: 주택상환사채는 이를 양도하거나 중도에 해약할 수 없다. 다만, 다음의 경우에는 그러하지 아니하다(영 제86조 제3항 단서, 규칙 제35조 제1항).

> ㉠ 세대원(세대주가 포함된 세대의 구성원을 말한다)의 근무 또는 생업상의 사정이나 질병 치료·취학·결혼으로 인하여 세대원 전원이 다른 행정구역으로 이전하는 경우
> ㉡ 세대원 전원이 상속에 의하여 취득한 주택으로 이전하는 경우
> ㉢ 세대원 전원이 해외로 이주하거나 2년 이상 해외에 체류하고자 하는 경우

② **양도방법**: 주택상환사채의 사채권자의 명의변경은 취득자의 성명과 주소를 사채원부에 기록하는 방법으로 하며, 취득자의 성명을 **채권**에 기록하지 아니하면 사채발행자 및 제3자에게 대항할 수 없다(법 제81조 제2항). 주택상환사채를 양도 또는 중도해약하거나 상속받으려는 자는 ①의 어느 하나에 해당함을 증명하는 서류 또는 상속인임을 증명하는 서류를 주택상환사채 발행자에게 제출하여야 한다. 이 경우 주택상환사채 발

행자는 지체 없이 주택상환사채권자의 명의를 변경하고, 주택상환사채원부 및 주택상환사채권에 적어야 한다(규칙 제35조 제2항).

③ **상환**: 주택상환사채를 발행한 자는 발행조건에 따라 주택을 건설하여 사채권자에게 상환하여야 한다. 주택상환사채를 상환함에 있어 주택상환사채권자가 원하는 경우에는 주택상환사채의 원리금을 현금으로 상환할 수 있다(법 제81조 제1항, 규칙 제35조 제3항).

④ **상환기간**: 주택상환사채의 상환기간은 3년을 초과할 수 없다. 이 경우 상환기간은 주택상환사채 발행일부터 주택의 공급계약 체결일까지의 기간으로 한다(영 제86조 제1항).

(3) 법 적용

주택상환사채의 발행에 관하여 이 법에서 규정한 것 외에는 상법 중 사채발행에 관한 규정을 적용한다. 다만, 한국토지주택공사가 발행하는 경우와 금융기관 등이 상환을 보증하여 등록사업자가 발행하는 경우에는 상법(제478조 제1항)을 적용하지 아니한다(법 제83조).

기출예제

주택법령상 주택상환사채에 관한 설명으로 옳지 않은 것은? 제27회

① 한국토지주택공사는 주택상환사채를 발행할 수 있다.
② 주택상환사채를 발행하려는 자는 주택상환사채발행계획을 수립하여 국토교통부장관의 승인을 받아야 한다.
③ 주택법에 따라 등록사업자의 등록이 말소되면 등록사업자가 발행한 주택상환사채는 그 효력을 상실한다.
④ 등록사업자가 발행할 수 있는 주택상환사채의 규모는 최근 3년간의 연평균 주택건설 호수 이내로 한다.
⑤ 국토교통부장관은 주택상환사채발행계획을 승인하였을 때에는 주택상환사채발행 대상 지역을 관할하는 시·도지사에게 그 내용을 통보하여야 한다.

해설

등록사업자의 경우에 주택상환사채를 발행하기 위해서는 보증이 필요하고, 이 보증으로 인하여 등록사업자가 그 등록이 말소된 경우에 주택상환사채의 효력에 영향을 미치지 않는다.

정답: ③

---

03 국민주택사업특별회계

(1) 설치

지방자치단체는 국민주택사업을 시행하기 위하여 국민주택사업특별회계를 설치·운용하여야 하며, 국민주택사업특별회계의 편성 및 운용에 필요한 사항은 해당 지방자치단체의 조례로 정할 수 있다(법 제84조 제1항, 영 제88조 제1항).

(2) 재원

국민주택사업특별회계의 자금은 다음의 재원으로 조성한다(법 제84조 제2항).

① 자체 부담금
② 주택도시기금으로부터의 차입금
③ 정부로부터의 보조금
④ 농협은행으로부터의 차입금
⑤ 외국으로부터의 차입금
⑥ 국민주택사업특별회계에 속하는 재산의 매각대금
⑦ 국민주택사업특별회계자금의 회수금·이자수입금 및 그 밖의 수익
⑧ 재건축초과이익 환수에 관한 법률에 따른 재건축부담금 중 지방자치단체 귀속분

(3) 운용

국민주택을 건설·공급하는 지방자치단체의 장은 국민주택사업특별회계의 분기별 운용상황을 그 분기가 끝나는 달의 다음 달 20일까지 국토교통부장관에게 보고하여야 한다. 이 경우 시장·군수 또는 구청장의 경우에는 시·도지사를 거쳐(특별자치시장·특별자치도지사가 보고하는 경우는 제외한다) 보고하여야 한다(법 제84조 제3항, 영 제88조 제2항).

04 입주자저축

(1) 의의

입주자저축이란 국민주택과 민영주택을 공급받기 위하여 가입하는 주택청약종합저축을 말한다. 국토교통부장관은 주택을 공급받으려는 자에게 미리 입주금의 전부 또는 일부를 저축하게 할 수 있다(법 제56조 제1항·제2항).

(2) 가입

입주자저축은 한 사람이 한 계좌만 가입할 수 있다(법 제56조 제4항).

(3) 입주자저축 취급기관

① **지정:** 입주자저축계좌를 취급하는 기관(이하 '입주자저축 취급기관'이라 한다)은 은행법에 따른 은행 중 국토교통부장관이 지정한다(법 제56조 제3항).

② **정보제공:** 국토교통부장관은 다음의 업무를 수행하기 위하여 필요한 경우 입주자저축 취급기관의 장에게 입주자저축에 관한 자료 및 정보(이하 '입주자저축정보'라 한다)를 제공하도록 요청할 수 있으며, 요청받은 입주자저축 취급기관의 장은 금융실명거래 및 비밀보장에 관한 법률 제4조에도 불구하고 입주자저축정보를 제공하여야 한다(법 제56조 제5항·제6항).

> ⊙ 주택을 공급받으려는 자의 입주자자격, 재당첨 제한 여부 및 공급순위 등 확인 및 정보제공 업무
> ⓛ 입주자저축 가입을 희망하는 자의 기존 입주자저축 가입 여부 확인 업무
> ⓒ 조세특례제한법 제89조의2에 따라 세금우대저축 취급기관과 세금우대저축자료 집중기관 상호간 입주자저축과 관련된 세금우대저축자료를 제공하도록 중계하는 업무
> ② 위 ⊙부터 ⓒ까지의 규정에 따라 이미 보유하고 있는 정보의 정확성, 최신성을 유지하기 위한 정보요청 업무

③ **정보의 요청 및 제공 방법:** 입주자저축정보의 제공 요청 및 제공은 정보통신망 이용촉진 및 정보보호 등에 관한 법률 제2조 제1항 제1호의 정보통신망을 이용하여야 한다. 다만, 정보통신망의 손상 등 불가피한 사유가 있는 경우에는 그러하지 아니하다(법 제56조 제8항).

④ **통지:** 위 ②에 따라 입주자저축정보를 제공한 입주자저축 취급기관의 장은 금융실명거래 및 비밀보장에 관한 법률 제4조의2 제1항에도 불구하고 입주자저축정보의 제공사실을 명의인에게 통보하지 아니할 수 있다. 다만, 입주자저축정보를 제공하는 입주자저축 취급기관의 장은 입주자저축정보의 명의인이 요구할 때에는 입주자저축정보의 제공사실을 통보하여야 한다(법 제56조 제7항).

05 협회

(1) 협회의 설립

등록사업자는 주택건설사업 및 대지조성사업의 전문화와 주택산업의 건전한 발전을 도모하기 위하여 주택사업자단체를 설립할 수 있다(법 제85조).

① 협회는 법인으로 한다.

② 협회는 그 주된 사무소의 소재지에서 설립등기를 함으로써 성립한다.

③ 이 법에 따라 국토교통부장관, 시·도지사 또는 대도시의 시장으로부터 영업의 정지처분을 받은 협회 회원의 권리·의무는 그 영업의 정지기간 중에는 정지되며, 등록사업자의 등록이 말소되거나 취소된 때에는 협회의 회원자격을 상실한다.

(2) 설립인가 등

협회를 설립하려면 회원자격을 가진 자 50인 이상을 발기인으로 하여 정관을 마련한 후 창립총회의 의결을 거쳐 국토교통부장관의 인가를 받아야 한다. 협회가 정관을 변경하려는 경우에도 또한 같다. 그리고 국토교통부장관은 인가를 하였을 때에는 이를 지체 없이 공고하여야 한다(법 제86조). 협회에 관하여 이 법에서 규정한 것 외에는 민법 중 사단법인에 관한 규정을 준용한다(법 제87조).

06 기타 사항

(1) 주택정책 관련 자료 등의 종합관리

① 국토교통부장관 또는 시·도지사는 적절한 주택정책의 수립 및 시행을 위하여 주택(준주택을 포함한다)의 건설·공급·관리 및 이와 관련된 자금의 조달, 주택가격동향 등 이 법에 규정된 주택과 관련된 사항에 관한 정보를 종합적으로 관리하고 이를 관련 기관·단체 등에 제공할 수 있다(법 제88조 제1항).

② 국토교통부장관 또는 시·도지사는 주택 관련 정보를 종합관리하기 위하여 필요한 사항에 대하여 관련 기관·단체 등에 자료를 요청할 수 있다. 이 경우 관계 행정기관 등은 특별한 사유가 없으면 요청에 따라야 한다(법 제88조 제2항).

③ 사업주체 또는 관리주체는 주택을 건설·공급·관리할 때 이 법과 이 법에 따른 명령에 따라 필요한 주택의 소유 여부 확인, 입주자의 자격 확인 등 대통령령으로 정하는 사항에 대하여 관계 기관·단체 등에 자료 제공 또는 확인을 요청할 수 있다(법 제88조 제3항).

(2) 권한의 위임·위탁

① 이 법에 따른 국토교통부장관의 권한은 대통령령으로 정하는 바에 따라 그 일부를 시·도지사 또는 국토교통부 소속 기관의 장에게 위임할 수 있다(법 제89조 제1항).

② 국토교통부장관 또는 지방자치단체의 장은 이 법에 따른 권한 중 다음의 권한을 대통령령으로 정하는 바에 따라 주택산업 육성과 주택관리의 전문화, 시설물의 안전관리 및 자격검정 등을 목적으로 설립된 법인 또는 주택도시기금법에 따라 주택도시기금 운용·관리에 관한 사무를 위탁받은 자 중 국토교통부장관 또는 지방자치단체의 장이 인정하는 자에게 위탁할 수 있다(법 제89조 제2항).

> ⓐ 법 제4조에 따른 주택건설사업 등의 등록
> ⓑ 법 제10조에 따른 영업실적 등의 접수
> ⓒ 법 제48조 제3항에 따른 부실감리자 현황에 대한 종합관리
> ⓓ 법 제88조에 따른 주택정책 관련 자료의 종합관리

③ 국토교통부장관은 다음의 사무를 법 제56조의2에 따라 지정·고시된 주택청약 업무 수행기관에 위탁할 수 있다(법 제89조 제4항).

> ⓐ 법 제55조 제1항에 따른 주민등록 전산정보 및 주택의 소유 여부 확인을 위한 자료의 제공 요청
> ⓑ 법 제56조에 따른 입주자저축정보의 제공 요청
> ⓒ 위 ⓐ 및 ⓑ에 따라 제공받은 자료 또는 정보를 활용한 입주자자격, 주택의 소유 여부, 재당첨 제한 여부, 공급순위 등의 확인 및 해당 정보의 제공

(3) 등록증 등의 대여 등 금지

① 등록사업자는 다른 사람에게 자기의 성명 또는 상호를 사용하여 이 법에서 정한 사업이나 업무를 수행 또는 시공하게 하거나 그 등록증을 대여하여서는 아니 된다(법 제90조 제1항).

② 누구든지 등록사업자로부터 그 성명이나 상호를 빌리거나 허락 없이 등록사업자의 성명 또는 상호로 이 법에서 정한 사업이나 업무를 수행 또는 시공하거나 그 등록증을 빌려서는 아니 된다(법 제90조 제2항).

③ 누구든지 ①·②에서 금지된 행위를 알선하여서는 아니 된다(법 제90조 제3항).

④ 등록사업자, 주택조합의 임원(발기인을 포함한다) 및 조합업무대행자는 이 법에서 정한 사업이나 업무를 수행 또는 시공하기 위하여 ②의 행위를 교사하거나 방조하여서는 아니 된다(법 제90조 제4항).

(4) 체납된 분양대금 등의 강제징수

① 국가 또는 지방자치단체인 사업주체가 건설한 국민주택의 분양대금·임대보증금 및 임대료가 체납된 경우에는 국가 또는 지방자치단체가 국세 또는 지방세 체납처분의 예에 따라 강제징수할 수 있다. 다만, 입주자가 장기간의 질병이나 그 밖의 부득이한 사유로 분양대금·임대보증금 및 임대료를 체납한 경우에는 강제징수하지 아니할 수 있다(법 제91조 제1항).

② 한국토지주택공사 또는 지방공사는 그가 건설한 국민주택의 분양대금·임대보증금 및 임대료가 체납된 경우에는 주택의 소재지를 관할하는 시장·군수·구청장에게 그 징수를 위탁할 수 있다(법 제91조 제2항).

③ 징수를 위탁받은 시장·군수·구청장은 지방세 체납처분의 예에 따라 이를 징수하여야 한다. 이 경우 한국토지주택공사 또는 지방공사는 시장·군수·구청장이 징수한 금액의 2퍼센트에 해당하는 금액을 해당 시·군·구에 위탁수수료로 지급하여야 한다(법 제91조 제3항).

(5) 분양권 전매 등에 대한 신고포상

시·도지사는 주택 등의 전매제한 규정(법 제64조)을 위반하여 분양권 등을 전매하거나 알선하는 자를 주무관청에 신고한 자에게 대통령령으로 정하는 바에 따라 포상금을 지급할 수 있다(법 제92조).

(6) 보고·검사 등

① 국토교통부장관 또는 지방자치단체의 장은 필요하다고 인정할 때에는 다음의 어느 하나에 해당하는 자에게 필요한 보고를 하게 하거나, 관계 공무원으로 하여금 사업장에 출입하여 필요한 검사를 하게 할 수 있다. 다만, 법 제2조 제24호에 따른 공공택지를 공급하기 위하여 한국토지주택공사 등(법 제4조 제1항 제1호부터 제4호까지에 해당하는 자를 말한다)이 법 제4조 제2항에 따른 등록기준 관련 검사를 요청하는 경우 요청받은 지방자치단체의 장은 검사요청을 받은 날부터 30일 이내에 검사결과를 통보하여야 한다(법 제93조 제1항).

> ㉠ 이 법에 따른 신고·인가·승인 또는 등록을 한 자
> ㉡ 관할구역에서 공공택지를 공급받은 자(법 제4조 제1항 단서에 해당하는 자는 제외한다)

② 검사를 할 때에는 검사 7일 전까지 검사일시, 검사이유 및 검사내용 등 검사계획을 검사를 받을 자에게 알려야 한다. 다만, 긴급한 경우나 사전에 통지하면 증거인멸 등으로 검사목적을 달성할 수 없다고 인정하는 경우에는 그러하지 아니하다(법 제93조 제2항).

③ 검사를 하는 공무원은 그 권한을 나타내는 증표를 지니고 이를 관계인에게 내보여야 한다(법 제93조 제3항).

(7) 사업주체 등에 대한 지도·감독

국토교통부장관 또는 지방자치단체의 장은 사업주체 및 공동주택의 입주자·사용자·관리주체·입주자대표회의나 그 구성원 또는 리모델링주택조합이 이 법 또는 이 법에 따른 명령이나 처분을 위반한 경우에는 공사의 중지, 원상복구 또는 그 밖에 필요한 조치를 명할 수 있다(법 제94조).

(8) 협회 등에 대한 지도 · 감독

국토교통부장관은 협회를 지도 · 감독한다(법 제95조).

(9) 청문

국토교통부장관 또는 지방자치단체의 장은 다음의 어느 하나에 해당하는 처분을 하려면 청문을 하여야 한다(법 제96조).

① 주택건설사업 등의 등록말소(법 제8조 제1항)
② 사업계획승인의 취소(법 제14조 제2항)
③ 주택조합의 설립인가 취소(법 제16조 제3항)
④ 행위허가의 취소(법 제66조 제8항)

(10) 벌칙 적용에서의 공무원 의제

다음의 어느 하나에 해당하는 자는 형법 제129조부터 제132조까지(수뢰 · 사전수뢰, 제3자 뇌물제공, 수뢰 후 부정처사 · 사후수뢰, 알선수뢰)를 적용할 때에는 공무원으로 본다(법 제97조).

① 법 제44조 및 제45조에 따라 감리업무를 수행하는 자
② 법 제48조의3 제1항에 따른 품질점검단의 위원 중 공무원이 아닌 자
③ 법 제59조에 따른 분양가심사위원회의 위원 중 공무원이 아닌 자

01 토지임대부 분양주택이란 토지의 소유권은 사업계획의 승인을 받아 토지임대부 분양주택 건설사업을 시행하는 자가 가지고, 건축물 및 복리시설 등에 대한 소유권(건축물의 전유부분에 대한 구분소유권은 이를 분양받은 자가 가지고, 건축물의 공용부분·부속건물 및 복리시설은 분양받은 자들이 공유한다)은 주택을 분양받은 자가 가지는 주택을 말한다. ( )

02 토지임대부 분양주택의 토지에 대한 임대차기간은 40년 이내로 한다. 이 경우 토지임대부 분양주택 소유자의 50퍼센트 이상이 계약갱신을 청구하는 경우 40년의 범위에서 이를 갱신할 수 있으며, 토지임대부 분양주택을 공급받은 자가 토지소유자와 임대차계약을 체결한 경우 해당 주택의 구분소유권을 목적으로 그 토지 위에 임대차기간 동안 저당권이 설정된 것으로 본다. ( )

03 한국토지주택공사, 지방공사와 등록사업자는 주택상환사채를 발행할 수 있다. ( )

04 주택상환사채의 상환기간은 3년을 초과할 수 없다. 이 경우 상환기간은 주택상환사채 발행일부터 주택의 공급계약 체결일까지의 기간으로 한다. ( )

05 국가와 지방자치단체는 국민주택사업을 시행하기 위하여 국민주택사업특별회계를 설치·운용하여야 하며, 국민주택사업특별회계의 편성 및 운용에 필요한 사항은 해당 지방자치단체의 조례로 정할 수 있다. ( )

---

01 ○

02 × 토지임대부 분양주택 소유자의 75퍼센트 이상이 계약갱신을 청구하는 경우 40년의 범위에서 이를 갱신할 수 있으며, 지상권이 설정된 것으로 본다.

03 × 한국토지주택공사와 등록사업자는 주택상환사채를 발행할 수 있다.

04 ○

05 × 지방자치단체는 국민주택사업을 시행하기 위하여 국민주택사업특별회계를 설치·운용하여야 한다.

06 입주자저축이란 국민주택을 공급받기 위하여 가입하는 주택청약종합저축을 말한다. 국토교통부장관은 주택을 공급받으려는 자에게 미리 입주금의 전부 또는 일부를 저축하게 할 수 있다.

( )

07 국가 또는 지방자치단체인 사업주체가 건설한 국민주택의 분양대금 · 임대보증금 및 임대료가 체납된 경우에는 국가 또는 지방자치단체가 국세 또는 지방세 체납처분의 예에 따라 강제징수할 수 있다.

( )

---

06 × 입주자저축이란 국민주택과 민영주택을 공급받기 위하여 가입하는 주택청약종합저축을 말한다.

07 ○

01 주택법상 용어의 정의로서 틀린 것은?

① 국가·지방자치단체, 한국토지주택공사 또는 지방공사가 건설하는 주택으로서 국민주택규모 이하인 주택은 국민주택이다.
② 국가·지방자치단체의 재정 또는 주택도시기금으로부터 자금을 지원받아 건설되거나 개량되는 주택으로서 국민주택규모 이하인 주택은 국민주택이다.
③ '민영주택'이란 국민주택을 제외한 주택을 말한다.
④ '도시형 생활주택'이란 300세대 이상의 국민주택규모에 해당하는 주택을 말한다.
⑤ 도시지역에서 '국민주택규모'란 주거의 용도로만 쓰이는 면적이 1호(戶) 또는 1세대당 85제곱미터 이하인 주택을 말한다.

02 주택법령상 도시형 생활주택에 관한 설명으로 옳은 것은? 제12회

① 200세대 미만의 국민주택규모에 해당되는 주택이어야 한다.
② 소형주택은 지하층 세대를 설치할 수 있다.
③ 소형주택은 세대별로 독립된 주거가 가능하도록 욕실, 부엌 및 주차장을 설치하여야 한다.
④ 소형주택은 세대별 주거전용면적이 60제곱미터 이하이어야 한다.
⑤ 하나의 건축물에 소형주택과 단지형 다세대주택을 함께 건축할 수 있다.

03 주택법령상 도시형 생활주택에 관한 설명으로 옳지 않은 것은? 제14회

① 도시형 생활주택의 종류에는 단지형 연립주택, 단지형 다세대주택, 소형주택이 있다.

② 단지형 연립주택은 해당 건축위원회의 심의를 받은 경우에는 주택으로 쓰는 층수를 5개 층까지 건축할 수 있다.

③ 준주거지역에서 하나의 건축물에는 소형주택과 도시형 생활주택 외의 주택을 함께 건축할 수 있다.

④ 상업지역에서 하나의 건축물에는 소형주택과 단지형 다세대주택을 함께 건축할 수 있다.

⑤ 소형주택이 주거전용면적이 30제곱미터 미만인 경우에는 욕실, 부엌을 제외한 부분을 하나의 공간으로 구성하여야 한다.

04 주택법 제2조(정의) 규정 중 '리모델링'에 관한 내용의 일부이다. (　　) 안에 들어갈 숫자를 순서대로 쓰시오. 제20회

> 주택법 제49조에 따른 사용검사일 또는 건축법 제22조에 따른 사용승인일부터 15년이 경과된 공동주택을 각 세대의 주거전용면적의 (　　)퍼센트 이내[세대의 주거전용면적이 85제곱미터 미만인 경우에는 (　　)퍼센트 이내]에서 증축하는 행위

정답 | 해설

01 ④ '도시형 생활주택'이란 <u>300세대 미만</u>의 국민주택규모에 해당하는 주택을 말한다.

02 ④ ① <u>300세대 미만</u>의 국민주택규모에 해당하는 주택이어야 한다.
② 소형주택은 지하층 세대를 <u>설치할 수 없다</u>.
③ 세대별로 독립된 주거가 가능하도록 욕실, 부엌을 설치하여야 한다. <u>주차장은 주택건설기준으로 따로 정한다</u>.
⑤ 하나의 건축물에는 도시형 생활주택과 그 밖의 주택을 함께 건축할 수 없으며, 단지형 연립주택 또는 단지형 다세대주택과 소형주택을 <u>함께 건축할 수 없다</u>.

03 ④ 도시형 생활주택 중 소형주택과 기타 도시형 생활주택간에는 <u>복합으로 건축할 수 없다</u>.

04 30, 40

05 주택법 시행령 제10조(도시형 생활주택) 규정의 일부이다. 소형주택의 요건으로 ( ) 안에 들어갈 숫자를 순서대로 쓰시오. 제20회

> 1. 소형주택: 다음 각 목의 요건을 모두 갖춘 공동주택
>   가. 세대별 주거전용면적은 ( )제곱미터 이하일 것
>   나. 세대별 독립된 주거가 가능하도록 욕실 및 부엌을 설치할 것
>   다. 지하층에는 세대를 설치하지 아니할 것

06 주택법령상 ( ) 안에 공통으로 들어갈 용어를 쓰시오. 제16회

> '주택단지'란 주택건설사업계획 또는 대지조성사업계획의 승인을 받아 주택과 그 ( ) 및 복리시설을 건설하거나 대지를 조성하는 데 사용되는 일단(一團)의 토지를 말한다. 주택에 딸린 주차장, 관리사무소, 담장 및 주택단지 안의 도로는 ( )에 해당한다.

07 주택법 제2조(정의) 규정의 일부이다. ( ) 안에 들어갈 용어를 쓰시오. 제20회

> ( )이란 구조적으로 오랫동안 유지·관리될 수 있는 내구성을 갖추고 입주자의 필요에 따라 내부 구조를 쉽게 변경할 수 있는 가변성과 수리용이성 등이 우수한 주택을 말한다.

08 다음에서 설명하고 있는 주택법령상의 용어를 쓰시오. 제15회

> 도로·상하수도·전기시설·가스시설·통신시설 및 지역난방시설 등 주택단지(둘 이상의 주택단지를 동시에 개발하는 경우에는 각각의 주택단지를 말한다) 안의 기간시설을 그 주택단지 밖에 있는 같은 종류의 기간시설에 연결시키는 시설을 말한다. 다만, 가스시설·통신시설 및 지역난방시설의 경우에는 주택단지 안의 기간시설을 포함한다.

09 주택법령상 주택건설사업의 등록에 관한 설명으로 틀린 것은? 제11회

① 국토교통부장관은 주택건설사업의 등록을 한 자에 대하여는 이를 주택건설사업자 등록부에 등재하고, 등록증을 교부하여야 한다.

② 주택건설사업의 등록을 하려는 자가 개인인 경우에는 자산평가액 3억원 이상이 되어야 한다.

③ 법인의 임원 중 파산선고를 받은 자로서 복권되지 아니한 자가 있는 경우에 해당 법인은 주택건설사업의 등록을 할 수 없다.

④ 주택건설사업자가 거짓이나 그 밖의 부정한 방법으로 등록한 경우, 국토교통부장관의 위임을 받은 시·도지사가 그 등록을 말소하려면 청문을 하여야 한다.

⑤ 등록을 하지 아니하고 주택건설사업을 한 자는 2년 이하의 징역 또는 2천만원 이하의 벌금에 처한다.

정답 | 해설

05 60

06 부대시설

07 장수명주택

08 간선시설

09 ② 주택건설사업의 등록을 하려는 자가 개인인 경우에는 <u>자산평가액 6억원 이상</u>이 되어야 한다.

10 주택법령상 주택조합에 관한 설명으로 옳은 것은? 제12회

① 주택법에서는 주택조합의 종류로 지역주택조합과 리모델링주택조합만 인정하고 있다.

② 리모델링주택조합이 동(棟)을 리모델링하고자 하는 경우에 그 동(棟)의 구분소유자 및 의결권의 각 3분의 2 이상의 동의를 얻어야 한다.

③ 리모델링주택조합은 그 리모델링 결의에 찬성하지 아니하는 자의 주택 및 토지에 대하여 매도청구를 할 수 없다.

④ 주택조합은 공동으로 사업을 시행하는 등록사업자에게 주택조합에의 가입을 알선하는 업무를 대행하게 할 수 없다.

⑤ 국민주택을 공급받기 위하여 설립된 직장주택조합을 해산하려는 경우에는 관할 시장·군수·구청장에게 신고하여야 한다.

11 주택법령상 주택조합에 관한 설명으로 옳지 않은 것은? 제14회

① 지역주택조합은 설립인가를 받은 날부터 2년 이내에 주택건설사업계획승인을 신청하여야 한다.

② 직장주택조합의 설립인가를 받으려는 자는 인가신청서에 해당 주택건설대지의 3분의 2 이상의 토지에 대한 사용승낙서를 첨부하여야 한다.

③ 주택조합과 등록사업자가 공동으로 사업을 시행하면서 시공할 경우 등록사업자는 시공자로서의 책임뿐만 아니라 자신의 귀책사유로 사업추진이 불가능하게 되거나 지연됨으로 인하여 조합원에게 입힌 손해를 배상할 책임이 있다.

④ 동(棟)을 리모델링하기 위해서 조합설립인가를 받고자 하는 경우에는 그 동의 구분소유자 및 의결권의 각 3분의 2 이상의 결의를 증명하는 서류를 제출하여야 한다.

⑤ 지역주택조합의 설립인가를 받기 위해서는 조합원 전원이 자필로 연명한 조합규약을 제출하여야 한다.

12 주택법령상 주택조합에 관한 설명으로 옳은 것은? 제13회

① 국민주택을 공급받기 위하여 직장주택조합을 설립하려는 자는 관할 시장·군수·구청장에게 인가를 받아야 한다.

② 주거전용면적 100제곱미터의 주택 1채를 소유한 세대주인 자도 지역주택조합 조합원이 될 수 있다.

③ 주택법에 따라 설립된 리모델링주택조합을 제외한 주택조합이 그 구성원의 주택을 건설하는 경우에는 등록사업자와 공동으로 사업을 시행하여야 한다.

④ 리모델링주택조합을 제외한 주택조합은 주택건설 예정세대수의 50퍼센트 이상의 조합원으로 구성하되, 조합원은 20명 이상이어야 한다.

⑤ 지역주택조합 또는 리모델링주택조합은 그 설립인가를 받은 후에는 원칙적으로 해당 조합원을 교체하거나 신규로 가입하게 할 수 없다.

정답 | 해설

10 ⑤ ① 주택법에서는 주택조합의 종류로 지역주택조합·직장주택조합 및 리모델링주택조합을 인정하고 있다.
② 리모델링주택조합이 동(棟)을 리모델링하고자 하는 경우에 그 동(棟)의 구분소유자 및 의결권의 각 75퍼센트 이상의 동의를 얻어야 한다.
③ 리모델링주택조합은 그 리모델링 결의에 찬성하지 아니하는 자의 주택 및 토지에 대하여 매도청구를 할 수 있다.
④ 주택조합(리모델링주택조합은 제외한다) 및 그 조합의 구성원(주택조합의 발기인을 포함한다)은 조합원 가입 알선 등 주택조합의 업무를 공동사업주체인 등록사업자 또는 법령에서 정하는 자에게만 대행하도록 한다.

11 ② 직장주택조합의 설립인가를 받으려는 자는 인가신청서에 해당 주택건설대지의 80퍼센트 이상의 토지의 사용권원과 15퍼센트 이상의 소유권을 확보하여야 한다.

12 ④ ① 국민주택을 공급받기 위하여 직장주택조합을 설립하려는 자는 관할 시장·군수·구청장에게 신고하여야 한다.
② 지역주택조합 조합원은 주택을 소유하지 아니하거나 주거전용면적 85제곱미터 이하의 주택 1채를 소유한 세대주인 자라야 하므로, 주거전용면적 100제곱미터의 주택 1채를 소유한 세대주인 자는 지역주택조합 조합원이 될 수 없다.
③ 세대수의 증가가 없는 리모델링주택조합을 제외한 주택조합이 그 구성원의 주택을 건설하는 경우에는 등록사업자와 공동으로 사업을 시행할 수 있다. 즉, 시행하여야 하는 것은 아니다.
⑤ 지역주택조합 또는 직장주택조합은 그 설립인가를 받은 후에는 원칙적으로 해당 조합원을 교체하거나 신규로 가입하게 할 수 없다. 리모델링주택조합은 이러한 제한을 받지 않는다.

13 주택법령상 주택조합에 관한 설명으로 옳지 않은 것은? 제17회

① 관할 시장·군수·구청장의 인가를 받아 설립된 리모델링주택조합은 그 리모델링 결의에 찬성하지 아니하는 자의 주택 및 토지에 대하여 매도청구를 할 수 있다.

② 국가 또는 지방자치단체는 그가 소유하는 토지를 매각할 때 인가를 받아 설립된 주택조합이 주택의 건설을 목적으로 그 토지의 매수를 원하는 자가 있으면 그에게 우선적으로 그 토지를 매각할 수 있다.

③ 국민주택을 공급받기 위하여 직장주택조합을 설립하려는 자는 관할 시장·군수·구청장에게 신고하여야 한다.

④ 시장·군수·구청장은 주택조합 또는 그 조합의 구성원이 주택법 또는 주택법에 따른 명령이나 처분을 위반한 경우에는 주택조합의 설립인가를 취소할 수 있다.

⑤ 주택조합은 회계감사를 받아야 하는데 이때 회계감사를 실시하는 자는 회계감사 종료일로부터 15일 이내에 회계감사결과를 관할 시·도지사에게 통보하여야 한다.

14 주택법령상 리모델링주택조합에 관한 설명으로 옳은 것은? 제20회

① 세대별 주거전용면적이 85제곱미터 미만인 12층의 기존 건축물을 리모델링주택조합을 설립하여 수직증축형 리모델링을 하는 경우, 3개 층까지 리모델링할 수 있다.

② 리모델링주택조합이 주택단지 전체를 리모델링하는 경우에는 주택단지 전체 구분소유자 및 의결권 전체의 동의를 받아야 한다.

③ 국민주택에 대한 리모델링을 위하여 리모델링주택조합을 설립하려는 자는 관할 시장·군수·구청장에게 신고하여야 한다.

④ 리모델링주택조합이 대수선인 리모델링을 하려면 해당 주택이 주택법에 따른 사용검사일 또는 건축법에 따른 사용승인일부터 15년 이상이 경과되어야 한다.

⑤ 리모델링주택조합이 리모델링을 하려면 관할 시장·군수·구청장의 허가를 받아야 한다.

15 주택법령상 사업계획승인에 관한 설명으로 옳은 것은? 제12회

① 부득이한 사유가 있어 사업계획승인권자로부터 승인을 얻은 경우에는 그 사유가 없어진 날부터 1년의 범위에서 그 공사의 착수기간을 연장할 수 있다.

② 공동주택의 경우에 20세대 이상의 주택건설사업을 시행하려는 자는 사업계획승인을 받아야 한다.

③ 사업계획에는 사업주체의 기부채납에 관한 계획이 포함되어야 한다.

④ 사업계획승인권자는 사업계획승인의 신청을 받은 날부터 정당한 사유가 없는 한 90일 이내에 승인 여부를 통보하여야 한다.

⑤ 사업주체는 사업계획을 승인받은 날부터 3년(연장기간 제외) 이내에 공사를 시작하여야 한다.

정답 | 해설

13 ⑤ 주택조합은 회계감사를 받아야 하며, 그 감사결과를 관할 시장·군수·구청장에게 보고하고, 인터넷에 게재하는 등 해당 조합원이 열람할 수 있도록 하여야 한다.

14 ⑤ ① 종전 건축물이 14층 이하인 경우에는 <u>2개 층까지</u> 증축할 수 있다.
② 주택단지 전체를 리모델링하는 경우에는 주택단지 전체 구분소유자 및 의결권의 <u>각 75퍼센트 이상의 동의와 각 동별 구분소유자 및 의결권의 각 50퍼센트 이상의 동의</u>를 받아야 한다.
③ <u>주택의 규모와 관계없이</u> 리모델링주택조합을 설립하고자 하는 경우에는 <u>인가를 받아야 한다</u>.
④ 대수선인 경우에는 <u>사용검사일부터 10년 경과</u>이다.

15 ① ② 공동주택의 경우에 <u>30세대 이상</u>의 주택건설사업을 시행하려는 자는 사업계획승인을 받아야 한다.
③ 사업계획승인권자는 사업계획을 승인할 때 사업주체가 제출하는 사업계획에 해당 주택건설사업 또는 대지조성사업과 직접적으로 관련이 없거나 과도한 기반시설의 <u>기부채납을 요구하여서는 아니 된다</u>.
④ 사업계획승인권자는 사업계획승인의 신청을 받은 날부터 정당한 사유가 없는 한 <u>60일 이내</u>에 승인 여부를 통보하여야 한다.
⑤ 사업주체는 사업계획을 승인받은 날부터 <u>5년</u>(연장기간 제외) 이내에 공사를 시작하여야 한다.

16 주택법령상 주택건설사업의 시행에 관한 설명으로 옳은 것은? 제15회

① 지방자치단체는 그 지역의 특성, 주택의 규모 등을 고려하여 주택건설기준 등의 범위에서 조례로 구체적인 기준을 정할 수 있다.

② 8천제곱미터의 대지에서 도시형 생활주택 25세대의 주택건설사업을 시행하려는 자는 사업계획승인신청서를 특별시장·광역시장·특별자치시장·특별자치도지사 또는 시장·군수에게 제출하고 사업계획승인을 받아야 한다.

③ 주택건설사업계획의 승인을 받으려는 지방공사는 해당 주택건설대지의 소유권을 확보하여야 한다.

④ 시·도지사는 바닥충격음 성능등급을 인정받은 제품이 인정받은 내용과 다르게 판매·시공된 경우에는 인정기관에 과태료 및 영업정지처분을 할 수 있다.

⑤ 주택건설사업의 경우에는 건축물의 동별로 공사가 완료되었더라도 전체 공사가 완료되지 않으면 임시사용승인을 받을 수 없다.

17 주택법령상 주택건설사업에 관한 설명으로 옳은 것은? 제17회

① 주택건설사업을 시행하려는 자는 해당 주택단지를 공구별로 분할하여 주택을 건설·공급할 수 없다.

② 승인받은 사업계획의 내용 중 건축물이 아닌 부대시설 및 복리시설의 설치기준을 변경하고자 할 때, 해당 부대시설 및 복리시설 설치기준 이상으로의 변경이며 위치변경이 없는 경우에도 변경승인을 받아야 한다.

③ 주택도시기금을 지원받은 사업주체가 사업주체를 변경하기 위하여 사업계획의 변경승인을 신청한 경우에는 기금수탁자의 사업주체 변경에 관한 동의서를 첨부하여야 한다.

④ 대지조성사업으로서 해당 대지면적이 10만제곱미터 미만인 경우 국토교통부장관 또는 시·도지사에게 사업계획승인을 받아야 한다.

⑤ 지방공사가 주택건설사업계획의 승인을 받으려면 해당 주택건설대지의 소유권을 확보하여야 한다.

18 주택법령상 매도청구에 관한 설명으로 옳은 것은? 제13회

① 사업계획승인을 받은 사업주체가 주택건설대지면적 중 80퍼센트 사용권원을 확보한 경우에는 사용권원을 확보하지 못한 대지의 모든 소유자에게 매도청구가 가능하다.

② 사업계획승인을 받은 사업주체가 매도청구권을 행사하는 경우 공시지가로 매도할 것을 청구할 수 있다.

③ 사업계획승인을 받은 사업주체가 사용권원을 확보하지 못한 대지의 모든 소유자에게 매도청구를 할 수 있는 경우 외에는, 지구단위계획구역 결정고시일 10년 이전에 해당 대지의 소유권을 취득하여 계속 보유하고 있는 자(직계존·비속, 배우자로부터 상속받은 경우 피상속인의 소유기간 합산)는 사업주체의 매도청구에 응할 의무가 없다.

④ 사업계획승인을 받은 사업주체가 매도청구를 하는 경우, 대상 대지의 소유자가 있는 곳을 확인하기가 현저히 곤란한 경우에는 특별한 공고절차 없이 매도청구대상 대지의 감정평가액에 해당하는 금액을 법원에 공탁하고 주택건설사업을 시행할 수 있다.

⑤ 사업계획승인을 얻은 사업주체는 사업계획승인 후 즉시 매도청구를 할 수 있다.

정답 | 해설

16 ① ② 도시형 생활주택의 경우는 30세대 이상인 경우에 사업계획승인대상이 된다.
③ 국가·지방자치단체·한국토지주택공사·지방공사인 사업주체의 대지에 대한 권원은 승인요건이 아니다.
④ 주택성능등급 인정기관의 지정은 국토교통부장관이 한다. 이에 대한 처벌도 마찬가지다.
⑤ 건축물의 경우 동별로 임시사용승인을 받을 수 있다.

17 ③ ① 공구별로 분할하여 사업을 시행할 수 있다.
② 승인받은 사업계획을 변경하려면 변경승인을 받아야 한다. 다만, 국토교통부령으로 정하는 경미한 사항을 변경하는 경우에는 그러하지 아니하다.
④ 대지조성사업의 면적이 10만제곱미터 미만인 경우에는 특별시장·광역시장·특별자치시장·특별자치도지사·시장 또는 군수에게 사업계획승인을 받아야 한다.
⑤ 국가·지방자치단체·한국토지주택공사·지방공사가 사업주체인 경우에는 대지의 소유권과 사용권의 확보가 필요하지 않다.

18 ③ ① 사업계획승인을 받은 사업주체가 주택건설대지면적 중 95퍼센트 이상의 사용권원을 확보한 경우에는 사용권원을 확보하지 못한 대지의 모든 소유자에게 매도청구가 가능하다.
② 시가(市價)로 매도할 것을 청구할 수 있다.
④ 공고절차를 거친 후, 매도청구대상 대지의 감정평가액에 해당하는 금액을 법원에 공탁하고 주택건설사업을 시행할 수 있다.
⑤ 사업계획승인을 얻은 사업주체는 매도청구대상이 되는 대지의 소유자와 매도청구를 하기 전에 3개월 이상 협의를 한 후에야 매도청구를 할 수 있다.

19 사업주체가 주택건설사업을 완료하고 주택에 대해 주택법상 사용검사를 받은 이후, 해당 주택단지 전체 대지면적의 3퍼센트에 해당하는 토지에 대해 甲이 소유권이전등기 말소소송을 통해 해당 토지의 소유권을 회복하였다. 주택법령상 이에 관한 설명으로 옳지 않은 것은?

제20회

① 주택의 소유자들은 甲에게 해당 토지를 시가로 매도할 것을 청구할 수 있다.
② 주택소유자들이 甲에 대해 매도청구를 하는 경우 그 의사표시는 甲이 해당 토지소유권을 회복한 날부터 2년 이내에 甲에게 송달되어야 한다.
③ 甲에게 매도청구권을 행사할 수 있는 주택의 소유자들에는 해당 주택단지의 복리시설의 소유자들도 포함된다.
④ 해당 주택단지에 공동주택관리법에 따른 주택관리업자가 선정되어 있는 경우에는 그 주택관리업자가 甲에 대한 매도청구에 관한 소송을 제기할 수 있다.
⑤ 주택의 소유자들은 甲에 대한 매도청구로 인하여 발생한 비용의 전부를 사업주체에게 구상할 수 있다.

20 다음은 주택법령상 국공유지 등의 우선매각 및 임대에 관한 설명이다. (   ) 안에 들어갈 숫자를 쓰시오.

제16회

국가 또는 지방자치단체는 그가 소유하는 토지를 매각하거나 임대할 때, 국민주택규모의 주택을 (   )퍼센트 이상으로 건설하는 주택의 건설을 목적으로 그 토지의 매수 또는 임차를 원하는 자가 있으면 그에게 우선적으로 그 토지를 매각하거나 임대할 수 있다.

21 주택법령상 (   ) 안에 들어갈 내용을 순서대로 옳게 나열한 것은?

제14회

국가 또는 지방자치단체는 국가 또는 지방자치단체로부터 토지를 매수하거나 임차한 자가 그 매수일 또는 임차일부터 (   ) 이내에 국민주택규모의 주택 또는 조합주택을 건설하지 아니하거나 그 주택을 건설하기 위한 대지조성사업을 시행하지 아니한 경우에는 (   )하거나 임대계약을 취소할 수 있다.

① 1년, 환매   ② 1년, 벌금을 부과   ③ 2년, 환매
④ 2년, 과태료를 부과   ⑤ 3년, 과태료를 부과

22 주택법령상 간선시설에 관한 설명으로 옳은 것은? 제17회

① '간선시설'이란 도로 · 상하수도 · 전기시설 · 가스시설 · 통신시설 등 주택단지 안의 기간시설을 그 주택단지 밖에 있는 같은 종류의 기간시설에 연결시키는 시설을 말한다. 다만, 도로 · 상하수도 · 전기시설의 경우에는 주택단지 안의 기간시설을 포함한다.

② 사업계획승인권자는 사업계획을 승인할 때 사업주체가 제출하는 사업계획에 해당 주택건설사업 또는 대지조성사업과 직접적으로 관련이 없는 공공청사 등의 용지의 기부채납이나 간선시설 등의 설치에 관한 계획을 포함하도록 요구하여서는 아니 된다.

③ 사업주체가 대통령령으로 정하는 호수 이상의 주택건설사업을 시행하는 경우에는 간선시설로서 지역난방시설의 설치의무자는 지방자치단체이다.

④ 지방자치단체가 간선시설의 설치의무자인 경우에는 도로 및 상하수도시설의 설치 비용의 전부를 국가가 보조할 수 있다.

⑤ 시장 · 군수 · 구청장은 간선시설의 설치가 필요한 일정한 규모 이상의 주택건설 또는 대지조성에 관한 사업계획을 승인한 때에는 지체 없이 간선시설 설치의무자를 사업주체에게 통지하여야 한다.

정답 | 해설

19 ④ 매도청구소송은 <u>주택의 소유자들이 대표자를 선정하여 소송을</u> 제기할 수 있다.

20 50

21 ③ <u>2년</u> 이내에 <u>환매하거나 임대차계약을 취소</u>할 수 있다.

22 ② ① <u>가스시설 · 통신시설 · 지역난방시설</u>의 경우에 단지 안의 기간시설도 포함한다.
③ 지역난방시설의 설치의무자는 <u>공급자</u>이다.
④ 비용의 전부가 아니라 <u>2분의 1 범위</u> 내에서 국가가 보조할 수 있다.
⑤ <u>사업계획승인권자</u>는 일정한 규모 이상의 주택건설 또는 대지조성에 관한 사업계획을 승인한 때에는 지체 없이 <u>간선시설 설치의무자</u>에게 그 사실을 통지하여야 한다.

23 주택법령상 주택의 공급에 관한 다음 설명 중 올바른 것은? 제10회

① 한국토지주택공사 및 지방공사가 입주자를 모집하려는 경우에는 국토교통부령으로 정하는 바에 따라 시·도지사의 승인(복리시설의 경우에는 신고를 말한다)을 받아야 한다.

② 사업주체가 부득이한 사유로 인하여 사업계획승인 또는 마감자재 목록표의 마감자재와 다르게 마감자재를 시공·설치하려는 경우에는 당초의 마감자재와 같은 질 이상으로 설치하여야 한다.

③ 사업주체는 주택공급계약을 체결할 때 입주예정자에게 견본주택에 사용된 마감자재 목록표를 제공할 의무는 없다.

④ 시장·군수·구청장은 제출받은 마감자재 목록표와 영상물 등을 사용검사가 있은 날부터 1년 이상 보관하여야 하며, 입주자가 열람을 요구하는 경우에는 이를 공개하여야 한다.

⑤ 사업주체가 부득이한 사유로 인하여 마감자재 목록표의 자재와 다른 마감자재를 시공·설치하려는 경우에는 입주예정자의 동의를 받아야 한다.

24 주택법령상 주택의 분양가격제한 등에 관한 설명으로 옳지 않은 것은? 제12회

① 사업주체는 분양가상한제 적용주택으로서 공공택지에서 공급하는 주택에 대하여 입주자모집승인을 받았을 때에는 입주자모집공고에 분양가격을 공시하여야 한다.

② 분양가격 구성항목 중 건축비는 국토교통부장관이 고시하는 건축비에 물가상승률을 더한 금액으로 한다.

③ 분양가격은 택지비와 건축비로 구성되며, 구체적인 명세, 산정방식, 감정평가기관 선정방법 등은 국토교통부령으로 정한다.

④ 수도권이라 해도 모든 공동주택이 분양가상한제 적용주택으로 되는 것은 아니다.

⑤ 분양가상한제 적용주택으로서 국토교통부령으로 정하는 택지비 및 건축비에 가산되는 비용의 공시에는 분양가심사위원회의 심사를 받은 내용과 산출근거를 포함하여야 한다.

25 국토교통부장관은 A지역을 투기과열지구로 지정하였다. 주택법령상 A지역에 관한 설명으로 옳지 않은 것은? 제20회

① A지역에서 주택건설사업이 시행되는 경우, 관할 시장·군수·구청장은 사업주체로 하여금 입주자모집공고시 해당 주택건설지역이 투기과열지구에 포함된 사실을 공고하게 하여야 한다.

② A지역에서 주택을 보유하고 있던 자는 투기과열지구의 지정 이후 일정 기간 주택의 전매행위가 제한된다.

③ 사업주체가 A지역에서 분양가상한제 주택을 건설·공급하는 경우에는 그 주택의 소유권을 제3자에게 이전할 수 없음을 소유권에 관한 등기에 부기등기하여야 한다.

④ A지역에서 건설·공급되는 주택을 공급받기 위하여 입주자저축증서를 상속하는 것은 허용된다.

⑤ A지역에서 건설·공급되는 주택의 입주자로 선정된 지위의 일부를 생업상의 사정으로 사업주체의 동의를 받아 배우자에게 증여하는 것은 허용된다.

정답 | 해설

23 ② ① 사업주체(공공사업주체는 제외한다)가 입주자를 모집하려는 경우에는 국토교통부령으로 정하는 바에 따라 시장·군수·구청장의 승인(복리시설의 경우에는 신고를 말한다)을 받아야 한다.
③ 사업주체는 주택공급계약을 체결할 때 입주예정자에게 견본주택에 사용된 마감자재 목록표를 제공할 의무가 있다.
④ 시장·군수·구청장은 제출받은 마감자재 목록표와 영상물 등을 사용검사가 있은 날부터 2년 이상 보관하여야 하며, 입주자가 열람을 요구하는 경우에는 이를 공개하여야 한다.
⑤ 사업주체가 부득이한 사유로 인하여 마감자재 목록표의 자재와 다른 마감자재를 시공·설치하려는 경우에는 그 사실을 입주예정자에게 알려야 한다.

24 ② 분양가격 구성항목 중 건축비는 시장·군수·구청장이 고시하는 건축비에 국토교통부령으로 정하는 금액을 더한 금액으로 한다.

25 ② 전매제한에 해당하는 주택은 신규 공급되는 주택에 한한다.

26 주택법상 공급질서의 교란금지에 관한 설명으로 틀린 것은? 제9회

① 누구든지 주택법에 따라 건설·공급되는 주택을 공급받거나 공급받게 하기 위하여 주택상환사채를 양도·양수하여서는 아니 된다.

② ①의 양도·양수에는 매매·증여·저당이나 그 밖에 권리변동을 수반하는 모든 행위가 포함된다.

③ 사업주체는 부정한 방법으로 구청장이 발행한 무허가건물확인서를 받은 자에 대하여 이미 체결된 주택의 공급계약을 취소할 수 있다.

④ ①을 위반한 자에게 소정의 방법에 따라 산정한 주택가격에 해당하는 금액을 사업주체가 지급한 경우에는 그 지급한 날에 그 주택을 취득한 것으로 본다.

⑤ ④의 경우 사업주체가 주택가격을 지급하거나 관할 법원에 공탁한 경우에는 그 주택에 입주한 자에 대해 기간을 정하여 퇴거를 명할 수 있다.

27 주택법상 주택건설사업에 의해 건설된 주택 및 대지에 대하여는, 입주자모집공고 승인 신청일 이후부터 입주예정자가 그 주택 및 대지의 소유권이전등기를 신청할 수 있는 날 이후 60일까지의 기간 동안 사업주체의 담보권설정 등의 행위가 제한된다. 다음 설명 중 틀린 것은? 제9회

① '소유권이전등기를 신청할 수 있는 날'이란 사업주체가 입주예정자에게 통보한 입주가능일을 말한다.

② 사업주체는 입주예정자의 동의를 받아 해당 주택 및 대지에 전세권·지상권 또는 가등기담보권을 설정할 수 있다.

③ 부기등기일 이후에 해당 대지 또는 주택을 양수하거나 제한물권을 설정받은 경우에는 그 효력은 원칙적으로 무효이다.

④ 사업주체인 한국토지주택공사는 '입주예정자의 동의 없이는 압류·가압류 등의 목적물이 될 수 없는 재산임'을 소유권등기에 부기등기하여야 한다.

⑤ 파산·합병 등의 사유로 사업을 시행할 수 없게 되어 사업주체가 변경되는 경우, 사업주체는 입주예정자의 동의 없이 해당 주택 및 대지를 매매 등의 방법으로 처분할 수 있다.

28 주택법령상 토지임대부 분양주택에 관한 설명으로 옳은 것은? 제20회

① 토지임대부 분양주택을 공급받은 자가 토지소유자와 임대차계약을 체결한 경우 해당 주택의 구분소유권을 목적으로 그 토지 위에 임대차기간 동안 지상권이 설정된 것으로 본다.

② 토지 및 건축물의 소유권은 사업계획의 승인을 받아 토지임대부 분양주택 건설사업을 시행하는 자가 가진다.

③ 토지임대부 분양주택을 양수한 자는 토지소유자와 임대차계약을 새로 체결하여야 한다.

④ 토지임대부 분양주택의 토지임대료는 보증금으로 납부하는 것이 원칙이나, 토지소유자와 주택을 공급받은 자가 합의한 경우 월별 임대료로 전환하여 납부할 수 있다.

⑤ 토지임대부 분양주택의 소유자가 임대차기간이 만료되기 전에 도시개발 관련 법률에 따라 주택을 철거하고 재건축을 한 경우, 재건축한 주택은 토지임대부 분양주택이 아닌 주택으로 한다.

정답 | 해설

26 ② ①의 양도·양수에는 매매·증여나 그 밖에 권리변동을 수반하는 모든 행위를 포함하되, 상속·저당의 경우는 제외한다.

27 ④ 사업주체인 한국토지주택공사는 '입주예정자의 동의 없이는 압류·가압류 등의 목적물이 될 수 없는 재산임'을 소유권등기에 부기등기할 필요가 없다.

28 ① ② 토지의 소유권은 사업계획의 승인을 받아 토지임대부 분양주택 건설사업을 시행하는 자가 가지고, 건축물은 주택을 분양받은 자가 가진다.
③ 토지임대부 분양주택을 양수한 자 또는 상속받은 자는 임대차계약을 승계한다.
④ 토지임대료는 월별 임대료를 원칙으로 하되, 토지소유자와 주택을 공급받은 자가 합의한 경우는 임대료를 보증금으로 전환하여 납부할 수 있다.
⑤ 재건축한 주택은 토지임대부 분양주택으로 한다. 다만, 토지소유자와 주택소유자가 합의한 경우에는 토지임대부 분양주택이 아닌 주택으로 전환할 수 있다.

10개년 출제비중분석

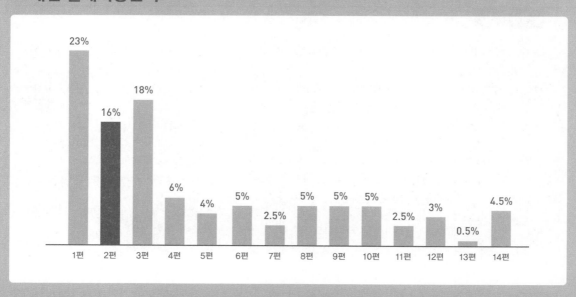

제2편

공동주택관리법

제1장 총칙

📖 **단원길라잡이**

공동주택관리법은 공동주택의 전문적이며 투명한 관리를
위하여 제정된 법이다. 출제문항수도 8문제로 주택법과
함께 가장 많이 출제되고 있다. 그러나 관리실무와 중복되어
출제되기 때문에 다소 쉽게 점수를 얻을 수 있는 부분이기도
하다. 총칙편에서는 1문제 정도의 출제를 예상한다.

🔍 **출제포인트**

- 의무관리대상 공동주택
- 관리주체
- 입주자 등
- 사용자

01 제정목적

이 법은 공동주택의 관리에 관한 사항을 정함으로써 공동주택을 투명하고 안전하며 효율적으로 관리할 수 있게 하여 국민의 주거수준 향상에 이바지함을 목적으로 한다(법 제1조).

02 용어의 정의

(1) 이 법에서 사용하는 용어의 뜻은 다음과 같다(법 제2조 제1항).

① **공동주택**: 다음의 주택 및 시설을 말한다. 이 경우 일반인에게 분양되는 복리시설은 제외한다.

> ㉠ 주택법 제2조 제3호에 따른 공동주택
> ㉡ 건축법 제11조에 따른 건축허가를 받아 주택 외의 시설과 주택을 동일 건축물로 건축하는 건축물
> ㉢ 주택법 제2조 제13호에 따른 부대시설 및 같은 조 제14호에 따른 복리시설

② **의무관리대상 공동주택**: 해당 공동주택을 전문적으로 관리하는 자를 두고 자치 의결기구를 의무적으로 구성하여야 하는 등 일정한 의무가 부과되는 공동주택으로서, 다음의 어느 하나에 해당하는 공동주택을 말한다.

> ㉠ 300세대 이상의 공동주택
> ㉡ 150세대 이상으로서 승강기가 설치된 공동주택
> ㉢ 150세대 이상으로서 중앙집중식 난방방식(지역난방방식을 포함한다)의 공동주택
> ㉣ 건축법 제11조에 따른 건축허가를 받아 주택 외의 시설과 주택을 동일 건축물로 건축한 건축물로서 주택이 150세대 이상인 건축물
> ㉤ 위 ㉠부터 ㉣까지에 해당하지 아니하는 공동주택 중 입주자 등이 전체 입주자 등의 3분의 2 이상이 서면으로 동의하여 정하는 공동주택

③ **공동주택단지**: 주택법 제2조 제12호에 따른 주택단지를 말한다.

④ **혼합주택단지**: 분양을 목적으로 한 공동주택과 임대주택이 함께 있는 공동주택단지를 말한다.

⑤ **입주자**: 공동주택의 소유자 또는 그 소유자를 대리하는 배우자 및 직계존비속(直系尊卑屬)을 말한다.

⑥ **사용자**: 공동주택을 임차하여 사용하는 사람(임대주택의 임차인은 제외한다) 등을 말한다.

⑦ **입주자 등**: 입주자와 사용자를 말한다.

⑧ **입주자대표회의**: 공동주택의 입주자 등을 대표하여 관리에 관한 주요 사항을 결정하기 위하여 법 제14조에 따라 구성하는 자치의결기구를 말한다.

⑨ **관리규약**: 공동주택의 입주자 등을 보호하고 주거생활의 질서를 유지하기 위하여 법 제18조 제2항에 따라 입주자 등이 정하는 자치규약을 말한다.

⑩ **관리주체**: 공동주택을 관리하는 다음의 자를 말한다.

> ㉠ 법 제6조 제1항에 따른 자치관리기구의 대표자인 공동주택의 관리사무소장
> ㉡ 법 제13조 제1항에 따라 관리업무를 인계하기 전의 사업주체
> ㉢ 주택관리업자
> ㉣ 임대사업자
> ㉤ 민간임대주택에 관한 특별법 제2조 제11호에 따른 주택임대관리업자(시설물 유지·보수·개량 및 그 밖의 주택관리업무를 수행하는 경우에 한정한다)

⑪ **주택관리사보**: 법 제67조 제1항에 따라 주택관리사보 합격증서를 발급받은 사람을 말한다.

⑫ **주택관리사**: 법 제67조 제2항에 따라 주택관리사 자격증을 발급받은 사람을 말한다.

⑬ **주택관리사 등**: 주택관리사보와 주택관리사를 말한다.

⑭ **주택관리업**: 공동주택을 안전하고 효율적으로 관리하기 위하여 입주자 등으로부터 의무관리대상 공동주택의 관리를 위탁받아 관리하는 업(業)을 말한다.

⑮ **주택관리업자**: 주택관리업을 하는 자로서 법 제52조 제1항에 따라 등록한 자를 말한다.

⑯ **장기수선계획**: 공동주택을 오랫동안 안전하고 효율적으로 사용하기 위하여 필요한 주요 시설의 교체 및 보수 등에 관하여 법 제29조 제1항에 따라 수립하는 장기계획을 말한다.

⑰ **임대주택**: 민간임대주택에 관한 특별법에 따른 민간임대주택 및 공공주택 특별법에 따른 공공임대주택을 말한다.

⑱ **임대사업자**: 민간임대주택에 관한 특별법 제2조 제7호에 따른 임대사업자 및 공공주택 특별법 제4조 제1항에 따른 공공주택사업자를 말한다.

⑲ **임차인대표회의**: 민간임대주택에 관한 특별법 제52조에 따른 임차인대표회의 및 공공주택 특별법 제50조에 따라 준용되는 임차인대표회의를 말한다.

(2) 이 법에서 따로 정하지 아니한 용어의 뜻은 주택법에서 정한 바에 따른다(법 제2조 제2항).

03 국가 등의 의무

(1) 국가 및 지방자치단체는 공동주택의 관리에 관한 정책을 수립·시행할 때에는 다음의 사항을 위하여 노력하여야 한다(법 제3조 제1항).

> ① 공동주택에 거주하는 입주자 등이 쾌적하고 살기 좋은 주거생활을 할 수 있도록 할 것
> ② 공동주택이 투명하고 체계적이며 평온하게 관리될 수 있도록 할 것
> ③ 공동주택의 관리와 관련한 산업이 건전한 발전을 꾀할 수 있도록 할 것

(2) 관리주체는 공동주택을 효율적이고 안전하게 관리하여야 한다(법 제3조 제2항).

(3) 입주자 등은 공동체생활의 질서가 유지될 수 있도록 이웃을 배려하고 관리주체의 업무에 협조하여야 한다(법 제3조 제3항).

04 다른 법률과의 관계

(1) 공동주택의 관리에 관하여 이 법에서 정하지 아니한 사항에 대하여는 주택법을 적용한다 (법 제4조 제1항).

(2) 임대주택의 관리에 관하여 민간임대주택에 관한 특별법 또는 공공주택 특별법에서 정하지 아니한 사항에 대하여는 이 법을 적용한다(법 제4조 제2항).

01 150세대 이상으로서 개별난방방식의 공동주택은 의무관리대상 공동주택에 해당하지 않는다.

( )

02 입주자란 공동주택의 소유자 또는 그 소유자를 대리하는 배우자 및 직계존비속을 말한다.

( )

03 사용자란 공동주택을 임차하여 사용하는 사람(임대주택의 임차인을 포함한다) 등을 말한다.

( )

04 민간임대주택에 관한 특별법 제2조 제11호에 따른 주택임대관리업자(시설물 유지 · 보수 · 개량 및 그 밖의 주택관리업무를 수행하는 경우에 한정한다)는 관리주체에 해당하지 않는다.

( )

05 혼합주택단지란 분양을 목적으로 한 공동주택과 임대주택이 함께 있는 공동주택단지를 말한다.

( )

---

01 ○
02 ○
03 × 사용자에서 임대주택의 임차인은 제외한다.
04 × 관리주체에 해당한다.
05 ○

06 임대주택이란 민간임대주택에 관한 특별법에 따른 민간임대주택 및 공공주택 특별법에 따른 공
공임대주택을 말한다. ( )

07 공동주택의 관리에 관하여 이 법에서 정하지 아니한 사항에 대하여는 주택법을 적용한다.
( )

08 임대주택의 관리에 관하여 민간임대주택에 관한 특별법 또는 공공주택 특별법에서 정하지 아니
한 사항에 대하여는 이 법을 적용한다. ( )

06 ○
07 ○
08 ○

제 2 장 공동주택의 관리방법

📖 단원길라잡이

공동주택의 관리방법은 공동주택관리법에서 중요한 부분으로, 관리방법의 결정 절차를 중심으로 하여 1문제 정도가 출제되고 있다.

🔍 출제포인트

- 관리방법의 결정
- 의무관리대상 전환 절차
- 공동관리와 구분관리의 구분

01 공동주택의 관리방법

(1) 입주자 등은 의무관리대상 공동주택을 자치관리하거나 주택관리업자에게 위탁하여 관리하여야 한다(법 제5조 제1항).

(2) 공동주택 관리방법의 결정 또는 변경은 다음의 어느 하나에 해당하는 방법으로 한다(법 제5조 제2항, 영 제3조).

> ① 입주자대표회의의 의결로 제안하고 전체 입주자 등의 과반수가 찬성
> ② 전체 입주자 등의 10분의 1 이상이 제안하고 전체 입주자 등의 과반수가 찬성

02 관리의 이관

(1) 사업주체의 직접관리

의무관리대상 공동주택을 건설한 사업주체는 입주예정자의 과반수가 입주할 때까지 그 공동주택을 관리하여야 하며, 입주예정자의 과반수가 입주하였을 때에는 입주자 등에게 통지서에 다음의 사항을 기재하여 그 사실을 통지하고 해당 공동주택을 관리할 것을 요구하여야 하며, 입주자대표회의의 구성에 협력하여야 한다(법 제11조 제1항, 영 제8조 제1항 · 제3항).

> ① 총입주예정세대수 및 총입주세대수
> ② 동별 입주예정세대수 및 동별 입주세대수
> ③ 공동주택의 관리방법에 관한 결정의 요구
> ④ 사업주체의 성명 및 주소(법인인 경우에는 명칭 및 소재지를 말한다)

(2) 관리비예치금의 징수

사업주체는 (1)에 따라 입주예정자의 과반수가 입주할 때까지 공동주택을 직접 관리하는 경우에는 입주예정자와 관리계약을 체결하여야 하며, 그 관리계약에 따라 법 제24조 제1항에 따른 관리비예치금을 징수할 수 있다(영 제24조).

(3) 임대사업자의 통지

임대사업자는 다음의 어느 하나에 해당하는 경우에는 (1)을 준용하여 입주자 등에게 통지하여야 하며, 입주자대표회의의 구성에 협력하여야 한다(영 제8조 제2항 · 제3항).

① 민간임대주택에 관한 특별법 제2조 제2호에 따른 민간건설임대주택을 같은 법 제43조에 따라 임대사업자 외의 자에게 양도하는 경우로서 해당 양도 임대주택 입주예정자의 과반수가 입주하였을 때

② 공공주택 특별법 제2조 제1호의2에 따른 공공건설임대주택에 대하여 같은 조 제4호에 따른 분양전환을 하는 경우로서 해당 공공건설임대주택 전체 세대수의 과반수가 분양전환된 때

(4) 입주자대표회의의 구성

입주자 등이 (1)에 따른 요구를 받았을 때에는 그 요구를 받은 날부터 3개월 이내에 입주자를 구성원으로 하는 입주자대표회의를 구성하여야 한다(법 제11조 제2항).

(5) 관리방법 결정 등의 신고

입주자대표회의의 회장은 입주자 등이 해당 공동주택의 관리방법을 결정(위탁관리하는 방법을 선택한 경우에는 그 주택관리업자의 선정을 포함한다)한 경우에는 이를 사업주체 또는 의무관리대상 전환 공동주택의 관리인에게 통지하고, 그 결정일 또는 변경결정일부터 30일 이내에 관할 시장·군수·구청장에게 신고서를 제출하는 방법으로 신고하여야 한다. 신고한 사항이 변경되는 경우에도 또한 같다(법 제11조 제3항, 영 제9조).

(6) 사업주체의 주택관리업자 선정

사업주체는 입주자대표회의로부터 (5)에 따른 통지가 없거나 입주자대표회의가 법 제6조 제1항에 따른 자치관리기구를 구성하지 아니하는 경우에는 주택관리업자를 선정하여야 한다. 이 경우 사업주체는 입주자대표회의 및 관할 시장·군수·구청장에게 그 사실을 알려야 한다(법 제12조).

03 위탁관리

(1) 의무관리대상 공동주택의 입주자 등이 공동주택을 위탁관리할 것을 정한 경우에는 입주자대표회의는 다음의 기준에 따라 주택관리업자를 선정하여야 한다(법 제7조 제1항, 영 제5조 제2항).

① 전자문서 및 전자거래 기본법 제2조 제2호에 따른 정보처리시스템을 통하여 선정(이하 '전자입찰방식'이라 한다)할 것. 다만, 선정방법 등이 전자입찰방식을 적용하기 곤란한 경우로서 국토교통부장관이 정하여 고시하는 경우에는 전자입찰방식으로 선정하지 아니할 수 있다.

② 다음의 구분에 따른 사항에 대하여 전체 입주자 등의 과반수의 동의를 얻을 것
　　㉠ 경쟁입찰: 입찰의 종류 및 방법, 낙찰방법, 참가자격 제한 등 입찰과 관련한 중요사항
　　㉡ 수의계약: 계약상대자 선정, 계약조건 등 계약과 관련한 중요사항

③ 그 밖에 입찰의 방법 등 대통령령으로 정하는 다음의 방식을 따를 것
  ㉠ 국토교통부장관이 정하여 고시하는 경우 외에는 경쟁입찰로 할 것. 이 경우 다음의 사항은 국토교통부장관이 정하여 고시한다.
    ⓐ 입찰의 절차
    ⓑ 입찰 참가자격
    ⓒ 입찰의 효력
    ⓓ 그 밖에 주택관리업자의 적정한 선정을 위하여 필요한 사항
  ㉡ 입주자대표회의의 감사가 입찰과정 참관을 원하는 경우에는 참관할 수 있도록 할 것
  ㉢ 계약기간은 장기수선계획의 조정 주기를 고려하여 정할 것

(2) 입주자 등은 기존 주택관리업자의 관리 서비스가 만족스럽지 못한 경우에는 전체 입주자 등 과반수의 서면동의를 받아 새로운 주택관리업자 선정을 위한 입찰에서 기존 주택관리업자의 참가를 제한하도록 입주자대표회의에 요구할 수 있다. 이 경우 입주자대표회의는 그 요구에 따라야 한다(법 제7조 제2항, 영 제5조 제3항).

04 자치관리

(1) 의무관리대상 공동주택의 입주자 등이 공동주택을 자치관리할 것을 정한 경우에는 입주자대표회의는 법 제11조 제1항에 따른 요구(사업주체의 요구)가 있은 날(법 제2조 제1항 제2호 마목에 따라 의무관리대상 공동주택으로 전환되는 경우에는 법 제19조 제2호에 따른 입주자대표회의의 구성신고가 수리된 날을 말한다)부터 6개월 이내에 공동주택의 관리사무소장을 자치관리기구의 대표자로 선임하고, 대통령령으로 정하는 기술인력 및 장비를 갖춘 자치관리기구를 구성하여야 한다(법 제6조 제1항, 영 제4조 제1항 [별표 1]).

(2) 주택관리업자에게 위탁관리하다가 자치관리로 관리방법을 변경하는 경우 입주자대표회의는 그 위탁관리의 종료일까지 (1)에 따른 자치관리기구를 구성하여야 한다(법 제6조 제2항).

(3) 자치관리기구는 입주자대표회의의 감독을 받는다(영 제4조 제2항).

(4) 자치관리기구 관리사무소장은 입주자대표회의가 입주자대표회의 구성원(관리규약으로 정한 정원을 말하며, 해당 입주자대표회의 구성원의 3분의 2 이상이 선출되었을 때에는 그 선출된 인원을 말한다. 이하 같다) 과반수의 찬성으로 선임한다(영 제4조 제3항).

(5) 입주자대표회의는 선임된 관리사무소장이 해임되거나 그 밖의 사유로 결원이 되었을 때에는 그 사유가 발생한 날부터 30일 이내에 새로운 관리사무소장을 선임하여야 한다(영 제4조 제4항).

(6) 입주자대표회의 구성원은 자치관리기구의 직원을 겸할 수 없다(영 제4조 제5항).

05 의무관리대상 공동주택 전환 등

(1) 전환신고

법 제2조 제1항 제2호 마목에 따라 의무관리대상 공동주택으로 전환되는 공동주택(이하 '의무관리대상 전환 공동주택'이라 한다)의 관리인(집합건물의 소유 및 관리에 관한 법률에 따른 관리인을 말하며, 관리단이 관리를 개시하기 전인 경우에는 같은 법 제9조의3 제1항에 따라 공동주택을 관리하고 있는 자를 말한다. 이하 같다)은 입주자 등의 동의(전체 입주자 등의 3분의 2 이상이 서면으로 동의)를 받은 날부터 30일 이내에 관할 특별자치시장·특별자치도지사·시장·군수·구청장(이하 '시장·군수·구청장'이라 한다)에게 의무관리대상 공동주택 전환신고를 하여야 한다. 다만, 관리인이 신고하지 않는 경우에는 입주자 등의 10분의 1 이상이 연서하여 신고할 수 있다(법 제10조의2 제1항, 영 제7조의2 제1항).

(2) 관리방법 결정

의무관리대상 전환 공동주택의 입주자 등은 관리규약의 제정신고가 수리된 날부터 3개월 이내에 입주자대표회의를 구성하여야 하며, 입주자대표회의의 구성신고가 수리된 날부터 3개월 이내에 공동주택의 관리방법을 결정하여야 한다(법 제10조의2 제2항).

(3) 위탁관리

의무관리대상 전환 공동주택의 입주자 등이 공동주택을 위탁관리할 것을 결정한 경우 입주자대표회의는 입주자대표회의의 구성신고가 수리된 날부터 6개월 이내에 주택관리업자를 선정하여야 한다(법 제10조의2 제3항).

(4) 자치관리

의무관리대상 전환 공동주택의 입주자 등이 공동주택을 자치관리할 것을 결정한 경우 입주자대표회의는 입주자대표회의의 구성신고가 수리된 날부터 6개월 이내에 공동주택의 관리사무소장을 자치관리기구의 대표자로 선임하고, 자치관리기구를 구성하여야 한다(법 제6조 제1항, 제10조의2 제3항).

(5) 제외

의무관리대상 전환 공동주택의 입주자 등은 전체 입주자 등의 3분의 2 이상이 서면으로 동의하는 방법으로 해당 공동주택을 의무관리대상에서 제외할 것을 정할 수 있으며, 이 경우 입주자대표회의의 회장(직무를 대행하는 경우에는 그 직무를 대행하는 사람을 포함한다. 이하 같다)은 입주자 등의 동의를 받은 날부터 30일 이내에 시장·군수·구청장에게 의무관리대상 공동주택 제외신고를 하여야 한다(법 제10조의2 제4항, 제7조의2 제2항).

06 관리업무의 인계

(1) 사업주체의 관리업무 인계

사업주체 또는 의무관리대상 전환 공동주택의 관리인은 다음의 어느 하나에 해당하는 경우에는 1개월 이내에 해당 관리주체에게 공동주택의 관리업무를 인계하여야 한다(법 제13조 제1항, 영 제10조 제1항).

> ① 입주자대표회의의 회장으로부터 법 제11조 제3항에 따라 주택관리업자의 선정을 통지받은 경우
> ② 법 제6조 제1항에 따라 자치관리기구가 구성된 경우
> ③ 법 제12조에 따라 주택관리업자가 선정된 경우

(2) 관리주체간의 관리업무 인계

공동주택의 관리주체가 변경되는 경우에 새로운 관리주체는 기존 관리의 종료일까지 공동주택관리기구를 구성하여야 하며, 기존 관리주체는 해당 관리의 종료일까지 공동주택의 관리업무를 인계하여야 한다(법 제13조 제2항, 영 제10조 제2항). 그럼에도 불구하고 기존 관리의 종료일까지 인계·인수가 이루어지지 아니한 경우 기존 관리주체는 기존 관리의 종료일(기존 관리의 종료일까지 새로운 관리주체가 선정되지 못한 경우에는 새로운 관리주체가 선정된 날을 말한다)부터 1개월 이내에 새로운 관리주체에게 공동주택의 관리업무를 인계하여야 한다. 이 경우 그 인계기간에 소요되는 기존 관리주체의 인건비 등은 해당 공동주택의 관리비로 지급할 수 있다(영 제10조 제3항).

(3) 인계서류 등

사업주체 또는 의무관리대상 전환 공동주택의 관리인은 법 제13조 제1항에 따라 공동주택의 관리업무를 해당 관리주체에 인계할 때에는 입주자대표회의의 회장 및 1명 이상의 감사의 참관하에 인계자와 인수자가 인계·인수서에 각각 서명·날인하여 다음의 서류를 인계해야 한다. 기존 관리주체가 (2)에 따라 새로운 관리주체에게 공동주택의 관리업무를 인계하는 경우에도 또한 같다(영 제10조 제4항).

> ① 설계도서, 장비의 명세, 장기수선계획 및 법 제32조에 따른 안전관리계획(이하 '안전관리계획'이라 한다)
> ② 관리비·사용료·이용료의 부과·징수현황 및 이에 관한 회계서류
> ③ 장기수선충당금의 적립현황
> ④ 법 제24조 제1항에 따른 관리비예치금의 명세
> ⑤ 법 제36조 제3항 제1호에 따라 세대 전유부분을 입주자에게 인도한 날의 현황
> ⑥ 관리규약과 그 밖에 공동주택의 관리업무에 필요한 사항

(4) 임대주택의 분양전환에 따른 관리업무의 인계

건설임대주택(민간건설임대주택 및 공공건설임대주택을 말한다)을 분양전환(민간임대주택에 관한 특별법 제43조에 따른 임대사업자 외의 자에게의 양도 및 공공주택 특별법 제2조 제4호에 따른 분양전환을 말한다)하는 경우 임대사업자는 **(1)** 및 **(3)**을 준용하여 관리주체에게 공동주택의 관리업무를 인계하여야 한다(영 제10조 제5항).

07 공동관리와 구분관리

(1) 입주자대표회의는 해당 공동주택의 관리에 필요하다고 인정하는 경우에는 국토교통부령으로 정하는 바에 따라 인접한 공동주택단지(임대주택단지를 포함한다)와 공동으로 관리하거나 500세대 이상의 단위로 나누어 관리하게 할 수 있다(법 제8조 제1항).

(2) 통지사항

입주자대표회의는 공동주택을 공동관리하거나 구분관리하려는 경우에는 법령시행규칙으로 정하는 사항을 입주자 등에게 통지하고 입주자 등의 서면동의를 받아야 한다(규칙 제2조 제1항).

(3) 서면동의

(2)에 따른 서면동의는 다음의 구분에 따라 받아야 한다(규칙 제2조 제2항).

> ① 공동관리의 경우: 단지별로 입주자 등 과반수의 서면동의. 다만, **(4)**의 ② 단서에 해당하는 경우에는 단지별로 입주자 등 3분의 2 이상의 서면동의를 받아야 한다.
> ② 구분관리의 경우: 구분관리 단위별 입주자 등 과반수의 서면동의. 다만, 관리규약으로 달리 정한 경우에는 그에 따른다.

(4) 공동관리의 기준

공동관리는 단지별로 입주자 등의 과반수의 서면동의를 받은 경우(임대주택단지의 경우에는 임대사업자와 임차인대표회의의 서면동의를 받은 경우를 말한다)로서 다음의 기준에 적합한 경우에만 해당한다(법 제8조 제2항, 규칙 제2조 제3항).

> ① 공동관리하는 총세대수가 1천 500세대 이하일 것. 다만, 의무관리대상 공동주택단지와 인접한 300세대 미만의 공동주택단지를 공동으로 관리하는 경우는 제외한다.
> ② 공동주택단지 사이에 주택법 제2조 제12호의 어느 하나에 해당하는 시설(단지 구분시설)이 없을 것. 다만, 시장·군수·구청장이 지하도, 육교, 횡단보도, 그 밖에 이와 유사한 시설의 설치를 통하여 단지간 보행자 통행의 편리성 및 안전성이 확보되었다고 인정하는 경우에는 적용하지 아니한다.

(5) 입주자대표회의는 (1)에 따라 공동주택을 공동관리하거나 구분관리할 것을 결정한 경우에는 지체 없이 그 내용을 특별자치시장·특별자치도지사·시장·군수·구청장(구청장은 자치구의 구청장을 말하며, 이하 '시장·군수·구청장'이라 한다)에게 통보하여야 한다 (규칙 제2조 제4항).

08 공동주택관리기구

(1) 입주자대표회의 또는 관리주체는 공동주택 공용부분의 유지·보수 및 관리 등을 위하여 공동주택관리기구(법 제6조 제1항에 따른 자치관리기구를 포함한다)를 구성하여야 한다 (법 제9조 제1항).

(2) 위 (1)에 따라 공동주택관리기구는 다음의 기술인력 및 장비를 갖추어야 한다(영 제6조 제1항 [별표 1]).

구분	기준
기술인력	다음의 기술인력. 다만, 관리주체가 입주자대표회의의 동의를 받아 관리업무의 일부를 해당 법령에서 인정하는 전문용역업체에 용역하는 경우에는 해당 기술인력을 갖추지 않을 수 있다. ① 승강기가 설치된 공동주택인 경우에는 승강기 안전관리법 시행령 제28조에 따른 승강기자체검사자격을 갖추고 있는 사람 1명 이상 ② 해당 공동주택의 건축설비의 종류 및 규모 등에 따라 전기사업법, 고압가스 안전관리법, 액화석유가스의 안전관리 및 사업법, 도시가스사업법, 에너지이용 합리화법, 소방기본법, 화재의 예방 및 안전관리에 관한 법률, 소방시설 설치 및 관리에 관한 법률 및 대기환경보전법 등 관계 법령에 따라 갖추어야 할 기준 인원 이상의 기술자
장비	① 비상용 급수펌프(수중펌프를 말한다) 1대 이상 ② 절연저항계(누전측정기를 말한다) 1대 이상 ③ 건축물 안전점검의 보유장비: 망원경, 카메라, 돋보기, 콘크리트 균열폭 측정기, 5미터 이상용 줄자 및 누수탐지기 각 1대 이상

○ 비고
  1. 관리사무소장과 기술인력 상호간에는 겸직할 수 없다.
  2. 기술인력 상호간에는 겸직할 수 없다. 다만, 입주자대표회의가 구성원 과반수가 찬성하는 의결로서 다음의 겸직을 허용한 경우에는 그러하지 아니하다.
    • 해당 법령에서 국가기술자격법에 따른 국가기술자격의 취득을 선임요건으로 정하고 있는 기술인력과 국가기술자격을 취득하지 않아도 선임할 수 있는 기술인력의 겸직
    • 해당 법령에서 국가기술자격을 취득하지 않아도 선임할 수 있는 기술인력 상호간의 겸직

(3) 입주자대표회의 또는 관리주체는 공동주택을 공동관리하거나 구분관리하는 경우에는 공동
관리 또는 구분관리 단위별로 공동주택관리기구를 구성하여야 한다(영 제6조 제2항).

09 혼합주택단지의 관리

(1) 공동결정사항

입주자대표회의와 임대사업자는 혼합주택단지의 관리에 관하여 다음의 사항을 공동으로
결정하여야 한다. 이 경우 임차인대표회의가 구성된 혼합주택단지에서는 임대사업자는
민간임대주택에 관한 특별법 제52조 제4항의 사항을 임차인대표회의와 사전에 협의하
여야 한다(법 제10조 제1항, 영 제7조 제1항).

> ① 관리방법의 결정 및 변경
> ② 주택관리업자의 선정
> ③ 장기수선계획의 조정
> ④ 장기수선충당금 및 특별수선충당금을 사용하는 주요 시설 교체 및 보수에 관한 사항
> ⑤ 관리비 등을 사용하여 시행하는 각종 공사 및 용역에 관한 사항

더 알아보기 **사전 협의사항**(민간임대주택에 관한 특별법 제52조 제4항)

1. 민간임대주택 관리규약의 제정 및 개정
2. 관리비
3. 민간임대주택의 공용부분 · 부대시설 및 복리시설의 유지 · 보수
4. 임대료 증감
5. 하자보수
6. 공동주택의 관리에 관하여 임대사업자와 임차인대표회의가 합의한 사항
7. 임차인 외의 자에게 민간임대주택 주차장을 개방하는 경우 다음의 사항
   • 개방할 수 있는 주차대수 및 위치
   • 주차장의 개방시간
   • 주차료 징수 및 사용에 관한 사항
   • 그 밖에 주차장의 적정한 개방을 위해 필요한 사항

(2) 강제결정

위 **(1)**의 사항을 공동으로 결정하기 위한 입주자대표회의와 임대사업자간의 합의가 이루
어지지 아니하는 경우에는 다음의 구분에 따라 혼합주택단지의 관리에 관한 사항을 결정
한다(법 제10조 제2항, 영 제7조 제3항).

① **(1)의 ①과 ②의 사항**: 해당 혼합주택단지 공급면적의 2분의 1을 초과하는 면적을 관리하는 입주자대표회의 또는 임대사업자가 결정

② **(1)의 ③부터 ⑤의 사항**: 해당 혼합주택단지 공급면적의 3분의 2 이상을 관리하는 입주자대표회의 또는 임대사업자가 결정. 다만, 다음의 요건에 모두 해당하는 경우에는 해당 혼합주택단지 공급면적의 2분의 1을 초과하는 면적을 관리하는 자가 결정한다.

    ㉠ 해당 혼합주택단지 공급면적의 3분의 2 이상을 관리하는 입주자대표회의 또는 임대사업자가 없을 것

    ㉡ 제33조의 시설물의 안전관리계획 수립대상 등 안전관리에 관한 사항일 것

    ㉢ 입주자대표회의와 임대사업자간 2회의 협의에도 불구하고 합의가 이루어지지 않을 것

(3) 독립결정

위 **(1)**에도 불구하고 다음의 요건을 모두 갖춘 혼합주택단지에서는 **(1)**의 ④ 또는 ⑤의 사항을 입주자대표회의와 임대사업자가 각자 결정할 수 있다(법 제10조 제2항, 영 제7조 제2항).

① 분양을 목적으로 한 공동주택과 임대주택이 별개의 동(棟)으로 배치되는 등의 사유로 구분하여 관리가 가능할 것

② 입주자대표회의와 임대사업자가 공동으로 결정하지 아니하고 각자 결정하기로 합의하였을 것

01 의무관리대상 공동주택을 건설한 사업주체는 입주예정자의 과반수가 입주할 때까지 그 공동주택을 관리하여야 하며, 입주예정자의 과반수가 입주하였을 때에는 입주자 등에게 통지하여 해당 공동주택을 관리할 것을 요구하여야 한다. ( )

02 입주자 등이 사업주체로부터 관리할 것을 요구받았을 때에는 그 요구를 받은 날부터 6개월 이내에 입주자를 구성원으로 하는 입주자대표회의를 구성하여야 한다. ( )

03 입주자 등은 기존 주택관리업자의 관리 서비스가 만족스럽지 못한 경우에는 전체 입주자 등 10분의 1 이상의 서면동의를 받아 새로운 주택관리업자 선정을 위한 입찰에서 기존 주택관리업자의 참가를 제한하도록 입주자대표회의에 요구할 수 있다. 이 경우 입주자대표회의는 그 요구에 따라야 한다. ( )

04 입주자대표회의는 선임된 관리사무소장이 해임되거나 그 밖의 사유로 결원이 되었을 때에는 그 사유가 발생한 날부터 15일 이내에 새로운 관리사무소장을 선임하여야 한다. ( )

05 의무관리대상 전환 공동주택의 입주자 등은 관리규약의 제정신고가 수리된 날부터 6개월 이내에 입주자대표회의를 구성하여야 하며, 입주자대표회의의 구성신고가 수리된 날부터 6개월 이내에 공동주택의 관리방법을 결정하여야 한다. ( )

---

01 ○

02 × 요구를 받은 날부터 3개월 이내에 입주자를 구성원으로 하는 입주자대표회의를 구성하여야 한다.

03 × 전체 입주자 등 과반수의 서면동의를 받아 새로운 주택관리업자 선정을 위한 입찰에서 기존 주택관리업자의 참가를 제한하도록 입주자대표회의에 요구할 수 있다.

04 × 30일 이내에 새로운 관리사무소장을 선임하여야 한다.

05 × 의무관리대상 전환 공동주택의 입주자 등은 관리규약의 제정신고가 수리된 날부터 3개월 이내에 입주자대표회의를 구성하여야 하며, 입주자대표회의의 구성신고가 수리된 날부터 3개월 이내에 공동주택의 관리방법을 결정하여야 한다.

06 의무관리대상 전환 공동주택의 입주자 등은 전체 입주자 등의 3분의 2 이상이 서면으로 동의하는 방법으로 해당 공동주택을 의무관리대상에서 제외할 것을 정할 수 있다.　　　　　　　(　　)

07 입주자대표회의는 해당 공동주택의 관리에 필요하다고 인정하는 경우에는 국토교통부령으로 정하는 바에 따라 인접한 공동주택단지(임대주택단지를 포함한다)와 공동으로 관리하거나 300세대 이상의 단위로 나누어 관리하게 할 수 있다.　　　　　　　(　　)

06 ○
07 × 500세대 이상의 단위로 나누어 관리하게 할 수 있다.

제 3 장 입주자대표회의 및 관리규약

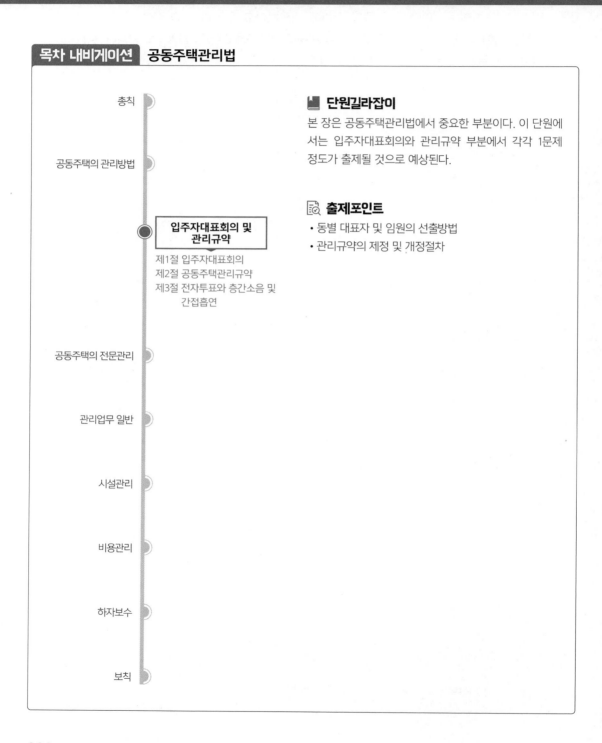

📖 **단원길라잡이**

본 장은 공동주택관리법에서 중요한 부분이다. 이 단원에서는 입주자대표회의와 관리규약 부분에서 각각 1문제 정도가 출제될 것으로 예상된다.

📑 **출제포인트**

• 동별 대표자 및 임원의 선출방법
• 관리규약의 제정 및 개정절차

01 구성

(1) 원칙

입주자대표회의는 4명 이상으로 구성하되, 동별 세대수에 비례하여 관리규약으로 정한 선거구에 따라 선출된 대표자(이하 '동별 대표자'라 한다)로 구성한다. 이 경우 선거구는 2개 동 이상으로 묶거나 통로나 층별로 구획하여 정할 수 있다(법 제14조 제1항).

(2) 공구별 입주자대표회의

하나의 공동주택단지를 수개의 공구로 구분하여 순차적으로 건설하는 경우(임대주택은 분양전환된 경우를 말한다) 먼저 입주한 공구의 입주자 등은 (1)에 따라 입주자대표회의를 구성할 수 있다. 다만, 다음 공구의 입주예정자의 과반수가 입주한 때에는 다시 입주자대표회의를 구성하여야 한다(법 제14조 제2항).

02 동별 대표자

(1) 동별 대표자의 자격

① 입주자인 동별 대표자: 동별 대표자는 동별 대표자 선출공고에서 정한 서류 제출 마감일을 기준으로 다음의 요건을 갖춘 입주자(입주자가 법인인 경우에는 그 대표자를 말한다) 중에서 선거구 입주자 등의 보통 · 평등 · 직접 · 비밀선거를 통하여 선출한다(법 제14조 제3항 본문, 영 제14조 제3항).

> ㉠ 해당 공동주택단지 안에서 주민등록을 마친 후 계속하여 3개월 이상 거주하고 있을 것(최초의 입주자대표회의를 구성하거나 **01**의 (2) 단서에 따른 입주자대표회의를 구성하기 위하여 동별 대표자를 선출하는 경우는 제외한다)
> ㉡ 해당 선거구에 주민등록을 마친 후 거주하고 있을 것

② 사용자인 동별 대표자: 2회의 선출공고(직전 선출공고일부터 2개월 이내에 공고하는 경우만 2회로 계산한다)에도 불구하고 입주자(입주자가 법인인 경우에는 그 대표자를 말한다)인 동별 대표자의 후보자가 없는 선거구에서 직전 선출공고일부터 2개월 이내에 선출공고를 하는 경우로서 다음의 어느 하나에 해당하는 요건을 모두 갖춘 사용자도 동별 대표자가 될 수 있다. 이 경우 입주자인 후보자가 있으면 사용자는 후보자의 자격을 상실한다(법 제14조 제3항 단서, 영 제11조 제2항).

> ⑦ 공동주택을 임차하여 사용하는 사람일 것. 이 경우 법인인 경우에는 그 대표자를 말한다.
> ⓛ 위 ⑦ 전단에 따른 사람의 배우자 또는 직계존비속일 것. 이 경우 ⑦ 전단에 따른 사람이 서면으로 위임한 대리권이 있는 경우만 해당한다.

(2) 동별 대표자의 선출

동별 대표자는 선거구별로 1명씩 선출하되 그 선출방법은 다음의 구분에 따른다(영 제11조 제1항).

> ① 후보자가 2명 이상인 경우: 해당 선거구 전체 입주자 등의 과반수가 투표하고 후보자 중 최다득표자를 선출
> ② 후보자가 1명인 경우: 해당 선거구 전체 입주자 등의 과반수가 투표하고 투표자 과반수의 찬성으로 선출

기출예제

공동주택관리법령상 입주자대표회의에 관한 설명으로 옳지 않은 것은?   제27회

① 동별 대표자 선거구는 2개 동 이상으로 묶거나 통로나 층별로 구획하여 정할 수 있다.
② 입주자인 동별 대표자 중에서 회장 후보자가 없는 경우로서 선출 전에 전체 입주자 과반 수의 서면동의를 얻더라도 사용자인 동별 대표자는 회장이 될 수 없다.
③ 입주자대표회의에는 회장 1명, 감사 2명 이상, 이사 1명 이상의 임원을 두어야 한다.
④ 입주자대표회의 임원 선출을 위한 선거관리위원회 위원장은 위원 중에서 호선한다.
⑤ 입주자대표회의는 공동주택 관리방법의 제안에 관하여 입주자대표회의 구성원 과반수의 찬성으로 의결한다.

해설
───────────────────────────────────
전체 입주자 과반수의 서면동의를 받으면 사용자인 동별 대표자도 회장이 될 수 있다.   정답: ②

(3) 동별 대표자의 결격사유

서류 제출 마감일을 기준으로 다음의 어느 하나에 해당하는 사람은 동별 대표자가 될 수 없으며 그 자격을 상실한다. 또한 동별 대표자가 임기 중에 (1)에 따른 자격요건을 충족하지 아니하게 된 경우나 결격사유에 해당하게 된 경우에는 당연히 퇴임하고 공동주택 소유자 또는 공동주택을 임차하여 사용하는 사람의 결격사유는 그를 대리하는 자에게 미치며, 공유인 공동주택 소유자의 결격사유를 판단할 때에는 지분의 과반을 소유한 자의 결격사유를 기준으로 한다(법 제14조 제4항·제5항, 영 제11조 제4항).

① 미성년자, 피성년후견인 및 피한정후견인

② 파산자로서 복권되지 아니한 사람

③ 이 법 또는 주택법, 민간임대주택에 관한 특별법, 공공주택 특별법, 건축법, 집합건물의 소유 및 관리에 관한 법률을 위반한 범죄로 금고 이상의 실형선고를 받고 그 집행이 끝나거나(집행이 끝난 것으로 보는 경우를 포함한다) 집행이 면제된 날로부터 2년이 지나지 아니한 사람

④ 금고 이상의 형의 집행유예선고를 받고 그 유예기간 중에 있는 사람

⑤ 법 또는 주택법, 민간임대주택에 관한 특별법, 공공주택 특별법, 건축법, 집합건물의 소유 및 관리에 관한 법률을 위반한 범죄로 벌금을 선고받은 후 2년이 지나지 아니한 사람

⑥ 법 제15조 제1항에 따른 선거관리위원회 위원(사퇴하거나 해임 또는 해촉된 사람으로서 그 남은 임기 중에 있는 사람을 포함한다)

⑦ 공동주택의 소유자가 서면으로 위임한 대리권이 없는 소유자의 배우자나 직계존비속

⑧ 해당 공동주택 관리주체의 소속 임직원과 해당 공동주택 관리주체에 용역을 공급하거나 사업자로 지정된 자의 소속 임원. 이 경우 관리주체가 주택관리업자인 경우에는 해당 주택관리업자를 기준으로 판단한다.

⑨ 해당 공동주택의 동별 대표자를 사퇴한 날부터 1년(해당 동별 대표자에 대한 해임이 요구된 후 사퇴한 경우에는 2년을 말한다)이 지나지 아니하거나 해임된 날부터 2년이 지나지 아니한 사람

⑩ 법 제23조 제1항부터 제5항까지의 규정에 따른 관리비 등을 최근 3개월 이상 연속하여 체납한 사람

⑪ 동별 대표자로서 임기 중에 ⑩에 해당하여 퇴임한 사람으로서 그 남은 임기(남은 임기가 1년을 초과하는 경우에는 1년을 말한다) 중에 있는 사람

(4) 동별 대표자의 임기

동별 대표자의 임기는 2년이고, 한 번만 중임할 수 있다. 다만, 보궐선거 또는 재선거로 선출된 동별 대표자의 임기는 다음의 구분에 따른다. 이 경우 보궐선거 또는 재선거로 선출된 동별 대표자의 임기가 6개월 미만인 경우에는 임기의 횟수에 포함하지 않는다(영 제13조 제1항·제2항).

① 모든 동별 대표자의 임기가 동시에 시작하는 경우: 2년

② 그 밖의 경우: 전임자 임기(재선거의 경우 재선거 전에 실시한 선거에서 선출된 동별 대표자의 임기를 말한다)의 남은 기간

(5) 중임의 예외

위 (4)에도 불구하고 2회의 선출공고(직전 선출공고일부터 2개월 이내에 공고하는 경우만 2회로 계산한다)에도 불구하고 동별 대표자의 후보자가 없거나 선출된 사람이 없는

선거구에서 직전 선출공고일부터 2개월 이내에 선출공고를 하는 경우에는 동별 대표자를 중임한 사람도 해당 선거구 입주자 등의 과반수의 찬성으로 다시 동별 대표자로 선출될 수 있다. 이 경우 후보자 중 동별 대표자를 중임하지 않은 사람이 있으면 동별 대표자를 중임한 사람은 후보자의 자격을 상실한다(영 제13조 제3항).

(6) 동별 대표자의 해임

동별 대표자는 관리규약으로 정한 사유가 있는 경우에 해당 선거구 전체 입주자 등의 과반수가 투표하고 투표자 과반수의 찬성으로 해임한다(영 제13조 제4항).

03 임원

(1) 구성

입주자대표회의에는 다음의 임원을 두어야 하며, 입주자 등의 소통 및 화합의 증진을 위하여 그 이사 중 공동체생활의 활성화에 관한 업무를 담당하는 이사를 선임할 수 있다. 이 경우 사용자인 동별 대표자는 회장이 될 수 없다. 다만, 입주자인 동별 대표자 중에서 회장 후보자가 없는 경우로서 선출 전에 전체 입주자 과반수의 서면동의를 얻은 경우에는 그러하지 아니하다(법 제14조 제6항·제7항, 영 제12조 제1항·제3항).

> ① 회장 1명
> ② 감사 2명 이상
> ③ 이사 1명 이상

(2) 선출

임원은 동별 대표자 중에서 다음의 구분에 따른 방법으로 선출한다(법 제14조 제10항, 영 제12조 제2항).

> ① 회장 선출방법
>   ㉠ 입주자 등의 보통·평등·직접·비밀선거를 통하여 선출
>   ㉡ 후보자가 2명 이상인 경우: 전체 입주자 등의 10분의 1 이상이 투표하고 후보자 중 최다득표자를 선출
>   ㉢ 후보자가 1명인 경우: 전체 입주자 등의 10분의 1 이상이 투표하고 투표자 과반수의 찬성으로 선출
>   ㉣ 다음의 경우에는 입주자대표회의 구성원 과반수의 찬성으로 선출하며, 입주자대표회의 구성원 과반수 찬성으로 선출할 수 없는 경우로서 최다득표자가 2인 이상인 경우에는 추첨으로 선출
>   ⓐ 후보자가 없거나 위 ㉠부터 ㉢까지의 규정에 따라 선출된 자가 없는 경우

ⓑ 위 ⊙부터 ⓒ까지의 규정에도 불구하고 500세대 미만의 공동주택단지에서 관리규약으로 정하는 경우

② 감사 선출방법

　　⊙ 입주자 등의 보통ㆍ평등ㆍ직접ㆍ비밀선거를 통하여 선출

　　ⓒ 후보자가 선출필요인원을 초과하는 경우: 전체 입주자 등의 10분의 1 이상이 투표하고 후보자 중 다득표자 순으로 선출

　　ⓒ 후보자가 선출필요인원과 같거나 미달하는 경우: 후보자별로 전체 입주자 등의 10분의 1 이상이 투표하고 투표자 과반수의 찬성으로 선출

　　ⓔ 다음의 경우에는 입주자대표회의 구성원 과반수의 찬성으로 선출하며, 입주자대표회의 구성원 과반수 찬성으로 선출할 수 없는 경우로서 최다득표자가 2인 이상인 경우에는 추첨으로 선출

　　　ⓐ 후보자가 없거나 위 ⊙부터 ⓒ까지의 규정에 따라 선출된 자가 없는 경우(선출된 자가 선출필요인원에 미달하여 추가선출이 필요한 경우를 포함한다)

　　　ⓑ 위 ⊙부터 ⓒ까지의 규정에도 불구하고 500세대 미만의 공동주택단지에서 관리규약으로 정하는 경우

③ 이사 선출방법: 입주자대표회의 구성원 과반수의 찬성으로 선출하며, 입주자대표회의 구성원 과반수 찬성으로 선출할 수 없는 경우로서 최다득표자가 2인 이상인 경우에는 추첨으로 선출

(3) 해임

입주자대표회의의 임원은 관리규약으로 정한 사유가 있는 경우에 다음의 구분에 따른 방법으로 해임한다(법 제14조 제10항, 영 제13조 제4항).

① 회장 및 감사: 전체 입주자 등의 10분의 1 이상이 투표하고 투표자 과반수의 찬성으로 해임. 다만, 입주자대표회의에서 선출된 회장 및 감사는 관리규약으로 정하는 절차에 따라 해임한다.

② 이사: 관리규약으로 정하는 절차에 따라 해임한다.

(4) 업무

① 입주자대표회의의 회장(이하 '회장'이라 한다)은 입주자대표회의를 대표하고, 그 회의의 의장이 된다(규칙 제4조 제1항).

② 이사는 회장을 보좌하고, 회장이 사퇴 또는 해임으로 궐위된 경우 및 사고나 그 밖에 부득이한 사유로 그 직무를 수행할 수 없을 때에는 관리규약에서 정하는 바에 따라 그 직무를 대행한다(규칙 제4조 제2항).

③ 감사는 관리비ㆍ사용료 및 장기수선충당금 등의 부과ㆍ징수ㆍ지출ㆍ보관 등 회계 관계 업무와 관리업무 전반에 대하여 관리주체의 업무를 감사한다(규칙 제4조 제3항).

④ 감사는 감사를 한 경우에는 감사보고서를 작성하여 입주자대표회의와 관리주체에게 제출하고 인터넷 홈페이지(인터넷 홈페이지가 없는 경우에는 인터넷 포털을 통해 관리주체가 운영·통제하는 유사한 기능의 웹사이트 또는 관리사무소의 게시판을 말한다) 및 동별 게시판(통로별 게시판이 설치된 경우에는 이를 포함한다)에 공개해야 한다(규칙 제4조 제4항).

⑤ 감사는 입주자대표회의에서 의결한 안건이 관계 법령 및 관리규약에 위반된다고 판단되는 경우에는 입주자대표회의에 재심의를 요청할 수 있다(규칙 제4조 제5항).

⑥ 위 ⑤에 따라 재심의를 요청받은 입주자대표회의는 지체 없이 해당 안건을 다시 심의하여야 한다(규칙 제4조 제6항).

04 회의

(1) 소집

입주자대표회의는 관리규약으로 정하는 바에 따라 회장이 그 명의로 소집한다. 다만, 다음의 어느 하나에 해당하는 때에는 회장은 해당일부터 14일 이내에 입주자대표회의를 소집해야 하며, 회장이 회의를 소집하지 않는 경우에는 관리규약으로 정하는 이사가 그 회의를 소집하고 회장의 직무를 대행한다(영 제14조 제4항).

> ① 입주자대표회의 구성원 3분의 1 이상이 청구하는 때
> ② 입주자 등의 10분의 1 이상이 요청하는 때
> ③ 전체 입주자의 10분의 1 이상이 요청하는 때(장기수선계획의 수립 또는 조정에 관한 사항만 해당한다)

(2) 회의록의 작성

① 입주자대표회의는 그 회의를 개최한 때에는 회의록을 작성하여 관리주체에게 보관하게 한다(법 제14조 제8항).

② 300세대 이상인 공동주택의 관리주체는 관리규약으로 정하는 범위·방법 및 절차 등에 따라 회의록을 입주자 등에게 공개하여야 하며, 300세대 미만인 공동주택의 관리주체는 관리규약으로 정하는 바에 따라 회의록을 공개할 수 있다. 이 경우 관리주체는 입주자 등이 회의록의 열람을 청구하거나 자기의 비용으로 복사를 요구하는 때에는 관리규약으로 정하는 바에 따라 이에 응하여야 한다(법 제14조 제9항).

공동주택관리법 제14조(입주자대표회의의 구성 등) 제9항 규정의 일부이다. (   ) 안에
들어갈 아라비아 숫자와 용어를 쓰시오.

> (㉠)세대 이상인 공동주택의 관리주체는 (㉡)(으)로 정하는 범위 · 방법 및 절차 등에 따
> 라 회의록을 입주자 등에게 공개하여야 하며, (㉠)세대 미만인 공동주택의 관리주체는 (㉡)
> (으)로 정하는 바에 따라 회의록을 공개할 수 있다.

정답: ㉠ 300, ㉡ 관리규약

(3) 의결

입주자대표회의의 의결사항은 관리규약, 관리비, 시설의 운영에 관한 사항 등으로 하며,
그 구체적인 내용은 대통령령으로 정한다. 다만, 입주자대표회의의 구성원 중 사용자인
동별 대표자가 과반수인 경우에는 대통령령으로 그 의결방법 및 의결사항을 달리 정할
수 있다(법 제14조 제11항 · 제12항).

① **의결사항 및 의결정족수**: 입주자대표회의는 그 구성원 과반수의 찬성으로 다음의 사항을
   의결한다(영 제14조 제1항 · 제2항).

> ㉠ 관리규약 개정안의 제안(제안서에는 개정안의 취지, 내용, 제안유효기간 및 제안자 등을
>   포함한다. 이하 같다)
> ㉡ 관리규약에서 위임한 사항과 그 시행에 필요한 규정의 제정 · 개정 및 폐지
> ㉢ 공동주택 관리방법의 제안
> ㉣ 영 제23조 제1항부터 제5항까지에 따른 관리비 등의 집행을 위한 사업계획 및 예산의 승
>   인(변경승인을 포함한다)
> ㉤ 공용시설물 이용료 부과기준의 결정
> ㉥ 영 제23조 제1항부터 제5항까지에 따른 관리비 등의 회계감사 요구 및 회계감사보고서의
>   승인
> ㉦ 영 제23조 제1항부터 제5항까지에 따른 관리비 등의 결산의 승인
> ㉧ 단지 안의 전기 · 도로 · 상하수도 · 주차장 · 가스설비 · 냉난방설비 및 승강기 등의 유
>   지 · 운영기준
> ㉨ 자치관리를 하는 경우 자치관리기구 직원의 임면에 관한 사항
> ㉩ 장기수선계획에 따른 공동주택 공용부분의 보수 · 교체 및 개량
> ㉪ 법 제35조 제1항에 따른 공동주택 행위허가 또는 신고행위의 제안
> ㉫ 영 제39조 제5항 및 제6항에 따른 공동주택 공용부분의 담보책임 종료 확인
> ㉬ 주택건설기준 등에 관한 규정 제2조 제3호에 따른 주민공동시설(어린이집은 제외하며.
>   이하 제19조, 제23조, 제25조, 제29조 및 제29조의2에서 '주민공동시설'이라 한다) 위
>   탁운영의 제안

ⓔ 영 제29조의2에 따른 인근 공동주택단지 입주자 등의 주민공동시설 이용에 대한 허용 제안
ⓣ 장기수선계획 및 안전관리계획의 수립 또는 조정(비용지출을 수반하는 경우로 한정한다)
ⓔ 입주자 등 상호간에 이해가 상반되는 사항의 조정
ⓗ 공동체생활의 활성화 및 질서유지에 관한 사항
ⓜ 그 밖에 공동주택의 관리와 관련하여 관리규약으로 정하는 사항

② **사용자인 동별 대표자가 과반수인 경우**: 입주자대표회의 구성원 중 사용자인 동별 대표자가 과반수인 경우에는 위 ①의 ⓔ에 관한 사항은 의결사항에서 제외하고, 위 ①의 ⓣ 중 장기수선계획의 수립 또는 조정에 관한 사항은 전체 입주자 과반수의 서면동의를 받아 그 동의 내용대로 의결한다(영 제14조 제3항).

③ **타인의 권리 침해금지**: 입주자대표회의가 ①에 따른 사항을 의결할 때에는 공동주택의 입주자 등이 아닌 자로서 해당 공동주택의 관리에 이해관계를 가진 자의 권리를 침해하여서는 아니 된다(영 제14조 제5항).

④ 입주자대표회의는 주택관리업자가 공동주택을 관리하는 경우에는 주택관리업자의 직원인사 · 노무관리 등의 업무수행에 부당하게 간섭해서는 아니 된다(영 제14조 제6항).

05 입주자대표회의의 구성원 등 교육

(1) 주체

시장 · 군수 · 구청장은 대통령령으로 정하는 바에 따라 입주자대표회의의 구성원에게 입주자대표회의의 운영과 관련하여 필요한 교육 및 윤리교육을 실시하여야 한다. 이 경우 입주자대표회의의 구성원은 그 교육을 성실히 이수하여야 하며(법 제17조 제1항), 시장 · 군수 · 구청장은 관리주체 · 입주자 등이 희망하는 경우에는 교육을 관리주체 · 입주자 등에게 실시할 수 있다(법 제17조 제3항).

(2) 교육내용

위 **(1)**의 교육내용에는 다음의 사항이 포함되어야 한다(법 제17조 제2항).

① 공동주택의 관리에 관한 관계 법령 및 관리규약의 준칙에 관한 사항
② 입주자대표회의의 구성원의 직무 · 소양 및 윤리에 관한 사항
③ 공동주택단지 공동체의 활성화에 관한 사항
④ 관리비 · 사용료 및 장기수선충당금에 관한 사항
⑤ 공동주택 회계처리에 관한 사항
⑥ 층간소음 예방 및 입주민간 분쟁의 조정에 관한 사항
⑦ 하자보수에 관한 사항
⑧ 그 밖에 입주자대표회의의 운영에 필요한 사항

(3) 교육시기와 방법 등

① 시장·군수·구청장은 입주자대표회의 구성원 또는 입주자 등에 대하여 입주자대표회의의 운영과 관련하여 필요한 교육 및 윤리교육(이하 '운영·윤리교육'이라 한다)을 하려면 다음의 사항을 교육 10일 전까지 공고하거나 교육대상자에게 알려야 한다(영 제18조 제1항).

> ㉠ 교육일시, 교육기간 및 교육장소
> ㉡ 교육내용
> ㉢ 교육대상자
> ㉣ 그 밖에 교육에 관하여 필요한 사항

② 입주자대표회의 구성원은 매년 4시간의 운영·윤리교육을 이수하여야 한다(영 제18조 제2항).

③ 운영·윤리교육은 집합교육의 방법으로 한다. 다만, 교육 참여현황의 관리가 가능한 경우에는 그 전부 또는 일부를 온라인교육으로 할 수 있다(영 제18조 제3항).

④ 시장·군수·구청장은 운영·윤리교육을 이수한 사람에게 수료증을 내주어야 한다. 다만, 교육수료사실을 입주자대표회의 구성원이 소속된 입주자대표회의에 문서로 통보함으로써 수료증의 수여를 갈음할 수 있다(영 제18조 제4항).

⑤ 운영·윤리교육의 수강비용은 입주자대표회의 운영경비에서 부담하며, 입주자 등에 대한 운영·윤리교육의 수강비용은 수강생 본인이 부담한다. 다만, 시장·군수·구청장은 필요하다고 인정하는 경우에는 그 비용의 전부 또는 일부를 지원할 수 있다(영 제18조 제5항).

⑥ 시장·군수·구청장은 입주자대표회의 구성원의 운영·윤리교육 참여현황을 엄격히 관리하여야 하며, 운영·윤리교육을 이수하지 아니한 입주자대표회의 구성원에 대해서는 법 제93조 제1항(관리감독)에 따라 필요한 조치를 하여야 한다(영 제18조 제6항).

06 선거관리위원회

(1) 구성

입주자 등은 동별 대표자나 입주자대표회의의 임원을 선출하거나 해임하기 위하여 선거관리위원회(이하 '선거관리위원회'라 한다)를 구성한다(법 제15조 제1항).

(2) 구성원

선거관리위원회는 입주자 등(서면으로 위임된 대리권이 없는 공동주택 소유자의 배우자 및 직계존비속이 그 소유자를 대리하는 경우를 포함한다) 중에서 위원장을 포함하여 다음의 구분에 따른 위원으로 구성하며, 위원장은 위원 중에서 호선한다(영 제15조 제1항·제2항).

> ① 500세대 이상인 **공동주택**: 5명 이상 9명 이하
> ② 500세대 미만인 **공동주택**: 3명 이상 9명 이하

(3) 결격사유

다음의 어느 하나에 해당하는 사람은 선거관리위원회 위원이 될 수 없으며, 그 자격을 상실한다(법 제15조 제2항, 영 제16조).

> ① 동별 대표자 또는 그 후보자
> ② 위 ①에 해당하는 사람의 배우자 또는 직계존비속
> ③ 미성년자, 피성년후견인 또는 피한정후견인
> ④ 동별 대표자를 사퇴하거나 그 지위에서 해임된 사람 또는 법 제14조 제5항(결격사유)에 따라 퇴임한 사람으로서 그 남은 임기 중에 있는 사람
> ⑤ 선거관리위원회 위원을 사퇴하거나 그 지위에서 해임 또는 해촉된 사람으로서 그 남은 임기 중에 있는 사람

(4) 선거관리위원회 소속직원의 위촉

500세대 이상의 공동주택은 선거관리위원회법에 따른 선거관리위원회 소속 직원 1명을 관리규약으로 정하는 바에 따라 위원으로 위촉할 수 있다(영 제15조 제3항).

(5) 결정

선거관리위원회는 그 구성원(관리규약으로 정한 정원을 말한다) 과반수의 찬성으로 그 의사를 결정한다. 이 경우 이 영 및 관리규약으로 정하지 아니한 사항은 선거관리위원회 규정으로 정할 수 있다(영 제15조 제4항).

(6) 선거지원

선거관리위원회는 선거관리를 위하여 선거관리위원회법 제2조 제1항 제3호에 따라 해당 소재지를 관할하는 구·시·군 선거관리위원회에 투표 및 개표 관리 등 선거지원을 요청할 수 있다(법 제15조 제4항).

(7) 업무 등

선거관리위원회의 구성·운영·업무(법 제14조 제4항 각 호에 따른 동별 대표자 결격사유의 확인을 포함한다)·경비, 위원의 선임·해임 및 임기 등에 관한 사항은 관리규약으로 정한다(영 제15조 제5항).

(8) 동별 대표자 후보자에 대한 범죄경력 조회

① 선거관리위원회 위원장(선거관리위원회가 구성되지 아니하였거나 위원장이 사퇴, 해임 등으로 궐위된 경우에는 입주자대표회의의 회장을 말하며, 입주자대표회의의 회장도 궐위된 경우에는 관리사무소장을 말한다)은 동별 대표자 후보자 또는 동별 대표자에 대하여 동별 대표자의 자격요건 충족 여부와 결격사유 해당 여부를 확인하여야 하며, 결격사유 해당 여부를 확인하는 경우에는 동별 대표자 후보자 또는 동별 대표자의 동의를 받아 범죄경력을 관계 기관의 장에게 확인하여야 한다(법 제16조 제1항).

② 선거관리위원회 위원장은 동별 대표자에 대하여 자격요건 충족 여부와 결격사유 해당 여부를 확인할 수 있으며, 결격사유 해당 여부를 확인하는 경우에는 동별 대표자의 동의를 받아 범죄경력을 관계 기관의 장에게 확인하여야 한다(법 제16조 제2항).

③ 선거관리위원회 위원장은 동별 대표자 후보자 또는 동별 대표자에 대한 범죄경력의 확인을 경찰관서의 장에게 요청하여야 한다. 이 경우 후보자 또는 동별 대표자의 동의서를 첨부하여야 하며, 요청을 받은 경찰관서의 장은 동별 대표자 후보자 또는 동별 대표자가 범죄의 경력이 있는지 여부를 확인하여 회신하여야 한다(영 제17조).

제2절 공동주택관리규약

01 관리규약의 준칙

특별시장 · 광역시장 · 특별자치시장 · 도지사 또는 특별자치도지사(이하 '시 · 도지사'라 한다)는 공동주택의 입주자 등을 보호하고 주거생활의 질서를 유지하기 위하여 다음의 사항이 포함된 공동주택의 관리 또는 사용에 관하여 준거가 되는 관리규약의 준칙을 정하여야 한다. 이 경우 입주자 등이 아닌 자의 기본적인 권리를 침해하는 사항이 포함되어서는 아니 된다(법 제18조 제1항, 영 제19조 제1항).

① 입주자 등의 권리 및 의무(영 제19조 제2항에 따른 의무를 포함한다)
② 입주자대표회의의 구성 · 운영(회의의 녹음 · 녹화 · 중계 및 방청에 관한 사항을 포함한다)과 그 구성원의 의무 및 책임
③ 동별 대표자의 선거구 · 선출절차와 해임 사유 · 절차 등에 관한 사항
④ 선거관리위원회의 구성 · 운영 · 업무 · 경비, 위원의 선임 · 해임 및 임기 등에 관한 사항
⑤ 입주자대표회의 소집절차, 임원의 해임 사유 · 절차 등에 관한 사항
⑥ 영 제23조 제3항 제8호에 따른 입주자대표회의 운영경비의 용도 및 사용금액(운영 · 윤리교육 수강비용을 포함한다)

⑦ 자치관리기구의 구성·운영 및 관리사무소장과 그 소속 직원의 자격요건·인사·보수·책임

⑧ 입주자대표회의 또는 관리주체가 작성·보관하는 자료의 종류 및 그 열람방법 등에 관한 사항

⑨ 위·수탁관리계약에 관한 사항

⑩ 영 제19조 제2항 각 호의 행위(관리주체의 동의대상)에 대한 관리주체의 동의기준

⑪ 법 제24조 제1항에 따른 관리비예치금의 관리 및 운용방법

⑫ 영 제23조 제1항부터 제5항까지의 규정에 따른 관리비 등의 세대별 부담액 산정방법, 징수, 보관, 예치 및 사용절차

⑬ 영 제23조 제1항부터 제5항까지의 규정에 따른 관리비 등을 납부하지 아니한 자에 대한 조치 및 가산금의 부과

⑭ 장기수선충당금의 요율 및 사용절차

⑮ 회계관리 및 회계감사에 관한 사항

⑯ 회계관계 임직원의 책임 및 의무(재정보증에 관한 사항을 포함한다)

⑰ 각종 공사 및 용역의 발주와 물품구입의 절차

⑱ 관리 등으로 인하여 발생한 수입의 용도 및 사용절차

⑲ 공동주택의 관리책임 및 비용부담

⑳ 관리규약을 위반한 자 및 공동생활의 질서를 문란하게 한 자에 대한 조치

㉑ 공동주택의 어린이집 임대계약(지방자치단체에 무상임대하는 것을 포함한다)에 대한 다음의 임차인 선정기준. 이 경우 그 기준은 영유아보육법 제24조 제2항 각 호 외의 부분 후단에 따른 국공립어린이집 위탁체 선정관리기준에 준하여야 한다.
　㉠ 임차인의 신청자격
　㉡ 임차인 선정을 위한 심사기준
　㉢ 어린이집을 이용하는 입주자 등 중 어린이집 임대에 동의하여야 하는 비율
　㉣ 임대료 및 임대기간
　㉤ 그 밖에 어린이집의 적정한 임대를 위하여 필요한 사항

㉒ 공동주택의 층간소음 및 간접흡연에 관한 사항

㉓ 주민공동시설의 위탁에 따른 방법 또는 절차에 관한 사항

㉔ 영 제29조의2에 따라 주민공동시설을 인근 공동주택단지 입주자 등도 이용할 수 있도록 허용하는 경우에 대한 다음의 기준
　㉠ 입주자 등 중 허용에 동의하여야 하는 비율
　㉡ 이용자의 범위
　㉢ 그 밖에 인근 공동주택단지 입주자 등의 이용을 위하여 필요한 사항

㉕ 혼합주택단지의 관리에 관한 사항

㉖ 전자투표의 본인확인방법에 관한 사항

㉗ 공동체생활의 활성화에 관한 사항

㉘ 공동주택의 주차장 임대계약 등에 대한 다음의 기준
　㉠ 도시교통정비 촉진법 제33조 제1항 제4호에 따른 승용차 공동이용을 위한 주차장 임대계약의 경우
　　ⓐ 입주자 등 중 주차장의 임대에 동의하는 비율

ⓑ 임대할 수 있는 주차대수 및 위치

ⓒ 이용자의 범위

ⓓ 그 밖에 주차장의 적정한 임대를 위하여 필요한 사항

 ⓒ 지방자치단체와 입주자대표회의간 체결한 협약에 따라 지방자치단체가 직접 운영·관리하는 방식 또는 지방공기업법 제76조에 따라 설립된 지방공단이 운영·관리하는 방식으로 입주자 등 외의 자에게 공동주택의 주차장을 개방하는 경우

ⓐ 입주자 등 중 주차장의 개방에 동의하는 비율

ⓑ 개방할 수 있는 주차대수 및 위치

ⓒ 주차장의 개방시간

ⓓ 그 밖에 주차장의 적정한 개방을 위하여 필요한 사항

㉙ 경비원 등 근로자에 대한 괴롭힘의 금지 및 발생시 조치에 관한 사항

㉚ 지능형 홈네트워크 설비의 기본적인 유지·관리에 관한 사항

㉛ 그 밖에 공동주택의 관리에 필요한 사항

02 관리규약

(1) 관리규약의 제정

① 입주자 등은 관리규약의 준칙을 참조하여 관리규약을 정한다. 이 경우 주택법 제21조에 따라 공동주택에 설치하는 어린이집의 임대료 등에 관한 사항은 관리규약의 준칙, 어린이집의 안정적 운영, 보육서비스 수준의 향상 등을 고려하여 결정하여야 한다(법 제18조 제2항).

② 제안: 사업주체는 입주예정자와 관리계약을 체결할 때 관리규약 제정안을 제안하여야 한다. 다만, 영 제29조의3에 따라 사업주체가 입주자대표회의가 구성되기 전에 다음의 주민공동시설의 임대계약 체결이 필요하다고 인정하는 경우에는 입주개시일 3개월 전부터 관리규약 제정안을 제안할 수 있다(법 제18조 제3항, 영 제29조의3 제1항).

> ㉠ 영유아보육법 제10조에 따른 어린이집
> ㉡ 아동복지법 제44조의2에 따른 다함께돌봄센터
> ㉢ 아이돌봄 지원법 제19조에 따른 공동육아나눔터

③ 제안방법: 사업주체는 해당 공동주택단지의 인터넷 홈페이지(인터넷 홈페이지가 없는 경우에는 인터넷 포털을 통해 관리주체가 운영·통제하는 유사한 기능의 웹사이트 또는 관리사무소의 게시판을 말한다. 이하 같다)에 제안내용을 공고하고 입주예정자에게 개별 통지해야 한다(영 제29조의3 제2항).

④ 제정: 공동주택 분양 후 최초의 관리규약은 ②에 따라 사업주체가 제안한 내용을 해당 입주예정자의 과반수가 서면으로 동의하는 방법으로 결정한다(영 제20조 제2항).

⑤ **의무관리대상 전환 공동주택:** 의무관리대상 전환 공동주택의 관리규약 제정안은 의무관리대상 전환 공동주택의 관리인이 제안하고, 그 내용을 전체 입주자 등 과반수의 서면동의로 결정한다. 이 경우 관리규약 제정안을 제안하는 관리인은 ③의 방법에 따라 공고·통지해야 한다(영 제20조 제4항).

(2) 관리규약의 개정

입주자 등이 관리규약을 개정하려는 경우에는 다음의 사항을 기재한 개정안을 **(1)**의 ③에 따른 공고·통지를 거쳐 관리방법의 결정 또는 변경과 같은 방법으로 결정한다(영 제20조 제5항).

> ① 개정목적
> ② 종전의 관리규약과 달라진 내용
> ③ 관리규약의 준칙과 달라진 내용

(3) 관리규약 등의 신고

입주자대표회의의 회장(관리규약의 제정의 경우에는 사업주체 또는 의무관리대상 전환 공동주택의 관리인을 말한다)은 관리규약이 제정·개정되거나 입주자대표회의가 구성·변경된 날부터 30일 이내에 시장·군수·구청장에게 신고서를 제출하는 방법으로 그 사실을 신고하여야 한다. 신고한 사항이 변경되는 경우에도 또한 같다. 다만, 의무관리대상 전환 공동주택의 관리인이 관리규약의 제정신고를 하지 아니하는 경우에는 입주자 등의 10분의 1 이상이 연서하여 신고할 수 있다(법 제19조, 영 제21조).

> ① 관리규약의 제정·개정
> ② 입주자대표회의의 구성·변경
> ③ 그 밖에 필요한 사항으로서 대통령령으로 정하는 사항

(4) 효력 및 열람

관리규약은 입주자 등의 지위를 승계한 사람에 대하여도 그 효력이 있으며(법 제18조 제4항), 공동주택의 관리주체는 관리규약을 보관하여 입주자 등이 열람을 청구하거나 자기의 비용으로 복사를 요구하면 응하여야 한다(영 제20조 제6항).

기출예제

공동주택관리법령상 관리규약 등에 관한 설명으로 옳은 것은? 제27회

① 관리규약은 입주자 등의 지위를 승계한 사람에 대하여는 그 효력이 없다.
② 사업주체는 공동주택의 관리 또는 사용에 관하여 준거가 되는 관리규약의 준칙을 정하여야 한다.
③ 의무관리대상 전환 공동주택의 관리인이 관리규약의 제정신고를 하지 아니하는 경우에는 입주자 등의 10분의 1 이상이 연서하여 신고할 수 있다.
④ 공동주택 층간소음의 범위와 기준은 국토교통부와 행정안전부의 공동부령으로 정한다.
⑤ 의무관리대상 공동주택의 입주자대표회의는 동별 대표자를 선출하는 등 공동주택의 관리와 관련한 의사결정에 대하여 서면의 방법을 우선적으로 이용하도록 노력하여야 한다.

해설

① 관리규약은 입주자 등의 지위를 승계한 사람에 대하여도 그 효력이 있다.
② 관리규약의 준칙은 시·도지사가 정한다.
④ 공동주택 층간소음의 범위와 기준은 국토교통부와 환경부의 공동부령으로 정한다.
⑤ 입주자대표회의는 입주자대표회의 구성원 과반수의 찬성으로 의결한다.

정답: ③

제3절 전자투표와 층간소음 및 간접흡연

01 전자적 방법을 통한 입주자 등의 의사결정

(1) 전자적 방법으로의 의사결정사항

① 입주자 등은 동별 대표자나 입주자대표회의의 임원을 선출하는 등 공동주택의 관리와 관련하여 의사를 결정하는 경우(서면동의에 의하여 의사를 결정하는 경우를 포함한다) 대통령령으로 정하는 바에 따라 전자적 방법(전자문서 및 전자거래 기본법 제2조 제2호에 따른 정보처리시스템을 사용하거나 그 밖에 정보통신기술을 이용하는 방법을 말한다)을 통하여 그 의사를 결정할 수 있다(법 제22조 제1항).

② 의무관리대상 공동주택의 입주자대표회의, 관리주체 및 선거관리위원회는 입주자 등의 참여를 확대하기 위하여 ①에 따른 공동주택의 관리와 관련한 의사결정에 대하여 전자적 방법을 우선적으로 이용하도록 노력하여야 한다(법 제22조 제2항).

(2) 전자적 방법으로의 의사결정방법

① 본인확인: 입주자 등은 전자적 방법으로 의결권을 행사(이하 '전자투표'라 한다)하는 경우에는 다음의 어느 하나에 해당하는 방법으로 본인확인을 거쳐야 한다(영 제22조 제1항).

> ⊙ 휴대전화를 통한 본인인증 등 정보통신망 이용촉진 및 정보보호 등에 관한 법률 제23조의3에 따른 본인확인기관에서 제공하는 본인확인의 방법
> ⊙ 전자서명법 제2조 제3호에 따른 공인전자서명 또는 같은 법 제2조 제8호에 따른 공인인증서를 통한 본인확인의 방법
> ⊙ 그 밖에 관리규약에서 전자문서 및 전자거래 기본법 제2조 제1호에 따른 전자문서를 제출하는 등 본인확인절차를 정하는 경우에는 그에 따른 본인확인의 방법

② 사전통지: 관리주체, 입주자대표회의, 의무관리대상 전환 공동주택의 관리인 또는 선거관리위원회는 ①에 따라 전자투표를 실시하려는 경우에는 다음의 사항을 입주자 등에게 미리 알려야 한다(영 제22조 제2항).

> ⊙ 전자투표를 하는 방법
> ⊙ 전자투표기간
> ⊙ 그 밖에 전자투표의 실시에 필요한 기술적인 사항

02 공동주택 층간소음의 방지

(1) 층간소음의 방지

공동주택의 입주자 등(임대주택의 임차인을 포함한다)은 공동주택에서 뛰거나 걷는 동작에서 발생하는 소음이나 음향기기를 사용하는 등의 활동에서 발생하는 소음 등 층간소음[벽간소음 등 인접한 세대간의 소음(대각선에 위치한 세대간의 소음을 포함한다)을 포함하며, 이하 '층간소음'이라 한다]으로 인하여 다른 입주자 등에게 피해를 주지 아니하도록 노력하여야 한다(법 제20조 제1항).

(2) 관리주체에 의한 층간소음에 대한 조치

층간소음으로 피해를 입은 입주자 등은 관리주체에게 층간소음 발생사실을 알리고, 관리주체가 층간소음 피해를 끼친 해당 입주자 등에게 층간소음 발생의 중단이나 소음차단조치를 권고하도록 요청할 수 있다. 이 경우 관리주체는 사실관계 확인을 위하여 필요한 조사를 할 수 있으며, 층간소음 피해를 끼친 입주자 등은 관리주체의 조치 및 권고에 협조하여야 한다(법 제20조 제2항·제3항).

(3) 층간소음의 조정신청

① 층간소음관리위원회에의 조정신청: 위 (2)에 따른 관리주체의 조치에도 불구하고 층간소음 발생이 계속될 경우에는 층간소음 피해를 입은 입주자 등은 공동주택 층간소음관리위원회에 조정을 신청할 수 있다(법 제20조 제4항).

② 공동주택관리 분쟁조정위원회나 환경분쟁조정위원회에 조정을 신청: 층간소음 피해를 입은 입주자 등은 관리주체 또는 층간소음관리위원회의 조치에도 불구하고 층간소음 발생이 계속될 경우 공동주택관리 분쟁조정위원회나 환경분쟁 조정법에 따른 환경분쟁조정위원회에 조정을 신청할 수 있고, 관리주체는 필요한 경우 입주자 등을 대상으로 층간소음의 예방, 분쟁의 조정 등을 위한 교육을 실시할 수 있다(법 제20조 제6항·제11항).

(4) 층간소음의 범위와 기준

① 공동주택 층간소음의 범위와 기준은 국토교통부와 환경부의 공동부령(공동주택 층간소음의 범위와 기준에 관한 규칙)으로 정한다(법 제20조 제5항).

② 범위: 공동주택 층간소음의 범위는 입주자 또는 사용자의 활동으로 인하여 발생하는 소음으로서 다른 입주자 또는 사용자에게 피해를 주는 다음의 소음으로 한다. 다만, 욕실, 화장실 및 다용도실 등에서 급수·배수로 인하여 발생하는 소음은 제외한다(규칙 제2조).

> ㉠ 직접충격소음: 뛰거나 걷는 동작 등으로 인하여 발생하는 소음
> ㉡ 공기전달소음: 텔레비전, 음향기기 등의 사용으로 인하여 발생하는 소음

③ 층간소음의 기준(규칙 제3조)

층간소음의 구분		층간소음의 기준[단위: dB(A)]	
		주간(06:00~22:00)	야간(22:00~06:00)
직접충격소음	1분간 등가소음도(Leq)	39	34
	최고소음도(Lmax)	57	52
공기전달소음	5분간 등가소음도(Leq)	45	40

(5) 공동주택 층간소음관리위원회

① 구성 및 업무: 입주자 등은 층간소음에 따른 분쟁을 예방하고 조정하기 위하여 관리규약으로 정하는 바에 따라 다음의 업무를 수행하는 공동주택 층간소음관리위원회를 구성·운영할 수 있다. 다만, 의무관리대상 공동주택 중 대통령령으로 정하는 규모 이상인 경우에는 층간소음관리위원회를 구성하여야 한다(법 제20조 제7항).

> ㉠ 층간소음 민원의 청취 및 사실관계 확인
> ㉡ 분쟁의 자율적인 중재 및 조정
> ㉢ 층간소음 예방을 위한 홍보 및 교육
> ㉣ 그 밖에 층간소음 분쟁 방지 및 예방을 위하여 관리규약으로 정하는 업무

② **구성원**: 층간소음관리위원회는 다음의 사람으로 구성하며, 구성원은 ③에 따라 고시하는 기관 또는 단체에서 실시하는 교육을 성실히 이수하여야 한다. 이 경우 교육의 시기 · 방법 및 비용 부담 등에 필요한 사항은 대통령령으로 정한다(법 제20조 제8항 · 제10항).

> ㉠ 입주자대표회의 또는 임차인대표회의의 구성원
> ㉡ 선거관리위원회 위원
> ㉢ 법 제21조에 따른 공동체생활의 활성화를 위한 단체에서 추천하는 사람
> ㉣ 법 제64조 제1항에 따른 관리사무소장
> ㉤ 그 밖에 공동주택관리 분야에 관한 전문지식과 경험을 갖춘 사람으로서 관리규약으로 정하거나 지방자치단체의 장이 추천하는 사람

③ **층간소음 예방 · 분쟁해결 등 지원기관 · 단체**: 국토교통부장관은 층간소음의 피해 예방 및 분쟁 해결을 지원하기 위하여 다음의 업무를 수행하는 기관 또는 단체를 지정하여 고시할 수 있다(법 제20조 제9항).

> ㉠ 층간소음의 측정 지원
> ㉡ 피해사례의 조사 · 상담
> ㉢ 층간소음관리위원회의 구성원에 대한 층간소음 예방 및 분쟁조정 교육
> ㉣ 그 밖에 국토교통부장관 또는 지방자치단체의 장이 층간소음과 관련하여 의뢰하거나 위탁하는 업무

(6) 소규모 공동주택의 층간소음 상담

① 지방자치단체의 장은 소규모 공동주택에서 발생하는 층간소음 분쟁의 예방 및 자율적인 조정을 위하여 조례로 정하는 바에 따라 소규모 공동주택 입주자 등을 대상으로 층간소음 상담 · 진단 및 교육 등의 지원을 할 수 있다(법 제34조의2 제1항).

② 지방자치단체의 장은 ①에 따른 층간소음 상담 · 진단 및 교육 등의 지원을 위하여 필요한 경우 관계 중앙행정기관의 장 또는 지방자치단체의 장이 인정하는 기관 또는 단체에 협조를 요청할 수 있다(법 제34조의2 제2항).

(7) 층간소음 실태조사

① **조사**: 국토교통부장관 또는 지방자치단체의 장은 공동주택의 층간소음 예방을 위한 정책의 수립과 시행에 필요한 기초자료를 확보하기 위하여 대통령령으로 정하는 바에 따라 층간소음에 관한 실태조사를 단독 또는 합동으로 실시할 수 있다(법 제85조의2 제1항).

② **조사사항**: 국토교통부장관 또는 지방자치단체의 장은 ①에 따라 층간소음에 관한 실태 조사를 하는 경우에는 국토교통부장관 또는 지방자치단체의 장이 환경부장관과 협의 하여 정하는 방법에 따라 다음의 사항을 조사한다(영 제91조의2 제1항).

> ㉠ 공동주택의 주거환경
> ㉡ 층간소음 피해 및 분쟁조정 현황
> ㉢ 그 밖에 층간소음 예방을 위한 정책의 수립과 시행에 필요한 사항

③ **자료의 제출**: 국토교통부장관 또는 지방자치단체의 장은 실태조사와 관련하여 관계 기관의 장 또는 관련 단체의 장에게 필요한 자료의 제출을 요청할 수 있다. 이 경우 자료제출을 요청받은 자는 정당한 사유가 없으면 이에 따라야 하며, 실태조사 업무를 다음의 기관 또는 단체에 위탁하여 실시할 수 있다(법 제85조의2, 영 제91조의2).

> ㉠ 법 제86조에 따른 공동주택관리 지원기구
> ㉡ 정부출연연구기관 등의 설립 · 운영 및 육성에 관한 법률에 따라 설립된 정부출연연구기관
> ㉢ 지방자치단체출연 연구원의 설립 및 운영에 관한 법률에 따라 설립된 지방자치단체출연 연구원

03 간접흡연의 방지

(1) 세대 내 흡연의 방지

공동주택의 입주자 등은 발코니, 화장실 등 세대 내에서의 흡연으로 인하여 다른 입주자 등에게 피해를 주지 아니하도록 노력하여야 한다(법 제20조의2 제1항).

(2) 세대 내 흡연에 대한 조치

간접흡연으로 피해를 입은 입주자 등은 관리주체에게 간접흡연 발생사실을 알리고, 관리 주체가 간접흡연 피해를 끼친 해당 입주자 등에게 일정한 장소에서 흡연을 중단하도록 권고할 것을 요청할 수 있다. 이 경우 관리주체는 사실관계 확인을 위하여 세대 내 확인 등 필요한 조사를 할 수 있으며, 간접흡연 피해를 끼친 입주자 등은 관리주체의 권고에 협조하여야 한다(법 제20조의2 제2항 · 제3항).

(3) 교육 및 자치조직 운영

관리주체는 필요한 경우 입주자 등을 대상으로 간접흡연의 예방, 분쟁의 조정 등을 위한 교육을 실시할 수 있고, 입주자 등은 필요한 경우 간접흡연에 따른 분쟁의 예방, 조정, 교 육 등을 위하여 자치적인 조직을 구성하여 운영할 수 있다(법 제20조의2 제4항 · 제5항).

04 공동체생활의 활성화

(1) 공동주택의 입주자 등은 입주자 등의 소통 및 화합 증진 등을 위하여 필요한 활동을 자율적으로 실시할 수 있고, 이를 위하여 필요한 조직을 구성하여 운영할 수 있다(법 제21조 제1항).

(2) 입주자대표회의 또는 관리주체는 공동체생활의 활성화에 필요한 경비의 일부를 재활용품의 매각수입 등 공동주택을 관리하면서 부수적으로 발생하는 수입에서 지원할 수 있다(법 제21조 제2항).

(3) 위 **(2)**에 따른 경비의 지원은 관리규약으로 정하거나 관리규약에 위배되지 아니하는 범위에서 입주자대표회의의 의결로 정한다(법 제21조 제3항).

01 입주자대표회의는 4명 이상으로 구성하되, 동별 세대수에 비례하여 관리규약으로 정한 선거구에 따라 선출된 대표자로 구성한다. 이 경우 선거구는 2개 동 이상으로 묶거나 통로나 층별로 구획하여 정할 수 있다. ( )

02 2회의 선출공고에도 불구하고 입주자인 동별 대표자의 후보자가 없는 선거구에서 직전 선출공고일부터 1개월 이내에 선출공고를 하는 경우로서 대통령령으로 정하는 요건을 모두 갖춘 사용자도 동별 대표자가 될 수 있다. ( )

03 동별 대표자는 선거구별로 1명씩 선출하되 후보자가 1명인 경우에는 해당 선거구 전체 입주자 등의 10분의 1 이상이 투표하고 투표자 과반수의 찬성으로 선출한다. ( )

04 동별 대표자의 임기는 2년이고, 한 번만 중임할 수 있다. 다만, 2회의 선출공고에도 불구하고 동별 대표자의 후보자가 없거나 선출된 사람이 없는 선거구에서 직전 선출공고일부터 2개월 이내에 선출공고를 하는 경우에는 동별 대표자를 중임한 사람도 해당 선거구 입주자 등의 과반수의 찬성으로 다시 동별 대표자로 선출될 수 있다. ( )

05 입주자대표회의에는 회장 1명, 감사 2명 이상, 이사 1명 이상의 임원을 두어야 하며, 입주자 등의 소통 및 화합의 증진을 위하여 그 이사 중 공동체생활의 활성화에 관한 업무를 담당하는 이사를 선임할 수 있다. 이 경우 사용자인 동별 대표자는 회장이 될 수 없다. 다만, 입주자인 동별 대표자 중에서 회장 후보자가 없는 경우로서 선출 전에 전체 입주자 등 과반수의 서면동의를 얻은 경우에는 그러하지 아니하다. ( )

---

01 ○

02 ✕ 2회의 선출공고에도 불구하고 입주자인 동별 대표자의 후보자가 없는 선거구에서 직전 선출공고일부터 2개월 이내에 선출공고를 하는 경우이다.

03 ✕ 해당 선거구 전체 입주자 등의 과반수가 투표하고 투표자 과반수의 찬성으로 선출한다.

04 ○

05 ✕ 전체 입주자 과반수의 서면동의를 얻은 경우이다.

06 회장의 후보자가 1명인 경우에는 전체 입주자 등의 10분의 1 이상이 투표하고 투표자 과반수의 찬성으로 선출한다. ( )

07 이사는 입주자대표회의 구성원 과반수의 찬성으로 선출하며, 입주자대표회의 구성원 과반수 찬성으로 선출할 수 없는 경우로서 최다득표자가 2인 이상인 경우에는 추첨으로 선출한다. ( )

08 감사는 감사를 한 경우에는 감사보고서를 작성하여 입주자대표회의와 관리주체에게 제출하고 인터넷 홈페이지에 공개하여야 하며, 관할 시장·군수·구청장에게도 제출하여야 한다. ( )

09 300세대 이상인 공동주택의 관리주체는 관리규약으로 정하는 범위·방법 및 절차 등에 따라 회의록을 입주자 등에게 공개하여야 하며, 300세대 미만인 공동주택의 관리주체는 관리규약으로 정하는 바에 따라 회의록을 공개할 수 있다. ( )

10 입주자대표회의 구성원 중 사용자인 동별 대표자가 과반수인 경우에 장기수선계획의 수립 또는 조정에 관한 사항은 전체 입주자 과반수의 서면동의를 받아 그 동의 내용대로 의결한다. ( )

11 국토교통부장관은 공동주택의 입주자 등을 보호하고 주거생활의 질서를 유지하기 위하여 공동주택의 관리 또는 사용에 관하여 준거가 되는 관리규약의 준칙을 정하여야 한다. ( )

---

06 ○

07 ○

08 × 시장·군수·구청장에게는 제출할 필요가 없다.

09 ○

10 ○

11 × 관리규약의 준칙은 시·도지사가 정한다.

222 해커스 주택관리사(보) house.Hackers.com

12 사업주체는 입주예정자와 관리계약을 체결할 때 관리규약 제정안을 제안하여야 한다. 다만, 사업주체가 입주자대표회의가 구성되기 전에 대통령령으로 정하는 사항에 관한 주민공동시설의 임대계약 체결이 필요하다고 인정하는 경우에는 입주개시일 3개월 전부터 관리규약 제정안을 제안할 수 있다. ( )

13 입주자대표회의의 회장(관리규약의 제정의 경우에는 사업주체 또는 의무관리대상 전환 공동주택의 관리인을 말한다)은 관리규약이 제정 · 개정되거나 입주자대표회의가 구성 · 변경된 날부터 30일 이내에 시장 · 군수 · 구청장에게 신고서를 제출하는 방법으로 그 사실을 신고하여야 한다. ( )

14 입주자대표회의 또는 관리주체는 공동체생활의 활성화에 필요한 경비의 일부를 재활용품의 매각수입 등 공동주택을 관리하면서 부수적으로 발생하는 수입에서 지원할 수 있으며, 경비의 지원은 관리규약으로 정하거나 관리규약에 위배되지 아니하는 범위에서 입주자대표회의의 의결로 정한다. ( )

12 ○
13 ○
14 ○

제 **4** 장 공동주택의 전문관리

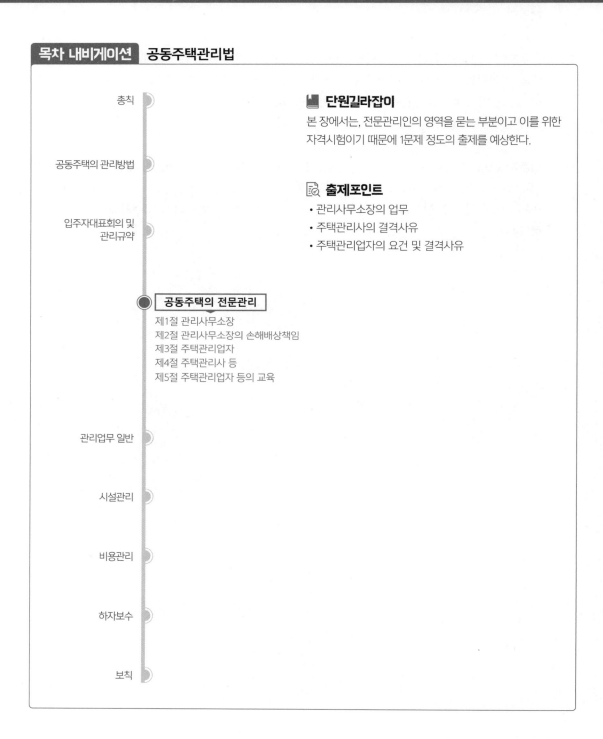

📖 단원길라잡이
본 장에서는, 전문관리인의 영역을 묻는 부분이고 이를 위한
자격시험이기 때문에 1문제 정도의 출제를 예상한다.

🔎 출제포인트
• 관리사무소장의 업무
• 주택관리사의 결격사유
• 주택관리업자의 요건 및 결격사유

제1절 관리사무소장

(1) 배치

의무관리대상 공동주택을 관리하는 다음의 어느 하나에 해당하는 자는 주택관리사를 해당 공동주택의 관리사무소장으로 배치하여야 한다. 다만, 500세대 미만의 공동주택에는 주택관리사를 갈음하여 주택관리사보를 해당 공동주택의 관리사무소장으로 배치할 수 있고, 주택관리사 등을 관리사무소장의 보조자로 배치할 수 있다(법 제64조 제1항, 영 제69조 제1항·제2항).

> ① 입주자대표회의(자치관리의 경우에 한한다)
> ② 관리업무를 인계하기 전의 사업주체
> ③ 주택관리업자
> ④ 임대사업자

(2) 업무

① 관리사무소장은 공동주택을 안전하고 효율적으로 관리하여 공동주택의 입주자 등의 권익을 보호하기 위하여 다음의 업무를 집행한다(법 제64조 제2항).

> ㉠ 입주자대표회의에서 의결하는 다음의 업무
> ⓐ 공동주택의 운영·관리·유지·보수·교체·개량
> ⓑ 위 ⓐ의 업무를 집행하기 위한 관리비·장기수선충당금이나 그 밖의 경비의 청구·수령·지출 및 그 금액을 관리하는 업무
> ㉡ 하자의 발견 및 하자보수의 청구, 장기수선계획의 조정, 시설물 안전관리계획의 수립 및 건축물의 안전점검에 관한 업무. 다만, 비용지출을 수반하는 사항에 대하여는 입주자대표회의의 의결을 거쳐야 한다.
> ㉢ 관리사무소 업무의 지휘·총괄
> ㉣ 그 밖에 **공동주택관리**에 관하여 **국토교통부령**으로 정하는 업무(규칙 제30조 제1항)
> ⓐ 관리주체의 각 업무를 지휘·총괄하는 업무
> ⓑ 입주자대표회의 및 법 제15조 제1항에 따른 선거관리위원회의 운영에 필요한 업무지원 및 사무처리
> ⓒ 안전관리계획의 조정. 이 경우 3년마다 조정하되, 관리여건상 필요하여 관리사무소장이 입주자대표회의 구성원 과반수의 서면동의를 받은 경우에는 3년이 지나기 전에 조정할 수 있다.
> ⓓ 관리비 등이 예치된 금융기관으로부터 매월 말일을 기준으로 발급받은 잔고증명서의 금액과 장부상 금액이 일치하는지 여부를 관리비 등이 부과된 달의 다음 달 10일까지 확인하는 업무

② 관리사무소장은 ①의 ㉠과 관련하여 입주자대표회의를 대리하여 재판상 또는 재판 외의 행위를 할 수 있다(법 제64조 제3항).

③ 관리사무소장은 선량한 관리자의 주의로 그 직무를 수행하여야 한다(법 제64조 제4항).

(3) 배치신고

관리사무소장은 그 배치내용과 업무의 집행에 사용할 직인을 시장·군수·구청장에게 신고하여야 한다. 신고한 배치내용과 직인을 변경할 때에도 또한 같다(법 제64조 제5항).

(4) 신고방법

위 (3)에 따라 배치내용과 업무의 집행에 사용할 직인을 신고하려는 관리사무소장은 배치된 날부터 15일 이내에 신고서에 다음의 서류를 첨부하여 주택관리사단체에 제출하여야 하며, 신고한 배치내용과 업무의 집행에 사용하는 직인을 변경하려는 관리사무소장은 변경사유(관리사무소장의 배치가 종료된 경우를 포함한다)가 발생한 날부터 15일 이내에 신고서에 변경내용을 증명하는 서류를 첨부하여 주택관리사단체에 제출하여야 한다(규칙 제30조 제2항·제3항).

> ① 관리사무소장 교육 또는 법 제70조 제2항에 따른 주택관리사 등의 교육 이수현황(주택관리사단체가 해당 교육 이수현황을 발급하는 경우에는 제출하지 아니할 수 있다) 1부
> ② 임명장 사본 1부. 다만, 배치된 공동주택의 전임(前任) 관리사무소장이 배치종료신고를 하지 아니한 경우에는 배치를 증명하는 다음의 구분에 따른 서류를 함께 제출하여야 한다.
> ㉠ 공동주택의 관리방법이 자치관리인 경우: 근로계약서 사본 1부
> ㉡ 공동주택의 관리방법이 위탁관리인 경우: 위·수탁계약서 사본 1부
> ③ 주택관리사보 자격시험 합격증서 또는 주택관리사 자격증 사본 1부
> ④ 주택관리사 등의 손해배상책임을 보장하기 위한 보증설정을 입증하는 서류 1부

(5) 신고처리 절차

위 (4)에 따라 신고 또는 변경신고를 접수한 주택관리사단체는 관리사무소장의 배치내용 및 직인신고(변경신고하는 경우를 포함한다) 접수현황을 분기별로 시장·군수·구청장에게 보고하여야 하며, 관리사무소장이 신고 또는 변경신고에 대한 증명서 발급을 요청하면 즉시 증명서를 발급하여야 한다(규칙 제30조 제4항·제5항).

(6) 관리사무소장의 업무에 대한 부당간섭 배제 등

① 입주자대표회의(구성원을 포함한다. 이하 같다) 및 입주자 등은 위 (2)에 따른 관리사무소장의 업무에 대하여 다음의 어느 하나에 해당하는 행위를 하여서는 아니 된다(법 제65조 제1항).

> ⊙ 이 법 또는 관계 법령에 위반되는 지시를 하거나 명령을 하는 등 부당하게 간섭하는 행위
> ⊙ 폭행, 협박 등 위력을 사용하여 정당한 업무를 방해하는 행위

② 관리사무소장은 입주자대표회의 또는 입주자 등이 ①을 위반한 경우 입주자대표회의 또는 입주자 등에게 그 위반사실을 설명하고 해당 행위를 중단할 것을 요청하거나 부당한 지시 또는 명령의 이행을 거부할 수 있으며, 시장·군수·구청장에게 이를 보고하고, 사실조사를 의뢰할 수 있다(법 제65조 제2항).

③ 시장·군수·구청장은 ②에 따라 사실조사를 의뢰받은 때에는 지체 없이 조사를 마치고, ①을 위반한 사실이 있다고 인정하는 경우 입주자대표회의 및 입주자 등에게 필요한 명령 등의 조치를 하여야 한다. 이 경우 범죄혐의가 있다고 인정될 만한 상당한 이유가 있을 때에는 수사기관에 고발할 수 있다(법 제65조 제3항).

④ 시장·군수·구청장은 사실조사 결과 또는 필요한 명령 등의 조치 결과를 지체 없이 입주자대표회의, 해당 입주자 등, 주택관리업자 및 관리사무소장에게 통보하여야 한다(법 제65조 제4항).

⑤ 입주자대표회의는 ②에 따른 보고나 사실조사 의뢰 또는 ③에 따른 명령 등을 이유로 관리사무소장을 해임하거나 해임하도록 주택관리업자에게 요구하여서는 아니 된다(법 제65조 제5항).

(7) 경비원 등 근로자의 업무 등

① 공동주택에 경비원을 배치한 경비업자(경비업법에 따라 허가를 받은 경비업자를 말한다)는 경비업법 제7조 제5항에도 불구하고 공동주택 관리에 필요한 다음의 업무에 경비원을 종사하게 할 수 있으며, 공동주택 경비원은 공동주택에서의 도난, 화재, 그 밖의 혼잡 등으로 인한 위험발생을 방지하기 위한 범위에서 주차관리와 택배물품 보관업무를 수행할 수 있다(법 제65조의2 제1항, 영 제69조의2 제1항·제2항).

> ⊙ 청소와 이에 준하는 미화의 보조
> ⊙ 재활용 가능 자원의 분리배출 감시 및 정리
> ⊙ 안내문의 게시와 우편수취함 투입

② 입주자 등, 입주자대표회의 및 관리주체 등은 경비원 등 근로자에게 적정한 보수를 지급하고, 처우개선과 인권존중을 위하여 노력하여야 한다(법 제65조의2 제2항).

③ 입주자 등, 입주자대표회의 및 관리주체 등은 경비원 등 근로자에게 다음의 어느 하나에 해당하는 행위를 하여서는 아니 된다(법 제65조의2 제3항).

> ㉠ 이 법 또는 관계 법령에 위반되는 지시를 하거나 명령을 하는 행위
> ㉡ 업무 이외에 부당한 지시를 하거나 명령을 하는 행위

④ 경비원 등 근로자는 입주자 등에게 수준 높은 근로서비스를 제공하여야 한다(법 제65조의2 제4항).
⑤ 입주자대표회의 및 입주자 등은 주택관리업자에게 관리사무소장 및 소속 근로자에 대한 해고, 징계 등 불이익 조치를 요구하여서는 아니 된다(법 제65조의3).

제2절 관리사무소장의 손해배상책임

(1) 손해배상책임

주택관리사 등은 관리사무소장의 업무를 집행하면서 고의 또는 과실로 입주자 등에게 재산상의 손해를 입힌 경우에는 그 손해를 배상할 책임이 있다(법 제66조 제1항).

(2) 보증의 가입

① 가입의무: 위 (1)에 따른 손해배상책임을 보장하기 위하여 주택관리사 등은 다음의 구분에 따른 금액을 보장하는 보증보험 또는 공제에 가입하거나 공탁을 하여야 한다(법 제66조 제2항, 영 제70조 제1항).

> ㉠ 500세대 미만의 공동주택: 3천만원
> ㉡ 500세대 이상의 공동주택: 5천만원

기출예제

공동주택관리법 시행령 제70조(손해배상책임의 보장) 규정이다. ( ) 안에 들어갈 아라비아 숫자를 쓰시오. 제26회

법 제64조 제1항에 따라 관리사무소장으로 배치된 주택관리사 등은 법 제66조 제1항에 따른 손해배상책임을 보장하기 위하여 다음 각 호의 구분에 따른 금액을 보장하는 보증보험 또는 공제에 가입하거나 공탁을 하여야 한다.
1. ( )세대 미만의 공동주택: 3천만원
2. ( )세대 이상의 공동주택: 5천만원

정답: 500

---

② 보증의 변경과 갱신

　㉠ 관리사무소장의 손해배상책임을 보장하기 위한 보증보험 또는 공제에 가입하거나 공탁을 한 조치(이하 '보증설정'이라 한다)를 이행한 주택관리사 등은 그 보증설정을 다른 보증설정으로 변경하려는 경우에는 해당 보증설정의 효력이 있는 기간 중에 다른 보증설정을 하여야 한다(영 제71조 제1항).

　㉡ 보증보험 또는 공제에 가입한 주택관리사 등으로서 보증기간이 만료되어 다시 보증설정을 하려는 자는 그 보증기간 만료일까지 다시 보증설정을 하여야 한다(영 제71조 제2항).

③ **보증가입서류의 제출**: 주택관리사 등은 손해배상책임을 보장하기 위한 보증보험 또는 공제에 가입하거나 공탁을 한 후 해당 공동주택의 관리사무소장으로 배치된 날에 다음의 어느 하나에 해당하는 자에게 보증보험 등에 가입한 사실을 입증하는 서류를 제출하여야 한다(법 제66조 제3항).

> ㉠ 입주자대표회의의 회장
> ㉡ 임대주택의 경우에는 임대사업자
> ㉢ 입주자대표회의가 없는 경우에는 시장 · 군수 · 구청장

④ **보증보험금 등의 지급**: 입주자대표회의는 손해배상금으로 보증보험금 · 공제금 또는 공탁금을 지급받으려는 경우에는 다음의 어느 하나에 해당하는 서류를 첨부하여 보증보험회사, 공제회사 또는 공탁기관에 손해배상금의 지급을 청구하여야 한다(영 제72조 제1항).

> ㉠ 입주자대표회의와 주택관리사 등간의 손해배상합의서 또는 화해조서
> ㉡ 확정된 법원의 판결문 사본
> ㉢ 위 ㉠ 또는 ㉡에 준하는 효력이 있는 서류

⑤ **보증의 보전**: 주택관리사 등은 보증보험금 · 공제금 또는 공탁금으로 손해배상을 한 때에는 15일 이내에 보증보험 또는 공제에 다시 가입하거나 공탁금 중 부족하게 된 금액을 보전하여야 한다(영 제72조 제2항).

⑥ **공탁금의 회수제한**: 공탁한 공탁금은 주택관리사 등이 해당 공동주택의 관리사무소장의 직을 사임하거나 그 직에서 해임된 날 또는 사망한 날부터 3년 이내에는 회수할 수 없다(법 제66조 제4항).

(1) 등록

의무관리대상 공동주택의 관리를 업으로 하려는 자는 다음의 등록기준을 갖추어 시장·군수·구청장에게 등록하여야 하며, 등록사항이 변경된 경우에는 변경사유가 발생한 날부터 15일 이내에 변경신고를 하여야 한다(법 제52조 제1항, 영 제65조 제4항, 규칙 제28조 제6항).

주택관리업의 등록기준

구분		등록기준
자본금		2억원 이상
기술인력	전기분야 기술자	전기산업기사 이상의 기술자 1명 이상
	연료사용기기 취급 관련 기술자	열관리산업기사 이상의 기술자 또는 보일러기능사 1명 이상
	고압가스 관련 기술자	가스기능사 이상의 자격을 가진 사람 1명 이상
	위험물 취급 관련 기술자	위험물관리기능사 이상의 기술자 1명 이상
주택관리사		주택관리사 1명 이상
시설·장비		① 5마력 이상의 양수기 1대 이상 ② 절연저항계(누전측정기) 1대 이상 ③ 사무실

1. '자본금'이란 법인인 경우에는 주택관리업을 영위하기 위한 출자금을 말한다.
2. 주택관리사와 기술자격(국가기술자격법 시행령 [별표] 중 해당 분야의 것을 말한다)은 각각 상시 근무하는 사람으로 하며, 국가기술자격법에 따라 그 자격이 정지된 사람과 건설기술진흥법에 따라 업무정지처분을 받은 기술자는 제외한다.
3. 사무실은 건축법 및 그 밖의 법령에 적합한 건물이어야 한다.

(2) 결격사유

등록을 한 주택관리업자가 그 등록이 말소된 후 2년이 지나지 아니한 때에는 다시 등록할 수 없다(법 제52조 제2항).

(3) 등록절차

① 등록은 주택관리사(임원 또는 사원의 3분의 1 이상이 주택관리사인 상사법인을 포함한다)가 신청할 수 있다(법 제52조 제3항).

② 주택관리업을 등록하려는 자는 등록신청서에 국토교통부령이 정하는 서류를 첨부하여 시장·군수 또는 구청장에게 등록을 신청(전자문서에 의한 신청을 포함한다)하여야 하며(영 제65조 제1항), 시장·군수·구청장은 주택관리업 등록을 한 자에게 등록증을 내주어야 한다(영 제65조 제2항).

(4) 주택관리업자의 관리상 의무

① 주택관리업자는 관리하는 공동주택에 배치된 주택관리사 등이 해임 그 밖의 사유로 결원이 된 때에는 그 사유가 발생한 날부터 15일 이내에 새로운 주택관리사 등을 배치하여야 한다(영 제66조 제1항).

② 주택관리업자는 공동주택을 관리할 때에는 [별표 1]에 따른 기술인력 및 장비를 갖추고 있어야 한다(영 제66조 제2항).

③ 주택관리업자가 아닌 자는 주택관리업 또는 이와 유사한 명칭을 사용하지 못한다(법 제52조 제5항).

④ 주택관리업자의 지위에 관하여 이 법에 규정이 있는 것 외에는 민법 중 위임에 관한 규정을 준용한다(법 제52조 제6항).

(5) 주택관리업자에 대한 감독

① **등록말소 또는 영업정지**: 시장·군수·구청장은 주택관리업자가 다음의 어느 하나에 해당하면 그 등록을 말소하거나 1년 이내의 기간을 정하여 영업의 전부 또는 일부의 정지를 명할 수 있다. 다만, ㉠·㉡ 또는 ㉣에 해당하는 경우에는 그 등록을 말소하여야 하고, ㉾ 또는 ◎에 해당하는 경우에는 1년 이내의 기간을 정하여 영업의 전부 또는 일부의 정지를 명하여야 한다(법 제53조 제1항, 영 제67조).

> ㉠ 거짓이나 그 밖의 부정한 방법으로 등록을 한 경우
> ㉡ 영업정지기간 중에 주택관리업을 영위한 경우 또는 최근 3년간 2회 이상의 영업정지처분을 받은 자로서 그 정지처분을 받은 기간이 합산하여 12개월을 초과한 경우
> ㉢ 고의 또는 과실로 공동주택을 잘못 관리하여 소유자 및 사용자에게 재산상의 손해를 입힌 경우
> ㉣ 매년 12월 31일을 기준으로 최근 3년간 공동주택의 관리실적이 없는 경우
> ㉤ 법 제52조 제3항에 따른 등록요건에 미달하게 된 경우
> ㉥ 법 제52조 제4항에 따른 관리방법 및 업무내용 등을 위반하여 공동주택을 관리한 경우
> ㉦ 법 제90조 제2항을 위반하여 부정하게 재물 또는 재산상의 이익을 취득하거나 제공한 경우

◎ 법 제90조 제3항을 위반하여 관리비·사용료와 장기수선충당금을 이 법에 따른 용도 외
　　　　의 목적으로 사용한 경우
　　　㋈ 법 제90조 제4항을 위반하여 다른 자에게 자기의 성명 또는 상호를 사용하여 이 법에서
　　　　정한 사업이나 업무를 수행하게 하거나 그 등록증을 대여한 경우
　　　㋩ 법 제93조 제1항에 따른 보고, 자료의 제출, 조사 또는 검사를 거부·방해 또는 기피하거
　　　　나 거짓으로 보고를 한 경우
　　　㋡ 법 제93조 제3항·제4항에 따른 감사를 거부·방해 또는 기피한 경우

② **처분절차**: 지방자치단체의 장은 주택관리업자가 ①의 어느 하나에 해당하게 된 사실을
　　발견한 경우에는 그 사실을 지체 없이 그 주택관리업을 등록한 시장·군수·구청장에
　　게 통보해야 하며, 시장·군수·구청장은 주택관리업자에 대하여 등록말소 또는 영업
　　정지 처분을 하려는 때에는 처분일 1개월 전까지 해당 주택관리업자가 관리하는 공동
　　주택의 입주자대표회의에 그 사실을 통보하여야 한다(영 제67조 제2항·제4항).

③ **과징금 부과**
　㋠ **부과사유**: 시장·군수·구청장은 주택관리업자가 ①의 ㉢부터 ㉦까지, ㋩ 및 ㋡의
　　　어느 하나에 해당하는 경우에는 대통령령으로 정하는 바에 따라 영업정지를 갈음
　　　하여 2천만원 이하의 과징금을 부과할 수 있다(법 제53조 제2항).
　㉡ **부과금액**: 과징금은 영업정지기간 1일당 3만원을 부과하되, 영업정지 1개월은 30일
　　　을 기준으로 한다. 이 경우 과징금은 2천만원을 초과할 수 없다(영 제68조 제1항).
　㉢ **부과절차**: 시장·군수·구청장은 ㋠에 따라 과징금을 부과하려는 때에는 그 위반행
　　　위의 종류와 과징금의 금액을 명시하여 이를 납부할 것을 서면으로 통지하여야 하
　　　며, 통지를 받은 자는 통지를 받은 날부터 30일 이내에 과징금을 시장·군수·구청
　　　장이 정하는 수납기관에 납부해야 한다(영 제68조 제2항·제3항).
　㉣ **강제징수**: 시장·군수·구청장은 주택관리업자가 ㋠(부과사유)에 따른 과징금을
　　　기한까지 내지 아니하면 지방행정제재·부과금의 징수 등에 관한 법률에 따라 징
　　　수한다(법 제53조 제3항).

주택관리사 등

(1) 자격 및 결격

① **주택관리사보**: 주택관리사보가 되려는 사람은 국토교통부장관이 시행하는 자격시험에 합격한 후 시 · 도지사(인구 50만 이상의 대도시의 경우에는 그 시장을 말한다)로부터 합격증서를 발급받아야 한다(법 제67조 제1항).

② **주택관리사**: 주택관리사는 다음의 요건을 갖추고 ㉠에 따라 시 · 도지사로부터 주택관리사 자격증을 발급받은 자로 한다(법 제67조 제2항).

> ㉠ 위 ①에 따라 주택관리사보 합격증서를 발급받았을 것
> ㉡ 아래 ③에서 정하는 주택 관련 실무경력이 있을 것

③ **주택관리사 자격증 발급요건**: 시 · 도지사는 주택관리사보 자격시험에 합격하기 전이나 합격한 후 다음의 어느 하나에 해당하는 경력을 갖춘 자에 대하여 주택관리사 자격증을 발급하며(영 제73조 제1항), 주택관리사 자격증을 발급받으려는 자는 자격증발급신청서(전자문서로 된 신청서를 포함한다)에 실무경력에 대한 증명서류(전자문서를 포함한다) 및 사진을 첨부하여 주택관리사보 자격시험 합격증서를 발급한 시 · 도지사에게 제출해야 한다(영 제73조 제2항).

> ㉠ 주택법 제15조 제1항에 따른 사업계획승인을 받아 건설한 50세대 이상 500세대 미만의 공동주택(건축법 제11조에 따른 건축허가를 받아 주택과 주택 외의 시설을 동일 건축물로 건축한 건축물 중 주택이 50세대 이상 300세대 미만인 건축물을 포함한다)의 관리사무소장으로 근무한 경력 3년 이상
> ㉡ 주택법 제15조 제1항에 따른 사업계획승인을 받아 건설한 50세대 이상의 공동주택(건축법 제11조에 따른 건축허가를 받아 주택과 주택 외의 시설을 동일 건축물로 건축한 건축물 중 주택이 50세대 이상 300세대 미만인 건축물을 포함한다)의 관리사무소의 직원(경비원, 청소원 및 소독원은 제외한다) 또는 주택관리업자의 직원으로 주택관리업무에 종사한 경력 5년 이상
> ㉢ 한국토지주택공사 또는 지방공사의 직원으로서 주택관리업무에 종사한 경력 5년 이상
> ㉣ 공무원으로서 주택 관련 지도 · 감독 및 인 · 허가 업무 등에 종사한 경력 5년 이상
> ㉤ 주택관리사단체와 국토교통부장관이 정하여 고시하는 공동주택관리와 관련된 단체의 임직원으로 주택 관련 업무에 종사한 경력 5년 이상
> ㉥ 위 ㉠ 내지 ㉤의 경력을 합산한 기간 5년 이상

④ **결격사유**: 다음의 어느 하나에 해당하는 사람은 주택관리사 등이 될 수 없으며 그 자격을 상실한다(법 제67조 제4항).

> ㉠ 피성년후견인 또는 피한정후견인
> ㉡ 파산선고를 받은 자로서 복권되지 아니한 자
> ㉢ 금고 이상의 실형을 선고받고 그 집행이 끝나거나(집행이 끝난 것으로 보는 경우를 포함한다) 집행이 면제된 날부터 2년이 지나지 아니한 자
> ㉣ 금고 이상의 형의 집행유예를 선고받고 그 유예기간 중에 있는 자
> ㉤ 주택관리사 등의 자격이 취소된 후 3년이 지나지 아니한 사람(㉠ 및 ㉡에 해당하여 주택관리사 등의 자격이 취소된 경우는 제외한다)

(2) 선발인원

① **합격자의 결정**: 국토교통부장관은 직전 3년간 사업계획승인을 받은 공동주택단지수, 직전 3년간 주택관리사보 자격시험 응시인원, 주택관리사 등의 취업현황과 주택관리사보 시험위원회의 심의의견 등을 고려하여 해당 연도 주택관리사보 자격시험의 선발예정인원을 정한다. 이 경우 국토교통부장관은 선발예정인원의 범위에서 다음과 같이 정하는 합격자 결정 점수 이상을 얻은 사람으로서 전 과목 총득점의 고득점자 순으로 주택관리사보 자격시험 합격자를 결정한다(법 제67조 제5항).

> ㉠ 제1차 시험: 과목당 100점을 만점으로 하여 모든 과목 40점 이상이고 전 과목 평균 60점 이상의 득점을 한 사람
> ㉡ 제2차 시험: 과목당 100점을 만점으로 하여 모든 과목 40점 이상이고 전 과목 평균 60점 이상의 득점을 한 사람. 다만, 모든 과목 40점 이상이고 전 과목 평균 60점 이상의 득점을 한 사람의 수가 법 제67조 제5항 전단에 따른 선발예정인원(이하 '선발예정인원'이라 한다)에 미달하는 경우에는 모든 과목 40점 이상을 득점한 사람을 말한다.

② **동점자의 결정**: 제2차 시험 합격자를 결정하는 경우 동점자로 인하여 선발예정인원을 초과하는 경우에는 그 동점자 모두를 합격자로 결정한다. 이 경우 동점자의 점수는 소수점 이하 둘째자리까지만 계산하며, 반올림은 하지 아니한다(영 제75조 제2항).

(3) 감독

① **자격정지 또는 자격취소**: 시·도지사는 주택관리사 등이 다음의 어느 하나에 해당하면 그 자격을 취소하거나 1년 이내의 기간을 정하여 그 자격을 정지시킬 수 있다. 다만, ㉠부터 ㉣까지, ㉾ 중 어느 하나에 해당하는 경우에는 그 자격을 취소하여야 한다(법 제69조 제1항).

⊙ 거짓이나 그 밖의 부정한 방법으로 자격을 취득한 경우

⊙ 공동주택의 관리업무와 관련하여 금고 이상의 형을 선고받은 경우

⊙ 의무관리대상 공동주택에 취업한 주택관리사 등이 다른 공동주택 및 상가·오피스텔 등 주택 외의 시설에 취업한 경우

⊙ 주택관리사 등이 자격정지기간에 공동주택관리업무를 수행한 경우

⊙ 고의 또는 중대한 과실로 공동주택을 잘못 관리하여 소유자 및 사용자에게 재산상의 손해를 입힌 경우

⊙ 주택관리사 등이 업무와 관련하여 금품수수 등 부당이득을 취한 경우

⊙ 법 제90조 제4항을 위반하여 다른 사람에게 자기의 명의를 사용하여 이 법에서 정한 업무를 수행하게 하거나 자격증을 대여한 경우

⊙ 법 제93조 제1항에 따른 보고, 자료의 제출, 조사 또는 검사를 거부·방해 또는 기피하거나 거짓으로 보고를 한 경우

⊙ 법 제93조 제3항·제4항에 따른 감사를 거부·방해 또는 기피한 경우

② **처분기준**: 자격의 취소 및 정지처분에 관한 기준은 대통령령으로 정한다(법 제69조 제2항, 영 제81조).

기출예제

공동주택관리법 제69조(주택관리사 등의 자격취소 등) 제1항 규정의 일부이다. (   )에 들어갈 아라비아 숫자와 용어를 쓰시오. 제27회

시·도지사는 주택관리사 등이 다음 각 호의 어느 하나에 해당하면 그 자격을 취소하거나 (⊙)년 이내의 기간을 정하여 그 자격을 정지시킬 수 있다. 다만, 제1호부터 제4호까지, 제7호 중 어느 하나에 해당하는 경우에는 그 자격을 취소하여야 한다.
1. 〈생략〉
2. 공동주택의 관리업무와 관련하여 (ⓒ) 이상의 형을 선고받은 경우
3. 〈생략〉
4. 주택관리사 등이 (ⓒ)기간에 공동주택관리업무를 수행한 경우
〈이하 생략〉

정답: ⊙ 1, ⓒ 금고, ⓒ 자격정지

(1) 배치교육

주택관리업자(법인인 경우에는 그 대표자를 말한다) 또는 관리사무소장은 다음의 구분에 따른 시기에 영 제95조 제3항 제2호에 따라 교육업무를 위탁받은 기관 또는 단체(이하 '교육수탁기관'이라 한다)로부터 공동주택관리에 관한 교육과 윤리교육을 받아야 하며, 교육수탁기관은 관리사무소장으로 배치받으려는 주택관리사 등에 대해서도 공동주택관리에 관한 교육과 윤리교육을 시행할 수 있다(법 제70조 제1항, 규칙 제33조 제1항).

① 주택관리업자: 주택관리업의 등록을 한 날부터 3개월 이내
② 관리사무소장: 관리사무소장으로 배치된 날(주택관리사보로서 관리사무소장이던 사람이 주택관리사의 자격을 취득한 경우에는 그 자격취득일을 말한다)부터 3개월 이내

(2) 보수교육

관리사무소장으로 배치받으려는 주택관리사 등이 배치예정일부터 직전 5년 이내에 관리사무소장·공동주택관리기구의 직원 또는 주택관리업자의 임직원으로서 종사한 경력이 없는 경우에는 국토교통부령으로 정하는 바에 따라 시·도지사가 실시하는 공동주택관리에 관한 교육과 윤리교육을 이수하여야 관리사무소장으로 배치받을 수 있다. 이 경우 공동주택관리에 관한 교육과 윤리교육을 이수하고 관리사무소장으로 배치받은 주택관리사 등에 대하여는 (1)에 따른 관리사무소장의 교육의무를 이행한 것으로 본다(법 제70조 제2항).

(3) 직무교육

공동주택의 관리사무소장으로 배치받아 근무 중인 주택관리사 등은 (1) 또는 (2)에 따른 교육을 받은 후 3년마다 공동주택관리에 관한 교육과 윤리교육을 받아야 한다(법 제70조 제3항, 규칙 제33조 제3항).

① 공동주택의 관리책임자로서 필요한 관계 법령, 소양 및 윤리에 관한 사항
② 공동주택 주요 시설의 교체 및 수리 방법 등 주택관리사로서 필요한 전문지식에 관한 사항
③ 공동주택의 하자보수절차 및 분쟁해결에 관한 교육

(4) 구분실시

위 (2)에 따른 관리사무소장의 직무에 관한 보수교육은 주택관리사와 주택관리사보로 구분하여 실시하며, (1)·(2)·(3)에 따른 교육기간은 3일로 한다(규칙 제33조 제2항·제4항).

(5) 교육지침

국토교통부장관은 (1)·(2)·(3)에 따라 시·도지사가 실시하는 교육의 전국적 균형을 유지하기 위하여 교육수준 및 교육방법 등에 필요한 지침을 마련하여 시행할 수 있다(법 제70조 제4항).

01 배치내용과 업무의 집행에 사용할 직인을 신고하려는 관리사무소장은 배치된 날부터 15일 이내에 신고서에 법정서류를 첨부하여 주택관리사단체에 제출하여야 한다.　　　　　(　　)

02 주택관리사 등은 관리사무소장의 업무를 집행하면서 고의 또는 과실로 입주자 등에게 재산상의 손해를 입힌 경우에는 그 손해를 배상할 책임이 있다. 이에 따른 손해배상책임을 보장하기 위하여 주택관리사 등은 500세대 이상의 공동주택은 3천만원을 보장하는 보증보험 또는 공제에 가입하거나 공탁을 하여야 한다.　　　　　(　　)

03 주택관리사 등은 보증보험금·공제금 또는 공탁금으로 손해배상을 한 때에는 30일 이내에 보증보험 또는 공제에 다시 가입하거나 공탁금 중 부족하게 된 금액을 보전하여야 한다.

(　　)

04 등록을 한 주택관리업자가 그 등록이 말소된 후 2년이 지나지 아니한 때에는 다시 등록할 수 없으며, 등록은 주택관리사(임원 또는 사원의 3분의 1 이상이 주택관리사인 상사법인을 포함한다)가 신청할 수 있다.　　　　　(　　)

05 주택관리업자는 관리하는 공동주택에 배치된 주택관리사 등이 해임 그 밖의 사유로 결원이 된 때에는 그 사유가 발생한 날부터 30일 이내에 새로운 주택관리사 등을 배치하여야 한다.

(　　)

---

01 ○
02 × 500세대 미만의 공동주택은 3천만원이고, 500세대 이상의 공동주택은 5천만원이다.
03 × 15일 이내에 보전하여야 한다.
04 ○
05 × 15일 이내에 새로운 주택관리사 등을 배치하여야 한다.

06 시장·군수·구청장은 주택관리업자에 대하여 등록말소 또는 영업정지처분을 하려는 때에는 처분일 1개월 전까지 해당 주택관리업자가 관리하는 공동주택의 입주자대표회의에 그 사실을 통보하여야 한다. ( )

07 미성년자는 주택관리사 등이 될 수 없으며 그 자격을 상실한다. ( )

08 관리사무소장으로 배치받으려는 주택관리사 등이 배치예정일부터 직전 5년 이내에 관리사무소장·공동주택관리기구의 직원 또는 주택관리업자의 임직원으로서 종사한 경력이 없는 경우에는 국토교통부령으로 정하는 바에 따라 시·도지사가 실시하는 공동주택관리에 관한 교육과 윤리교육을 이수하여야 관리사무소장으로 배치받을 수 있다. ( )

---

06 ○

07 × 미성년자는 결격사유에 해당하지 않는다.

08 ○

제 5 장 관리업무 일반

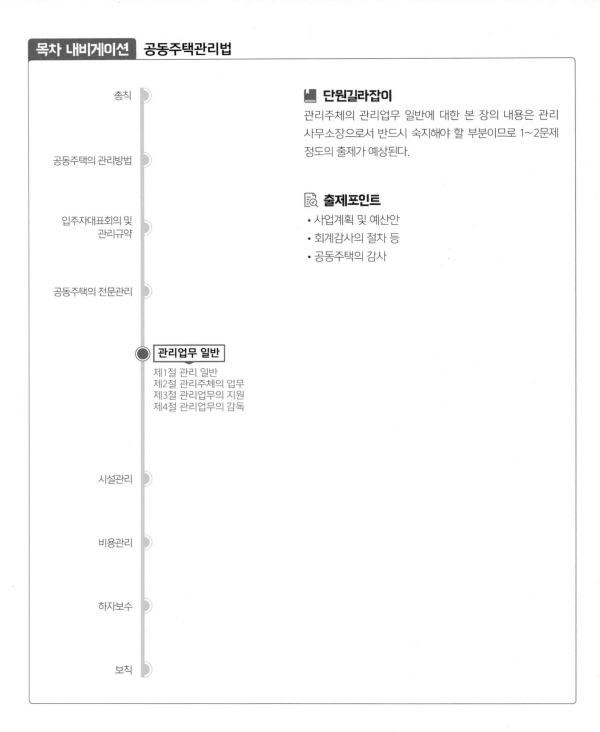
📖 **단원길라잡이**
관리주체의 관리업무 일반에 대한 본 장의 내용은 관리
사무소장으로서 반드시 숙지해야 할 부분이므로 1~2문제
정도의 출제가 예상된다.

📑 **출제포인트**
- 사업계획 및 예산안
- 회계감사의 절차 등
- 공동주택의 감사

제1절 관리 일반

관리주체는 공동주택을 이 법 또는 이 법에 따른 명령에 따라 관리하여야 한다(법 제63조 제2항).

제2절 관리주체의 업무

01 업무내용

관리주체는 다음의 업무를 수행한다. 이 경우 관리주체는 필요한 범위에서 공동주택의 공용부분을 사용할 수 있다(법 제63조 제1항, 규칙 제29조).

① 공동주택의 공용부분의 유지 · 보수 및 안전관리
② 공동주택단지 안의 경비 · 청소 · 소독 및 쓰레기수거
③ 관리비 및 사용료의 징수와 공과금 등의 납부대행
④ 장기수선충당금의 징수 · 적립 및 관리
⑤ 관리규약으로 정한 사항의 집행
⑥ 입주자대표회의에서 의결한 사항의 집행
⑦ 그 밖에 다음의 사항
　㉠ 공동주택관리업무의 공개 · 홍보 및 공동시설물의 사용방법에 관한 지도 · 계몽
　㉡ 입주자 등의 공동사용에 제공되고 있는 공동주택단지 안의 토지, 부대시설 및 복리시설에 대한 무단점유행위의 방지 및 위반행위시의 조치
　㉢ 공동주택단지 안에서 발생한 안전사고 및 도난사고 등에 대한 대응조치
　㉣ 법 제37조 제1항 제3호에 따른 하자보수청구 등의 대행

02 관리비 등의 사업계획 및 예산안 수립 등

(1) 사업계획과 예산안

의무관리대상 공동주택의 관리주체는 다음 회계연도에 관한 관리비 등의 사업계획 및 예산안을 매 회계연도 개시 1개월 전까지 입주자대표회의에 제출하여 승인을 받아야 하며, 승인사항에 변경이 있는 때에는 변경승인을 받아야 한다(영 제26조 제1항).

(2) 최초의 사업계획 및 예산안의 수립

사업주체 또는 의무관리대상 전환 공동주택의 관리인으로부터 공동주택의 관리업무를 인계받은 관리주체는 지체 없이 다음 회계연도가 시작되기 전까지의 기간에 대한 사업계획 및 예산안을 수립하여 입주자대표회의의 승인을 받아야 한다. 다만, 다음 회계연도가 시작되기 전까지의 기간이 3개월 미만인 경우로서 입주자대표회의 의결이 있는 경우에는 생략할 수 있다(영 제26조 제2항).

(3) 사업실적과 결산서

의무관리대상 공동주택의 관리주체는 회계연도마다 사업실적서 및 결산서를 작성하여 회계연도 종료 후 2개월 이내에 입주자대표회의에 제출하여야 한다(영 제26조 제3항).

03 회계서류의 작성·보관

(1) 회계서류의 작성

의무관리대상 공동주택의 관리주체는 다음의 구분에 따른 기간 동안 해당 장부 및 증빙 서류를 보관하여야 한다. 이 경우 관리주체는 전자문서 및 전자거래 기본법 제2조 제2호에 따른 정보처리시스템을 통하여 장부 및 증빙서류를 작성하거나 보관할 수 있다(법 제27조 제1항).

> ① 관리비 등의 징수·보관·예치·집행 등 모든 거래행위에 관하여 월별로 작성한 장부 및 그 증빙서류: 해당 회계연도 종료일부터 5년간
> ② 주택관리업자 및 사업자 선정 관련 증빙서류: 해당 계약 체결일부터 5년간

(2) 회계서류의 공개

위 (1)에 따른 관리주체는 입주자 등이 (1)에 따른 장부나 증빙서류, 관리비 등의 사업계획, 예산안, 사업실적서 및 결산서의 열람을 요구하거나 자기의 비용으로 복사를 요구하는 때에는 관리규약으로 정하는 바에 따라 이에 응하여야 한다. 다만, 다음의 정보는 제외하고 요구에 응하여야 한다(법 제27조 제3항, 영 제28조 제1항).

> ① 개인정보 보호법 제24조에 따른 고유식별정보 등 개인의 사생활의 비밀 또는 자유를 침해할 우려가 있는 정보
> ② 의사결정과정 또는 내부검토과정에 있는 사항 등으로서 공개될 경우 업무의 공정한 수행에 현저한 지장을 초래할 우려가 있는 정보

(3) 열람대상 정보의 범위

관리주체는 다음의 사항(입주자 등의 세대별 사용명세 및 연체자의 동·호수 등 기본권 침해의 우려가 있는 것은 제외한다)을 그 공동주택단지의 인터넷 홈페이지 및 동별 게시판에 각각 공개하거나 입주자 등에게 개별 통지해야 한다. 이 경우 동별 게시판에는 정보의 주요 내용을 요약하여 공개할 수 있다(영 제28조 제2항).

> ① 입주자대표회의의 소집 및 그 회의에서 의결한 사항
> ② 관리비 등 부과명세(관리비, 사용료 및 이용료 등에 대한 항목별 산출명세) 및 연체내용
> ③ 관리규약 및 장기수선계획·안전관리계획의 현황
> ④ 입주자 등의 건의사항에 대한 조치결과 등 주요 업무의 추진상황
> ⑤ 동별 대표자의 선출 및 입주자대표회의의 구성원에 관한 사항
> ⑥ 관리주체 및 공동주택관리기구의 조직에 관한 사항

04 관리주체의 회계감사

(1) 의무관리대상 공동주택의 관리주체는 매 회계연도 종료 후 9개월 이내에 다음의 재무제표에 대하여 주식회사 등의 외부감사에 관한 법률 제2조 제7호에 따른 감사인의 회계감사를 매년 1회 이상 받아야 한다(법 제26조 제1항 전단, 영 제27조 제1항).

> ① 재무상태표
> ② 운영성과표
> ③ 이익잉여금처분계산서(또는 결손금처리계산서)
> ④ 주석(註釋)

(2) 회계감사의 생략

위 (1)에도 불구하고 다음의 구분에 따른 연도에는 그러하지 아니하다(법 제26조 제1항 단서).

> ① 300세대 이상인 공동주택: 해당 연도에 회계감사를 받지 아니하기로 입주자 등의 3분의 2 이상의 서면동의를 받은 경우 그 연도
> ② 300세대 미만인 공동주택: 해당 연도에 회계감사를 받지 아니하기로 입주자 등의 과반수의 서면동의를 받은 경우 그 연도

(3) 위 (1)에 따른 재무제표를 작성하는 회계처리기준은 국토교통부장관이 정하여 고시하며, 이 경우 국토교통부장관은 회계처리기준의 제정 또는 개정의 업무를 외부 전문기관에 위탁할 수 있다(영 제27조 제2항·제3항).

(4) 회계감사는 공동주택 회계의 특수성을 고려하여 제정된 회계감사기준에 따라 실시되어야 하며, 회계감사기준은 공인회계사법에 따른 한국공인회계사회가 정하되, 국토교통부장관의 승인을 받아야 한다(영 제27조 제4항·제5항).

(5) 감사인과 관리주체의 의무

① 감사인은 관리주체가 회계감사를 받은 날부터 1개월 이내에 관리주체에게 감사보고서를 제출해야 하며, 관리주체는 회계감사의 결과를 제출받은 날부터 1개월 이내에 입주자대표회의에 보고하고 해당 공동주택단지의 인터넷 홈페이지 및 동별 게시판에 공개하여야 한다(법 제26조 제3항, 영 제27조 제6항).

② 입주자대표회의는 감사인에게 감사보고서에 대한 설명을 하여 줄 것을 요청할 수 있다(영 제27조 제7항).

③ 감사인은 회계감사 완료일부터 1개월 이내에 회계감사 결과를 해당 공동주택을 관할하는 시장·군수·구청장에게 제출하고 공동주택관리정보시스템에 공개하여야 한다(법 제26조 제6항).

(6) 감사인의 선정

위 **(1)**에 따른 회계감사의 감사인은 입주자대표회의가 선정한다. 이 경우 입주자대표회의는 시장·군수·구청장 또는 공인회계사법 제41조에 따른 한국공인회계사회에 감사인의 추천을 의뢰할 수 있으며, 입주자 등의 10분의 1 이상이 연서하여 감사인의 추천을 요구하는 경우 입주자대표회의는 감사인의 추천을 의뢰한 후 추천을 받은 자 중에서 감사인을 선정하여야 한다(법 제26조 제4항).

기출예제

공동주택관리법령상 의무관리대상 공동주택의 관리주체의 직무에 관한 설명으로 옳지 않은 것은?

제26회

① 공용부분에 관한 시설을 교체한 경우에는 그 실적을 시설별로 이력관리하여야 하며, 공동주택관리정보시스템에도 등록하여야 한다.
② 소방시설에 관한 안전관리계획을 수립하여야 한다.
③ 안전관리계획에 따라 시설물별로 안전관리자 및 안전관리책임자를 지정하여 이를 시행하여야 한다.
④ 회계연도마다 사업실적서 및 결산서를 작성하여 회계연도 종료 후 2개월 이내에 입주자대표회의에 제출하여야 한다.
⑤ 회계감사의 감사인을 선정하여야 한다.

감사인의 선정 등

회계감사의 감사인은 입주자대표회의가 선정한다. 이 경우 입주자대표회의는 시장·군수·구청장 또는 한
국공인회계사회에 감사인의 추천을 의뢰할 수 있으며, 입주자 등의 10분의 1 이상이 연서하여 감사인의 추
천을 요구하는 경우 입주자대표회의는 감사인의 추천을 의뢰한 후 추천을 받은 자 중에서 감사인을 선정하
여야 한다. 정답: ⑤

(7) 관리주체의 금지행위

위 **(1)**에 따라 회계감사를 받는 관리주체는 다음의 어느 하나에 해당하는 행위를 하여서
는 아니 된다(법 제26조 제5항).

① 정당한 사유 없이 감사인의 자료 열람·등사·제출 요구 또는 조사를 거부·방해·기피하는
행위
② 감사인에게 거짓자료를 제출하는 등 부정한 방법으로 회계감사를 방해하는 행위

05 관리비 등의 집행을 위한 사업자 선정

(1) 사업자의 선정방법

관리주체 또는 입주자대표회의는 다음의 구분에 따라 사업자를 선정(계약의 체결을 포함
한다)하고 집행하여야 한다(영 제25조 제1항).

① 관리주체가 사업자를 선정하고 집행하는 다음의 사항
  ㉠ 청소, 경비, 소독, 승강기 유지, 지능형 홈네트워크, 수선·유지(냉방·난방시설의 청소
    를 포함한다)를 위한 용역 및 공사
  ㉡ 주민공동시설의 위탁, 물품의 구입과 매각, 잡수입의 취득(공동주택의 어린이집 임대에
    따른 잡수입의 취득은 제외한다), 보험계약 등 국토교통부장관이 정하여 고시하는 사항
② 입주자대표회의가 사업자를 선정하고 집행하는 다음의 사항
  ㉠ 하자보수보증금을 사용하여 보수하는 공사
  ㉡ 사업주체로부터 지급받은 공동주택 공용부분의 하자보수비용을 사용하여 보수하는 공사
③ 입주자대표회의가 사업자를 선정하고 관리주체가 집행하는 다음의 사항
  ㉠ 장기수선충당금을 사용하는 공사
  ㉡ 전기안전관리(전기안전관리법 제22조 제2항 및 제3항에 따라 전기설비의 안전관리에
    관한 업무를 위탁 또는 대행하게 하는 경우를 말한다)를 위한 용역

(2) 사업자의 선정기준

의무관리대상 공동주택의 관리주체 또는 입주자대표회의가 관리비, 사용료 등, 장기수선충당금에 해당하는 금전 또는 하자보수보증금과 그 밖에 해당 공동주택단지에서 발생하는 모든 수입에 따른 금전(이하 '관리비 등'이라 한다)을 집행하기 위하여 사업자를 선정하려는 경우 다음의 기준을 따라야 한다(법 제25조, 영 제25조 제3항).

① 전자입찰방식으로 사업자를 선정할 것. 다만, 선정방법 등이 전자입찰방식을 적용하기 곤란한 경우로서 국토교통부장관이 정하여 고시하는 경우에는 전자입찰방식으로 선정하지 아니할 수 있다.
② 그 밖에는 다음의 방식을 따를 것
   ㉠ 국토교통부장관이 정하여 고시하는 경우 외에는 경쟁입찰로 할 것. 이 경우 다음의 사항은 국토교통부장관이 정하여 고시한다.
      ⓐ 입찰의 절차
      ⓑ 입찰 참가자격
      ⓒ 입찰의 효력
      ⓓ 그 밖에 사업자의 적정한 선정을 위하여 필요한 사항
   ㉡ 입주자대표회의의 감사가 입찰과정 참관을 원하는 경우에는 참관할 수 있도록 할 것

(3) 입찰참가의 제한

입주자 등은 기존 사업자(용역 사업자만 해당한다. 이하 같다)의 서비스가 만족스럽지 못한 경우에는 전체 입주자 등의 과반수의 서면동의로 새로운 사업자의 선정을 위한 입찰에서 기존 사업자의 참가를 제한하도록 관리주체 또는 입주자대표회의에 요구할 수 있다. 이 경우 관리주체 또는 입주자대표회의는 그 요구에 따라야 한다(영 제25조 제4항).

06 계약서의 공개

의무관리대상 공동주택의 관리주체 또는 입주자대표회의는 선정한 주택관리업자 또는 공사, 용역 등을 수행하는 사업자와 계약을 체결하는 경우 계약 체결일부터 1개월 이내에 그 계약서를 해당 공동주택단지의 인터넷 홈페이지 및 동별 게시판에 공개하여야 한다. 이 경우 개인정보 보호법 제24조에 따른 고유식별정보 등 개인의 사생활의 비밀 또는 자유를 침해할 우려가 있는 정보는 제외하고 공개하여야 한다(법 제28조).

07 주민공동시설의 위탁운영

관리주체는 입주자 등의 이용을 방해하지 아니하는 한도에서 주민공동시설을 관리주체가 아닌 자에게 위탁하여 운영할 수 있으며, 위탁하려면 다음의 구분에 따른 절차를 거쳐야 한다. 관리주체가 위탁 여부를 변경하는 경우에도 또한 같다(영 제29조 제2항).

> ① 사업계획승인을 받아 건설한 공동주택 중 건설임대주택을 제외한 공동주택의 경우에는 다음의 어느 하나에 해당하는 방법으로 제안하고 입주자 등 과반수의 동의를 받을 것
>   ㉠ 입주자대표회의의 의결
>   ㉡ 입주자 등 10분의 1 이상의 요청
> ② 사업계획승인을 받아 건설한 건설임대주택의 경우에는 다음의 어느 하나에 해당하는 방법으로 제안하고 임차인 과반수의 동의를 받을 것
>   ㉠ 임대사업자의 요청
>   ㉡ 임차인 10분의 1 이상의 요청
> ③ 건축허가를 받아 주택 외의 시설과 주택을 동일 건축물로 건축한 건축물의 경우에는 다음의 어느 하나에 해당하는 방법으로 제안하고 입주자 등 과반수의 동의를 받을 것
>   ㉠ 입주자대표회의의 의결
>   ㉡ 입주자 등 10분의 1 이상의 요청

08 인근 공동주택단지 입주자 등의 주민공동시설 이용의 허용

관리주체는 입주자 등의 이용을 방해하지 아니하는 한도에서 주민공동시설을 다음의 구분에 따른 절차를 거쳐 인근 공동주택단지 입주자 등도 이용할 수 있도록 허용(허용 여부를 변경하는 경우에도 같다)할 수 있다. 이 경우 영리를 목적으로 주민공동시설을 운영해서는 아니 된다(영 제29조의2).

> ① 사업계획승인을 받아 건설한 공동주택 중 건설임대주택을 제외한 공동주택의 경우에는 다음의 어느 하나에 해당하는 방법으로 제안하고 과반의 범위에서 관리규약으로 정하는 비율 이상의 입주자 등의 동의를 받을 것
>   ㉠ 입주자대표회의의 의결
>   ㉡ 입주자 등 10분의 1 이상의 요청
> ② 사업계획승인을 받아 건설한 건설임대주택의 경우에는 다음의 어느 하나에 해당하는 방법으로 제안하고 과반의 범위에서 관리규약으로 정하는 비율 이상의 임차인의 동의를 받을 것
>   ㉠ 임대사업자의 요청
>   ㉡ 임차인 10분의 1 이상의 요청

③ 건축허가를 받아 주택 외의 시설과 주택을 동일 건축물로 건축한 건축물의 경우에는 다음의 어느 하나에 해당하는 방법으로 제안하고 과반의 범위에서 관리규약으로 정하는 비율 이상의 입주자 등의 동의를 받을 것
  ㉠ 입주자대표회의의 의결
  ㉡ 입주자 등 10분의 1 이상의 요청

09 사업주체의 어린이집 임대계약 체결

(1) 시장·군수·구청장은 입주자대표회의가 구성되기 전에 어린이집 임대계약의 체결이 필요하다고 인정하는 경우에는 사업주체로 하여금 입주예정자 과반수의 서면동의를 받아 어린이집, 다함께돌봄센터, 공동육아나눔터의 임대계약을 체결하도록 할 수 있다(영 제29조의3 제1항).

(2) 사업주체는 **(1)**에 따라 어린이집 임대계약을 체결하려는 경우에는 해당 공동주택단지의 인터넷 홈페이지에 관련 내용을 공고하고 입주예정자에게 개별 통지하여야 한다(영 제29조의3 제2항).

(3) 사업주체는 **(1)**에 따라 어린이집 임대계약을 체결하는 경우에는 관리규약의 어린이집 임차인 선정기준에 따라야 한다. 이 경우 관리규약 중 영 제19조 제1항 제21호 다목의 사항은 적용하지 아니한다(영 제29조의3 제3항).

제3절 | 관리업무의 지원

(1) 관리비용의 지원

지방자치단체의 장은 그 지방자치단체의 조례로 정하는 바에 따라 공동주택의 관리, 층간소음 개선을 위한 층간소음의 측정·진단에 필요한 비용(경비원 등 근로자의 근무환경 개선에 필요한 냉난방 및 안전시설 등의 설치·운영 비용을 포함한다)의 일부를 지원할 수 있으며, 국가는 공동주택의 보수·개량, 층간소음 저감재 설치 등에 필요한 비용의 일부를 주택도시기금에서 융자할 수 있다(법 제85조).

(2) 공동주택관리 지원기구

① 국토교통부장관은 다음의 업무를 수행할 기관 또는 단체를 공동주택관리 지원기구(이하 '공동주택관리 지원기구'라 한다)로 지정하여 고시할 수 있다(법 제86조 제1항, 영 제92조).

> ㉠ 공동주택관리와 관련한 민원 상담 및 교육
> ㉡ 관리규약 제정ㆍ개정의 지원
> ㉢ 입주자대표회의 구성 및 운영과 관련한 지원
> ㉣ 장기수선계획의 수립ㆍ조정 지원 또는 공사ㆍ용역의 타당성 자문 등 기술지원
> ㉤ 공동주택 관리상태 진단 및 지원
> ㉥ 공동주택 입주자 등의 공동체 활성화 지원
> ㉦ 공동주택의 조사ㆍ검사 및 분쟁조정의 지원
> ㉧ 공동주택 관리실태 조사ㆍ연구
> ㉨ 국토교통부장관 또는 지방자치단체의 장이 의뢰하거나 위탁하는 업무
> ㉩ 혼합주택단지의 분쟁조정 상담 지원
> ㉪ 층간소음의 방지 등에 대하여 필요한 조사 또는 상담 지원
> ㉫ 법 제32조 및 제34조에 따른 공동주택의 안전관리업무 지원

② 국토교통부장관은 예산의 범위에서 공동주택관리 지원기구의 운영 및 사무처리에 필요한 경비를 출연 또는 보조할 수 있다(법 제86조 제2항).

③ 공동주택관리 지원기구는 ①의 업무를 수행하는 데 필요한 경비의 전부 또는 일부를 관리주체 또는 입주자대표회의로부터 받을 수 있다(법 제86조 제3항).

(3) 지역공동주택관리 지원센터

① 지방자치단체의 장은 관할 지역 내 공동주택의 효율적인 관리에 필요한 지원 및 시책을 수행하기 위하여 공동주택관리에 전문성을 가진 기관 또는 단체를 지역공동주택관리 지원센터(이하 '지원센터'라 한다)로 지정할 수 있다(법 제86조의2 제1항).

② 지역센터는 다음의 업무를 수행한다(법 제86조의2 제2항).

> ㉠ 위 (2)의 ① 각 호에 따른 업무
> ㉡ 소규모 공동주택에 대한 관리 지원
> ㉢ 그 밖에 지역 내 공동주택의 효율적인 관리를 위하여 지방자치단체의 조례로 정하는 업무

③ 지방자치단체는 지역센터의 운영 및 사무처리에 필요한 비용을 예산의 범위에서 출연 또는 보조할 수 있으며, 지역센터의 지정 및 운영 등에 필요한 사항은 지방자치단체의 조례로 정한다(법 제86조의2 제3항ㆍ제4항).

(1) 공동주택관리에 관한 감독

지방자치단체의 장은 공동주택관리의 효율화와 입주자 등의 보호를 위하여 다음의 어느 하나에 해당하는 경우 입주자 등, 입주자대표회의나 그 구성원, 관리주체(의무관리대상 공동주택이 아닌 경우에는 관리인을 말한다. 이하 같다), 관리사무소장 또는 선거관리위원회나 그 위원 등에게 관리비 등의 사용내역 등 대통령령으로 정하는 업무에 관한 사항을 보고하게 하거나 자료의 제출이나 그 밖에 필요한 명령을 할 수 있으며, 소속 공무원으로 하여금 영업소·관리사무소 등에 출입하여 공동주택의 시설·장부·서류 등을 조사 또는 검사하게 할 수 있다. 이 경우 출입·검사 등을 하는 공무원은 그 권한을 나타내는 증표를 지니고 이를 관계인에게 내보여야 한다(법 제93조 제1항, 영 제96조 제1항).

① 아래 (2)의 ①과 ②에 따른 감사에 필요한 경우
② 이 법 또는 이 법에 따른 명령이나 처분을 위반하여 조치가 필요한 경우
③ 공동주택단지 내 분쟁의 조정이 필요한 경우
④ 공동주택 시설물의 안전관리를 위하여 필요한 경우
⑤ 입주자대표회의 등이 공동주택 관리규약을 위반한 경우
⑥ 그 밖에 공동주택관리에 관한 감독을 위하여 필요한 경우
○ 대통령령으로 정하는 보고대상 업무
  • 입주자대표회의의 구성 및 의결
  • 관리주체 및 관리사무소장의 업무
  • 자치관리기구의 구성 및 운영
  • 관리규약의 제정·개정
  • 시설물의 안전관리
  • 공동주택의 안전점검
  • 장기수선계획 및 장기수선충당금 관련 업무
  • 법 제35조 제1항에 따른 행위허가 또는 신고
  • 그 밖에 공동주택의 관리에 관한 업무

(2) 공동주택의 감사

① 요청에 따른 감사: 공동주택의 입주자 등은 (1)의 ②·③ 또는 ⑤에 해당하는 경우 전체 입주자 등의 10분의 2 이상의 동의를 받아 지방자치단체의 장에게 입주자대표회의나 그 구성원, 관리주체, 관리사무소장 또는 선거관리위원회나 그 위원 등의 업무에 대하여 감사를 요청할 수 있다. 이 경우 감사요청은 그 사유를 소명하고 이를 뒷받침할 수 있는 자료를 첨부하여 서면으로 하여야 하며, 지방자치단체의 장은 감사요청이 이유가

있다고 인정하는 경우에는 감사를 실시한 후 감사를 요청한 입주자 등에게 그 결과를 통보하여야 한다(법 제93조 제2항·제3항).

② **직권감사**: 지방자치단체의 장은 ①에 따른 감사요청이 없더라도 공동주택관리의 효율화와 입주자 등의 보호를 위하여 필요하다고 인정하는 경우에는 ①의 감사대상이 되는 업무에 대하여 감사를 실시할 수 있다(법 제93조 제4항). 지방자치단체의 장은 감사를 실시할 경우 변호사·공인회계사 등의 전문가에게 자문하거나 해당 전문가와 함께 영업소·관리사무소 등을 조사할 수 있다(법 제93조 제5항).

③ **감사결과의 공개 등**: 지방자치단체의 장은 ①·②에 따라 명령, 조사 또는 검사, 감사의 결과 등을 통보하는 경우 그 내용을 해당 공동주택의 입주자대표회의 및 관리주체에게도 통보하여야 하며, 통보를 받은 관리주체는 ④에 따라 통보를 받은 날부터 10일 이내에 그 내용을 공동주택단지의 인터넷 홈페이지 및 동별 게시판에 7일 이상 공개해야 한다. 이 경우 동별 게시판에는 통보받은 일자, 통보한 기관 및 관계 부서, 주요 내용 및 조치사항 등을 요약하여 공개할 수 있다(법 제93조 제7항, 영 제96조 제2항).

④ **열람 등**: 관리주체는 입주자 등의 열람, 복사 요구에 따라야 하며, 공개하는 내용에서 개인정보 보호법 시행령 제19조 각 호에 따른 고유식별정보 등 개인의 사생활의 비밀 또는 자유를 침해할 우려가 있는 정보는 제외해야 한다(법 제93조 제8항, 영 제96조 제3항).

(3) 공동주택 관리비리 신고센터

① **신고센터의 설치**: 국토교통부장관은 공동주택 관리비리와 관련된 불법행위 신고의 접수·처리 등에 관한 업무를 효율적으로 수행하기 위하여 공동주택 관리비리 신고센터(이하 '신고센터'라 한다)를 설치·운영할 수 있으며, 신고센터의 장은 국토교통부의 공동주택관리업무를 총괄하는 부서의 장으로 하고, 구성원은 공동주택관리와 관련된 업무를 담당하는 공무원으로 한다(법 제93조의2 제1항, 영 제96조의2 제1항).

② **신고센터의 업무**: 신고센터는 다음의 업무를 수행한다(법 제93조의2 제2항).

> ㉠ 공동주택관리의 불법행위와 관련된 신고의 상담 및 접수
> ㉡ 해당 지방자치단체의 장에게 해당 신고사항에 대한 조사 및 조치 요구
> ㉢ 신고인에게 조사 및 조치결과의 요지 등 통보

③ **불법행위의 신고**: 공동주택관리와 관련하여 불법행위를 인지한 자는 신고센터에 그 사실을 신고할 수 있다. 이 경우 신고를 하려는 자는 자신의 인적사항과 신고의 취지·이유·내용을 적고 서명한 문서와 함께 신고대상 및 증거 등을 제출하여야 하며, 신고센터는 확인 결과 신고서가 신고자의 인적사항이나 신고내용의 특정에 필요한 사항을 갖추지 못한 경우에는 신고자로 하여금 15일 이내의 기간을 정하여 이를 보완하게 할 수 있다(법 제93조의2 제3항, 영 제96조의2 제4항).

④ 신고의 처리(법 제93조의2 제4항, 영 제96조의5).
  ㉠ 신고센터는 신고서를 받은 날부터 10일 이내(보완기간은 제외한다)에 해당 지방자치단체의 장에게 신고사항에 대한 조사 및 조치를 요구하고, 그 사실을 신고자에게 통보하여야 한다.
  ㉡ 신고사항에 대한 조사 및 조치를 요구받은 지방자치단체의 장은 요구를 받은 날부터 60일 이내에 조사 및 조치를 완료하고, 조사 및 조치를 완료한 날부터 10일 이내에 국토교통부장관에게 통보하여야 한다. 다만, 60일 이내에 처리가 곤란한 경우에는 한 차례만 30일 이내의 범위에서 그 기간을 연장할 수 있으며, 연장하려는 지방자치단체의 장은 그 사유와 연장기간을 신고센터에 통보하여야 한다.
  ㉢ 국토교통부장관은 통보를 받은 경우 즉시 신고자에게 그 결과의 요지를 알려야 한다.
⑤ 신고의 종결: 신고센터는 다음의 어느 하나에 해당하는 경우 접수된 신고를 종결할 수 있다. 이 경우 종결사실과 그 사유를 신고자에게 통보하여야 한다(영 제96조의4).

> ㉠ 신고내용이 명백히 거짓인 경우
> ㉡ 신고자가 보완요구를 받고도 보완기간 내 보완하지 아니한 경우
> ㉢ 신고에 대한 처리결과를 통보받은 사항에 대하여 정당한 사유 없이 다시 신고한 경우로서 새로운 증거자료 또는 참고인이 없는 경우
> ㉣ 그 밖에 비리행위를 확인할 수 없는 등 조사가 필요하지 아니하다고 신고센터의 장이 인정하는 경우

(4) 부정행위의 금지

① 공동주택의 관리와 관련하여 입주자대표회의(구성원을 포함한다. 이하 같다)와 관리사무소장은 공모(共謀)하여 부정하게 재물 또는 재산상의 이익을 취득하거나 제공하여서는 아니 된다(법 제90조 제1항).
② 공동주택의 관리(관리사무소장 등 근로자의 채용을 포함한다)와 관련하여 입주자 등, 관리주체, 입주자대표회의, 선거관리위원회(위원을 포함한다)는 부정하게 재물 또는 재산상의 이익을 취득하거나 제공하여서는 아니 된다(법 제90조 제2항).
③ 입주자대표회의 및 관리주체는 관리비·사용료와 장기수선충당금을 이 법에 따른 용도 외의 목적으로 사용하여서는 아니 된다(법 제90조 제3항).
④ 주택관리업자 및 주택관리사 등은 다른 자에게 자기의 성명 또는 상호를 사용하여 이 법에서 정한 사업이나 업무를 수행하게 하거나 그 등록증 또는 자격증을 빌려 주어서는 아니 된다(법 제90조 제4항).
⑤ 누구든지 다른 자의 성명 또는 상호를 사용하여 주택관리업 또는 주택관리사 등의 업무를 수행하거나 그 등록증 또는 자격증을 빌려서는 아니 된다(법 제90조 제5항).

(5) 공사 등에 관한 관리주체 등에 대한 감독

① 국토교통부장관 또는 지방자치단체의 장은 사업주체 등 및 공동주택의 입주자 등, 관리주체, 입주자대표회의나 그 구성원이 이 법 또는 이 법에 따른 명령이나 처분을 위반한 경우에는 공사의 중지, 원상복구, 하자보수 이행 또는 그 밖에 필요한 조치를 명할 수 있다(법 제94조 제1항).

② 위 ①에 따른 통보를 받은 관리주체는 통보를 받은 날부터 10일 이내에 그 내용을 공동주택단지의 인터넷 홈페이지 및 동별 게시판에 7일 이상 공개해야 한다. 이 경우 동별 게시판에는 통보받은 일자, 통보한 기관 및 관계 부서, 주요 내용 및 조치사항 등을 요약하여 공개할 수 있다(영 제97조 제2항).

③ 관리주체는 ②에 따라 공개하는 내용에서 개인정보 보호법 시행령 제19조 각 호에 따른 고유식별정보 등 개인의 사생활의 비밀 또는 자유를 침해할 우려가 있는 정보는 제외해야 한다(영 제97조 제3항).

(6) 체납된 장기수선충당금 등의 강제징수

국가 또는 지방자치단체인 관리주체가 관리하는 공동주택의 장기수선충당금 또는 관리비가 체납된 경우 국가 또는 지방자치단체는 국세 또는 지방세 체납처분의 예에 따라 해당 장기수선충당금 또는 관리비를 강제징수할 수 있다(법 제91조).

(7) 보고 · 검사 등

① 국토교통부장관 또는 지방자치단체의 장은 필요하다고 인정할 때에는 이 법에 따라 허가를 받거나 신고 · 등록 등을 한 자에게 필요한 보고를 하게 하거나, 관계 공무원으로 하여금 사업장에 출입하여 필요한 검사를 하게 할 수 있다(법 제92조 제1항).

② 위 ①에 따른 검사를 할 때에는 검사 7일 전까지 검사일시, 검사이유 및 검사내용 등 검사계획을 검사를 받을 자에게 알려야 한다. 다만, 긴급한 경우나 사전에 통지하면 증거인멸 등으로 검사목적을 달성할 수 없다고 인정하는 경우에는 그러하지 아니하다(법 제92조 제2항).

③ 위 ①에 따라 검사를 하는 공무원은 그 권한을 나타내는 증표를 지니고 이를 관계인에게 내보여야 한다(법 제92조 제3항).

(8) 공동주택관리정보시스템

① 국토교통부장관은 공동주택관리의 투명성과 효율성을 제고하기 위하여 공동주택관리에 관한 정보를 종합적으로 관리할 수 있는 공동주택관리정보시스템을 구축 · 운영할 수 있고, 이에 관한 정보를 관련 기관 · 단체 등에 제공할 수 있다(법 제88조 제1항).

② 국토교통부장관은 ①에 따른 공동주택관리정보시스템을 구축·운영하기 위하여 필요한 자료를 관련 기관·단체 등에 요청할 수 있다. 이 경우 기관·단체 등은 특별한 사유가 없으면 그 요청에 따라야 한다(법 제88조 제2항).

③ 시·도지사는 공동주택관리에 관한 정보를 종합적으로 관리할 수 있고, 이에 관한 정보를 관련 기관·단체 등에 제공하거나 요청할 수 있다. 이 경우 기관·단체 등은 특별한 사유가 없으면 그 요청에 따라야 한다(법 제88조 제3항).

(9) 공동주택 우수관리단지 선정

① 시·도지사는 공동주택단지를 모범적으로 관리한 사례를 발굴·전파하기 위하여 매년 공동주택 모범관리단지를 선정할 수 있으며, 시·도지사는 모범관리단지를 선정하는 경우 층간소음 예방 및 분쟁조정 활동을 모범적으로 수행한 단지를 별도로 선정할 수 있다(법 제87조 제1항·제2항).

② 국토교통부장관은 시·도지사가 선정한 공동주택 모범관리단지 중에서 공동주택 우수관리단지를 선정하여 표창하거나 상금을 지급할 수 있고, 그 밖에 필요한 지원을 할 수 있다(법 제87조 제3항).

③ 공동주택 모범관리단지와 공동주택 우수관리단지의 선정, 표창 및 상금 지급 등에 필요한 사항은 국토교통부장관이 정하여 고시한다(법 제87조 제4항).

01 의무관리대상 공동주택의 관리주체는 다음 회계연도에 관한 관리비 등의 사업계획 및 예산안을 매 회계연도 개시 1개월 전까지 입주자대표회의에 제출하여 승인을 받아야 하며, 승인사항에 변경이 있는 때에는 변경승인을 받아야 한다. ( )

02 의무관리대상 공동주택의 관리주체는 회계연도마다 사업실적서 및 결산서를 작성하여 회계연도 종료 후 2개월 이내에 입주자대표회의에 제출하여야 한다. ( )

03 의무관리대상 공동주택의 관리주체는 매 회계연도 종료 후 3개월 이내에 대통령령으로 정하는 재무제표에 대하여 주식회사 등의 외부감사에 관한 법률 제2조 제7호에 따른 감사인의 회계감사를 매년 1회 이상 받아야 한다. ( )

04 회계처리기준은 국토교통부장관이 정하여 고시하고, 회계감사는 공동주택 회계의 특수성을 고려하여 제정된 회계감사기준에 따라 실시되어야 하며, 회계감사기준은 공인회계사법에 따른 한국공인회계사회가 정하되, 국토교통부장관의 승인을 받아야 한다. ( )

05 의무관리대상 공동주택의 관리주체 또는 입주자대표회의는 선정한 주택관리업자 또는 공사, 용역 등을 수행하는 사업자와 계약을 체결하는 경우 그 다음 달 말일까지 그 계약서를 해당 공동주택단지의 인터넷 홈페이지 및 동별 게시판에 공개하고 공동주택관리정보시스템에 등록하여야 한다. ( )

---

01 ○

02 ○

03 × 매 회계연도 종료 후 9개월 이내에 회계감사를 받아야 한다.

04 ○

05 × 계약 체결일부터 1개월 이내에 그 계약서를 해당 공동주택단지의 인터넷 홈페이지 및 동별 게시판에 공개하여야 한다.

06 국가는 국토교통부령으로 정하는 바에 따라 공동주택의 관리에 필요한 비용의 일부를 지원할 수 있으며, 공동주택의 보수 · 개량에 필요한 비용의 일부를 주택도시기금에서 융자할 수 있다.
( )

07 공동주택의 입주자 등은 전체 입주자 등의 10분의 1 이상의 동의를 받아 지방자치단체의 장에게 입주자대표회의나 그 구성원, 관리주체, 관리사무소장 또는 선거관리위원회나 그 위원 등의 업무에 대하여 감사를 요청할 수 있다.
( )

08 시 · 도지사는 공동주택 관리비리와 관련된 불법행위신고의 접수 · 처리 등에 관한 업무를 효율적으로 수행하기 위하여 공동주택 관리비리 신고센터를 설치 · 운영할 수 있다.
( )

09 국가 또는 지방자치단체인 관리주체가 관리하는 공동주택의 장기수선충당금 또는 관리비가 체납된 경우 국가 또는 지방자치단체는 국세 또는 지방세 체납처분의 예에 따라 해당 장기수선충당금 또는 관리비를 강제징수할 수 있다.
( )

10 국토교통부장관은 공동주택단지를 모범적으로 관리한 사례를 발굴 · 전파하기 위하여 매년 공동주택 모범관리단지를 선정할 수 있다.
( )

---

06 × 지방자치단체의 장은 그 지방자치단체의 조례로 정하는 바에 따라 공동주택의 관리에 필요한 비용의 일부를 지원할 수 있으며, 국가는 공동주택의 보수 · 개량에 필요한 비용의 일부를 주택도시기금에서 융자할 수 있다.

07 × 전체 입주자 등의 10분의 2 이상의 동의를 받아야 한다.

08 × 국토교통부장관이 공동주택 관리비리 신고센터를 설치 · 운영할 수 있다.

09 ○

10 × 시 · 도지사는 공동주택단지를 모범적으로 관리한 사례를 발굴 · 전파하기 위하여 매년 공동주택 모범관리단지를 선정할 수 있고, 국토교통부장관은 시 · 도지사가 선정한 공동주택 모범관리단지 중에서 공동주택 우수관리단지를 선정하여 표창하고, 공동주택관리 관련 강의 · 상담 등의 지원을 할 수 있다.

house.Hackers.com

제 **6** 장 시설관리

📖 단원길라잡이

주택단지 전문관리인으로서 시설관리에 대한 일반적인 사항은 항상 파악해 두어야 한다. 따라서 본 장에서도 1문제 정도의 출제를 예상할 수 있는데, 특히 장기수선계획과 장기수선충당금 부분은 출제될 가능성이 높은 편이다.

🔍 출제포인트

- 안전점검 대상 및 절차
- 장기수선계획의 수립절차
- 장기수선충당금의 적립 및 사용

제1절 **시설물 안전관리**

(1) 안전관리계획 수립 및 대상시설

의무관리대상 공동주택의 관리주체는 해당 공동주택의 시설물로 인한 안전사고를 예방하기 위하여 다음의 시설에 관한 안전관리계획을 수립하고, 이에 따라 시설물별로 안전관리자 및 안전관리책임자를 지정하여 이를 시행하여야 한다(법 제32조 제1항, 영 제33조 제1항, 규칙 제11조 제1항).

① 고압가스, 액화석유가스 및 도시가스시설
② 중앙집중식 난방시설
③ 발전 및 변전시설
④ 위험물 저장시설
⑤ 소방시설
⑥ 승강기 및 인양기
⑦ 연탄가스배출기(세대별로 설치된 것은 제외한다)
⑧ 주차장
⑨ 석축, 옹벽, 담장, 맨홀, 정화조 및 하수도
⑩ 옥상 및 계단 등의 난간
⑪ 우물 및 비상저수시설
⑫ 펌프실, 전기실 및 기계실
⑬ 경로당 또는 어린이놀이터에 설치된 시설
⑭ 지능형 홈네트워크 설비
⑮ 주민운동시설
⑯ 주민휴게시설

(2) 안전관리계획의 내용

위 **(1)**에 따른 안전관리계획에는 다음의 사항이 포함되어야 한다(영 제33조 제2항).

① 시설별 안전관리자 및 안전관리책임자에 의한 책임점검사항
② 국토교통부령으로 정하는 시설의 안전관리에 관한 기준 및 진단사항
③ 위 ① 및 ②의 점검 및 진단결과 위해의 우려가 있는 시설에 대한 이용제한 또는 보수 등 필요한 조치사항
④ 지하주차장의 침수 예방 및 대응에 관한 사항
⑤ 수립된 안전관리계획의 조정에 관한 사항
⑥ 그 밖에 시설안전관리에 필요한 사항

(3) 안전관리교육

다음의 사람은 국토교통부령으로 정하는 바에 따라 공동주택단지의 각종 안전사고의 예방과 방범을 위하여 시장·군수·구청장이 실시하는 방범교육 및 안전교육을 받아야 한다(법 제32조 제2항).

① 경비업무에 종사하는 사람
② 위 (1)의 안전관리계획에 따라 시설물 안전관리자 및 안전관리책임자로 선정된 사람

(4) 교육의 위탁

시장·군수·구청장은 (3)의 방범교육 및 안전교육을 국토교통부령으로 정하는 바에 따라 다음의 구분에 따른 기관 또는 법인에 위임하거나 위탁하여 실시할 수 있다(법 제32조 제3항).

① 방범교육: 관할 경찰서장 또는 법 제89조 제2항에 따라 인정받은 법인
② 소방에 관한 안전교육: 관할 소방서장 또는 법 제89조 제2항에 따라 인정받은 법인
③ 시설물에 관한 안전교육: 법 제89조 제2항에 따라 인정받은 법인

(5) 교육의 방법

방범교육 및 안전교육은 다음의 기준에 따르며, 소방안전교육 또는 소방안전관리자 실무교육을 이수한 사람은 소방에 관한 안전교육을 이수한 것으로 본다(규칙 제12조).

① 이수의무 교육시간: 연 2회 이내에서 시장·군수·구청장이 실시하는 횟수, 매회별 4시간
② 대상자
　　㉠ 방범교육: 경비책임자
　　㉡ 소방에 관한 안전교육: 시설물 안전관리책임자
　　㉢ 시설물에 관한 안전교육: 시설물 안전관리책임자
③ 교육내용
　　㉠ 방범교육: 강도, 절도 등의 예방 및 대응
　　㉡ 소방에 관한 안전교육: 소화, 연소 및 화재예방
　　㉢ 시설물에 관한 안전교육: 시설물 안전사고의 예방 및 대응

제2절 안전점검

(1) 안전점검의 주체

의무관리대상 공동주택의 관리주체는 그 공동주택의 기능유지와 안전성 확보로 입주자 등을 재해 및 재난 등으로부터 보호하기 위하여 반기마다 공동주택의 안전점검을 실시하여야 한다. 다만, 16층 이상의 공동주택 및 사용검사일부터 30년이 경과한 공동주택 또는 안전등급이 C등급, D등급 또는 E등급에 해당하는 15층 이하인 공동주택에 대하여는 다음의 자로 하여금 안전점검을 실시하도록 하여야 한다(법 제33조 제1항, 영 제34조 제1항·제2항·제3항).

> ① 시설물의 안전 및 유지관리에 관한 특별법 시행령 제9조에 따른 책임기술자로서 해당 공동주택단지의 관리직원인 자
> ② 주택관리사 등이 된 후 국토교통부령으로 정하는 교육기관에서 시설물의 안전 및 유지관리에 관한 특별법 시행령에 따른 정기안전점검교육을 이수한 자 중 관리사무소장으로 배치된 자 또는 해당 공동주택단지의 관리직원인 자
> - 안전점검교육을 실시한 기관은 지체 없이 그 교육이수자 명단을 주택관리사단체에 통보하여야 한다.
> ③ 시설물의 안전 및 유지관리에 관한 특별법 제28조에 따라 등록한 안전진단전문기관
> ④ 건설산업기본법에 따라 국토교통부장관에게 등록한 유지관리업자

(2) 안전점검

① **점검결과에 대한 조치:** 관리주체는 안전점검의 결과 건축물의 구조·설비의 안전도가 매우 낮아 재해 및 재난 등이 발생할 우려가 있는 경우에는 지체 없이 입주자대표회의(임대주택은 임대사업자를 말한다)에 그 사실을 통보한 후 다음의 사항을 시장·군수·구청장에게 그 사실을 보고하고, 해당 건축물의 이용제한 또는 보수 등 필요한 조치를 하여야 한다(법 제33조 제2항, 영 제34조 제5항).

> ㉠ 점검대상 구조·설비
> ㉡ 취약의 정도
> ㉢ 발생 가능한 위해의 내용
> ㉣ 조치할 사항

② **예산 확보:** 의무관리대상 공동주택의 입주자대표회의 및 관리주체는 건축물과 공중의 안전확보를 위하여 건축물의 안전점검과 재난예방에 필요한 예산을 매년 확보하여야 한다(법 제33조 제3항).

(3) 시장 · 군수 · 구청장의 안전조치

시장 · 군수 또는 구청장은 위해의 우려가 있다고 보고를 받은 공동주택에 대하여는 다음의 조치를 하고 매월 1회 이상 점검을 실시하여야 한다(영 제34조 제6항, 규칙 제14조).

① 공동주택단지별 점검책임자의 지정
② 공동주택단지별 관리카드의 비치
③ 공동주택단지별 점검일지의 작성
④ 공동주택단지의 관리기구와 관계 행정기관간 비상연락체계의 구성

(4) 소규모 공동주택의 안전관리

지방자치단체의 장은 의무관리대상 공동주택에 해당하지 아니하는 공동주택의 관리와 안전사고의 예방 등을 위하여 다음의 업무를 할 수 있다(법 제34조).

① 시설물에 대한 안전관리계획의 수립 및 시행
② 공동주택에 대한 안전점검
③ 그 밖에 지방자치단체의 조례로 정하는 사항

제3절 장기수선계획과 장기수선충당금

01 장기수선계획

(1) 수립대상과 수립절차

① **수립:** 다음의 어느 하나에 해당하는 공동주택을 건설 · 공급하는 사업주체(건축허가를 받아 주택 외의 시설과 주택을 동일 건축물로 건축하는 건축주를 포함한다) 또는 리모델링을 하는 자는 그 공동주택의 공용부분에 대한 장기수선계획을 수립하여 사용검사(건축법에 따른 사용승인을 포함한다)를 신청할 때에 사용검사권자에게 제출하고, 사용검사권자는 이를 그 공동주택의 관리주체에게 인계하여야 한다. 이 경우 사용검사권자는 사업주체 또는 리모델링을 하는 자에게 장기수선계획의 보완을 요구할 수 있다(법 제29조 제1항).

       ㄱ 300세대 이상의 공동주택
       ㄴ 승강기가 설치된 공동주택
       ㄷ 중앙집중식 난방방식 또는 지역난방방식의 공동주택
       ㄹ 건축허가를 받아 주택 외의 시설과 주택을 동일 건축물로 건축한 건축물

② **고려:** 장기수선계획을 수립하는 자는 국토교통부령으로 정하는 기준에 따라 장기수선계획을 수립하여야 한다. 이 경우 해당 공동주택의 건설비용을 고려하여야 한다(영 제30조).

(2) 계획의 조정

① **조정주기 등:** 입주자대표회의와 관리주체는 장기수선계획을 3년마다 검토하고 필요한 경우 이를 국토교통부령으로 정하는 바에 따라 조정하여야 하며, 수립 또는 조정된 장기수선계획에 따라 주요 시설을 교체하거나 보수하여야 한다. 이 경우 입주자대표회의와 관리주체는 장기수선계획에 대한 검토사항을 기록하고 보관하여야 한다(법 제29조 제2항).

② **조정방법:** 장기수선계획 조정은 관리주체가 조정안을 작성하고, 입주자대표회의가 의결하는 방법으로 한다(규칙 제7조 제2항).

③ **조정주기의 단축:** 입주자대표회의와 관리주체는 주요 시설을 신설하는 등 관리여건상 필요하여 전체 입주자 과반수의 서면동의를 받은 경우에는 3년이 지나기 전에 장기수선계획을 조정할 수 있다(법 제29조 제3항).

④ **조정교육:** 관리주체는 장기수선계획을 조정하기 전에 해당 공동주택의 관리사무소장으로 하여금 국토교통부령으로 정하는 바에 따라 시·도지사가 실시하는 장기수선계획의 비용산출 및 공사방법 등에 관한 교육을 받게 할 수 있다(법 제29조 제4항).

02 장기수선충당금

(1) 적립

관리주체는 장기수선계획에 따라 공동주택의 주요 시설의 교체 및 보수에 필요한 장기수선충당금을 해당 주택의 소유자로부터 징수하여 적립하여야 하며, 분양되지 아니한 세대의 장기수선충당금은 사업주체가 부담한다(법 제30조 제1항, 영 제31조 제7항).

(2) 요율

장기수선충당금의 요율은 해당 공동주택의 공용부분의 내구연한 등을 감안하여 관리규약으로 정한다. 건설임대주택을 분양전환한 이후 관리업무를 인계하기 전까지의 장기수선충당금 요율은 민간임대주택에 관한 특별법 시행령 제43조 제3항 또는 공공주택 특별법 시행령 제57조 제4항에 따른 특별수선충당금 적립요율에 따른다(영 제31조 제1항·제2항).

기출예제

공동주택관리법 시행령 제31조(장기수선충당금의 적립 등) 제3항 규정이다. (　　)에 들어갈 용어와 아라비아 숫자를 쓰시오.　　　　　　제27회

장기수선충당금은 다음의 계산식에 따라 산정한다.

월간 세대별 장기수선충당금 = [장기수선계획기간 중의 수선비총액 ÷ ((㉠) × (㉡) × 계획기간(년))] × 세대당 주택공급면적

정답: ㉠ 총공급면적, ㉡ 12

---

(3) 적립시기

장기수선충당금은 해당 공동주택에 대한 다음의 구분에 따른 날부터 1년이 경과한 날이 속하는 달부터 매달 적립한다. 다만, 건설임대주택에서 분양전환된 공동주택의 경우에는 임대사업자가 관리주체에게 공동주택의 관리업무를 인계한 날이 속하는 달부터 적립한다(영 제31조 제6항).

> ① 주택법 제49조에 따른 사용검사(공동주택단지 안의 공동주택 전부에 대하여 같은 조에 따른 임시사용승인을 받은 경우에는 임시사용승인을 말한다)를 받은 날
> ② 건축법 제22조에 따른 사용승인(공동주택단지 안의 공동주택 전부에 대하여 같은 조에 따른 임시사용승인을 받은 경우에는 임시사용승인을 말한다)을 받은 날

(4) 적립금액

장기수선충당금의 적립금액은 장기수선계획으로 정한다. 이 경우 국토교통부장관이 주요 시설의 계획적인 교체 및 보수를 위하여 최소 적립금액의 기준을 정하여 고시하는 경우에는 그에 맞아야 한다(영 제31조 제4항).

(5) 사용

장기수선충당금의 사용은 장기수선계획에 따른다. 다만, 해당 공동주택의 입주자 과반수의 서면동의가 있는 경우에는 다음의 용도로 사용할 수 있다(법 제30조 제2항).

① 법 제45조에 따른 조정 등의 비용
② 법 제48조에 따른 하자진단 및 감정에 드는 비용
③ 위 ① 또는 ②의 비용을 청구하는 데 드는 비용

(6) 사용절차

장기수선충당금은 관리주체가 다음의 사항이 포함된 장기수선충당금 사용계획서를 장기수선계획에 따라 작성하고 입주자대표회의의 의결을 거쳐 사용한다(영 제31조 제5항).

① 수선공사(공동주택 공용부분의 보수·교체 및 개량을 말한다. 이하 같다)의 명칭과 공사내용
② 수선공사 대상시설의 위치 및 부위
③ 수선공사의 설계도면 등
④ 공사기간 및 공사방법
⑤ 수선공사의 범위 및 예정공사금액
⑥ 공사발주 방법 및 절차 등

(7) 대체납부

공동주택의 소유자는 장기수선충당금을 사용자가 대신하여 납부한 경우에는 그 금액을 반환하여야 한다. 관리주체는 공동주택의 사용자가 장기수선충당금의 납부확인을 요구하는 경우에는 지체 없이 확인서를 발급해 주어야 한다(영 제31조 제8항·제9항).

기출예제

공동주택관리법령상 시설관리에 관한 설명으로 옳지 않은 것은?   제27회

① 공동주택 중 분양되지 아니한 세대의 장기수선충당금은 사업주체가 부담한다.
② 장기수선계획 조정은 관리주체가 조정안을 작성하고, 입주자대표회의가 의결하는 방법으로 한다.
③ 의무관리대상 공동주택의 관리주체는 공동주택관리법에 따른 안전점검 결과보고서를 기록·보관·유지하여야 한다.
④ 건설임대주택을 분양전환한 이후 관리업무를 인계하기 전까지의 장기수선충당금 요율은 민간임대주택에 관한 특별법 시행령 또는 공공주택 특별법 시행령에 따른 특별수선충당금 적립요율에 따른다.
⑤ 의무관리대상 공동주택의 관리주체는 세대별로 설치된 연탄가스배출기에 관한 안전관리계획을 수립하여야 한다.

해설
시설물안전관리계획에 포함될 내용에 연탄가스배출기도 포함된다. 다만, 세대별로 설치된 것은 제외한다.

정답: ⑤

03 설계도서의 보관

(1) 보관

의무관리대상 공동주택 관리주체는 공동주택의 체계적인 유지관리를 위하여 다음의 설계도서 등을 보관하고, 공동주택시설의 교체·보수 등의 내용을 기록·보관·유지하여야 한다(법 제31조, 영 제32조 제1항, 규칙 제10조 제1항).

① 영 제10조 제4항에 따라 사업주체로부터 인계받은 설계도서 및 장비의 명세
② 법 제33조 제1항에 따른 안전점검 결과보고서
③ 주택법 제44조 제2항에 따른 감리보고서
④ 영 제32조 제2항에 따른 공용부분 시설물의 교체, 유지보수 및 하자보수 등의 이력관리 관련 서류·도면 및 사진

(2) 이력관리 등

의무관리대상 공동주택의 관리주체는 공용부분에 관한 시설의 교체, 유지보수 및 하자보수 등을 한 경우에는 그 실적을 시설별로 이력관리하여야 하며, 다음의 서류를 공동주택관리정보시스템에도 등록하여야 한다(영 제32조 제2항, 규칙 제10조 제2항).

① 이력 명세
② 공사 전·후의 평면도 및 단면도 등 주요 도면
③ 주요 공사사진

제4절 행위제한

01 행위허가 또는 신고

공동주택(일반인에게 분양되는 복리시설을 포함한다. 이하 같다)의 입주자 등 또는 관리주체가 다음의 어느 하나에 해당하는 행위를 하려는 경우에는 허가 또는 신고와 관련된 면적, 세대수 또는 입주자나 입주자 등의 동의 비율에 관하여 대통령령으로 정하는 기준 및 절차 등에 따라 시장·군수·구청장의 허가를 받거나 시장·군수·구청장에게 신고를 하여야 하며, 시장·군수·구청장은 신고를 받은 경우 그 내용을 검토하여 이 법에 적합하면 신고를 수리하여야 한다(법 제35조 제1항·제2항, 영 제35조 제2항, 규칙 제15조 제1항).

① 공동주택을 사업계획에 따른 용도 외의 용도에 사용하는 행위
② 공동주택을 증축·개축·대수선하는 행위(주택법에 따른 리모델링은 제외한다)
③ 공동주택을 파손 또는 훼손하거나 해당 시설의 전부 또는 일부를 철거하는 행위(국토교통부령으로 정하는 다음의 경미한 행위는 제외한다)
  ㉠ 창틀·문틀의 교체
  ㉡ 세대 내 천장·벽·바닥의 마감재 교체
  ㉢ 급·배수관 등 배관설비의 교체
  ㉣ 난방방식의 변경(시설물의 파손·철거를 제외한다)
  ㉤ 구내통신선로설비, 경비실과 통화가 가능한 구내전화, 지능형 홈네트워크 설비, 방송수신을 위한 공동수신설비 또는 영상정보처리기기의 교체(폐쇄회로 텔레비전과 네트워크 카메라간의 교체를 포함한다)
  ㉥ 보안등, 자전거보관소, 안내표지판, 담장(축대는 제외한다) 또는 보도블록의 교체
  ㉦ 폐기물 보관시설(재활용품 분류보관시설을 포함한다), 택배보관함 또는 우편함의 교체
  ㉧ 조경시설 중 수목(樹木)의 일부 제거 및 교체
  ㉨ 주민공동시설의 교체(다른 운동종목을 위한 시설로 변경하는 것을 말하며, 면적이 변경되는 경우는 제외한다)
  ㉩ 부대시설 중 각종 설비나 장비의 수선·유지·보수를 위한 부품의 일부 교체
  ㉪ 그 밖에 ㉠부터 ㉩까지의 규정에서 정한 사항과 유사한 행위로서 시장·군수·구청장이 인정하는 행위
④ 주택법 제2조 제9호에 따른 세대구분형 공동주택을 설치하는 행위
⑤ 그 밖에 공동주택의 효율적 관리에 지장을 주는 행위로서 다음의 행위
  ㉠ 공동주택의 용도폐지
  ㉡ 공동주택의 재축 및 비내력벽의 철거(입주자 공유가 아닌 복리시설의 비내력벽의 철거는 제외한다)

02 허가나 신고의 절차

(1) 허가신청서와 신고서의 제출

공동주택의 용도 외 사용 등에 대하여 허가를 받거나 신고를 하고자 하는 자는 허가신청서 또는 신고서에 다음의 구분에 따른 서류를 첨부하여 시장·군수 또는 구청장에게 제출하여야 한다. 이 경우 허가신청 또는 신고대상인 행위가 다음의 구분에 따라 입주자의 동의를 얻어야 하는 행위로서 소음을 유발하는 행위일 때에는 공사기간 및 공사방법 등을 동의서에 적어야 한다(영 제35조 제3항, 규칙 제15조 제5항).

① 용도변경의 경우
  ㉠ 용도를 변경하려는 층의 변경 전과 변경 후의 평면도
  ㉡ 공동주택단지의 배치도
  ㉢ 영 [별표 3]에 따라 입주자의 동의를 받아야 하는 경우에는 그 동의서
② 개축·재축·대수선 또는 세대구분형 공동주택의 설치의 경우
  ㉠ 개축·재축·대수선을 하거나 세대구분형 공동주택을 설치하려는 건축물의 종별에 따른 건축법 시행규칙 제6조 제1항 각 호의 서류 및 도서. 이 경우 건축법 시행규칙 제6조 제1항 제1호의2 나목의 서류는 입주자 공유가 아닌 복리시설만 해당한다.
  ㉡ 영 [별표 3]에 따라 입주자의 동의를 받아야 하는 경우에는 그 동의서
③ 파손·철거(비내력벽 철거는 제외한다) 또는 용도폐지의 경우
  ㉠ 공동주택단지의 배치도
  ㉡ 영 [별표 3]에 따라 입주자의 동의를 받아야 하는 경우에는 그 동의서
④ 비내력벽 철거의 경우
  ㉠ 해당 건축물에서 철거하려는 벽이 비내력벽임을 증명할 수 있는 도면 및 사진
  ㉡ 영 [별표 3]에 따라 입주자의 동의를 받아야 하는 경우에는 그 동의서
⑤ 증축의 경우
  ㉠ 건축물의 종별에 따른 건축법 시행규칙 제6조 제1항 각 호의 서류 및 도서. 이 경우 건축법 시행규칙 제6조 제1항 제1호의2 나목의 서류는 입주자 공유가 아닌 복리시설만 해당한다.
  ㉡ 영 [별표 3]에 따라 입주자의 동의를 받아야 하는 경우에는 그 동의서
⑥ 증설의 경우
  ㉠ 건축물의 종별에 따른 건축법 시행규칙 제6조 제1항 제1호 및 제1호의2의 서류. 이 경우 건축법 시행규칙 제6조 제1항 제1호의2 나목의 서류는 입주자 공유가 아닌 복리시설만 해당한다.
  ㉡ 영 [별표 3]에 따라 입주자의 동의를 받아야 하는 경우에는 그 동의서

(2) 허가나 신고의 효력

시장·군수·구청장은 (1)에 따른 신고를 받은 경우 그 내용을 검토하여 이 법에 적합하면 신고를 수리하여야 하며, 허가대상·신고대상인 행위에 관하여 시장·군수·구청장이 관계 행정기관의 장과 협의하여 허가를 하거나 신고의 수리를 한 사항에 관하여는 주택법 제19조를 준용하며, 건축법 제19조에 따른 신고의 수리를 한 것으로 본다(법 제35조 제2항·제3항).

(3) 시공자·감리자의 의무

공동주택의 시공 또는 감리업무를 수행하는 자는 공동주택의 입주자 등 또는 관리주체가 허가를 받거나 신고를 하지 아니하고 **01**의 어느 하나에 해당하는 행위를 하는 경우 그 행위에 협조하여 공동주택의 시공 또는 감리업무를 수행하여서는 아니 된다. 이 경우

공동주택의 시공 또는 감리업무를 수행하는 자는 입주자 등 또는 관리주체가 허가를 받거나 신고를 하였는지를 사전에 확인하여야 한다(법 제35조 제4항).

(4) 사용검사

공동주택의 입주자 등 또는 관리주체가 **01**에 따른 행위에 관하여 시장·군수·구청장의 허가를 받거나 신고를 한 후 그 공사를 완료하였을 때에는 시장·군수·구청장의 사용검사를 받아야 하며, 사용검사에 관하여는 주택법 제49조를 준용한다(법 제35조 제5항).

(5) 허가나 신고의 취소

시장·군수·구청장은 공동주택의 입주자, 사용자, 관리주체, 입주자대표회의 또는 리모델링주택조합이 거짓이나 그 밖의 부정한 방법으로 허가를 받거나 신고를 한 경우에는 그 허가나 신고의 수리를 취소할 수 있다(법 제35조 제6항).

(6) 지하층

공동주택의 지하층은 주택건설기준 등에 관한 규정 제2조 제3호에 따른 주민공동시설로 활용할 수 있다. 이 경우 관리주체는 대피시설로 사용하는 데 지장이 없도록 이를 유지·관리하여야 한다(영 제35조 제4항).

03 관리주체의 동의

입주자 등은 다음의 행위를 하려는 경우에는 관리주체의 동의를 받아야 한다(영 제19조 제2항·제3항).

① 법 제35조 제1항 제3호에 따른 경미한 행위로서 주택 내부의 구조물과 설비를 교체하는 행위
② 소방시설 설치 및 관리에 관한 법률 제6조 제1항에 위배되지 아니하는 범위에서 공용부분에 물건을 적재하여 통행·피난 및 소방을 방해하는 행위
③ 공동주택에 광고물·표지물 또는 표지를 부착하는 행위
④ 가축(장애인 보조견은 제외한다)을 사육하거나 방송시설 등을 사용함으로써 공동주거생활에 피해를 미치는 행위
⑤ 공동주택의 발코니 난간 또는 외벽에 돌출물을 설치하는 행위
  ○ 주택건설기준 등에 관한 규정 제37조 제5항 본문에 따라 세대 안에 냉방설비의 배기장치를 설치할 수 있는 공간이 마련된 공동주택의 경우 입주자 등은 냉방설비의 배기장치를 설치하기 위하여 돌출물을 설치하는 행위를 하여서는 아니 된다.
⑥ 전기실·기계실·정화조시설 등에 출입하는 행위
⑦ 환경친화적 자동차의 개발 및 보급 촉진에 관한 법률 제2조 제3호에 따른 전기자동차의 이동형 충전기를 이용하기 위한 차량무선인식장치[전자태그(RFID tag)를 말한다]를 콘센트 주위에 부착하는 행위

01 의무관리대상 공동주택의 관리주체는 그 공동주택의 기능유지와 안전성 확보로 입주자 등을 재해 및 재난 등으로부터 보호하기 위하여 반기마다 공동주택의 안전점검을 실시하여야 한다.

( )

02 관리주체는 안전점검의 결과 건축물의 구조·설비의 안전도가 매우 낮아 재해 및 재난 등이 발생할 우려가 있는 경우에는 지체 없이 입주자대표회의(임대주택은 임대사업자를 말한다)에 그 사실을 통보한 후 관련 사항을 시장·군수·구청장에게 그 사실을 보고하고, 해당 건축물의 이용제한 또는 보수 등 필요한 조치를 하여야 한다.

( )

03 승강기가 설치된 공동주택을 건설·공급하는 사업주체 또는 리모델링을 하는 자는 그 공동주택의 공용부분에 대한 장기수선계획을 수립하여 사용검사를 신청할 때에 사용검사권자에게 제출하여야 한다.

( )

04 입주자대표회의와 관리주체는 장기수선계획을 3년마다 검토하고 필요한 경우 이를 국토교통부령으로 정하는 바에 따라 조정하여야 하며, 수립 또는 조정된 장기수선계획에 따라 주요 시설을 교체하거나 보수하여야 한다.

( )

05 입주자대표회의와 관리주체는 주요 시설을 신설하는 등 관리여건상 필요하여 입주자대표회의 구성원 과반수의 서면동의를 받은 경우에는 3년이 지나기 전에 장기수선계획을 조정할 수 있다.

( )

---

01 ○
02 ○
03 ○
04 ○
05 ✕ 전체 입주자 과반수의 서면동의를 받은 경우에는 3년이 지나기 전에 장기수선계획을 조정할 수 있다.

06 관리주체는 장기수선충당금을 해당 주택의 입주자로부터 징수하여 적립하여야 하며, 분양되지 아니한 세대의 장기수선충당금은 사업주체가 부담한다. ( )

07 장기수선충당금은 해당 공동주택에 대한 사용검사일부터 1년이 경과한 날이 속하는 달부터 적립한다. ( )

08 장기수선충당금의 적립금액은 관리규약으로 정한다. 이 경우 국토교통부장관이 주요 시설의 계획적인 교체 및 보수를 위하여 최소 적립금액의 기준을 정하여 고시하는 경우에는 그에 맞아야 한다. ( )

09 장기수선충당금은 관리주체가 장기수선충당금 사용계획서를 장기수선계획에 따라 작성하고 입주자대표회의의 의결을 거쳐 사용한다. ( )

---

06 × 장기수선충당금은 해당 주택의 소유자로부터 징수한다.

07 × 1년이 경과한 날이 속하는 달부터 매달 적립한다.

08 × 장기수선충당금의 적립금액은 장기수선계획으로 정한다.

09 ○

제 **7** 장 비용관리

📕 **단원길라잡이**

공동주택단지에서의 회계의 투명성 확보는 시설관리에
못지않게 중요한 부분이다. 따라서 이에 대한 숙지 여부를
확인하고자 1문제 이상의 출제가 예상된다.

🔎 **출제포인트**
• 관리비와 납부대행 항목의 구분
• 관리비의 사용 및 공개

01 관리비예치금

(1) 징수

관리주체는 해당 공동주택의 공용부분의 관리 및 운영 등에 필요한 경비(이하 '관리비예치금'이라 한다)를 공동주택의 소유자로부터 징수할 수 있다(법 제24조 제1항).

(2) 반환

관리주체는 소유자가 공동주택의 소유권을 상실한 경우에는 (1)에 따라 징수한 관리비예치금을 반환하여야 한다. 다만, 소유자가 관리비·사용료 및 장기수선충당금 등을 미납한 때에는 관리비예치금에서 정산한 후 그 잔액을 반환할 수 있다(법 제24조 제2항).

02 관리비

(1) 관리비의 징수

의무관리대상 공동주택의 입주자 등은 그 공동주택의 유지관리를 위하여 필요한 관리비를 관리주체에게 납부하여야 한다(법 제23조 제1항).

(2) 관리비의 항목

관리비는 다음 비목의 월별 금액의 합계액으로 한다(영 제23조 제1항).

① 일반관리비
② 청소비
③ 경비비
④ 소독비
⑤ 승강기유지비
⑥ 지능형 홈네트워크 설비 유지비
⑦ 난방비(주택건설기준 등에 관한 규정 제37조에 따라 난방열량을 계량하는 계량기 등이 설치된 공동주택의 경우에는 그 계량에 따라 산정한 난방비를 말한다)
⑧ 급탕비
⑨ 수선유지비(냉방·난방시설의 청소비를 포함한다)
⑩ 위탁관리수수료

더 알아보기 | **수선유지비의 세부항목(영 [별표 2])**

1. 장기수선계획에서 제외되는 공동주택의 공용부분의 수선·보수에 소요되는 비용으로 보수 용역시에는 용역금액, 직영시에는 자재 및 인건비
2. 냉난방시설의 청소비·소화기충약비 등 공동으로 이용하는 시설의 보수유지비 및 제반 검사비
3. 건축물의 안전점검비용
4. 재난 및 재해 등의 예방에 따른 비용

---

03 구분징수

관리주체는 다음의 비용에 대하여는 이를 관리비와 구분하여 징수하여야 한다(영 제23조 제2항).

① 장기수선충당금
② 안전진단 실시비용

04 대행납부

공동주택의 관리주체는 입주자 등이 납부하는 다음의 사용료 등을 입주자 등을 대행하여 그 사용료 등을 받을 자에게 납부할 수 있다(법 제23조 제3항, 영 제23조 제3항).

① 전기료(공동으로 사용되는 시설의 전기료를 포함한다)
② 수도료(공동으로 사용하는 수도료를 포함한다)
③ 가스사용료
④ 지역난방방식인 공동주택의 난방비와 급탕비
⑤ 정화조오물수수료
⑥ 생활폐기물수수료
⑦ 공동주택단지 안의 건물 전체를 대상으로 하는 보험료
⑧ 입주자대표회의 운영비
⑨ 선거관리위원회 운영경비
⑩ 방송법 제64조에 따른 텔레비전방송수신료

05 사용료의 징수

(1) 관리주체는 주민공동시설, 인양기 등 공용시설물의 이용료를 해당 시설의 이용자에게 따로 부과할 수 있다. 이 경우 영 제29조에 따라 주민공동시설의 운영을 위탁한 경우의 주민 공동시설 이용료는 주민공동시설의 위탁에 따른 수수료 및 주민공동시설 관리비용 등의 범위에서 정하여 부과·징수하여야 한다(영 제23조 제4항).

(2) 관리주체는 보수가 필요한 시설[누수(漏水)되는 시설을 포함한다]이 2세대 이상의 공동 사용에 제공되는 것인 경우에는 직접 보수하고 해당 입주자 등에게 그 비용을 따로 부과할 수 있다(영 제23조 제5항).

06 통합부과 및 관리

(1) 관리주체는 관리비 등을 통합하여 부과하는 때에는 그 수입 및 집행내역을 쉽게 알 수 있도록 정리하여 입주자 등에게 알려주어야 한다(영 제23조 제6항).

(2) 관리주체는 관리비 등을 다음의 금융기관 중 입주자대표회의가 지정하는 금융기관에 예 치하여 관리하되, 장기수선충당금은 별도의 계좌로 예치·관리하여야 한다. 이 경우 계좌 는 관리사무소장의 직인 외에 입주자대표회의의 회장 인감을 복수로 등록할 수 있다(영 제 23조 제7항, 규칙 제6조의2).

① 은행법에 따른 은행
② 중소기업은행법에 따른 중소기업은행
③ 상호저축은행법에 따른 상호저축은행
④ 보험업법에 따른 보험회사
⑤ 그 밖의 법률에 따라 금융업무를 하는 기관으로서 국토교통부령으로 정하는 기관
 ㉠ 농업협동조합법에 따른 조합, 농업협동조합중앙회 및 농협은행
 ㉡ 수산업협동조합법에 따른 수산업협동조합 및 수산업협동조합중앙회
 ㉢ 신용협동조합법에 따른 신용협동조합 및 신용협동조합중앙회
 ㉣ 새마을금고법에 따른 새마을금고 및 새마을금고중앙회
 ㉤ 산림조합법에 따른 산림조합 및 산림조합중앙회
 ㉥ 한국주택금융공사법에 따른 한국주택금융공사
 ㉦ 우체국예금·보험에 관한 법률에 따른 체신관서

07 관리비 등의 공개와 감독

(1) 의무관리대상 공동주택

① 공개내역 등: 관리주체는 다음의 내역(항목별 산출내역을 말하며, 세대별 부과내역은 제외한다)을 공개하여야 한다(법 제23조 제4항).

> ㉠ 관리비
> ㉡ 사용료 등
> ㉢ 장기수선충당금과 그 적립금액
> ㉣ 그 밖에 대통령령으로 정하는 사항

② 공개시기와 방법: 관리비 등을 입주자 등에게 부과한 관리주체는 그 명세(관리비의 난방비·급탕비 및 징수대행 항목인 전기료, 수도료, 가스사용료, 지역난방방식인 공동주택의 난방비와 급탕비는 사용량을, 장기수선충당금은 그 적립요율 및 사용한 금액을 각각 포함한다)를 다음 달 말일까지 해당 공동주택단지의 인터넷 홈페이지 및 동별 게시판(통로별 게시판이 설치된 경우에는 이를 포함한다. 이하 같다)과 공동주택관리정보시스템에 공개해야 한다. 잡수입(재활용품의 매각수입, 복리시설의 이용료 등 공동주택을 관리하면서 부수적으로 발생하는 수입을 말한다)의 경우에도 동일한 방법으로 공개하여야 한다(영 제23조 제8항).

(2) 의무관리대상이 아닌 공동주택

의무관리대상이 아닌 공동주택으로서 50세대 이상인 공동주택의 관리인은 다음의 관리비 등의 내역을 위 **(1)**의 **②**의 공개방법에 따라 공개하여야 한다. 이 경우 100세대(주택 외의 시설과 주택을 동일 건축물로 건축한 건축물의 경우 주택을 기준으로 한다) 미만의 공동주택 관리인은 공동주택관리정보시스템 공개를 생략할 수 있다(법 제23조 제5항, 영 제23조 제9항·제10항).

> ① 영 제23조 제1항 제1호부터 제10호까지(관리비)의 비목별 월별 합계액
> ② 장기수선충당금
> ③ 영 제23조 제3항 각 호에 따른 각각의 사용료 등(세대수가 50세대 이상 100세대 미만인 공동주택의 경우에는 각각의 사용료의 합계액)
> ④ 잡수입

(3) 관리비 등에 대한 감독

① 지방자치단체의 장은 공동주택관리정보시스템에 공개된 관리비 등의 적정성을 확인하기 위하여 필요한 경우 관리비 등의 내역에 대한 점검을 다음의 기관 또는 법인으로 하여금 수행하게 할 수 있다(법 제23조 제6항, 영 제23조 제11항).

> ㉠ 법 제86조에 따른 공동주택관리 지원기구
> ㉡ 법 제86조의2에 따른 지역공동주택관리지원센터
> ㉢ 영 제95조 제2항에 따라 공동주택관리정보시스템의 구축·운영업무를 위탁받은 한국부동산원법에 따른 한국부동산원
> ㉣ 그 밖에 관리비 등 내역의 점검을 수행하는 데 필요한 전문인력과 전담조직을 갖추었다고 지방자치단체의 장이 인정하는 기관 또는 법인

② 지방자치단체의 장은 ①에 따른 점검 결과에 따라 관리비 등의 내역이 부적정하다고 판단되는 경우 공동주택의 입주자대표회의 및 관리주체에게 개선을 권고할 수 있다(법 제23조 제7항).

01 관리주체는 해당 공동주택의 공용부분의 관리 및 운영 등에 필요한 경비(관리비예치금)를 공동주택의 입주예정자로부터 징수할 수 있다. ( )

02 관리주체는 장기수선충당금과 안전점검비용을 관리비와 구분하여 징수하여야 한다. ( )

03 지역난방방식인 공동주택의 난방비와 급탕비는 관리비에 포함하여 징수한다. ( )

04 관리주체는 관리비 등을 금융기관 중 입주자대표회의가 지정하는 금융기관에 예치하여 관리하되, 장기수선충당금은 별도의 계좌로 예치·관리하여야 한다. 이 경우 계좌는 관리사무소장의 직인 외에 입주자대표회의의 회장 인감을 복수로 등록할 수 있다. ( )

05 관리비 등을 입주자 등에게 부과한 관리주체는 그 명세(관리비의 난방비·급탕비 및 징수대행항목인 전기료, 수도료, 가스사용료, 지역난방방식인 공동주택의 난방비와 급탕비는 사용량을, 장기수선충당금은 그 적립요율 및 사용한 금액을 각각 포함한다)를 다음 달 말일까지 해당 공동주택단지의 인터넷 홈페이지 및 동별 게시판(통로별 게시판이 설치된 경우에는 이를 포함한다)과 공동주택관리정보시스템에 공개해야 한다. ( )

---

01 ✕ 공동주택의 소유자로부터 징수할 수 있다.

02 ✕ 구분징수항목은 장기수선충당금과 안전진단 실시비용이다. 안전점검비용은 수선유지비에 포함되는 관리비항목이다.

03 ✕ 지역난방방식인 공동주택의 난방비와 급탕비는 대행납부항목에 포함된다. 관리비에 포함되는 것은 중앙집중난방방식의 난방비와 급탕비이다.

04 ○

05 ○

house.Hackers.com

제 8 장 하자보수

📖 단원길라잡이

공동주택의 하자보수는 장기적인 주거안정을 위하여 필수적인 부분으로, 공동주택관리법의 개정을 통하여 해당 부분에 대한 규정이 많이 변경되고 신설되었다. 그러므로 이 단원에서는 1문제 정도의 출제를 예상해 본다.

🔍 출제포인트

- 하자담보책임기간
- 하자보수절차
- 담보책임의 종료방법
- 하자보수보증금의 예치와 사용 및 반환
- 하자분쟁조정위원회의 조정 및 판정절차

01 하자보수책임

(1) 하자보수책임자

① 다음의 사업주체(이하 '사업주체'라 한다)는 공동주택의 하자에 대하여 분양에 따른 담보책임(ⓒ 및 ⓔ의 시공자는 수급인의 담보책임을 말한다)을 진다(법 제36조 제1항).

> ⓖ 주택법 제2조 제10호 각 목에 따른 자(사업주체)
> ⓛ 건축법 제11조에 따른 건축허가를 받아 분양을 목적으로 하는 공동주택을 건축한 건축주
> ⓒ 공동주택을 증축·개축·대수선하는 행위를 한 시공자
> ⓔ 주택법 제66조에 따른 리모델링을 수행한 시공자

② 위 ①에도 불구하고 공공주택 특별법 제2조 제1호 가목에 따라 임대한 후 분양전환을 할 목적으로 공급하는 공동주택(이하 '공공임대주택'이라 한다)을 공급한 ①의 ⓖ의 사업주체(직접 관리하는 사업주체)는 분양전환이 되기 전까지는 임차인에 대하여 하자보수에 대한 담보책임(손해배상책임은 제외한다)을 진다(법 제36조 제2항).

(2) 하자보수 청구

① 사업주체(건설산업기본법 제28조에 따라 하자담보책임이 있는 자로서 법 제36조 제1항에 따른 사업주체로부터 건설공사를 일괄 도급받아 건설공사를 수행한 자가 따로 있는 경우에는 그 자를 말한다. 이하 같다)는 담보책임기간에 하자가 발생한 경우에는 해당 공동주택의 ⓖ부터 ⓔ까지에 해당하는 자(이하 '입주자대표회의 등'이라 한다) 또는 ⓜ에 해당하는 자의 청구에 따라 그 하자를 보수하여야 한다. 이 경우 하자보수의 절차 및 종료 등에 필요한 사항은 대통령령으로 정한다(법 제37조 제1항).

> ⓖ 입주자
> ⓛ 입주자대표회의
> ⓒ 관리주체(하자보수청구 등에 관하여 입주자 또는 입주자대표회의를 대행하는 관리주체)
> ⓔ 집합건물의 소유 및 관리에 관한 법률에 따른 관리단
> ⓜ 공공임대주택의 임차인 또는 임차인대표회의(이하 '임차인 등'이라 한다)

② 시장 · 군수 · 구청장은 ①에 따라 입주자대표회의 등 및 임차인 등이 하자보수를 청구한 사항에 대하여 사업주체가 정당한 사유 없이 따르지 아니할 때에는 시정을 명할 수 있다(법 제37조 제5항).

(3) 하자의 범위

① 내력구조부별 하자의 범위: 다음의 어느 하나에 해당하는 경우(영 제37조 제1호).

> ㉠ 공동주택 구조체의 일부 또는 전부가 붕괴된 경우
> ㉡ 공동주택의 구조안전상 위험을 초래하거나 그 위험을 초래할 우려가 있는 정도의 균열 · 침하(沈下) 등의 결함이 발생한 경우

② 시설공사별 하자의 범위: 공사상의 잘못으로 인한 균열 · 처짐 · 비틀림 · 들뜸 · 침하 · 파손 · 붕괴 · 누수 · 누출 · 탈락, 작동 또는 기능불량, 부착 · 접지 또는 결선(結線) 불량, 고사(枯死) 및 입상(立像) 불량 등이 발생하여 건축물 또는 시설물의 안전상 · 기능상 또는 미관상의 지장을 초래할 정도의 결함이 발생한 경우를 말한다(영 제37조 제2호).

(4) 하자담보책임기간

① 기간의 기산: 담보책임의 기간은 하자의 중대성, 시설물 사용 가능 햇수 및 교체 가능성 등을 고려하여 공동주택의 내력구조부별 및 시설공사별로 10년의 범위에서 대통령령으로 정한다. 이 경우 담보책임기간은 다음의 날부터 기산한다(법 제36조 제3항).

> ㉠ 전유부분: 입주자((1)의 ②에 따른 담보책임의 경우에는 임차인)에게 인도한 날
> ㉡ 공용부분: 주택법 제49조에 따른 사용검사일(공동주택의 전부에 대하여 임시사용승인을 받은 경우에는 그 임시사용승인일을 말하고, 분할 사용검사나 동별 사용검사를 받은 경우에는 그 분할 사용검사일 또는 동별 사용검사일을 말한다) 또는 건축법 제22조에 따른 공동주택의 사용승인일

② 내력구조부별(건물의 주요구조부를 말한다) 하자에 대한 담보책임기간: 10년(영 제36조 제1항 제1호).

③ 시설공사별 하자에 대한 담보책임기간: 다음에 따른 기간(영 제36조 제1항 제2호).

시설공사별 담보책임기간

시설공사	세부공종	기간
1. 마감공사	• 미장공사 • 수장공사 • 도장공사 • 도배공사 • 타일공사 • 석공사(건물 내부 공사) • 옥내가구공사 • 주방기구공사 • 가전제품	2년
2. 옥외급수 · 위생 관련 공사	• 공동구공사 • 저수조(물탱크)공사 • 옥외위생(정화조) 관련 공사 • 옥외급수 관련 공사	
3. 난방 · 냉방 · 환기, 공기조화 설비공사	• 열원기기설비공사 • 공기조화기기설비공사 • 닥트설비공사 • 배관설비공사 • 보온공사 • 자동제어설비공사 • 온돌공사(세대매립배관 포함) • 냉방설비공사	
4. 급 · 배수 및 위생설비공사	• 급수설비공사 • 온수공급설비공사 • 배수 · 통기설비공사 • 위생기구설비공사 • 철 및 보온공사 • 특수설비공사	3년
5. 가스설비공사	• 가스설비공사 • 가스저장시설공사	
6. 목공사	• 구조체 또는 바탕재공사 • 수장목공사	
7. 창호공사	• 창문틀 및 문짝공사 • 창호철물공사 • 창호유리공사 • 커튼월공사	

8. 조경공사	• 식재공사 • 조경시설물공사 • 관수 및 배수공사 • 조경포장공사 • 조경부대시설공사 • 잔디심기공사 • 조형물공사	
9. 전기 및 전력설비공사	• 배관 · 배선공사 • 피뢰침공사 • 동력설비공사 • 수 · 변전설비공사 • 수 · 배전공사 • 전기기기공사 • 발전설비공사 • 승강기설비공사 • 인양기설비공사 • 조명설비공사	
10. 신재생에너지설비공사	• 태양열설비공사 • 태양광설비공사 • 지열설비공사 • 풍력설비공사	3년
11. 정보통신공사	• 통신 · 신호설비공사 • TV공청설비공사 • 감시제어설비공사 • 가정자동화설비공사 • 정보통신설비공사	
12. 지능형 홈네트워크 설비공사	• 홈네트워크망공사 • 홈네트워크기기공사 • 단지공용시스템공사	
13. 소방시설공사	• 소화설비공사 • 제연설비공사 • 방재설비공사 • 자동화재탐지설비공사	
14. 단열공사	벽체, 천장 및 바닥의 단열공사	
15. 잡공사	• 옥내설비공사(우편함, 무인택배시스템 등) • 옥외설비공사(담장, 울타리, 안내시설물 등), 금속공사	

16. 대지조성공사	• 토공사 • 석축공사 • 옹벽공사(토목옹벽) • 배수공사 • 포장공사	
17. 철근콘크리트공사	• 일반철근콘크리트공사 • 특수콘크리트공사 • 프리캐스트콘크리트공사 • 옹벽공사(건축옹벽) • 콘크리트공사	5년
18. 철골공사	• 일반철골공사 • 철골부대공사 • 경량철골공사	
19. 조적공사	• 일반벽돌공사 • 점토벽돌공사 • 블록공사 • 석공사(건물 외부 공사)	
20. 지붕공사	• 지붕공사 • 홈통 및 우수관공사	
21. 방수공사	방수공사	

○ 비고

기초공사 · 지정공사 등 집합건물의 소유 및 관리에 관한 법률 제9조의2 제1항 제1호에 따른 지반공사의 경우 담보책임기간은 10년이다.

기출예제

공동주택관리법령상 하자담보책임 및 하자보수에 관한 설명으로 옳지 않은 것은? 제27회

① 주택법에 따른 리모델링을 수행한 시공자는 공동주택의 하자에 대하여 수급인의 담보책임을 진다.
② 공동주택의 내력구조부별 하자에 대한 담보책임기간은 10년이다.
③ 공동주택의 마감공사 하자에 대한 담보책임기간은 2년이다.
④ 전유부분의 담보책임기간은 건축법에 따른 공동주택의 사용승인일부터 기산한다.
⑤ 하자보수를 실시한 사업주체는 하자보수가 완료되면 즉시 그 보수결과를 하자보수를 청구한 입주자대표회의 등 또는 임차인 등에 통보하여야 한다.

해설

담보책임기간은 전유부분은 입주자(임차인)에게 인도한 날, 공용부분은 사용검사일 또는 사용승인일부터 기산한다.

정답: ④

(5) 손해배상책임과 안전진단

① **손해배상책임**: 사업주체는 담보책임기간에 공동주택에 하자가 발생한 경우에는 하자발생으로 인한 손해를 배상할 책임이 있다. 이 경우 손해배상책임에 관하여는 민법 제667조를 준용한다(법 제37조 제2항).

② **안전진단**: 시장·군수·구청장은 담보책임기간에 공동주택의 구조안전에 중대한 하자가 있다고 인정하는 경우에는 다음의 어느 하나에 해당하는 기관 또는 단체에 해당 공동주택의 안전진단을 의뢰할 수 있으며, 안전진단에 드는 비용은 사업주체가 부담한다. 다만, 하자의 원인이 사업주체 외의 자에게 있는 경우에는 그 자가 부담한다(법 제37조 제4항, 영 제40조).

> ⊙ 과학기술분야 정부출연연구기관 등의 설립·운영 및 육성에 관한 법률 제8조에 따른 한국건설기술연구원(이하 '한국건설기술연구원'이라 한다)
> ⓛ 국토안전관리원법 제45조에 따른 국토안전관리원
> ⓒ 건축사법 제31조에 따라 설립한 대한건축사협회
> ⓔ 고등교육법 제2조 제1호·제2호의 대학 및 산업대학의 부설연구기관(상설기관으로 한정한다)
> ⓜ 시설물의 안전 및 유지관리에 관한 특별법 시행령 제23조 제1항에 따른 건축분야 안전진단전문기관

(6) 하자보수절차

① **하자보수의 청구**: 입주자대표회의 등 또는 임차인 등은 공동주택에 하자가 발생한 경우에는 담보책임기간 내에 사업주체에게 하자보수를 청구하여야 한다(영 제38조 제1항).

② **청구권자**: 하자보수의 청구는 다음의 구분에 따른 자가 하여야 한다. 이 경우 입주자는 전유부분에 대한 청구를 ⓛ의 ⓑ에 따른 관리주체가 대행하도록 할 수 있으며, 공용부분에 대한 하자보수의 청구를 ⓛ의 어느 하나에 해당하는 자에게 요청할 수 있다(영 제38조 제2항).

> ⊙ 전유부분: 입주자 또는 공공임대주택의 임차인
> ⓛ 공용부분: 다음의 어느 하나에 해당하는 자
> ⓐ 입주자대표회의 또는 공공임대주택의 임차인대표회의
> ⓑ 관리주체(하자보수 청구 등에 관하여 입주자 또는 입주자대표회의를 대행하는 관리주체를 말한다)
> ⓒ 집합건물의 소유 및 관리에 관한 법률에 따른 관리단

③ **하자보수의 이행 또는 하자보수계획의 통보**: 사업주체는 ①에 따라 하자보수를 청구받은 날(하자진단결과를 통보받은 때에는 그 통보받은 날을 말한다)부터 15일 이내에 그

하자를 보수하거나 다음의 사항을 명시한 하자보수계획을 입주자대표회의 등 또는 임차인 등에 서면(정보처리시스템을 사용한 전자문서를 포함한다)으로 통보하고 그 계획에 따라 하자를 보수하여야 한다. 다만, 하자가 아니라고 판단되는 사항에 대해서는 그 이유를 서면으로 통보하여야 한다(영 제38조 제3항).

> ㉠ 하자 부위, 보수방법 및 보수에 필요한 상당한 기간(동일한 하자가 2세대 이상에서 발생한 경우 세대별 보수일정을 포함한다)
> ㉡ 담당자 성명 및 연락처
> ㉢ 그 밖에 보수에 필요한 사항

④ **보수결과의 통보**: 하자보수를 실시한 사업주체는 하자보수가 완료되면 즉시 그 보수결과를 하자보수를 청구한 입주자대표회의 등 또는 임차인 등에 통보하여야 한다(영 제38조 제4항).

02 담보책임의 종료

(1) 종료통지

사업주체는 담보책임기간이 만료되기 30일 전까지 그 만료 예정일을 해당 공동주택의 입주자대표회의(의무관리대상 공동주택이 아닌 경우에는 집합건물의 소유 및 관리에 관한 법률에 따른 관리단을 말한다) 또는 해당 공공임대주택의 임차인대표회의에 서면으로 통보하여야 한다. 이 경우 사업주체는 다음의 사항을 함께 알려야 한다(영 제39조 제1항).

> ① 입주자대표회의 등 또는 임차인 등이 하자보수를 청구한 경우에는 하자보수를 완료한 내용
> ② 담보책임기간 내에 하자보수를 신청하지 아니하면 하자보수를 청구할 수 있는 권리가 없어진다는 사실

(2) 종료조치

위 (1)에 따른 통보를 받은 입주자대표회의 또는 공공임대주택의 임차인대표회의는 다음의 구분에 따른 조치를 하여야 한다(영 제39조 제2항).

> ① 전유부분에 대한 조치: 담보책임기간이 만료되는 날까지 하자보수를 청구하도록 입주자 또는 공공임대주택의 임차인에게 개별 통지하고 공동주택단지 안의 잘 보이는 게시판에 20일 이상 게시
> ② 공용부분에 대한 조치: 담보책임기간이 만료되는 날까지 하자보수 청구

(3) 사업주체의 조치

사업주체는 (2)에 따라 하자보수 청구를 받은 사항에 대하여 지체 없이 보수하고 그 보수결과를 서면으로 입주자대표회의 등 또는 임차인 등에 통보하여야 한다. 다만, 하자가 아니라고 판단한 사항에 대해서는 그 이유를 명확히 기재한 서면을 입주자대표회의 등에 통보하여야 한다(영 제39조 제3항).

(4) 이의제기

위 (3)에 따라 보수결과를 통보받은 입주자대표회의 등 또는 임차인 등은 통보받은 날부터 30일 이내에 이유를 명확히 기재한 서면으로 사업주체에게 이의를 제기할 수 있다. 이 경우 사업주체는 이의제기 내용이 타당하면 지체 없이 하자를 보수하여야 한다(영 제39조 제4항).

(5) 담보책임 종료확인서의 작성

사업주체와 다음의 구분에 따른 자는 하자보수가 끝난 때에는 공동으로 담보책임 종료확인서를 작성하여야 한다. 이 경우 담보책임기간이 만료되기 전에 담보책임 종료확인서를 작성해서는 아니 된다(영 제39조 제5항).

> ① 전유부분: 입주자
> ② 공용부분: 입주자대표회의의 회장(의무관리대상 공동주택이 아닌 경우는 관리인) 또는 5분의 4 이상의 입주자(입주자대표회의 구성원 중 사용자인 동별 대표자가 과반수인 경우)

기출예제

공동주택관리법령상 하자보수 등에 관한 설명으로 옳지 않은 것은? 제26회

① 사업주체는 담보책임기간에 공동주택에 하자가 발생한 경우에는 하자 발생으로 인한 손해를 배상할 책임이 있다.
② 하자보수청구 등에 관하여 입주자대표회의를 대행하는 관리주체는 공용부분의 하자에 대해 하자보수의 청구를 할 수 있다.
③ 의무관리대상 공동주택의 사업주체는 담보책임기간이 만료되기 30일 전까지 그 만료예정일을 해당 의무관리대상 공동주택의 입주자대표회의에 서면으로 통보하여야 한다.
④ 전유부분에 대한 하자보수가 끝난 때에는 사업주체와 입주자는 담보책임기간이 만료되기 전에 공동으로 담보책임 종료확인서를 작성할 수 있다.
⑤ 공공임대주택의 전유부분에 대한 담보책임기간은 임차인에게 인도한 날부터 기산한다.

> **해설**
>
> **담보책임 종료확인**
>
> 사업주체와 다음의 구분에 따른 자는 하자보수가 끝난 때에는 공동으로 담보책임 종료확인서를 작성하여
> 야 한다. 이 경우 담보책임기간이 만료되기 전에 종료확인서를 작성해서는 아니 된다.
> • 전유부분: 입주자
> • 공용부분: 입주자대표회의 회장(의무관리대상 공동주택이 아닌 경우는 관리인) 또는 5분의 4 이상의 입
>   주자(입주자대표회의 구성원 중 사용자인 동별 대표자가 과반수인 경우)   정답: ④

(6) 종료확인절차

입주자대표회의의 회장은 (5)에 따라 공용부분의 담보책임 종료확인서를 작성하려면 다음의 절차를 차례대로 거쳐야 한다. 이 경우 전체 입주자의 5분의 1 이상이 서면으로 반대하면 입주자대표회의는 ②에 따른 의결을 할 수 없다(영 제39조 제6항).

> ① 의견청취를 위하여 입주자에게 다음의 사항을 서면으로 개별 통지하고 공동주택단지 안의 게
>   시판에 20일 이상 게시할 것
>   ㉠ 담보책임기간이 만료된 사실
>   ㉡ 완료된 하자보수의 내용
>   ㉢ 담보책임 종료확인에 대하여 반대의견을 제출할 수 있다는 사실, 의견제출기간 및 의견제출서
> ② 입주자대표회의 의결

(7) 입주자인 동별 대표자가 과반인 경우

사업주체는 (5)의 ②에 따라 입주자와 공용부분의 담보책임 종료확인서를 작성하려면 입주자대표회의의 회장에게 (6)의 ①에 따른 통지 및 게시를 요청해야 하고, 전체 입주자의 5분의 4 이상과 담보책임 종료확인서를 작성한 경우에는 그 결과를 입주자대표회의 등에 통보해야 한다(영 제39조 제7항).

제2절 하자보수보증금

01 하자보수보증금의 예치 및 관리

(1) 예치자

사업주체는 대통령령으로 정하는 바에 따라 하자보수를 보장하기 위하여 하자보수보증금을 담보책임기간(보증기간은 공용부분을 기준으로 기산한다) 동안 예치하여야 한다. 다만, 국가·지방자치단체·한국토지주택공사 및 지방공사인 사업주체의 경우에는 그러하지 아니하다(법 제38조 제1항).

(2) 예치방법과 예치명의

사업주체(건설임대주택을 분양전환하려는 경우에는 그 임대사업자를 말한다)는 하자보수보증금을 은행에 현금으로 예치하거나 다음의 어느 하나에 해당하는 자가 취급하는 보증으로서 하자보수보증금 지급을 보장하는 보증에 가입하여야 한다. 이 경우 그 예치명의 또는 가입명의는 사용검사권자(주택법 제49조에 따른 사용검사권자 또는 건축법 제22조에 따른 사용승인권자를 말한다)로 하여야 한다(영 제41조 제1항).

> ① 주택도시기금법에 따른 주택도시보증공사
> ② 건설산업기본법에 따른 건설 관련 공제조합
> ③ 보험업법 제4조 제1항 제2호 라목에 따른 보증보험업을 영위하는 자
> ④ 영 제23조 제7항 각 호의 금융기관

(3) 예치증서의 제출

사업주체는 다음의 어느 하나에 해당하는 신청서를 사용검사권자에게 제출할 때에 (2)에 따른 현금 예치증서 또는 보증서를 함께 제출하여야 한다(영 제41조 제2항).

> ① 주택법 제49조에 따른 사용검사신청서(공동주택단지 안의 공동주택 전부에 대하여 임시사용승인을 신청하는 경우에는 임시사용승인신청서)
> ② 건축법 제22조에 따른 사용승인신청서(공동주택단지 안의 공동주택 전부에 대하여 임시사용승인을 신청하는 경우에는 임시사용승인신청서)
> ③ 민간임대주택에 관한 특별법에 따른 양도신고서, 양도허가신청서 또는 공공주택 특별법에 따른 분양전환승인신청서, 분양전환허가신청서, 분양전환신고서

(4) 명의변경 및 보관

사용검사권자는 입주자대표회의가 구성된 때에는 지체 없이 예치명의 또는 가입명의를 해당 입주자대표회의로 변경하고 입주자대표회의에 현금 예치증서 또는 보증서를 인계하여야 하며, 입주자대표회의는 인계받은 현금 예치증서 또는 보증서를 해당 공동주택의 관리주체(의무관리대상 공동주택이 아닌 경우에는 집합건물의 소유 및 관리에 관한 법률에 따른 관리인을 말한다)로 하여금 보관하게 하여야 한다(영 제41조 제3항·제4항).

(5) 예치금액

예치하여야 하는 하자보수보증금은 다음의 구분에 따른 금액으로 한다. 단, 건설임대주택이 분양전환되는 경우의 하자보수보증금은 ① 또는 ②에 따른 금액에 건설임대주택 세대 중 분양전환을 하는 세대의 비율을 곱한 금액으로 한다(영 제42조 제1항·제2항).

① 대지조성사업계획과 주택사업계획승인을 함께 받아 대지조성과 함께 공동주택을 건설하는 경우: ㉠의 비용에서 ㉡의 가격을 뺀 금액의 100분의 3
  ㉠ 사업계획승인서에 기재된 해당 공동주택의 총사업비[간접비(설계비, 감리비, 분담금, 부담금, 보상비 및 일반분양시설경비)는 제외한다]
  ㉡ 해당 공동주택을 건설하는 대지의 조성 전 가격
② 주택사업계획승인만을 받아 대지조성 없이 공동주택을 건설하는 경우: 사업계획승인서에 기재된 해당 공동주택의 총사업비에서 대지가격을 뺀 금액의 100분의 3
③ 공동주택을 증축·개축·대수선하는 경우 또는 리모델링을 하는 경우: 허가신청서 또는 신고서에 기재된 해당 공동주택 총사업비의 100분의 3
④ 건축허가를 받아 분양을 목적으로 공동주택을 건설하는 경우: 사용승인을 신청할 당시의 공공주택 특별법 시행령 제56조 제7항에 따른 공공건설임대주택 분양전환가격의 산정기준에 따른 표준건축비를 적용하여 산출한 건축비의 100분의 3

02 하자보수보증금의 사용

(1) 하자보수보증금의 용도

입주자대표회의 등은 하자보수보증금을 입주자대표회의가 직접 보수하거나 제3자에게 보수하게 하는 데 사용되는 경우로서 하자보수와 관련된 다음의 용도로만 사용하여야 한다(법 제38조 제2항, 영 제43조).

① 법 제43조 제2항에 따라 송달된 하자 여부 판정서(같은 조 제8항에 따른 재심의결정서를 포함한다) 정본에 따라 하자로 판정된 시설공사 등에 대한 하자보수비용
② 법 제44조 제3항에 따라 하자분쟁조정위원회(법 제39조 제1항에 따른 하자심사·분쟁조정위원회를 말한다)가 송달한 조정서 정본에 따른 하자보수비용
③ 법 제44조의2 제7항 본문에 따른 재판상 화해와 동일한 효력이 있는 재정에 따른 하자보수비용
④ 법원의 재판결과에 따른 하자보수비용
⑤ 법 제48조 제1항에 따라 실시한 하자진단의 결과에 따른 하자보수비용

(2) 하자보수보증금의 청구 및 지급

입주자대표회의는 사업주체가 하자보수를 이행하지 아니하는 경우에는 하자보수보증서 발급기관에 다음의 서류를 첨부하여 하자보수보증금의 지급을 청구할 수 있으며, 청구를 받은 하자보수보증서 발급기관은 청구일부터 30일 이내에 하자보수보증금을 지급하여야 한다. 다만, 위 (1)의 ① 및 ⑤의 경우 하자보수보증서 발급기관이 청구를 받은 금액에 이의가 있으면 하자분쟁조정위원회에 분쟁조정이나 분쟁재정을 신청한 후 그 결과에 따라 지급하여야 한다(영 제44조 제1항·제2항).

> ① 위 **(1)**의 어느 하나에 해당하는 서류(④의 경우에는 판결서를 말하며, ⑤의 경우에는 하자진단
>   결과통보서를 말한다)
> ② 영 제47조 제3항에 따른 기준을 적용하여 산출한 하자보수비용 및 그 산출명세서(**(1)**의 절차
>   에서 하자보수비용이 결정되지 아니한 경우만 해당한다)

(3) 하자보수보증금의 관리

하자보수보증서 발급기관은 **(2)**에 따라 하자보수보증금을 지급할 때에는 다음의 구분에
따른 금융계좌로 이체하는 방법으로 지급하여야 하며, 입주자대표회의는 그 금융계좌로
해당 하자보수보증금을 관리하여야 한다(영 제44조 제3항).

> ① **의무관리대상 공동주택**: 입주자대표회의의 회장의 인감과 관리사무소장의 직인을 복수로
>   등록한 금융계좌
> ② **의무관리대상이 아닌 공동주택**: 집합건물의 소유 및 관리에 관한 법률에 따른 관리인의 인감
>   을 등록한 금융계좌(관리위원회가 구성되어 있는 경우에는 그 위원회를 대표하는 자 1명과
>   관리인의 인감을 복수로 등록한 계좌)

(4) 하자보수보증금의 사용절차 등

① 입주자대표회의는 **(3)**에 따라 하자보수보증금을 지급받기 전에 미리 하자보수를 하는
   사업자를 선정해서는 아니 된다(영 제44조 제4항).
② 입주자대표회의는 하자보수보증금을 사용한 때에는 그날부터 30일 이내에 그 사용명
   세를 사업주체에게 통보하여야 하며, 의무관리대상 공동주택의 경우에는 하자보수보증
   금의 사용 후 30일 이내에 그 사용내역을 국토교통부령으로 정하는 바에 따라 시장·
   군수·구청장에게 신고하여야 한다(법 제38조 제2항, 영 제44조 제5항).
③ 하자보수보증금을 예치받은 자(하자보수보증금의 보증서 발급기관)는 하자보수보증금
   을 의무관리대상 공동주택의 입주자대표회의에 지급한 날부터 30일 이내에 지급내역
   을 국토교통부령으로 정하는 바에 따라 관할 시장·군수·구청장에게 통보하여야
   한다(법 제38조 제3항).

03 하자보수보증금의 반환

(1) 순차적 반환

입주자대표회의는 사업주체가 예치한 하자보수보증금을 다음의 구분에 따라 순차적으로
사업주체에게 반환하여야 한다(영 제45조 제1항).

① 다음의 구분에 따른 날(이하 '사용검사일'이라 한다)부터 2년이 경과된 때: 하자보수보증금의 100분의 15

　　㉠ 주택법 제49조에 따른 사용검사(공동주택단지 안의 공동주택 전부에 대하여 같은 조에 따른 임시사용승인을 받은 경우에는 임시사용승인을 말한다)를 받은 날

　　㉡ 건축법 제22조에 따른 사용승인(공동주택단지 안의 공동주택 전부에 대하여 같은 조에 따른 임시사용승인을 받은 경우에는 임시사용승인을 말한다)을 받은 날

② 사용검사일부터 3년이 경과된 때: 하자보수보증금의 100분의 40

③ 사용검사일부터 5년이 경과된 때: 하자보수보증금의 100분의 25

④ 사용검사일부터 10년이 경과된 때: 하자보수보증금의 100분의 20

(2) 반환방법

위 (1)에 따라 하자보수보증금을 반환할 경우 하자보수보증금을 사용한 경우에는 이를 포함하여 (1)의 각 비율을 계산하되, 이미 사용한 하자보수보증금은 반환하지 아니한다 (영 제45조 제2항).

기출예제

공동주택관리법 시행령 제45조(하자보수보증금의 반환) 제1항 규정의 일부이다. (　　)에 들어갈 아라비아 숫자를 쓰시오.　　　　제27회

입주자대표회의는 사업주체가 예치한 하자보수보증금을 다음 각 호의 구분에 따라 순차적으로 사업주체에게 반환하여야 한다.

1~2. 〈생략〉

3. 사용검사일부터 5년이 경과된 때: 하자보수보증금의 100분의 (　　)

4. 〈생략〉

정답: 25

01 하자분쟁조정위원회의 설치 등

(1) 위원회의 설치

담보책임 및 하자보수 등과 관련한 (2)(위원회의 업무)의 사무를 심사·조정 및 관장하기 위하여 국토교통부에 하자심사·분쟁조정위원회(이하 '하자분쟁조정위원회'라 한다)를 둔다(법 제39조 제1항).

(2) 위원회의 업무

하자분쟁조정위원회의 사무는 다음과 같다(법 제39조 제2항).

① 하자 여부 판정
② 하자담보책임 및 하자보수 등에 대한 사업주체·하자보수보증금의 보증서 발급기관(이하 '사업주체 등'이라 한다)과 입주자대표회의 등·임차인 등간의 분쟁의 조정 및 재정
③ 하자의 책임범위 등에 대하여 사업주체 등·설계자·감리자 및 건설산업기본법 제2조 제13호·제14호에 따른 수급인·하수급인간에 발생하는 분쟁의 조정 및 재정
④ 다른 법령에서 하자분쟁조정위원회의 사무로 규정된 사항

02 조정신청 등

(1) 하자심사 또는 분쟁조정 신청

하자심사를 신청하려는 자는 [별지 제15호] 서식의 하자심사신청서에 다음의 서류를 첨부하여 하자분쟁조정위원회에 제출하여야 한다. 이 경우 피신청인 인원수에 해당하는 부본과 함께 제출하여야 한다(법 제39조 제3항, 규칙 제19조 제1항).

① 당사자간 교섭경위서(하자보수를 최초로 청구한 때부터 해당 사건을 하자분쟁조정위원회에 신청할 때까지 당사자간 일정별 청구·답변내용 또는 협의한 내용과 그 입증자료를 말한다) 1부
② 하자발생사실 증명자료(컬러사진 및 설명자료 등) 1부
③ 하자보수보증금의 보증서 사본(하자보수보증금의 보증서 발급기관이 사건의 당사자인 경우만 해당한다) 1부
④ 신청인의 신분증 사본(법인은 인감증명서를 말하되, 전자서명법 제2조 제3호에 따른 공인전자서명을 한 전자문서는 신분증 사본으로 갈음한다. 이하 같다). 다만, 대리인이 신청하는 경우에는 다음의 서류를 말한다.
　㉠ 신청인의 위임장 및 신분증 사본

      ⓛ 대리인의 신분증(변호사는 변호사 신분증을 말한다) 사본

      ⓒ 대리인이 법인의 직원인 경우에는 재직증명서

  ⑤ 입주자대표회의 또는 법 제38조 제2항에 따른 공공임대주택의 임차인대표회의가 신청하는
    경우에는 그 구성신고를 증명하는 서류 1부

  ⑥ 관리사무소장이 신청하는 경우에는 관리사무소장 배치 및 직인 신고증명서 사본 1부

  ⑦ 집합건물의 소유 및 관리에 관한 법률 제23조에 따른 관리단이 신청하는 경우에는 그 관리단
    의 관리인을 선임한 증명서류 1부

(2) 선정대표자

① **(1)**에 따라 신청한 하자심사 · 분쟁조정 또는 분쟁재정(이하 '조정 등'이라 한다) 사건
중에서 여러 사람이 공동으로 조정 등의 당사자가 되는 사건의 경우에는 그중에서 3명
이하의 사람을 대표자로 선정할 수 있으며, 하자분쟁조정위원회는 단체사건의 당사자
들에게 대표자를 선정하도록 권고할 수 있다(영 제46조 제1항 · 제2항).

② 선정된 대표자(이하 '선정대표자'라 한다)는 **(1)**에 따라 신청한 조정 등에 관한 권한을
갖는다. 다만, 신청을 철회하거나 조정안을 수락하려는 경우에는 서면으로 다른 당사
자의 동의를 받아야 한다(영 제46조 제3항).

③ 대표자가 선정되었을 때에는 다른 당사자들은 특별한 사유가 없는 한 그 선정대표자를
통하여 해당 사건에 관한 행위를 하여야 하며, 대표자를 선정한 당사자들은 그 선정결
과를 하자분쟁조정위원회에 제출하여야 한다. 선정대표자를 해임하거나 변경한 경우
에도 또한 같다(영 제46조 제4항 · 제5항).

(3) 하자의 조사방법 및 판정기준 등

① 하자 여부의 조사는 현장실사 등을 통하여 하자가 주장되는 부위와 설계도서를 비교하
여 측정하는 등의 방법으로 한다(영 제47조 제1항).

② 공동주택의 하자보수비용은 실제 하자보수에 소요되는 공사비용으로 산정하되, 하자
보수에 필수적으로 수반되는 부대비용을 추가할 수 있다(영 제47조 제2항).

③ 위 ① 및 ②에 따른 하자의 조사 및 보수비용 산정, 하자의 판정기준 및 하자의 발생
부분 판단기준(하자 발생 부위가 전유부분인지 공용부분인지에 대한 판단기준을 말
한다) 등에 필요한 세부적인 사항은 국토교통부장관이 정하여 고시한다(영 제47조 제
3항).

03 하자분쟁조정위원회의 구성

(1) 구성원

하자분쟁조정위원회는 위원장 1명을 포함한 60명 이내의 위원으로 구성하며, 위원장은 상임으로 한다(법 제40조 제1항).

(2) 구성

① **분과위원회**: 하자분쟁조정위원회에는 하자 여부 판정 또는 분쟁조정 및 분쟁재정을 전문적으로 다루는 분과위원회를 두되, 하자 여부 판정 또는 분쟁조정을 다루는 분과위원회는 하자분쟁조정위원회의 위원장이 지명하는 9명 이상 15명 이하의 위원으로 구성하고, 분쟁재정을 다루는 분과위원회는 위원장이 지명하는 5명의 위원으로 구성하되, 판사·검사 또는 변호사의 직에 6년 이상 재직한 사람이 1명 이상 포함되어야 한다(법 제40조 제2항·제3항·제4항).

② **위원장**: 위원장 및 분과위원회의 위원장(이하 '분과위원장'이라 한다)은 국토교통부장관이 임명한다(법 제40조 제5항).

③ **소위원회**: 위원장은 분과위원회별로 사건의 심리 등을 위하여 전문분야 등을 고려하여 3명 이상 5명 이하의 위원으로 소위원회를 구성할 수 있다. 이 경우 위원장이 해당 분과위원회 위원 중에서 소위원회의 위원장(이하 '소위원장'이라 한다)을 지명한다(법 제40조 제6항).

④ **위원의 자격**: 하자분쟁조정위원회의 위원은 공동주택 하자에 관한 학식과 경험이 풍부한 사람으로서 다음의 어느 하나에 해당하는 사람 중에서 국토교통부장관이 임명 또는 위촉한다. 이 경우 ⓒ에 해당하는 사람이 9명 이상 포함되어야 한다(법 제40조 제7항).

> ⊙ 1급부터 4급까지 상당의 공무원 또는 고위공무원단에 속하는 공무원이거나 이와 같은 직에 재직한 사람
> ⓛ 공인된 대학이나 연구기관에서 부교수 이상 또는 이에 상당하는 직에 재직한 사람
> ⓒ 판사·검사 또는 변호사의 직에 6년 이상 재직한 사람
> ⓔ 건설공사, 전기공사, 정보통신공사, 소방시설공사, 시설물 정밀안전진단 또는 감정평가에 관한 전문적 지식을 갖추고 그 업무에 10년 이상 종사한 사람
> ⓜ 주택관리사로서 공동주택의 관리사무소장으로 10년 이상 근무한 사람
> ⓗ 건축사법 제23조 제1항에 따라 신고한 건축사 또는 기술사법 제6조 제1항에 따라 등록한 기술사로서 그 업무에 10년 이상 종사한 사람

⑤ **임기**: 위원장과 공무원이 아닌 위원의 임기는 2년으로 하되 연임할 수 있으며, 보궐위원의 임기는 전임자의 남은 임기로 한다(법 제40조 제8항).

⑥ **신분보장**: 하자분쟁조정위원회의 위원 중 공무원이 아닌 위원은 다음에 해당하는 경우를 제외하고는 본인의 의사에 반하여 해촉되지 아니한다(법 제40조 제9항).

> ㉠ 신체상 또는 정신상의 장애로 직무를 수행할 수 없는 경우
> ㉡ 국가공무원법 제33조 각 호의 어느 하나에 해당하는 경우
> ㉢ 그 밖에 직무상의 의무 위반 등 대통령령으로 정하는 해촉사유에 해당하는 경우

⑦ **위원장**: 위원장은 하자분쟁조정위원회를 대표하고 그 직무를 총괄한다. 다만, 위원장이 부득이한 사유로 직무를 수행할 수 없는 경우에는 위원장이 미리 지명한 분과위원장 순으로 그 직무를 대행한다(법 제40조 제10항).

(3) 분과위원회의 구성

① **분과위원회**: 하자분쟁조정위원회에는 시설공사 등에 따른 하자 여부 판정 또는 분쟁의 조정·재정을 위하여 다음의 분과위원회를 하나 이상씩 둔다(영 제48조 제1항).

> ㉠ 하자심사분과위원회: 하자 여부 판정
> ㉡ 분쟁조정분과위원회: 분쟁의 조정
> ㉢ 분쟁재정분과위원회: 분쟁의 재정
> ㉣ 하자재심분과위원회: 이의신청사건에 대한 하자 여부 판정
> ㉤ 그 밖에 국토교통부장관이 필요하다고 인정하는 분과위원회

② **분과위원**: 하자분쟁조정위원회의 위원장은 위원의 전문성과 경력 등을 고려하여 각 분과위원회별 위원을 지명하여야 하며, 분과위원회 위원장이 부득이한 사유로 직무를 수행할 수 없을 때에는 해당 분과위원회 위원장이 해당 분과위원 중에서 미리 지명한 위원이 그 직무를 대행한다(영 제48조 제2항·제3항).

(4) 소위원회의 구성

① **소위원회**: 분과위원회별로 시설공사의 종류 및 전문분야 등을 고려하여 5개 이내의 소위원회를 둘 수 있다(영 제49조 제1항).
② **직무대행**: 소위원회 위원장이 부득이한 사유로 직무를 수행할 수 없을 때에는 해당 소위원회 위원장이 해당 소위원회 위원 중에서 미리 지명한 위원이 그 직무를 대행한다(영 제49조 제2항).

04 하자분쟁조정위원회 회의 등

(1) 회의소집

위원장은 전체위원회, 분과위원회 및 소위원회의 회의를 소집하며, 해당 회의의 의장은 다음의 구분에 따른다(법 제42조 제1항, 영 제51조).

① 전체위원회: 위원장
② 분과위원회: 분과위원장. 다만, 재심의사건, 청구금액이 10억원 이상인 분쟁조정사건을 심의하는 경우에는 위원장이 의장이 된다.
③ 소위원회: 소위원장

(2) 전체위원회

전체위원회는 다음에 해당하는 사항을 심의·의결한다. 이 경우 회의는 재적위원 과반수의 출석으로 개의하고 그 출석위원 과반수의 찬성으로 의결한다(법 제42조 제2항).

① 하자분쟁조정위원회 의사에 관한 규칙의 제정·개정 및 폐지에 관한 사항
② 분과위원회에서 전체위원회의 심의·의결이 필요하다고 요구하는 사항
③ 그 밖에 위원장이 필요하다고 인정하는 사항

(3) 분과위원회

분과위원회는 하자 여부 판정 또는 분쟁조정사건을 심의·의결하며, 회의는 그 구성원 과반수의 출석으로 개의하고 출석위원 과반수의 찬성으로 의결한다. 이 경우 분과위원회에서 의결한 사항은 하자분쟁조정위원회에서 의결한 것으로 본다(법 제42조 제3항).

(4) 소위원회

소위원회는 다음에 해당하는 사항을 심의·의결하거나, 소관 분과위원회의 사건에 대한 심리 등을 수행하며, 회의는 그 구성원 과반수의 출석으로 개의하고 출석위원 전원의 찬성으로 의결한다. 이 경우 소위원회에서 의결한 사항은 하자분쟁조정위원회에서 의결한 것으로 본다(법 제42조 제4항, 영 제52조).

① 1천만원 미만의 소액사건
② 전문분야 등을 고려하여 분과위원회에서 소위원회가 의결하도록 결정한 사건
③ 법 제45조 제2항 후단에 따른 조정 등의 신청에 대한 각하
④ 당사자 쌍방이 소위원회의 조정안을 수락하기로 합의한 사건
⑤ 하자의 발견 또는 보수가 쉬운 전유부분에 관한 하자 중 [별표 4]에 따른 마감공사 또는 하나의 시설공사에서 발생한 하자와 관련된 조정 등의 사건

(5) 위원회의 운영 및 회의 등

① **소집통지**: 하자분쟁조정위원회 위원장은 전체위원회, 분과위원회 또는 소위원회 회의를 소집하려면 특별한 사정이 있는 경우를 제외하고는 회의 개최 3일 전까지 회의의 일시 · 장소 및 안건을 각 위원에게 알려야 한다(영 제53조 제1항).

② **병합심의**: 하자분쟁조정위원회는 조정 등을 효율적으로 하기 위하여 필요하다고 인정하면 해당 사건들을 분리하거나 병합할 수 있으며, 분리하거나 병합한 경우에는 조정 등의 당사자에게 지체 없이 그 결과를 알려야 한다(영 제53조 제2항 · 제3항).

③ **합의권고**: 하자분쟁조정위원회는 분쟁조정 신청을 받으면 조정절차 계속 중에도 당사자에게 하자보수 및 손해배상 등에 관한 합의를 권고할 수 있다. 이 경우 권고는 조정절차의 진행에 영향을 미치지 아니한다(법 제42조 제5항).

④ **절차의 비공개**: 하자분쟁조정위원회가 수행하는 조정 등의 절차 및 의사결정과정은 공개하지 아니한다. 다만, 분과위원회 및 소위원회에서 공개할 것을 의결한 경우에는 그러하지 아니하다(법 제50조 제1항).

⑤ **사실조사 등**: 하자분쟁조정위원회가 조정 등을 신청받은 때에는 위원장은 하자분쟁조정위원회의 사무국 직원으로 하여금 심사 · 조정 대상물 및 관련 자료를 조사 · 검사 및 열람하게 하거나 참고인의 진술을 들을 수 있도록 할 수 있다. 이 경우 사업주체 등 및 입주자대표회의 등 및 임차인 등은 이에 협조하여야 한다(법 제51조 제1항).

⑥ **운영위탁**: 국토교통부장관은 하자분쟁조정위원회의 운영 및 사무처리를 국토안전관리원법에 따른 국토안전관리원에 위탁할 수 있다. 이 경우 하자분쟁조정위원회의 운영 및 사무처리를 위한 조직(하자분쟁조정위원회의 사무국) 및 인력 등에 필요한 사항은 대통령령으로 정한다(법 제49조 제1항).

05 하자심사분쟁의 조정

(1) 하자심사 · 분쟁조정의 절차

① **절차개시 및 완료**: 하자분쟁조정위원회는 조정 등의 신청을 받은 때에는 지체 없이 조정 등의 절차를 개시하여야 한다. 이 경우 하자분쟁조정위원회는 그 신청을 받은 날부터 다음의 구분에 따른 기간(흠결보정기간 및 하자감정기간은 제외한다) 이내에 그 절차를 완료하여야 한다(법 제45조 제1항).

> ㉠ 하자심사 및 분쟁조정: 60일(공용부분의 경우 90일)
> ㉡ 분쟁재정: 150일(공용부분의 경우 180일)

② **보정명령**: 하자분쟁조정위원회는 신청사건의 내용에 흠이 있는 경우에는 상당한 기간을 정하여 그 흠을 바로잡도록 명할 수 있다. 이 경우 신청인이 흠을 바로잡지 아니하면 하자분쟁조정위원회의 결정으로 조정 등의 신청을 각하(却下)한다(법 제45조 제2항).

③ **절차 연장**: 위 ①에 따른 기간 이내에 조정 등을 완료할 수 없는 경우에는 해당 사건을 담당하는 분과위원회 또는 소위원회의 의결로 그 기간을 한차례만 연장할 수 있으나, 그 기간은 30일 이내로 한다. 이 경우 그 사유와 기한을 명시하여 각 당사자 또는 대리인에게 서면으로 통지하여야 한다(법 제45조 제3항).

④ **조정 등의 신청의 통지**: 하자분쟁조정위원회는 당사자 일방으로부터 조정 등의 신청을 받은 때에는 그 신청내용을 상대방에게 통지하여야 하며, 통지를 받은 상대방은 신청내용에 대한 답변서를 특별한 사정이 없으면 10일 이내에 하자분쟁조정위원회에 제출하여야 한다(법 제46조 제1항 · 제2항).

⑤ **조정 등 신청의 대응**: 위 ④에 따라 하자분쟁조정위원회로부터 조정 등의 신청에 관한 통지를 받은 사업주체 등, 설계자, 감리자, 입주자대표회의 등 및 임차인 등은 분쟁조정에 응하여야 한다. 다만, 조정 등의 신청에 관한 통지를 받은 입주자(공공임대주택의 경우에는 임차인을 말한다)가 조정기일에 출석하지 아니한 경우에는 하자분쟁조정위원회가 직권으로 조정안을 결정하고, 이를 각 당사자 또는 그 대리인에게 제시할 수 있다(법 제46조 제3항).

⑥ **의견청취**: 하자분쟁조정위원회는 조정 등의 절차개시에 앞서 이해관계인이나 하자진단을 실시한 안전진단기관 등의 의견을 들을 수 있다(법 제45조 제4항).

⑦ **비용부담**: 조정 등의 진행과정에서 다음의 비용이 발생할 때에는 당사자가 합의한 바에 따라 그 비용을 부담한다. 다만, 당사자가 합의하지 아니하는 경우에는 하자분쟁조정위원회에서 부담비율을 정한다. 하자분쟁조정위원회에 조정 등을 신청하는 자는 국토교통부장관이 정하여 고시하는 바에 따라 수수료를 납부해야 한다(법 제45조 제5항 · 제6항, 규칙 제24조).

> ㉠ 조사, 분석 및 검사에 드는 비용
> ㉡ 증인 또는 증거의 채택에 드는 비용
> ㉢ 통역 및 번역 등에 드는 비용
> ㉣ 그 밖에 조정 등에 드는 비용

⑧ **조정 등의 각하**

　㉠ 하자분쟁조정위원회는 분쟁의 성질상 하자분쟁조정위원회에서 조정 등을 하는 것이 맞지 아니하다고 인정하거나 부정한 목적으로 신청되었다고 인정되면 그 조정 등의 신청을 각하할 수 있다(영 제54조 제1항).

ⓛ 하자분쟁조정위원회는 조정 등의 사건의 처리절차가 진행되는 도중에 한쪽 당사자가 법원에 소송(訴訟)을 제기한 경우에는 조정 등의 신청을 각하한다. 조정 등을 신청하기 전에 이미 소송을 제기한 사건으로 확인된 경우에도 또한 같고, 각하를 한 때에는 그 사유를 당사자에게 알려야 한다(영 제54조 제2항·제3항).

(2) 분쟁조정

① **조정안의 제시**: 하자분쟁조정위원회는 분쟁의 조정절차를 완료한 때에는 지체 없이 대통령령으로 정하는 사항을 기재한 조정안(신청인이 조정신청을 한 후 조정절차 진행 중에 피신청인과 합의를 한 경우에는 합의한 내용을 반영하되, 합의한 내용이 명확하지 아니한 것은 제외한다)을 결정하고, 각 당사자 또는 그 대리인에게 이를 제시하여야 한다(법 제44조 제1항).

② **수락 여부의 통보**: 조정안을 제시받은 당사자는 그 제시를 받은 날부터 30일 이내에 그 수락 여부를 하자분쟁조정위원회에 통보하여야 한다. 이 경우 수락 여부에 대한 답변이 없는 때에는 그 조정안을 수락한 것으로 본다(법 제44조 제2항).

③ **조정서의 송달**: 하자분쟁조정위원회는 각 당사자 또는 그 대리인이 ②에 따라 조정안을 수락하거나 기한까지 답변이 없는 때에는 위원장이 기명날인한 조정서 정본을 지체 없이 각 당사자 또는 그 대리인에게 송달하여야 한다(법 제44조 제3항).

④ **조정 등의 효력**: 조정서의 내용은 재판상 화해와 동일한 효력이 있다. 다만, 당사자가 임의로 처분할 수 없는 사항으로 대통령령으로 정하는 것은 그러하지 아니하다(법 제44조 제4항).

⑤ **절차의 준용**: 하자분쟁조정위원회는 분쟁의 조정 등의 절차에 관하여 이 법에서 규정하지 아니한 사항 및 소멸시효의 중단에 관하여는 민사조정법을 준용하고(법 제47조 제1항), 조정 등에 따른 서류송달에 관하여는 민사소송법을 준용한다(법 제47조 제2항).

(3) 분쟁재정

① **의견진술**: 하자분쟁조정위원회는 분쟁의 재정을 위하여 심문의 기일을 정하고 대통령령으로 정하는 바에 따라 당사자에게 의견을 진술하게 하여야 하며, 하자분쟁조정위원회의 사무국의 직원은 대통령령으로 정하는 사항을 기재한 심문조서를 작성하여야 한다(법 제44조의2 제1항·제2항).

② **조정 회부**: 재정분과위원회는 재정신청된 사건을 분쟁조정에 회부하는 것이 적합하다고 인정하는 경우에는 대통령령으로 정하는 바에 따라 분쟁조정을 다루는 분과위원회에 송부하여 조정하게 할 수 있으며, 분쟁조정에 회부된 사건에 관하여 당사자간에 합의가 이루어지지 아니하였을 때에는 재정절차를 계속 진행하고, 합의가 이루어졌을 때에는 재정의 신청은 철회된 것으로 본다(법 제44조의2 제4항·제5항).

③ 하자분쟁조정위원회는 재정절차를 완료한 경우에는 대통령령으로 정하는 사항을 기재하고 재정에 참여한 위원이 기명날인한 재정문서의 정본을 각 당사자 또는 그 대리인에게 송달하여야 한다(법 제44조의2 제6항).

④ 재정문서는 그 정본이 당사자에게 송달된 날부터 60일 이내에 당사자 양쪽 또는 어느 한쪽이 그 재정의 대상인 공동주택의 하자담보책임을 원인으로 하는 소송을 제기하지 아니하거나 그 소송을 취하한 경우 재판상 화해와 동일한 효력이 있다(법 제44조의2 제7항).

(4) 하자심사

① **하자판정서의 송달**: 하자분쟁조정위원회는 하자 여부를 판정한 때에는 대통령령으로 정하는 사항을 기재하고 위원장이 기명날인한 하자 여부 판정서 정본(正本)을 각 당사자 또는 그 대리인에게 송달하여야 한다(법 제43조 제2항).

② **하자보수**: 사업주체 등은 하자 여부 판정서 정본을 송달받은 경우로서 하자가 있는 것으로 판정된 경우(하자 여부 판정 결과가 변경된 경우는 제외한다)에는 대통령령으로 정하는 바에 따라 하자를 보수하여야 한다(법 제43조 제3항).

③ **이의신청**: 하자 여부 판정 결과에 대하여 이의가 있는 자는 하자 여부 판정서를 송달받은 날부터 30일 이내에 안전진단전문기관 또는 관계 전문가가 작성한 의견서를 첨부하여 이의신청을 할 수 있다(법 제43조 제4항).

④ **재심의**: 하자분쟁조정위원회는 ③의 이의신청이 있는 경우에는 하자 여부 판정을 의결한 분과위원회가 아닌 다른 분과위원회에서 해당 사건에 대하여 재심의를 하도록 하여야 한다. 이 경우 처리기간은 (1)의 ① · ③을 준용한다(법 제43조 제5항).

⑤ **재심의 결정**: 재심의를 하는 분과위원회가 당초의 하자 여부 판정을 변경하기 위하여는 재적위원 과반수의 출석으로 개의하고 출석위원 3분의 2 이상의 찬성으로 의결하여야 한다. 이 경우 출석위원 3분의 2 이상이 찬성하지 아니한 경우에는 당초의 판정을 하자분쟁조정위원회의 최종 판정으로 보며, 재심의가 확정된 경우에는 하자분쟁조정위원회는 재심의 결정서 정본을 지체 없이 각 당사자 또는 그 대리인에게 송달하여야 한다(법 제43조 제7항 · 제8항).

⑥ **조정에의 회부**: 하자 여부 판정을 하는 분과위원회는 하자의 정도에 비하여 그 보수의 비용이 과다하게 소요되어 사건을 분쟁조정에 회부하는 것이 적합하다고 인정하는 경우에는 신청인의 의견을 들어 대통령령으로 정하는 바에 따라 분쟁조정을 하는 분과위원회에 송부하여 해당 사건을 조정하게 할 수 있다. 이 경우 하자심사에 소요된 기간은 법 제45조 제1항에 따른 기간 산정에서 제외한다(법 제43조 제1항).

06 하자진단과 하자감정

(1) 하자진단

사업주체 등은 입주자대표회의 등 또는 임차인 등의 하자보수 청구에 이의가 있는 경우, 입주자대표회의 등 또는 임차인 등과 협의하여 다음의 안전진단기관에 보수책임이 있는 하자범위에 해당하는지 여부 등 하자진단을 의뢰할 수 있다. 이 경우 하자진단을 의뢰받은 안전진단기관은 지체 없이 하자진단을 실시하여 그 결과를 사업주체 등과 입주자대표회의 등 또는 임차인 등에게 통보하여야 한다(법 제48조 제1항, 영 제62조 제1항).

① 국토안전관리원
② 한국건설기술연구원
③ 엔지니어링산업 진흥법에 따라 신고한 해당 분야의 엔지니어링사업자
④ 기술사법에 따라 등록한 해당 분야의 기술사
⑤ 건축사법에 따라 신고한 건축사
⑥ 건축분야 안전진단전문기관

(2) 하자감정

① 감정: 하자분쟁조정위원회는 다음의 어느 하나에 해당하는 사건의 경우에는 대통령령으로 정하는 안전진단기관에 그에 따른 감정을 요청할 수 있다(법 제48조 제2항).

㉠ 하자진단 결과에 대하여 다투는 사건
㉡ 당사자 쌍방 또는 일방이 하자감정을 요청하는 사건
㉢ 하자원인이 불분명한 사건
㉣ 그 밖에 분과위원회에서 하자감정이 필요하다고 결정하는 사건

② 감정기관: 하자분쟁조정위원회는 ①에 해당하는 사건의 경우에는 다음의 안전진단기관에 그에 따른 감정을 요청할 수 있다. 다만, (1)에 따른 안전진단기관은 같은 사건의 심사·조정대상시설에 대해서는 감정을 하는 안전진단기관이 될 수 없다(법 제48조 제2항, 영 제62조 제2항).

㉠ 국토안전관리원
㉡ 한국건설기술연구원
㉢ 국립 또는 공립의 주택 관련 시험·검사기관
㉣ 고등교육법에 따른 대학 및 산업대학의 주택 관련 부설 연구기관(상설기관에 한한다)
㉤ 엔지니어링산업 진흥법 제21조에 따라 신고한 해당 분야의 엔지니어링사업자
㉥ 기술사법 제6조 제1항에 따라 등록한 해당 분야의 기술사

Ⓐ 건축사법 제23조 제1항에 따라 신고한 건축사
◎ 건축분야 안전진단전문기관
⦿ ⓜ~◎의 경우 분과위원회(소위원회에서 의결하는 사건은 소위원회)에서 해당 하자감정을 위한 시설 및 장비를 갖추었다고 인정하고 당사자 쌍방이 합의한 자로 한정한다.

(3) 처리기간

① 위 (1)에 따른 안전진단기관은 (1)에 따른 하자진단을 의뢰받은 날부터 20일·이내에 그 결과를 사업주체 등과 입주자대표회의 등에 제출하여야 한다. 다만, 당사자 사이에 달리 약정한 경우에는 그에 따른다(영 제62조 제3항).

② 위 (2)의 ②에 따른 안전진단기관은 하자감정을 의뢰받은 날부터 20일 이내에 그 결과를 하자분쟁조정위원회에 제출하여야 한다. 다만, 하자분쟁조정위원회가 인정하는 부득이한 사유가 있는 때에는 그 기간을 연장할 수 있다(영 제62조 제4항).

(4) 비용부담

하자진단에 드는 비용과 감정에 드는 비용은 다음의 구분에 따라 부담한다(법 제48조 제3항, 규칙 제26조).

① 하자진단에 드는 비용: 당사자가 합의한 바에 따라 부담한다.
② 하자감정에 드는 비용: 다음에 따라 부담한다. 이 경우 하자분쟁조정위원회에서 정한 기한 내에 안전진단기관에 납부하여야 한다.
  ㉠ 당사자가 합의한 바에 따라 부담한다.
  ㉡ 당사자간 합의가 이루어지지 아니할 경우에는 하자감정을 신청하는 당사자 일방 또는 쌍방이 미리 하자감정비용을 부담한 후 하자심사 또는 분쟁조정의 결과에 따라 하자분쟁조정위원회에서 정하는 비율에 따라 부담한다.

01 사업주체는 담보책임기간에 공동주택에 하자가 발생한 경우에는 하자 발생으로 인한 손해를 배상할 책임이 있다. ( )

02 사업주체는 하자보수를 청구받은 날(하자진단결과를 통보받은 때에는 그 통보받은 날을 말한다)부터 30일 이내에 그 하자를 보수하거나 하자보수계획을 입주자대표회의 등 또는 임차인 등에 서면(정보처리시스템을 사용한 전자문서를 포함한다)으로 통보하고 그 계획에 따라 하자를 보수하여야 한다. ( )

03 사업주체는 담보책임기간이 만료되기 30일 전까지 그 만료 예정일을 해당 공동주택의 입주자 대표회의(의무관리대상 공동주택이 아닌 경우에는 집합건물의 소유 및 관리에 관한 법률에 따른 관리단을 말한다) 또는 해당 공공임대주택의 임차인대표회의에 서면으로 통보하여야 한다. ( )

04 담보책임 종료통보를 받은 입주자대표회의 또는 공공임대주택의 임차인대표회의는 전유부분에 대한 조치로서 담보책임기간이 만료되는 날까지 하자보수를 청구하도록 입주자 또는 공공임대 주택의 임차인에게 개별 통지하고 공동주택단지 안의 잘 보이는 게시판에 20일 이상 게시하여야 하며, 공용부분에 대한 조치로서 담보책임기간이 만료되는 날까지 하자보수청구를 하여야 한다. ( )

05 공용부분의 담보책임 종료를 위하여 사업주체와 입주자대표회의의 회장(의무관리대상 공동주택이 아닌 경우는 관리인) 또는 과반수의 입주자(입주자대표회의 구성원 중 사용자인 동별 대표자가 과반수인 경우)는 하자보수가 끝난 때에 공동으로 담보책임 종료확인서를 작성하여야 한다. ( )

---

01 ○
02 × 15일 이내이다.
03 ○
04 ○
05 × 5분의 4 이상의 입주자이다.

06 사업주체(공공사업주체를 포함한다)는 대통령령으로 정하는 바에 따라 하자보수를 보장하기 위하여 하자보수보증금을 담보책임기간(보증기간은 공용부분을 기준으로 기산한다) 동안 예치하여야 한다. ( )

07 사용검사권자는 입주자대표회의가 구성된 때에는 지체 없이 예치명의 또는 가입명의를 해당 입주자대표회의로 변경하고 입주자대표회의에 현금 예치증서 또는 보증서를 인계하여야 한다. ( )

08 입주자대표회의는 사업주체가 하자보수를 이행하지 아니하는 경우에는 하자보수보증서 발급기관에 법정서류를 첨부하여 하자보수보증금의 지급을 청구할 수 있으며, 청구를 받은 하자보수보증서 발급기관은 청구일부터 30일 이내에 하자보수보증금을 지급하여야 한다. ( )

09 입주자대표회의는 하자보수보증금을 사용한 때에는 그날부터 30일 이내에 그 사용명세를 사업주체에게 통보하여야 하며, 하자보수보증금의 사용 후 30일 이내에 그 사용내역을 시장 · 군수 · 구청장에게 신고하여야 한다. ( )

10 사용검사일부터 3년이 경과된 때에는 하자보수보증금의 100분의 20을 사업주체에게 반환하여야 한다. ( )

---

06 ✕ 국가 · 지방자치단체 · 한국토지주택공사 및 지방공사인 사업주체의 경우에는 하자보수보증금의 예치의무가 없다.

07 ○

08 ○

09 ✕ 의무관리대상 공동주택의 경우에 한하여 하자보수보증금의 사용 후 30일 이내에 그 사용내역을 시장 · 군수 · 구청장에게 신고하여야 한다.

10 ✕ 입주자대표회의는 사업주체가 예치한 하자보수보증금을 다음의 구분에 따라 순차적으로 사업주체에게 반환하여야 한다.
- 사용검사일부터 2년이 경과된 때: 하자보수보증금의 100분의 15
- 사용검사일부터 3년이 경과된 때: 하자보수보증금의 100분의 40
- 사용검사일부터 5년이 경과된 때: 하자보수보증금의 100분의 25
- 사용검사일부터 10년이 경과된 때: 하자보수보증금의 100분의 20

11 하자 여부의 조사는 현장실사 등을 통하여 하자가 주장되는 부위와 설계도서를 비교하여 측정하는 등의 방법으로 하며, 공동주택의 하자보수비용은 실제 하자보수에 소요되는 공사비용으로 산정하되, 하자보수에 필수적으로 수반되는 부대비용을 추가할 수 있다. ( )

12 하자분쟁조정위원회는 조정 등의 신청을 받은 때에는 지체 없이 조정 등의 절차를 개시하여야 하며, 신청사건의 내용에 흠이 있는 경우에는 상당한 기간을 정하여 그 흠을 바로잡도록 명할 수 있다. ( )

13 조정안을 제시받은 당사자는 그 제시를 받은 날부터 30일 이내에 그 수락 여부를 하자분쟁조정위원회에 통보하여야 한다. 이 경우 수락 여부에 대한 답변이 없는 때에는 그 조정안을 수락한 것으로 보며, 이 경우 조정서의 내용은 합의가 된 것으로 본다. ( )

14 재심의를 하는 분과위원회가 당초의 하자 여부 판정을 변경하기 위하여는 재적위원 과반수의 출석으로 개의하고 출석위원 3분의 2 이상의 찬성으로 의결하여야 한다. 이 경우 출석위원 3분의 2 이상이 찬성하지 아니한 경우에는 당초의 판정을 하자분쟁조정위원회의 최종 판정으로 본다. ( )

15 사업주체 등은 입주자대표회의 등 또는 임차인 등의 하자보수 청구에 이의가 있는 경우, 입주자대표회의 등 또는 임차인 등은 각기 안전진단기관에 보수책임이 있는 하자범위에 해당하는지 여부 등 하자진단을 의뢰할 수 있다. ( )

---

11 ○
12 ○
13 × 조정안을 수락한 경우 재판상 화해와 동일한 효력이 있다.
14 ○
15 × 입주자대표회의 등 또는 임차인 등과 협의하여 안전진단기관에 보수책임이 있는 하자범위에 해당하는지 여부 등 하자진단을 의뢰할 수 있다.

제 **9** 장 보칙

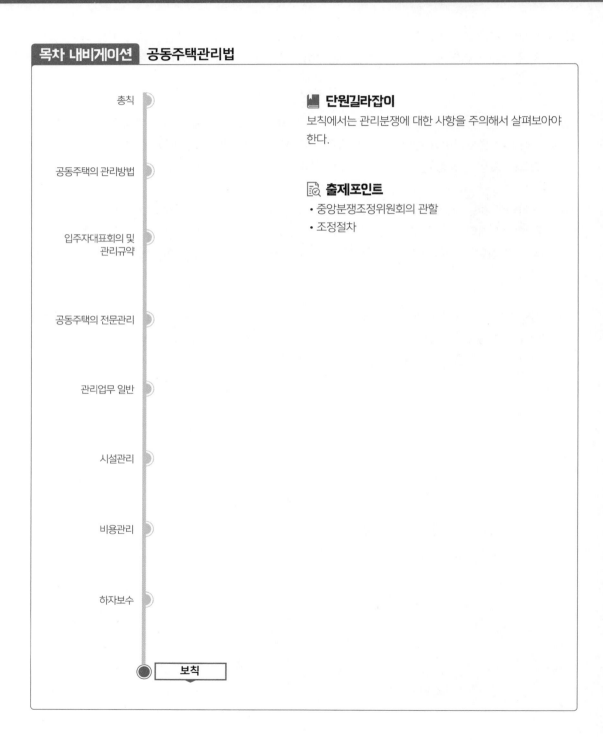

목차 내비게이션 | **공동주택관리법**

총칙

공동주택의 관리방법

입주자대표회의 및
관리규약

공동주택의 전문관리

관리업무 일반

시설관리

비용관리

하자보수

보칙

📖 단원길라잡이

보칙에서는 관리분쟁에 대한 사항을 주의해서 살펴보아야
한다.

📑 출제포인트

· 중앙분쟁조정위원회의 관할
· 조정절차

01 공동주택관리 분쟁조정위원회

1. 설치 및 권한

(1) 설치

공동주택관리 분쟁(공동주택의 하자담보책임 및 하자보수 등과 관련한 분쟁은 제외한다)을 조정하기 위하여 국토교통부에 중앙 공동주택관리 분쟁조정위원회(이하 '중앙분쟁조정위원회'라 한다)를 두고, 시·군·구에 지방 공동주택관리 분쟁조정위원회(이하 '지방분쟁조정위원회'라 한다)를 둔다. 다만, 공동주택 비율이 낮은 시·군·구로서 국토교통부장관이 인정하는 시·군·구의 경우에는 지방분쟁조정위원회를 두지 아니할 수 있다(법 제71조 제1항).

(2) 심의·조정사항

공동주택관리 분쟁조정위원회는 다음의 사항을 심의·조정한다(법 제71조 제2항).

> ① 입주자대표회의의 구성·운영 및 동별 대표자의 자격·선임·해임·임기에 관한 사항
> ② 공동주택관리기구의 구성·운영 등에 관한 사항
> ③ 관리비·사용료 및 장기수선충당금 등의 징수·사용 등에 관한 사항
> ④ 공동주택(공용부분만 해당한다)의 유지·보수·개량 등에 관한 사항
> ⑤ 공동주택의 리모델링에 관한 사항
> ⑥ 공동주택의 층간소음에 관한 사항
> ⑦ 혼합주택단지에서의 분쟁에 관한 사항
> ⑧ 다른 법령에서 공동주택관리 분쟁조정위원회가 분쟁을 심의·조정할 수 있도록 한 사항
> ⑨ 그 밖에 공동주택의 관리와 관련하여 분쟁의 심의·조정이 필요하다고 대통령령 또는 시·군·구의 조례(지방분쟁조정위원회에 한정한다)로 정하는 사항

(3) 업무의 관할

① 중앙분쟁조정위원회: 중앙분쟁조정위원회는 (2)의 사항 중에서 다음의 사항을 심의·조정한다(법 제72조 제1항, 영 제82조의2).

> ㉠ 둘 이상의 시·군·구의 관할 구역에 걸친 분쟁
> ㉡ 시·군·구에 지방분쟁조정위원회가 설치되지 아니한 경우 해당 시·군·구 관할 분쟁
> ㉢ 분쟁당사자가 쌍방이 합의하여 중앙분쟁조정위원회에 조정을 신청하는 분쟁
> ㉣ 그 밖에 중앙분쟁조정위원회에서 관할하는 것이 필요하다고 대통령령으로 정하는 분쟁
>   ⓐ 500세대 이상의 공동주택단지에서 발생한 분쟁
>   ⓑ 지방분쟁조정위원회가 스스로 조정하기 곤란하다고 결정하여 중앙분쟁조정위원회에 이송한 분쟁

② **지방분쟁조정위원회**: 지방분쟁조정위원회는 해당 시·군·구의 관할 구역에서 발생한 분쟁 중 ①에 따른 중앙분쟁조정위원회의 심의·조정대상인 분쟁 외의 분쟁을 심의·조정한다(법 제72조 제2항).

2. 구성

(1) 중앙분쟁조정위원회의 구성 등

중앙분쟁조정위원회는 위원장 1명을 포함한 15명 이내의 위원으로 구성하되, 성별을 고려하여야 하며, 중앙분쟁조정위원회의 위원은 공동주택관리에 관한 학식과 경험이 풍부한 사람으로서 다음의 어느 하나에 해당하는 사람 중에서 국토교통부장관이 임명 또는 위촉한다. 이 경우 ③에 해당하는 사람이 3명 이상 포함되어야 한다(법 제73조 제1항·제2항, 영 제82조의3).

> ① 1급부터 4급까지 상당의 공무원 또는 고위공무원단에 속하는 공무원
> ② 공인된 대학이나 연구기관에서 부교수 이상 또는 이에 상당하는 직에 재직한 사람
> ③ 판사·검사 또는 변호사의 직에 6년 이상 재직한 사람
> ④ 공인회계사·세무사·건축사·감정평가사 또는 공인노무사의 자격이 있는 사람으로서 10년 이상 근무한 사람
> ⑤ 주택관리사로서 공동주택의 관리사무소장으로 10년 이상 근무한 사람
> ⑥ 민사조정법 제10조 제1항에 따른 조정위원으로서 같은 조 제3항에 따른 사무를 3년 이상 수행한 사람
> ⑦ 국가, 지방자치단체, 공공기관의 운영에 관한 법률에 따른 공공기관 및 비영리민간단체 지원법에 따른 비영리민간단체에서 공동주택관리 관련 업무에 5년 이상 종사한 사람

(2) 지방분쟁조정위원회의 구성 등

① 지방분쟁조정위원회는 위원장 1명을 포함하여 10명 이내의 위원으로 구성하되, 성별을 고려하여야 하며, 위원은 다음의 어느 하나에 해당하는 사람 중에서 해당 시장·군수·구청장이 위촉하거나 임명한다(영 제87조 제1항·제2항).

> ㉠ 해당 시·군 또는 구(자치구를 말한다) 소속 공무원
> ㉡ 법학·경제학·부동산학 등 주택분야와 관련된 학문을 전공한 사람으로 대학이나 공인된 연구기관에서 조교수 이상 또는 이에 상당하는 직(職)에 있거나 있었던 사람
> ㉢ 변호사·공인회계사·세무사·건축사·공인노무사의 자격이 있는 사람 또는 판사·검사
> ㉣ 공동주택 관리사무소장으로 5년 이상 근무한 경력이 있는 주택관리사
> ㉤ 그 밖에 공동주택관리 분야에 대한 학식과 경험을 갖춘 사람

② 지방분쟁조정위원회의 위원장은 위원 중에서 해당 지방자치단체의 장이 지명하는 사람이 되고, 공무원이 아닌 위원의 임기는 2년으로 한다. 다만, 보궐위원의 임기는 전임자의 남은 임기로 한다(영 제87조 제3항·제4항).

3. 중앙분쟁조정위원회의 회의

(1) 소집

중앙분쟁조정위원회의 위원장은 위원회의 회의를 소집하려면 특별한 사정이 있는 경우를 제외하고는 회의 개최 3일 전까지 회의의 일시·장소 및 심의안건을 각 위원에게 서면(전자우편을 포함한다)으로 알려야 한다(영 제82조 제2항).

(2) 분리·병합

중앙분쟁조정위원회는 조정을 효율적으로 하기 위하여 필요하다고 인정하면 해당 사건들을 분리하거나 병합할 수 있으며, 분리하거나 병합한 경우에는 조정의 당사자에게 지체 없이 서면으로 그 뜻을 알려야 한다(영 제82조 제3항·제4항).

(3) 중앙분쟁조정위원회는 당사자나 이해관계인을 중앙분쟁조정위원회에 출석시켜 의견을 들으려면 회의 개최 5일 전까지 서면(전자우편을 포함한다)으로 출석을 요청하여야 한다. 이 경우 출석을 요청받은 사람은 출석할 수 없는 부득이한 사유가 있는 경우에는 미리 서면으로 의견을 제출할 수 있다(영 제82조 제6항).

(4) 국토교통부장관은 분쟁조정사건을 전자적 방법으로 접수·통지 및 송달하거나, 민원상담 및 홍보 등을 인터넷을 이용하여 처리하기 위하여 중앙분쟁조정시스템을 구축·운영할 수 있다(영 제82조 제8항).

(5) 여러 사람이 공동으로 조정의 당사자가 될 경우의 선정대표자에 대해서는 영 제46조를 준용한다(영 제83조).

4. 분쟁의 조정

(1) 분쟁조정의 신청 및 조정

① 조정신청: 법 제71조 제2항 각 호의 사항에 대하여 분쟁이 발생한 때에는 중앙분쟁조정위원회에 조정을 신청할 수 있다(법 제74조 제1항).

② 절차개시: 중앙분쟁조정위원회는 ①에 따라 조정의 신청을 받은 때에는 지체 없이 조정의 절차를 개시하여야 한다. 이 경우 중앙분쟁조정위원회는 필요하다고 인정하면 당사자나 이해관계인을 중앙분쟁조정위원회에 출석하게 하여 의견을 들을 수 있다(법 제74조 제2항).

③ 절차 완료: 중앙분쟁조정위원회는 ②에 따른 조정절차를 개시한 날부터 30일 이내에 그 절차를 완료한 후 조정안을 작성하여 지체 없이 이를 각 당사자에게 제시하여야 한다. 다만, 부득이한 사정으로 30일 이내에 조정절차를 완료할 수 없는 경우 중앙분쟁조정위원회는 그 기간을 연장할 수 있다. 이 경우 그 사유와 기한을 명시하여 당사자에게 서면으로 통지하여야 한다(법 제74조 제3항).

④ 효과: 조정안을 제시받은 당사자는 그 제시를 받은 날부터 30일 이내에 그 수락 여부를 중앙분쟁조정위원회에 서면으로 통보하여야 한다. 이 경우 30일 이내에 의사표시가 없는 때에는 수락한 것으로 보며, 조정안을 수락하거나 수락한 것으로 보는 때에는 그 조정서의 내용은 재판상 화해와 동일한 효력을 갖는다. 다만, 당사자가 임의로 처분할 수 없는 사항에 관한 것은 그러하지 아니하다(법 제74조 제4항·제6항).

(2) 분쟁조정신청의 통지 등

① 답변의무 등: 중앙분쟁조정위원회의 분쟁조정신청에 대한 상대방 통지의무, 통지를 받은 상대방의 답변서 제출의무는 법 제46조 제1항·제2항을 각각 준용하며, 중앙분쟁조정위원회로부터 분쟁조정신청에 관한 통지를 받은 입주자대표회의(구성원을 포함한다)와 관리주체는 분쟁조정에 응하여야 한다(법 제75조).

② 사실조사 등: 중앙분쟁조정위원회는 위원 또는 중앙분쟁조정위원회의 운영 및 사무처리를 위한 조직(중앙분쟁조정위원회의 사무국)의 직원으로 하여금 해당 공동주택 등에 출입하여 조사·검사 및 열람하게 하거나 참고인의 진술을 들을 수 있도록 할 수 있다. 이 경우 당사자와 이해관계인은 이에 협조하여야 하며, 조사·검사 등을 하는 사람은 그 권한을 나타내는 증표를 지니고 이를 관계인에게 내보여야 한다(법 제76조).

(3) 조정의 거부와 중지 등

① 중앙분쟁조정위원회는 분쟁의 성질상 분쟁조정위원회에서 조정을 하는 것이 맞지 아니하다고 인정하거나 부정한 목적으로 신청되었다고 인정하면 그 조정을 거부할 수 있다. 이 경우 조정의 거부사유를 신청인에게 알려야 한다(법 제77조 제1항).

② 중앙분쟁조정위원회는 신청된 사건의 처리절차가 진행되는 도중에 한쪽 당사자가 소를 제기한 경우에는 조정의 처리를 중지하고 이를 당사자에게 알려야 한다(법 제77조 제2항).

③ 중앙분쟁조정위원회의 분쟁의 당사자에 대한 조정의 절차 중 합의권고에 관하여는 법 제42조 제5항을 준용한다(법 제77조 제3항).

④ 국토교통부장관은 중앙분쟁조정위원회의 운영 및 사무처리를 고시로 정하는 기관 또는 단체에 위탁할 수 있다(법 제79조 제1항).

(4) 지방분쟁조정위원회의 분쟁조정

① 지방분쟁조정위원회의 위원 중 공무원이 아닌 위원이 본인의 의사에 반하여 해촉되지 아니할 권리, 위원의 제척·기피·회피에 관한 내용은 중앙분쟁조정위원회에 관한 규정을 준용한다(법 제80조 제1항).

② 분쟁당사자가 지방분쟁조정위원회의 조정결과를 수락한 경우에는 당사자간에 조정조서(調停調書)와 같은 내용의 합의가 성립된 것으로 본다(법 제80조 제2항).

③ 지방분쟁조정위원회의 구성에 필요한 사항은 대통령령으로 정하며, 지방분쟁조정위원회의 회의·운영 등에 필요한 사항은 해당 시·군·구의 조례로 정한다(법 제80조 제3항).

02 협회

(1) 협회의 설립

① 주택관리사 등은 공동주택관리에 관한 기술·행정 및 법률 문제에 관한 연구와 그 업무를 효율적으로 수행하기 위하여 주택관리사단체를 설립할 수 있으며, 협회는 법인으로 한다(법 제81조 제1항·제3항).

② 협회는 그 주된 사무소의 소재지에서 설립등기를 함으로써 성립한다(법 제81조 제4항).

③ 이 법에 따라 국토교통부장관, 시·도지사 또는 대도시 시장으로부터 영업 및 자격의 정지처분을 받은 협회 회원의 권리·의무는 그 영업 및 자격의 정지기간 중에는 정지되며, 주택관리사 등의 자격이 취소된 때에는 협회의 회원자격을 상실한다(법 제81조 제5항).

④ 협회를 설립하려면 공동주택의 관리사무소장으로 배치된 자의 5분의 1 이상을 발기인으로 하여 정관을 마련한 후 창립총회의 의결을 거쳐 국토교통부장관의 인가를 받아야 한다. 인가받은 정관을 변경하는 경우에도 또한 같다(법 제81조 제6항).

(2) 협회의 감독 등

① 국토교통부장관은 협회를 지도·감독한다(법 제83조).

② 협회에 관하여 이 법에서 규정한 것 외에는 민법 중 사단법인에 관한 규정을 준용한다(법 제84조).

(3) 청문

국토교통부장관 또는 지방자치단체의 장은 다음의 어느 하나에 해당하는 처분을 하려면 청문을 하여야 한다(법 제95조).

① 법 제35조 제5항에 따른 행위허가의 취소
② 법 제53조 제1항에 따른 주택관리업의 등록말소
③ 법 제69조 제1항에 따른 주택관리사 등의 자격취소

(4) 벌칙 적용에서의 공무원 의제

다음의 어느 하나에 해당하는 자는 형법 제129조부터 제132조까지(수뢰 · 사전수뢰, 제3자 뇌물제공, 수뢰후 부정처사 · 사후수뢰, 알선수뢰)를 적용할 때에는 공무원으로 본다(법 제96조).

① 법 제40조 제1항에 따른 하자분쟁조정위원회의 위원 또는 하자분쟁조정위원회의 사무국 직원으로서 공무원이 아닌 자
② 법 제48조 제1항에 따라 하자진단을 실시하는 자
③ 법 제71조 제1항에 따른 공동주택관리 분쟁조정위원회의 위원 또는 중앙분쟁조정위원회의 사무국 직원으로서 공무원이 아닌 자

01 300세대 이상의 공동주택단지에서 발생한 분쟁은 중앙분쟁조정위원회의 관할 사항이다.

( )

02 중앙분쟁조정위원회는 조정절차를 개시한 날부터 30일 이내에 그 절차를 완료한 후 조정안을 작성하여 지체 없이 이를 각 당사자에게 제시하여야 한다. 다만, 부득이한 사정으로 30일 이내에 조정절차를 완료할 수 없는 경우 중앙분쟁조정위원회는 그 기간을 연장할 수 있다.

( )

03 조정안을 제시받은 당사자는 그 제시를 받은 날부터 30일 이내에 그 수락 여부를 중앙분쟁조정위원회에 서면으로 통보하여야 한다. 이 경우 30일 이내에 의사표시가 없는 때에는 수락한 것으로 보며, 조정안을 수락하거나 수락한 것으로 보는 때에는 그 조정서의 내용은 재판상 화해와 동일한 효력을 갖는다.

( )

04 지방분쟁조정위원회의 분쟁당사자가 지방분쟁조정위원회의 조정결과를 수락한 경우에는 당사자간에 조정조서(調停調書)와 같은 내용은 재판상 화해와 동일한 효력을 갖는다. ( )

01 × 500세대 이상인 경우에 그러하다.

02 ○

03 ○

04 × 조정결과를 수락한 경우에는 당사자간에 조정조서(調停調書)와 같은 내용의 합의가 성립된 것으로 본다.

01 공동주택관리법령상 의무관리대상 공동주택의 관리주체에 관한 설명으로 틀린 것은?

제11회

① 300세대 이상의 공동주택을 건설한 사업주체는 입주예정자의 과반수가 입주할 때까지 그 공동주택을 직접 관리해야 한다.

② 입주자가 사업주체로부터 공동주택을 관리할 것을 요구받았을 때에는 그 요구를 받은 날부터 6개월 이내에 입주자대표회의를 구성해야 한다.

③ 사업주체가 공동주택을 직접 관리하는 경우에는 입주예정자와 관리계약을 체결하여야 한다.

④ 사업주체는 입주자대표회의로부터 일정기간 내에 관리방법에 관한 결정통지가 없거나 입주자대표회의가 자치관리기구를 구성하지 아니한 경우에는 주택관리업자를 선정해야 한다.

⑤ 공동주택 관리방법의 결정은 입주자대표회의와 의결하여 제안하거나 또는 전체 입주자 등의 10분의 1 이상이 제안하고, 전체 입주자 등의 과반수가 찬성하는 방법에 따른다.

02 공동주택관리법령상 공동주택의 관리방법에 관한 설명으로 옳지 않은 것은? 제20회

① 의무관리대상 공동주택의 입주자 등이 공동주택을 자치관리할 것을 정한 경우에는 입주자대표회의는 입주자대표회의의 회장을 자치관리기구의 대표자로 선임하고 자치관리기구를 구성하여야 한다.

② 입주자 등은 전체 입주자 등의 10분의 1 이상이 제안하고 전체 입주자 등의 과반수가 찬성하면 공동주택의 관리방법을 변경할 수 있다.

③ 의무관리대상 공동주택의 입주자 등이 새로운 주택관리업자 선정을 위한 입찰에서 기존 주택관리업자의 참가를 제한하도록 입주자대표회의에 요구하려면 전체 입주자 등 과반수의 서면동의가 있어야 한다.

④ 입주자대표회의는 해당 공동주택의 관리에 필요하다고 인정하는 경우에는 국토교통부령으로 정하는 바에 따라 인접한 공동주택단지와 공동으로 관리하거나 500세대 이상의 단위로 나누어 관리하게 할 수 있다.

⑤ 의무관리대상 공동주택을 건설한 사업주체는 입주예정자의 과반수가 입주할 때까지 그 공동주택을 관리하여야 한다.

정답 | 해설

01 ② 입주자가 사업주체로부터 공동주택을 관리할 것을 요구받았을 때에는 그 요구를 받은 날부터 <u>3개월 이내</u>에 입주자대표회의를 구성해야 한다.

02 ① 입주자대표회의 회장이 아니라 <u>관리사무소장</u>을 자치관리기구의 대표자로 선임해야 한다.

03 공동주택관리법령상 관리사무소장에 관한 설명으로 옳지 않은 것은? 제20회

① 500세대 미만의 의무관리대상 공동주택에는 주택관리사를 갈음하여 주택관리사보를 해당 공동주택의 관리사무소장으로 배치할 수 있다.

② 입주자대표회의가 관리사무소장의 업무에 부당하게 간섭하여 입주자 등에게 손해를 초래하는 관리사무소장은 시장·군수·구청장에게 이를 보고하고, 사실조사를 의뢰할 수 있다.

③ 관리사무소장의 손해배상책임을 보장하기 위한 보증보험 또는 공제에 가입한 주택관리사 등으로서 보증기간이 만료되어 다시 보증설정을 하려는 자는 그 보증기간이 만료된 후 1개월 내에 다시 보증설정을 하여야 한다.

④ 관리사무소장은 입주자대표회의에서 의결하는 공동주택의 개량업무와 관련하여 입주자대표회의를 대리하여 재판상 또는 재판 외의 행위를 할 수 있다.

⑤ 관리사무소장은 그 배치내용과 업무의 집행에 사용할 직인을 시장·군수·구청장에게 신고하여야 한다.

04 공동주택관리법령상 공동주택의 관리사무소장에 관한 설명으로 옳지 않은 것은?

제12회

① 관리사무소장은 선량한 관리자의 주의로 그 직무를 수행하여야 한다.

② 손해배상책임을 보장하기 위한 공탁금은 주택관리사 등이 해당 공동주택의 관리사무소장의 직책을 사임하거나 그 직에서 해임된 날 또는 사망한 날부터 5년 이내에는 회수할 수 없다.

③ 관리사무소장은 그 배치내용과 업무의 집행에 사용할 직인을 시장·군수·구청장에게 신고하여야 한다.

④ 주택관리사 등은 관리사무소장의 업무를 집행하면서 고의 또는 과실로 입주자에게 재산상의 손해를 입힌 경우에는 배상책임이 있다.

⑤ 관리사무소장은 공동주택단지 안에서 발생한 안전사고 및 도난사고 등에 관한 대응조치업무를 지휘·총괄한다.

05 공동주택관리법령상 관리사무소장의 손해배상책임 등에 관한 설명으로 옳지 않은 것은?

제16회

① 주택관리사 등은 관리사무소장의 업무를 집행하면서 고의 또는 과실로 입주자에게 재산상의 손해를 입힌 경우에는 그 손해를 배상할 책임이 있다.

② 500세대 이상의 공동주택에 관리사무소장으로 배치된 주택관리사는 관리사무소장의 손해배상책임을 보장하기 위하여 5천만원을 보장하는 보증보험 또는 공제에 가입하거나 공탁을 하여야 한다.

③ 주택관리사 등은 관리사무소장의 손해배상책임을 보장하기 위하여 가입한 보증보험을 공탁으로 변경하려는 경우에는 보증설정의 효력이 소멸한 후에 할 수 있다.

④ 손해배상책임을 보장하기 위하여 공탁한 공탁금은 주택관리사 등이 해당 공동주택의 관리사무소장의 직책을 사임하거나 그 직에서 해임된 날 또는 사망한 날부터 3년 이내에는 회수할 수 없다.

⑤ 입주자대표회의에서 손해배상금으로 공탁금을 지급받으려는 경우에는 입주자대표회의와 주택관리사 등간의 손해배상합의서, 화해조서 또는 확정된 법원의 판결문 사본, 그 밖에 이에 준하는 효력이 있는 서류를 첨부하여 공탁기관에 손해배상금의 지급을 청구하여야 한다.

정답 | 해설

03 ③ 보증보험 또는 공제에 가입한 주택관리사 등으로서 보증기간이 만료되어 다시 보증설정을 하려는 자는 그 보증기간 만료일까지 다시 보증설정을 하여야 한다.

04 ② 손해배상책임을 보장하기 위한 공탁금은 주택관리사 등이 해당 공동주택의 관리사무소장의 직책을 사임하거나 그 직에서 해임된 날 또는 사망한 날부터 3년 이내에는 회수할 수 없다.

05 ③ 보증보험을 공탁으로 변경하려는 경우에는 종전 보증설정의 효력발생기간 내에 하여야 한다.

06 공동주택관리법 제67조(주택관리사 등의 자격) 규정의 일부이다. (   ) 안에 들어
갈 숫자를 순서대로 쓰시오. 제20회

> 다음 각 호의 어느 하나에 해당하는 사람은 주택관리사 등이 될 수 없으며 그 자격을 상실
> 한다.
> 1. 금고 이상의 실형을 선고받고 그 집행이 끝나거나(집행이 끝난 것으로 보는 경우를 포함
>   한다) 집행이 면제된 날부터 (   )년이 지나지 아니한 사람
> 2. 주택관리사 등의 자격이 취소된 후 (   )년이 지나지 아니한 사람

정답 | 해설

06 2, 3

house.Hackers.com

10개년 출제비중분석

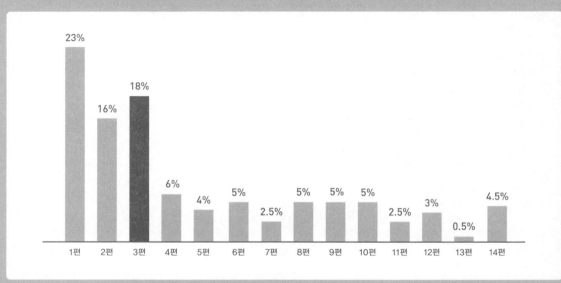

제3편

건축법

제 1 장 총칙

📖 단원길라잡이

건축법은 건축물의 건축 등에 관한 일반법으로 시험에서 7문제가 출제된다. 제1장 총칙에서는 매년 2~3문제 정도가 출제되고 있는데, 특히 용어의 정의는 주택관리관계법규 전반의 기초가 되므로 정확히 정리하여야 하며, 적용범위의 적용대상행위에서 건축행위와 용도변경에 대하여는 꼼꼼하게 숙지하여야 한다.

📑 출제포인트

- 용어의 정의
- 건축법 적용대상물(건축물, 공작물)
- 건축(신축, 증축, 개축, 재축, 이전)의 이해
- 대수선 행위의 구분
- 용도변경(시설군의 변경)

제1절 제정목적

이 법은 건축물의 대지·구조·설비기준 및 용도 등을 정하여 건축물의 안전·기능·환경 및 미관을 향상시킴으로써 공공복리의 증진에 이바지하는 것을 목적으로 한다(법 제1조).

제2절 적용범위

제1항 적용대상물 − 건축물, 공작물, 대지, 건축설비

01 건축물

(1) 의의

건축물이란 토지에 정착(定着)하는 공작물 중 지붕과 기둥 또는 벽이 있는 것과 이에 딸린 시설물, 지하나 고가(高架)의 공작물에 설치하는 사무소·공연장·점포·차고·창고, 그 밖에 대통령령으로 정하는 것을 말한다(법 제2조 제1항 제2호).

(2) 건축법을 적용하지 않는 건축물

다음의 어느 하나에 해당하는 건축물에는 이 법을 적용하지 아니한다(법 제3조 제1항).

① 컨테이너를 이용한 간이창고(산업집적활성화 및 공장설립에 관한 법률 제2조 제1호에 따른 공장의 용도로만 사용되는 건축물의 대지에 설치하는 것으로서 이동이 쉬운 것만 해당된다)
② 고속도로 통행료 징수시설
③ 철도나 궤도의 선로부지 안에 있는 다음의 시설
 ㉠ 운전보안시설
 ㉡ 철도 선로의 위나 아래를 가로지르는 보행시설
 ㉢ 플랫폼
 ㉣ 해당 철도 또는 궤도사업용 급수·급탄 및 급유시설
④ 문화유산의 보존 및 활용에 관한 법률에 따른 지정문화유산이나 임시지정문화유산 또는 자연유산의 보존 및 활용에 관한 법률에 따라 지정된 천연기념물 등이나 임시지정천연기념물, 임시지정명승, 임시지정시·도자연유산, 임시자연유산자료
⑤ 하천법에 따른 하천구역 내의 수문조작실

02 공작물

(1) 신고대상 공작물

대지를 조성하기 위한 옹벽, 굴뚝, 광고탑, 고가수조(高架水槽), 지하대피호, 그 밖에 이와 유사한 것으로서 다음의 공작물을 축조(건축물과 분리하여 축조하는 것을 말한다. 이하 같다)하려는 자는 대통령령으로 정하는 바에 따라 특별자치시장·특별자치도지사 또는 시장·군수·구청장에게 신고하여야 한다(법 제83조 제1항, 영 제118조 제1항).

신고대상 규모	신고대상 공작물
높이 2미터를 넘는	옹벽 또는 담장
높이 4미터를 넘는	광고탑·광고판, 장식탑·기념탑·첨탑
높이 5미터를 넘는	태양에너지를 이용하는 발전설비와 그 밖에 이와 비슷한 것
높이 6미터를 넘는	굴뚝, 골프연습장 등 운동시설을 위한 철탑, 주거·상업지역에 설치하는 통신용 철탑, 그 밖에 이와 비슷한 것
높이 8미터를 넘는	고가수조나 그 밖에 이와 비슷한 것
높이 8미터 이하인 (위험방지를 위한 난간높이는 제외)	기계식 주차장·철골조립식 주차장(바닥면이 조립식이 아닌 것을 포함한다)으로서 외벽이 없는 것
바닥면적 30제곱미터를 넘는	지하대피호
건축조례로 정하는 제조·저장(시멘트사일로를 포함한다)·유희시설, 그 밖에 이와 비슷한 것	
건축물의 구조에 심대한 영향을 줄 수 있는 중량물로서 건축조례가 정하는 것	

(2) 신고절차

위 (1)의 어느 하나에 해당하는 공작물을 축조하려는 자는 공작물 축조신고서와 국토교통부령으로 정하는 설계도서를 특별자치시장·특별자치도지사 또는 시장·군수·구청장에게 제출(전자문서에 의한 제출을 포함한다)하여야 하며, 특별자치시장·특별자치도지사 또는 시장·군수·구청장은 공작물 축조신고를 받았으면 국토교통부령으로 정하는 바에 따라 공작물 관리대장에 그 내용을 작성하고 관리하여야 한다(영 제118조 제2항·제5항).

> **기출예제**
>
> 건축법령상 건축물과 분리하여 축조할 때 특별자치시장·특별자치도지사 또는 시장·군수·구청장에게 신고를 해야 하는 공작물이 아닌 것은? (단, 특례 및 조례는 고려하지 않음)　제27회
> ① 높이 3미터의 첨탑
> ② 주거지역에 설치하는 높이 8미터의 통신용 철탑
> ③ 높이 6미터의 신에너지 및 재생에너지 개발·이용·보급 촉진법에 따른 태양에너지를 이용하는 발전설비
> ④ 높이 7미터의 굴뚝
> ⑤ 높이 9미터의 고가수조

축조신고 대상 공작물

신고대상 규모	신고대상 공작물
높이 2미터를 넘는	옹벽 또는 담장
높이 4미터를 넘는	광고탑 · 광고판, 장식탑 · 기념탑 · 첨탑
높이 5미터를 넘는	태양에너지를 이용하는 발전설비와 그 밖에 이와 비슷한 것
높이 6미터를 넘는	굴뚝, 골프연습장 등 운동시설을 위한 철탑, 주거 · 상업지역에 설치하는 통신용 철탑, 그 밖에 이와 비슷한 것
높이 8미터를 넘는	고가수조나 그 밖에 이와 비슷한 것
높이 8미터 이하인 (위험방지를 위한 난간높이는 제외)	기계식 주차장 · 철골조립식 주차장(바닥면이 조립식이 아닌 것을 포함한다)으로서 외벽이 없는 것
바닥면적 30제곱미터를 넘는	지하대피호

정답: ①

03 대지

(1) 의의

'대지(垈地)'란 공간정보의 구축 및 관리 등에 관한 법률에 따라 각 필지(筆地)로 나눈 토지를 말한다. 다만, 대통령령으로 정하는 토지는 둘 이상의 필지를 하나의 대지로 하거나, 하나 이상의 필지의 일부를 하나의 대지로 할 수 있다(법 제2조 제1항 제1호).

(2) 둘 이상의 필지를 하나의 대지로 할 수 있는 토지(영 제3조 제1항)

① 하나의 건축물을 두 필지 이상에 걸쳐 건축하는 경우: 그 건축물이 건축되는 각 필지의 토지를 합한 토지

② 국토의 계획 및 이용에 관한 법률 제2조 제7호에 따른 도시 · 군계획시설에 해당하는 건축물을 건축하는 경우: 그 도시 · 군계획시설이 설치되는 일단(一團)의 토지

③ 주택법 제15조에 따른 사업계획승인을 받아 주택과 그 부대시설 및 복리시설을 건축하는 경우: 같은 법 제2조 제12호에 따른 주택단지

④ 도로의 지표 아래에 건축하는 건축물의 경우: 특별시장 · 광역시장 · 특별자치시장 · 특별자치도지사 · 시장 · 군수 또는 구청장(자치구의 구청장을 말한다. 이하 같다)이 그 건축물이 건축되는 토지로 정하는 토지

⑤ 법 제22조에 따른 사용승인을 신청할 때 둘 이상의 필지를 하나의 필지로 합칠 것을 조건으로 건축허가를 하는 경우: 그 필지가 합쳐지는 토지. 다만, 토지의 소유자가 서로 다른 경우는 제외한다.

⑥ 공간정보의 구축 및 관리 등에 관한 법률에 따라 합병이 불가능한 경우 중 다음의 어느 하나에 해당하는 경우: 그 합병이 불가능한 필지의 토지를 합한 토지. 다만, 토지의 소유자가 서로 다르거나 소유권 외의 권리관계가 서로 다른 경우는 제외한다.
　㉠ 각 필지의 지번부여지역이 서로 다른 경우

ⓛ 각 필지의 도면의 축척이 다른 경우
ⓒ 서로 인접하고 있는 필지로서 각 필지의 지반이 연속되지 아니한 경우

(3) 하나 이상의 필지의 일부를 하나의 대지로 할 수 있는 토지(영 제3조 제2항)

① 하나 이상의 필지의 일부에 대하여 도시·군계획시설이 결정·고시된 경우: 그 결정·고시된 부분의 토지
② 하나 이상의 필지의 일부에 대하여 농지법에 따라 농지전용허가를 받은 경우: 그 허가받은 부분의 토지
③ 하나 이상의 필지의 일부에 대하여 산지관리법에 따라 산지전용허가를 받은 경우: 그 허가받은 부분의 토지
④ 하나 이상의 필지의 일부에 대하여 국토의 계획 및 이용에 관한 법률에 따라 개발행위허가를 받은 경우: 그 허가받은 부분의 토지
⑤ 사용승인을 신청할 때 필지를 나눌 것을 조건으로 건축허가를 하는 경우: 그 필지가 나누어지는 토지

기출예제

건축법상 건축법 적용 제외 건축물이 아닌 것은?
제27회

① 고속도로 통행료 징수시설
② 철도의 선로 부지에 있는 플랫폼
③ 궤도의 선로 부지에 있는 운전보안시설
④ 자연유산의 보존 및 활용에 관한 법률에 따라 지정된 임시지정명승
⑤ 산업집적활성화 및 공장설립에 관한 법률에 따른 공장의 용도가 아닌 건축물의 대지에 설치하는 것으로서 이동이 쉬운 컨테이너를 이용한 간이창고

해설

건축법을 적용하지 아니하는 건축물
1. 컨테이너를 이용한 간이창고(공장의 용도로만 사용되는 건축물의 대지에 설치하는 것으로서 이동이 쉬운 것만 해당된다)
2. 고속도로 통행료 징수시설
3. 철도 또는 궤도의 선로 부지 안에 있는 다음의 시설
   • 운전보안시설
   • 철도 선로의 위나 아래를 가로지르는 보행시설
   • 플랫폼
   • 철도 또는 궤도사업용 급수·급탄 및 급유시설
4. 문화유산의 보존 및 활용에 관한 법률에 따른 지정문화유산이나 임시지정문화유산 또는 자연유산의 보존 및 활용에 관한 법률에 따라 지정된 천연기념물 등이나 임시지정천연기념물, 임시지정명승, 임시지정시·도자연유산, 임시자연유산자료
5. 하천법에 따른 하천구역 내의 수문조작실

정답: ⑤

04 건축설비

'건축설비'란 건축물에 설치하는 전기·전화설비, 초고속 정보통신설비, 지능형 홈네트워크 설비, 가스·급수·배수(配水)·배수(排水)·환기·난방·냉방·소화(消火)·배연(排煙) 및 오물처리의 설비, 굴뚝, 승강기, 피뢰침, 국기 게양대, 공동시청 안테나, 유선방송 수신시설, 우편함, 저수조(貯水槽), 방범시설, 그 밖에 국토교통부령으로 정하는 설비를 말한다(법 제2조 제1항 제4호).

제2항 적용대상 행위 – 건축, 대수선, 용도변경

01 건축

'건축'이란 건축물을 신축·증축·개축·재축하거나 건축물을 이전하는 것을 말한다(법 제2조 제1항 제8호, 영 제2조 제1호 내지 제5호).

신축	건축물이 없는 대지(기존 건축물이 해체되거나 멸실된 대지를 포함한다)에 새로 건축물을 축조하는 것(부속건축물만 있는 대지에 새로 주된 건축물을 축조하는 것을 포함하되, 개축 또는 재축하는 것은 제외한다)을 말한다.
증축	기존 건축물이 있는 대지에서 건축물의 건축면적, 연면적, 층수 또는 높이를 늘리는 것을 말한다.
개축	기존 건축물의 전부 또는 일부[내력벽·기둥·보·지붕틀(제16호에 따른 한옥의 경우에는 지붕틀의 범위에서 서까래는 제외한다) 중 셋 이상이 포함되는 경우를 말한다]를 해체하고 그 대지에 종전과 같은 규모의 범위에서 건축물을 다시 축조하는 것을 말한다.
재축	건축물이 천재지변이나 그 밖의 재해(災害)로 멸실된 경우 그 대지에 다음의 요건을 모두 갖추어 다시 축조하는 것을 말한다. ① 연면적 합계는 종전 규모 이하로 할 것 ② 동(棟)수, 층수 및 높이는 다음의 어느 하나에 해당할 것 　㉠ 동수, 층수 및 높이가 모두 종전 규모 이하일 것 　㉡ 동수, 층수 또는 높이의 어느 하나가 종전 규모를 초과하는 경우에는 해당 동수, 층수 및 높이가 건축법령 등에 모두 적합할 것
이전	건축물의 주요구조부를 해체하지 아니하고 같은 대지의 다른 위치로 옮기는 것을 말한다.

02 대수선

'대수선'이란 건축물의 기둥, 보, 내력벽, 주계단 등의 구조나 외부 형태를 다음과 같이 수선·변경하거나 증설하는 것으로서 증축·개축 또는 재축에 해당하지 아니하는 것을 말한다(법 제2조 제1항 제9호, 영 제3조의2).

① 다가구주택의 가구간 경계벽 또는 다세대주택의 세대간 경계벽을 증설 또는 해체하거나 수선 또는 변경하는 것
② 내력벽을 증설 또는 해체하거나 그 벽면적을 30제곱미터 이상 수선 또는 변경하는 것
③ 기둥을 증설 또는 해체하거나 세 개 이상 수선 또는 변경하는 것
④ 보를 증설 또는 해체하거나 세 개 이상 수선 또는 변경하는 것
⑤ 지붕틀(한옥의 경우에는 지붕틀의 범위에서 서까래는 제외한다)을 증설 또는 해체하거나 세 개 이상 수선 또는 변경하는 것
⑥ 방화벽 또는 방화구획을 위한 바닥 또는 벽을 증설 또는 해체하거나 수선 또는 변경하는 것
⑦ 주계단·피난계단 또는 특별피난계단을 증설 또는 해체하거나 수선 또는 변경하는 것
⑧ 건축물의 외벽에 사용하는 마감재료를 증설 또는 해체하거나 벽면적 30제곱미터 이상 수선 또는 변경하는 것

03 용도변경

(1) 건축물의 용도

① 의의: '건축물의 용도'란 건축물의 종류를 유사한 구조, 이용목적 및 형태별로 묶어 분류한 것을 말한다(법 제2조 제1항 제3호).
② 건축물의 용도분류: 건축물의 용도는 다음과 같이 구분하되, 각 용도에 속하는 건축물의 세부 용도는 대통령령으로 정한다(법 제2조 제2항, 영 제3조의5).

1. 단독주택
2. 공동주택
3. 제1종 근린생활시설
4. 제2종 근린생활시설
5. 문화 및 집회시설
6. 종교시설
7. 판매시설
8. 운수시설
9. 의료시설
10. 교육연구시설
11. 노유자(노인 및 어린이)시설
12. 수련시설
13. 운동시설
14. 업무시설
15. 숙박시설
16. 위락시설

17. 공장
18. 창고시설
19. 위험물 저장 및 처리시설
20. 자동차 관련 시설
21. 동물 및 식물 관련 시설
22. 자원순환 관련 시설
23. 교정(矯正)시설
24. 국방·군사시설
25. 방송통신시설
26. 발전시설
27. 묘지 관련 시설
28. 관광휴게시설
29. 장례시설
30. 야영장시설

③ 용도별 건축물의 종류(영 [별표 1])

1. 단독주택[단독주택의 형태를 갖춘 가정어린이집·공동생활가정·지역아동센터·공동육아나눔터(아이돌봄 지원법 제19조에 따른 공동육아나눔터를 말한다. 이하 같다)·작은도서관(도서관법 제4조 제2항 제1호 가목에 따른 작은도서관을 말하며, 해당 주택의 1층에 설치한 경우만 해당한다. 이하 같다) 및 노인복지시설(노인복지주택은 제외한다)을 포함한다]

  가. 단독주택
  나. **다중주택**: 다음의 요건을 모두 갖춘 주택을 말한다.
    1) 학생 또는 직장인 등 여러 사람이 장기간 거주할 수 있는 구조로 되어 있는 것
    2) 독립된 주거의 형태를 갖추지 아니한 것(각 실별로 욕실은 설치할 수 있으나, 취사시설은 설치하지 아니한 것을 말한다. 이하 같다)
    3) 1개 동의 주택으로 쓰이는 바닥면적(부설 주차장 면적은 제외한다. 이하 같다)의 합계가 660제곱미터 이하이고 주택으로 쓰는 층수(지하층은 제외한다)가 3개 층 이하일 것. 다만, 1층의 전부 또는 일부를 필로티 구조로 하여 주차장으로 사용하고 나머지 부분을 주택(주거목적으로 한정한다) 외의 용도로 쓰는 경우에는 해당 층을 주택의 층수에서 제외한다.
    4) 적정한 주거환경을 조성하기 위하여 건축조례로 정하는 실별 최소 면적, 창문의 설치 및 크기 등의 기준에 적합할 것

다. **다가구주택**: 다음의 요건을 모두 갖춘 주택으로서 공동주택에 해당하지 아니하는 것을 말한다.

 1) 주택으로 쓰는 층수(지하층은 제외한다)가 3개 층 이하일 것. 다만, 1층의 전부 또는 일부를 필로티 구조로 하여 주차장으로 사용하고 나머지 부분을 주택 외의 용도로 쓰는 경우에는 해당 층을 주택의 층수에서 제외한다.

 2) 1개 동의 주택으로 쓰이는 바닥면적(부설 주차장 면적은 제외한다. 이하 같다)의 합계가 660제곱미터 이하일 것

 3) 19세대(대지 내 동별 세대수를 합한 세대를 말한다) 이하가 거주할 수 있을 것

라. 공관(公館)

2. 공동주택[공동주택의 형태를 갖춘 가정어린이집 · 공동생활가정 · 지역아동센터 · 공동육아나눔터 · 작은도서관 · 노인복지시설(노인복지주택은 제외한다) 및 주택법 시행령 제10조 제1항 제1호에 따른 소형주택을 포함한다]. 다만, 가목이나 나목에서 층수를 산정할 때 1층 전부를 필로티 구조로 하여 주차장으로 사용하는 경우에는 필로티 부분을 층수에서 제외하고, 다목에서 층수를 산정할 때 1층의 전부 또는 일부를 필로티 구조로 하여 주차장으로 사용하고 나머지 부분을 주택(주거목적으로 한정한다) 외의 용도로 쓰는 경우에는 해당 층을 주택의 층수에서 제외하며, 가목부터 라목까지의 규정에서 층수를 산정할 때 지하층을 주택의 층수에서 제외한다.

가. **아파트**: 주택으로 쓰는 층수가 5개 층 이상인 주택

나. **연립주택**: 주택으로 쓰는 1개 동의 바닥면적(2개 이상의 동을 지하주차장으로 연결하는 경우에는 각각의 동으로 본다) 합계가 660제곱미터를 초과하고, 층수가 4개 층 이하인 주택

다. **다세대주택**: 주택으로 쓰는 1개 동의 바닥면적 합계가 660제곱미터 이하이고, 층수가 4개 층 이하인 주택(2개 이상의 동을 지하주차장으로 연결하는 경우에는 각각의 동으로 본다)

라. **기숙사**: 다음의 어느 하나에 해당하는 건축물로서 공간의 구성과 규모 등에 관하여 국토교통부장관이 정하여 고시하는 기준에 적합한 것. 다만, 구분소유된 개별 실(室)은 제외한다.

 1) **일반기숙사**: 학교 또는 공장 등의 학생 또는 종업원 등을 위하여 사용하는 것으로서 해당 기숙사의 공동취사시설 이용 세대수가 전체 세대수(건축물의 일부를 기숙사로 사용하는 경우에는 기숙사로 사용하는 세대수로 한다. 이하 같다)의 50퍼센트 이상인 것(교육기본법 제27조 제2항에 따른 학생복지주택을 포함한다)

 2) **임대형 기숙사**: 공공주택 특별법 제4조에 따른 공공주택사업자 또는 민간임대주택에 관한 특별법 제2조 제7호에 따른 임대사업자가 임대사업에 사용하는 것으로서 임대목적으로 제공하는 실이 20실 이상이고 해당 기숙사의 공동취사시설 이용 세대수가 전체 세대수의 50퍼센트 이상인 것

3. 제1종 근린생활시설

　　가. 식품 · 잡화 · 의류 · 완구 · 서적 · 건축자재 · 의약품 · 의료기기 등 일용품을 판매하는 소매점으로서 같은 건축물(하나의 대지에 두 동 이상의 건축물이 있는 경우에는 이를 같은 건축물로 본다. 이하 같다)에 해당 용도로 쓰는 바닥면적의 합계가 1천제곱미터 미만인 것

　　나. 휴게음식점, 제과점 등 음료 · 차(茶) · 음식 · 빵 · 떡 · 과자 등을 조리하거나 제조하여 판매하는 시설(제4호 너목 또는 제17호에 해당하는 것은 제외한다)로서 같은 건축물에 해당 용도로 쓰는 바닥면적의 합계가 300제곱미터 미만인 것

　　다. 이용원, 미용원, 목욕장, 세탁소 등 사람의 위생관리나 의류 등을 세탁 · 수선하는 시설(세탁소의 경우 공장에 부설되는 것과 대기환경보전법, 수질 및 수생태계 보전에 관한 법률 또는 소음 · 진동관리법에 따른 배출시설의 설치 허가 또는 신고의 대상인 것은 제외한다)

　　라. 의원, 치과의원, 한의원, 침술원, 접골원(接骨院), 조산원, 안마원, 산후조리원 등 주민의 진료 · 치료 등을 위한 시설

　　마. 탁구장, 체육도장으로서 같은 건축물에 해당 용도로 쓰는 바닥면적의 합계가 500제곱미터 미만인 것

　　바. 지역자치센터, 파출소, 지구대, 소방서, 우체국, 방송국, 보건소, 공공도서관, 건강보험공단 사무소 등 공공업무시설로서 같은 건축물에 해당 용도로 쓰는 바닥면적의 합계가 1천제곱미터 미만인 것

　　사. 마을회관, 마을공동작업소, 마을공동구판장, 공중화장실, 대피소, 지역아동센터(단독주택과 공동주택에 해당하는 것은 제외한다) 등 주민이 공동으로 이용하는 시설

　　아. 변전소, 도시가스배관시설, 통신용 시설(해당 용도로 쓰는 바닥면적의 합계가 1천제곱미터 미만인 것에 한정한다), 정수장, 양수장 등 주민의 생활에 필요한 에너지공급 · 통신서비스 제공이나 급수 · 배수와 관련된 시설

　　자. 금융업소, 사무소, 부동산중개사무소, 결혼상담소 등 소개업소, 출판사 등 일반업무시설로서 같은 건축물에 해당 용도로 쓰는 바닥면적의 합계가 30제곱미터 미만인 것

4. 제2종 근린생활시설

　　가. 공연장(극장, 영화관, 연예장, 음악당, 서커스장, 비디오물감상실, 비디오물소극장, 그 밖에 이와 비슷한 것을 말한다. 이하 같다)으로서 같은 건축물에 해당 용도로 쓰는 바닥면적의 합계가 500제곱미터 미만인 것

　　나. 종교집회장[교회, 성당, 사찰, 기도원, 수도원, 수녀원, 제실(祭室), 사당, 그 밖에 이와 비슷한 것을 말한다. 이하 같다]으로서 같은 건축물에 해당 용도로 쓰는 바닥면적의 합계가 500제곱미터 미만인 것

　　다. 자동차영업소로서 같은 건축물에 해당 용도로 쓰는 바닥면적의 합계가 1천제곱미터 미만인 것

　　라. 서점(제1종 근린생활시설에 해당하지 않는 것)

　　마. 총포판매소

　　바. 사진관, 표구점

사. 청소년게임제공업소, 복합유통게임제공업소, 인터넷컴퓨터게임시설제공업소, 그 밖에 이와 비슷한 게임 관련 시설로서 같은 건축물에 해당 용도로 쓰는 바닥면적의 합계가 500제곱미터 미만인 것

아. 휴게음식점, 제과점 등 음료·차(茶)·음식·빵·떡·과자 등을 조리하거나 제조하여 판매하는 시설(너목 또는 제17호에 해당하는 것은 제외한다)로서 같은 건축물에 해당 용도로 쓰는 바닥면적의 합계가 300제곱미터 이상인 것

자. 일반음식점

차. 장의사, 동물병원, 동물미용실, 그 밖에 이와 유사한 것

카. 학원(자동차학원·무도학원 및 정보통신기술을 활용하여 원격으로 교습하는 것은 제외한다), 교습소(자동차교습·무도교습 및 정보통신기술을 활용하여 원격으로 교습하는 것은 제외한다), 직업훈련소(운전·정비 관련 직업훈련소는 제외한다)로서 같은 건축물에 해당 용도로 쓰는 바닥면적의 합계가 500제곱미터 미만인 것

타. 독서실, 기원

파. 테니스장, 체력단련장, 에어로빅장, 볼링장, 당구장, 실내낚시터, 골프연습장, 놀이형 시설(관광진흥법에 따른 기타 유원시설업의 시설을 말한다. 이하 같다) 등 주민의 체육활동을 위한 시설(제3호 마목의 시설은 제외한다)로서 같은 건축물에 해당 용도로 쓰는 바닥면적의 합계가 500제곱미터 미만인 것

하. 금융업소, 사무소, 부동산중개사무소, 결혼상담소 등 소개업소, 출판사 등 일반업무시설로서 같은 건축물에 해당 용도로 쓰는 바닥면적의 합계가 500제곱미터 미만인 것(제1종 근린생활시설에 해당하는 것은 제외한다)

거. 다중생활시설(다중이용업소의 안전관리에 관한 특별법에 따른 다중이용업 중 고시원업의 시설로서 국토교통부장관이 고시하는 기준에 적합한 것을 말한다. 이하 같다)로서 같은 건축물에 해당 용도로 쓰는 바닥면적의 합계가 500제곱미터 미만인 것

너. 제조업소, 수리점 등 물품의 제조·가공·수리 등을 위한 시설로서 같은 건축물에 해당 용도로 쓰는 바닥면적의 합계가 500제곱미터 미만이고, 다음 요건 중 어느 하나에 해당하는 것

  1) 대기환경보전법, 수질 및 수생태계 보전에 관한 법률 또는 소음·진동관리법에 따른 배출시설의 설치 허가 또는 신고의 대상이 아닌 것

  2) 대기환경보전법, 수질 및 수생태계 보전에 관한 법률 또는 소음·진동관리법에 따른 배출시설의 설치 허가 또는 신고의 대상 시설이나 귀금속·장신구 및 관련 제품 제조시설로서 발생되는 폐수를 전량 위탁처리하는 것

더. 단란주점으로서 같은 건축물에 해당 용도로 쓰는 바닥면적의 합계가 150제곱미터 미만인 것

러. 안마시술소, 노래연습장

5. 문화 및 집회시설

가. 공연장으로서 제2종 근린생활시설에 해당하지 아니하는 것

나. 집회장[예식장, 공회당, 회의장, 마권(馬券) 장외 발매소, 마권 전화투표소, 그 밖에 이와 비슷한 것을 말한다]으로서 제2종 근린생활시설에 해당하지 아니하는 것

다. 관람장(경마장, 경륜장, 경정장, 자동차 경기장, 그 밖에 이와 비슷한 것과 체육관 및 운동장으로서 관람석의 바닥면적의 합계가 1천제곱미터 이상인 것을 말한다)

라. 전시장(박물관, 미술관, 과학관, 문화관, 체험관, 기념관, 산업전시장, 박람회장, 그 밖에 이와 비슷한 것을 말한다)

마. 동ㆍ식물원(동물원, 식물원, 수족관, 그 밖에 이와 비슷한 것을 말한다)

6. 종교시설

가. 종교집회장으로서 제2종 근린생활시설에 해당하지 아니하는 것

나. 종교집회장(제2종 근린생활시설에 해당하지 아니하는 것을 말한다)에 설치하는 봉안당(奉安堂)

7. 판매시설

가. 도매시장(농수산물 유통 및 가격안정에 관한 법률에 따른 농수산물 도매시장, 농수산물 공판장, 그 밖에 이와 비슷한 것을 말하며, 그 안에 있는 근린생활시설을 포함한다)

나. 소매시장(유통산업발전법 제2조 제3호에 따른 대규모 점포, 그 밖에 이와 비슷한 것을 말하며, 그 안에 있는 근린생활시설을 포함한다)

다. 상점(그 안에 있는 근린생활시설을 포함한다)으로서 다음의 요건 중 어느 하나에 해당하는 것

1) 제3호 가목에 해당하는 용도(서점은 제외한다)로서 제1종 근린생활시설에 해당하지 아니하는 것

2) 게임산업진흥에 관한 법률 제2조 제6호의2 가목에 따른 청소년게임제공업의 시설, 같은 호 나목에 따른 일반게임제공업의 시설, 같은 조 제7호에 따른 인터넷컴퓨터게임시설제공업의 시설 및 같은 조 제8호에 따른 복합유통게임제공업의 시설로서 제2종 근린생활시설에 해당하지 아니하는 것

8. 운수시설

가. 여객자동차터미널

나. 철도시설

다. 공항시설

라. 항만시설

마. 그 밖에 가목부터 라목까지의 규정에 따른 시설과 비슷한 시설

9. 의료시설

가. 병원(종합병원, 병원, 치과병원, 한방병원, 정신병원 및 요양병원을 말한다)

나. 격리병원(전염병원, 마약진료소, 그 밖에 이와 비슷한 것을 말한다)

10. 교육연구시설(제2종 근린생활시설에 해당하는 것은 제외한다)

가. 학교(유치원, 초등학교, 중학교, 고등학교, 전문대학, 대학, 대학교, 그 밖에 이에 준하는 각종 학교를 말한다)

나. 교육원(연수원, 그 밖에 이와 비슷한 것을 포함한다)

다. 직업훈련소(운전 및 정비 관련 직업훈련소는 제외한다)

라. 학원(자동차학원·무도학원 및 정보통신기술을 활용하여 원격으로 교습하는 것은
제외한다)

마. 연구소(연구소에 준하는 시험소와 계측계량소를 포함한다)

바. 도서관

11. 노유자시설

가. 아동 관련 시설(어린이집, 아동복지시설, 그 밖에 이와 비슷한 것으로서 단독주택,
공동주택 및 제1종 근린생활시설에 해당하지 아니하는 것을 말한다)

나. 노인복지시설(단독주택과 공동주택에 해당하지 아니하는 것을 말한다)

다. 그 밖에 다른 용도로 분류되지 아니한 사회복지시설 및 근로복지시설

12. 수련시설

가. 생활권 수련시설(청소년활동진흥법에 따른 청소년수련관, 청소년문화의집, 청소년
특화시설, 그 밖에 이와 비슷한 것을 말한다)

나. 자연권 수련시설(청소년활동진흥법에 따른 청소년수련원, 청소년야영장, 그 밖에
이와 비슷한 것을 말한다)

다. 청소년활동진흥법에 따른 유스호스텔

라. 관광진흥법에 따른 야영장 시설로서 제29호에 해당하지 아니하는 시설

13. 운동시설

가. 탁구장, 체육도장, 테니스장, 체력단련장, 에어로빅장, 볼링장, 당구장, 실내낚시
터, 골프연습장, 놀이형 시설, 그 밖에 이와 비슷한 것으로서 제1종 근린생활시설 및
제2종 근린생활시설에 해당하지 아니하는 것

나. 체육관으로서 관람석이 없거나 관람석의 바닥면적이 1천제곱미터 미만인 것

다. 운동장(육상장, 구기장, 볼링장, 수영장, 스케이트장, 롤러스케이트장, 승마장, 사
격장, 궁도장, 골프장 등과 이에 딸린 건축물을 말한다)으로서 관람석이 없거나 관
람석의 바닥면적이 1천제곱미터 미만인 것

14. 업무시설

가. **공공업무시설**: 국가 또는 지방자치단체의 청사와 외국공관의 건축물로서 제1종 근
린생활시설에 해당하지 아니하는 것

나. **일반업무시설**: 다음 요건을 갖춘 업무시설을 말한다.

1) 금융업소, 사무소, 결혼상담소 등 소개업소, 출판사, 신문사, 그 밖에 이와 비슷
한 것으로서 제1종 근린생활시설 및 제2종 근린생활시설에 해당하지 않는 것

2) 오피스텔(업무를 주로 하며, 분양하거나 임대하는 구획 중 일부 구획에서 숙식
을 할 수 있도록 한 건축물로서 국토교통부장관이 고시하는 기준에 적합한 것을
말한다)

15. 숙박시설

가. 일반숙박시설 및 생활숙박시설

나. 관광숙박시설(관광호텔, 수상관광호텔, 한국전통호텔, 가족호텔, 호스텔, 소형호
텔, 의료관광호텔 및 휴양 콘도미니엄)

다. 다중생활시설(제2종 근린생활시설에 해당하지 아니하는 것을 말한다)

라. 그 밖에 가목부터 다목까지의 시설과 비슷한 것

16. 위락시설

가. 단란주점으로서 제2종 근린생활시설에 해당하지 아니하는 것

나. 유흥주점이나 그 밖에 이와 비슷한 것

다. 관광진흥법에 따른 유원시설업의 시설, 그 밖에 이와 비슷한 시설(제2종 근린생활시설과 운동시설에 해당하는 것은 제외한다)

라. 삭제 〈2010.2.18〉

마. 무도장, 무도학원

바. 카지노영업소

17. 공장

물품의 제조·가공[염색·도장(塗裝)·표백·재봉·건조·인쇄 등을 포함한다] 또는 수리에 계속적으로 이용되는 건축물로서 제1종 근린생활시설, 제2종 근린생활시설, 위험물 저장 및 처리시설, 자동차 관련 시설, 자원순환 관련 시설 등으로 따로 분류되지 아니한 것

18. 창고시설(위험물 저장 및 처리시설 또는 그 부속용도에 해당하는 것은 제외한다)

가. 창고(물품저장시설로서 물류정책기본법에 따른 일반창고와 냉장 및 냉동창고를 포함한다)

나. 하역장

다. 물류시설의 개발 및 운영에 관한 법률에 따른 물류터미널

라. 집배송시설

19. 위험물 저장 및 처리시설

위험물안전관리법, 석유 및 석유대체연료 사업법, 도시가스사업법, 고압가스 안전관리법, 액화석유가스의 안전관리 및 사업법, 총포·도검·화약류 등 단속법, 화학물질 관리법 등에 따라 설치 또는 영업의 허가를 받아야 하는 건축물로서 다음의 어느 하나에 해당하는 것. 다만, 자가난방, 자가발전, 그 밖에 이와 비슷한 목적으로 쓰는 저장시설은 제외한다.

가. 주유소(기계식 세차설비를 포함한다) 및 석유판매소

나. 액화석유가스 충전소·판매소·저장소(기계식 세차설비를 포함한다)

다. 위험물 제조소·저장소·취급소

라. 액화가스 취급소·판매소

마. 유독물 보관·저장·판매시설

바. 고압가스 충전소·판매소·저장소

사. 도료류 판매소

아. 도시가스 제조시설

자. 화약류 저장소

차. 그 밖에 가목부터 자목까지의 시설과 비슷한 것

20. 자동차 관련 시설(건설기계 관련 시설을 포함한다)
   가. 주차장
   나. 세차장
   다. 폐차장
   라. 검사장
   마. 매매장
   바. 정비공장
   사. 운전학원 및 정비학원(운전 및 정비 관련 직업훈련시설을 포함한다)
   아. 여객자동차 운수사업법, 화물자동차 운수사업법 및 건설기계관리법에 따른 차고 및 주기장(駐機場)

21. 동물 및 식물 관련 시설
   가. 축사(양잠 · 양봉 · 양어 · 양돈 · 양계 · 곤충사육시설 및 부화장 등을 포함한다)
   나. 가축시설[가축용 운동시설, 인공수정센터, 관리사(管理舍), 가축용 창고, 가축시장, 동물검역소, 실험동물 사육시설, 그 밖에 이와 비슷한 것을 말한다]
   다. 도축장
   라. 도계장
   마. 작물재배사
   바. 종묘배양시설
   사. 화초 및 분재 등의 온실
   아. 동물 또는 식물과 관련된 가목부터 사목까지의 시설과 비슷한 것(동 · 식물원은 제외한다)

22. 자원순환 관련 시설
   가. 하수 등 처리시설
   나. 고물상
   다. 폐기물 재활용시설
   라. 폐기물 처분시설
   마. 폐기물 감량화시설

23. 교정시설(제1종 근린생활시설에 해당하는 것은 제외한다)
   가. 교정시설(보호감호소, 구치소 및 교도소를 말한다)
   나. 갱생보호시설, 그 밖에 범죄자의 갱생 · 보육 · 교육 · 보건 등의 용도로 쓰는 시설
   다. 소년원 및 소년분류심사원

24. 국방 · 군사시설(제1종 근린생활시설에 해당하는 것은 제외한다)
   국방 · 군사시설 사업에 관한 법률에 따른 국방 · 군사시설

25. 방송통신시설(제1종 근린생활시설에 해당하는 것은 제외한다)
   가. 방송국(방송프로그램 제작시설 및 송신 · 수신 · 중계시설을 포함한다)
   나. 전신전화국
   다. 촬영소
   라. 통신용 시설

마. 데이터센터

바. 그 밖에 가목부터 마목까지의 시설과 비슷한 것

26. 발전시설

발전소(집단에너지 공급시설을 포함한다)로 사용되는 건축물로서 제1종 근린생활시설에 해당하지 아니하는 것

27. 묘지 관련 시설

가. 화장시설

나. 봉안당(종교시설에 해당하는 것은 제외한다)

다. 묘지와 자연장지에 부수되는 건축물

라. 동물화장시설, 동물건조장(乾燥葬)시설 및 동물 전용의 납골시설

28. 관광휴게시설

가. 야외음악당

나. 야외극장

다. 어린이회관

라. 관망탑

마. 휴게소

바. 공원 · 유원지 또는 관광지에 부수되는 시설

29. 장례시설

가. 장례시설[의료시설의 부수시설(의료법 제36조 제1호에 따른 의료기관의 종류에 따른 시설을 말한다)에 해당하는 것은 제외한다]

나. 동물 전용의 장례시설

30. 야영장시설

관광진흥법에 따른 야영장시설로서 관리동, 화장실, 샤워실, 대피소, 취사시설 등의 용도로 쓰는 바닥면적의 합계가 300제곱미터 미만인 것

● 비고

1. 제3호 및 제4호에서 '해당 용도로 쓰는 바닥면적'이란 부설주차장 면적을 제외한 실(實) 사용면적에 공용부분 면적(복도, 계단, 화장실 등의 면적을 말한다)을 비례 배분한 면적을 합한 면적을 말한다.

2. 비고 제1호에 따라 '해당 용도로 쓰는 바닥면적'을 산정할 때 건축물의 내부를 여러 개의 부분으로 구분하여 독립한 건축물로 사용하는 경우에는 그 구분된 면적 단위로 바닥면적을 산정한다. 다만, 다음에 해당하는 경우에는 각 목에서 정한 기준에 따른다.

가. 제4호 더목에 해당하는 건축물의 경우에는 내부가 여러 개의 부분으로 구분되어 있더라도 해당 용도로 쓰는 바닥면적을 모두 합산하여 산정한다.

나. 동일인이 둘 이상의 구분된 건축물을 같은 세부 용도로 사용하는 경우에는 연접되어 있지 않더라도 이를 모두 합산하여 산정한다.

다. 구분소유재(임차인을 포함한다)가 다른 경우에도 구분된 건축물을 같은 세부 용도로 연계하여 함께 사용하는 경우(통로, 창고 등을 공동으로 활용하는 경우 또는 명칭의 일부를 동일하게 사용하여 홍보하거나 관리하는 경우 등을 말한다)에는 연접되어 있지 않더라도 연계하여 함께 사용하는 바닥면적을 모두 합산하여 산정한다.

3. 청소년 보호법 제2조 제5호 가목 8) 및 9)에 따라 여성가족부장관이 고시하는 청소년 출입·고용금지업의 영업을 위한 시설은 제1종 근린생활시설 및 제2종 근린생활시설에서 제외하되, 위 표에 따른 다른 용도의 시설로 분류되지 않는 경우에는 제16호에 따른 위락시설로 분류한다.
4. 국토교통부장관은 [별표 1] 각 호의 용도별 건축물의 종류에 관한 구체적인 범위를 정하여 고시할 수 있다.

(2) 시설군의 분류

시설군은 다음과 같고 각 시설군에 속하는 건축물의 세부 용도는 대통령령으로 정한다 (법 제19조 제4항, 영 제14조 제5항).

시설군	세부 용도
자동차 관련 시설군	자동차 관련 시설
산업 등 시설군	운수시설, 창고시설, 공장, 위험물 저장 및 처리시설, 자원순환 관련 시설, 묘지 관련 시설, 장례시설
전기통신시설군	방송통신시설, 발전시설
문화집회시설군	문화 및 집회시설, 종교시설, 위락시설, 관광휴게시설
영업시설군	판매시설, 운동시설, 숙박시설, 제2종 근린생활시설 중 다중생활시설
교육 및 복지시설군	의료시설, 교육연구시설, 노유자시설, 수련시설, 야영장시설
근린생활시설군	제1종 근린생활시설, 제2종 근린생활시설(다중생활시설은 제외한다)
주거업무시설군	단독주택, 공동주택, 업무시설, 교정시설, 국방·군사시설
그 밖의 시설군	동물 및 식물 관련 시설

기출예제

건축법령상 용도별 건축물의 종류에 관한 설명으로 옳지 않은 것은?   제27회

① 동물 전용의 장례식장은 '장례시설'이다.
② 주택으로 쓰는 1개 동의 바닥면적 합계가 660제곱미터 이하이고 층수가 4개 층 이하인 주택은 '연립주택'이다.
③ 단란주점으로서 제2종 근린생활시설에 해당하지 아니하는 것은 '위락시설'이다.
④ 안마시술소와 노래연습장은 같은 건축물에 해당 용도로 쓰는 바닥면적의 합계가 150제곱미터를 초과하더라도 '제2종 근린생활시설'이다.
⑤ 층수가 3개 층 이하인 주택이더라도 주택으로 쓰는 1개 동의 바닥면적의 합계가 660제곱미터를 초과하면 '다가구주택'이 아니다.

해설

주택으로 쓰는 1개 동의 바닥면적 합계가 660제곱미터 이하이고 층수가 4개 층 이하인 주택은 '다세대주택'이다. 연립주택은 4개 층 이하이면서 바닥면적 합계는 660제곱미터를 초과하는 공동주택이다.   정답: ②

(3) 용도변경

① 용도변경이란 건축물의 사용용도를 변경하는 것을 말하며, 건축물의 용도변경은 변경하려는 용도의 건축기준에 맞게 하여야 한다(법 제19조 제1항).

② 사용승인을 받은 건축물의 용도를 변경하려는 자는 다음의 구분에 따라 국토교통부령으로 정하는 바에 따라 특별자치시장·특별자치도지사 또는 시장·군수·구청장의 허가를 받거나 신고를 하여야 한다(법 제19조 제2항).

> ⊙ 허가대상: 위 (2)의 어느 하나에 해당하는 시설군에 속하는 건축물의 용도를 상위군에 해당하는 용도로 변경하는 경우
> ⊙ 신고대상: 위 (2)의 어느 하나에 해당하는 시설군에 속하는 건축물의 용도를 하위군에 해당하는 용도로 변경하는 경우

③ 건축물대장 기재내용의 변경신청: 같은 시설군 안에서 용도를 변경하려는 자는 국토교통부령으로 정하는 바에 따라 특별자치시장·특별자치도지사 또는 시장·군수·구청장에게 건축물대장 기재내용의 변경을 신청하여야 한다. 다만, 다음의 어느 하나에 해당하는 건축물 상호간의 용도변경의 경우에는 그러하지 아니하다(법 제19조 제3항, 영 제14조 제4항).

> ⊙ 같은 호(용도)에 속하는 건축물 상호간의 용도변경
> ⊙ 국토의 계획 및 이용에 관한 법률이나 그 밖의 관계 법령에서 정하는 용도제한에 적합한 범위에서 제1종 근린생활시설과 제2종 근린생활시설 상호간의 용도변경. 다만, [별표 1] 제3호 다목(목욕장만 해당한다)·라목, 같은 표 제4호 가목·사목·카목·파목(골프연습장, 놀이형 시설만 해당한다)·더목·러목, 같은 표 제7호 다목 2) 및 같은 표 제16호 가목·나목에 해당하는 용도로 변경하는 경우는 제외한다.

④ 사용승인을 받아야 하는 경우: 허가 및 신고대상인 경우로서 용도변경하고자 하는 부분의 바닥면적의 합계가 100제곱미터 이상인 경우의 사용승인에 관하여는 법 제22조 건축물의 사용승인 규정을 준용한다. 다만, 용도변경하려는 부분의 바닥면적의 합계가 500제곱미터 미만으로서 대수선에 해당되는 공사를 수반하지 아니하는 경우에는 그러하지 아니하다(법 제19조 제5항).

⑤ 건축물의 설계규정의 준용: 허가대상인 경우로서 용도변경하고자 하는 부분의 바닥면적의 합계가 500제곱미터 이상인 용도변경(1층인 축사를 공장으로 용도변경하는 경우로서 증축·개축 또는 대수선이 수반되지 아니하고 구조안전·피난 등에 지장이 없는 경우는 제외한다)의 설계에 관하여는 법 제23조 건축물의 설계규정을 준용한다(법 제19조 제6항, 영 제14조 제7항).

⑥ 복수 용도의 인정: 건축주는 건축물의 용도를 복수로 하여 법 제11조에 따른 건축허가, 제14조에 따른 건축신고 및 제19조에 따른 용도변경 허가·신고 또는 건축물대장 기재내용의 변경신청을 할 수 있으며, 허가권자는 신청한 복수의 용도가 이 법 및 관계 법령에 정한 건축기준과 입지기준 등에 모두 적합한 경우에 한정하여 국토교통부령으로 정하는 바에 따라 복수 용도를 허용할 수 있다(법 제19조의2).

제3항 적용대상 지역

01 건축법의 전면적 적용지역(법 제3조 제2항)

① 국토의 계획 및 이용에 관한 법률에 따른 도시지역 및 지구단위계획구역
② 행정구역이 동·읍(동이나 읍에 속하는 섬의 경우에는 인구가 500명 이상인 경우만 해당된다)

> **더 알아보기** **용도지역의 종류**
>
> 1. **국토의 용도 구분**
>   국토는 토지의 이용실태 및 특성, 장래의 토지 이용방향, 지역간 균형발전 등을 고려하여 다음과 같은 용도지역으로 구분한다.
>   - **도시지역**: 인구와 산업이 밀집되어 있거나 밀집이 예상되어 체계적인 개발·정비·관리·보전 등이 필요한 지역
>   - **관리지역**: 도시지역의 인구와 산업을 수용하기 위하여 도시지역에 준하여 체계적으로 관리하거나 농림지역 또는 자연환경보전지역에 준하여 관리할 필요가 있는 지역
>   - **농림지역**: 도시지역에 속하지 아니하는 농업진흥지역 또는 보전산지 등으로서 농림업을 진흥시키고 산림을 보전하기 위하여 필요한 지역
>   - **자연환경보전지역**: 자연환경·수자원·해안·생태계·상수원 및 문화재의 보전과 수산자원의 보호·육성 등을 위하여 필요한 지역
> 2. **도시지역의 구분**
>   - **주거지역**: 거주의 안녕과 건전한 생활환경의 보호를 위하여 필요한 지역
>   - **상업지역**: 상업이나 그 밖의 업무의 편익을 증진하기 위하여 필요한 지역
>   - **공업지역**: 공업의 편익을 증진하기 위하여 필요한 지역
>   - **녹지지역**: 자연환경·농지 및 산림의 보호, 보건위생, 보안과 도시의 무질서한 확산을 방지하기 위하여 녹지의 보전이 필요한 지역

02 건축법의 일부규정의 적용이 제외되는 지역

① 대상 지역: 위 01 외의 지역
② 적용되지 아니하는 규정
　　㉠ 대지와 도로의 관계(법 제44조)

© 도로의 지정 · 폐지 또는 변경(법 제45조)

© 건축선의 지정(법 제46조)

② 건축선에 따른 건축제한(법 제47조)

⑩ 방화지구 안의 건축물(법 제51조)

⑭ 대지의 분할제한(법 제57조)

제4항 기타 적용의 특례

01 건축법 적용의 완화

(1) 적용의 완화요청

건축주, 설계자, 공사시공자 또는 공사감리자(이하 '건축관계자'라 한다)는 업무를 수행할 때 이 법을 적용하는 것이 매우 불합리하다고 인정되는 대지나 건축물로서 대통령령으로 정하는 것에 대하여는 이 법의 기준을 완화하여 적용할 것을 허가권자에게 요청할수 있고, 요청을 받은 허가권자는 건축위원회의 심의를 거쳐 완화 여부와 적용범위를 결정하고 그 결과를 신청인에게 알려야 한다(법 제5조 제1항 · 제2항).

(2) 완화요청 대상(영 제6조 제1항)

① 수면 위에 건축하는 건축물 등 대지의 범위를 설정하기 곤란한 경우: 법 제40조부터 제47조까지, 법 제55조부터 제57조까지, 법 제60조 및 법 제61조에 따른 기준

② 거실이 없는 통신시설 및 기계 · 설비시설인 경우: 법 제44조부터 법 제46조까지의 규정에 따른 기준

③ 31층 이상인 건축물(건축물 전부가 공동주택의 용도로 쓰이는 경우는 제외한다)과 발전소, 제철소, 산업집적활성화 및 공장설립에 관한 법률 시행령에 따라 산업통상자원부령으로 정하는 업종의 제조시설, 운동시설 등 특수용도의 건축물인 경우: 법 제43조, 제49조부터 제52조까지, 제62조, 제64조, 제67조 및 제68조에 따른 기준

④ 전통사찰, 전통한옥 등 전통문화의 보존을 위하여 시 · 도의 건축조례로 정하는 지역의 건축물인 경우: 법 제2조 제1항 제11호, 제44조, 제46조 및 제60조 제3항에 따른 기준

⑤ 경사진 대지에 계단식으로 건축하는 공동주택으로서 지면에서 직접 각 세대가 있는 층으로의 출입이 가능하고, 위층 세대가 아래층 세대의 지붕을 정원 등으로 활용하는 것이 가능한 형태의 건축물과 초고층 건축물인 경우: 법 제55조에 따른 기준

⑥ 다음의 어느 하나에 해당하는 건축물인 경우: 법 제42조, 제43조, 제46조, 제55조, 제56조, 제58조, 제60조, 제61조 제2항에 따른 기준
  ⊙ 허가권자가 리모델링 활성화가 필요하다고 인정하여 지정 · 공고한 구역(이하 '리모델링 활성화 구역'이라 한다) 안의 건축물
  © 사용승인을 받은 후 15년 이상이 되어 리모델링이 필요한 건축물

ⓒ 기존 건축물을 건축(증축, 일부 개축 또는 일부 재축으로 한정한다)하거나 대수선하는 경우로서 다음의 요건을 모두 갖춘 건축물

　ⓐ 기존 건축물이 건축 또는 대수선 당시의 법령상 건축물 전체에 대하여 다음의 구분에 따른 확인 또는 확인서류 제출을 하여야 하는 건축물에 해당하지 아니할 것
　　• 2009년 7월 16일 대통령령 제21629호 건축법 시행령 일부개정령으로 개정되기 전의 제32조에 따른 지진에 대한 안전 여부의 확인
　　• 2009년 7월 16일 대통령령 제21629호 건축법 시행령 일부개정령으로 개정된 이후부터 2014년 11월 28일 대통령령 제25786호 건축법 시행령 일부개정령으로 개정되기 전까지의 제32조에 따른 구조안전의 확인
　　• 2014년 11월 28일 대통령령 제25786호 건축법 시행령 일부개정령으로 개정된 이후의 제32조에 따른 구조안전의 확인서류 제출

　ⓑ 제32조 제3항에 따라 기존 건축물을 건축 또는 대수선하기 전과 후의 건축물 전체에 대한 구조안전의 확인서류를 제출할 것. 다만, 기존 건축물을 일부 재축하는 경우에는 재축 후의 건축물에 대한 구조안전의 확인서류만 제출한다.

⑦ 기존 건축물에 장애인·노인·임산부 등의 편의증진 보장에 관한 법률 제8조에 따른 편의시설을 설치하면 법 제55조 또는 법 제56조에 따른 기준에 적합하지 아니하게 되는 경우: 법 제55조 및 법 제56조에 따른 기준

⑧ 국토의 계획 및 이용에 관한 법률에 따른 도시지역 및 지구단위계획구역 외의 지역 중 동이나 읍에 해당하는 지역에 건축하는 건축물로서 건축조례로 정하는 건축물인 경우: 법 제2조 제1항 제11호 및 제44조에 따른 기준

⑨ 다음의 어느 하나에 해당하는 대지에 건축하는 건축물로서 재해예방을 위한 조치가 필요한 경우: 법 제55조, 법 제56조, 법 제60조 및 법 제61조에 따른 기준
　㉠ 국토의 계획 및 이용에 관한 법률 제37조에 따라 지정된 방재지구
　㉡ 급경사지 재해예방에 관한 법률 제6조에 따라 지정된 붕괴위험지역

⑩ 조화롭고 창의적인 건축을 통하여 아름다운 도시경관을 창출한다고 법 제11조에 따른 특별시장·광역시장·특별자치시장·특별자치도지사 또는 시장·군수·구청장이 인정하는 건축물과 주택법 시행령에 따른 도시형 생활주택(아파트는 제외한다)인 경우: 법 제60조 및 제61조에 따른 기준

⑪ 공공주택 특별법에 따른 공공주택인 경우: 법 제61조 제2항에 따른 기준

⑫ 다음의 어느 하나에 해당하는 공동주택에 주택건설기준 등에 관한 규정에 따른 주민공동시설(주택소유자가 공유하는 시설로서 영리를 목적으로 하지 아니하고 주택의 부속용도로 사용하는 시설만 해당한다)을 설치하는 경우: 법 제56조에 따른 기준
　㉠ 주택법 제16조에 따라 사업계획승인을 받아 건축하는 공동주택
　㉡ 상업지역 또는 준주거지역에서 법 제11조에 따라 건축허가를 받아 건축하는 200세대 이상 300세대 미만인 공동주택
　㉢ 법 제11조에 따라 건축허가를 받아 건축하는 주택법 시행령에 따른 도시형 생활주택

⑬ 건축협정을 체결하여 건축물의 건축·대수선 또는 리모델링을 하려는 경우: 법 제55조 및 제56조에 따른 기준

⑭ 기존 주택단지에 아동복지법 제44조의2에 따른 다함께돌봄센터를 설치하는 경우: 법 제56조에 따른 기준

건축법령상 건축관계자가 업무를 수행할 때 건축법 제56조(건축물의 용적률)의 기준을 완화하여 적용할 것을 허가권자에게 요청할 수 있는 건축물을 모두 고른 것은? (단, 특례 및 조례는 고려하지 않음)

제27회

⊙ 초고층 건축물
ⓛ 수면 위에 건축하는 건축물
ⓒ 사용승인을 받은 후 15년 이상이 되어 리모델링이 필요한 건축물
ⓔ 경사진 대지에 계단식으로 건축하는 공동주택으로서 지면에서 직접 각 세대가 있는 층으로의 출입이 가능하고, 위층 세대가 아래층 세대의 지붕을 정원 등으로 활용하는 것이 가능한 형태의 건축물

① ⊙
② ⊙, ⓔ
③ ⓛ, ⓒ
④ ⓛ, ⓒ, ⓔ
⑤ ⊙, ⓛ, ⓒ, ⓔ

해설

⊙, ⓔ에 해당하는 건축물은 건축물의 건폐율의 기준완화 요청대상이다.

정답: ③

(3) 완화의 기준

허가권자는 완화 여부 및 적용범위를 결정할 때에는 다음의 기준을 지켜야 한다(영 제6조 제2항).

① 위 (2)의 ①부터 ⑤까지, ⑦·⑧ 및 ⑩의 경우
  ⊙ 공공의 이익을 해치지 아니하고, 주변의 대지 및 건축물에 지나친 불이익을 주지 아니할 것
  ⓛ 도시의 미관이나 환경을 지나치게 해치지 아니할 것
② 위 (2)의 ⑥의 경우
  ⊙ 위 ①의 각 사항의 기준에 적합할 것
  ⓛ 증축은 기능향상 등을 고려하여 국토교통부령으로 정하는 규모와 범위에서 할 것
  ⓒ 주택법 제16조에 따른 사업계획승인 대상인 공동주택의 리모델링은 복리시설을 분양하기 위한 것이 아닐 것
③ 위 (2)의 ⑨의 경우
  ⊙ 위 ①의 각 사항의 기준에 적합할 것
  ⓛ 해당 지역에 적용되는 법 제55조, 법 제56조, 법 제60조 및 법 제61조에 따른 기준을 100분의 140 이하의 범위에서 건축조례로 정하는 비율을 적용할 것

④ 위 **(2)**의 ⑪의 경우
  ㉠ 위 ①의 각 사항의 기준에 적합할 것
  ㉡ 기준이 완화되는 범위는 외벽의 중심선에서 발코니 끝부분까지의 길이 중 1.5미터를 초과하는 발코니 부분에 한정될 것. 이 경우 완화되는 범위는 최대 1미터로 제한하며, 완화되는 부분에 창호를 설치해서는 아니 된다.
⑤ 위 **(2)**의 ⑫의 경우
  ㉠ 위 ①의 각 사항의 기준에 적합할 것
  ㉡ 법 제56조에 따른 용적률의 기준은 해당 지역에 적용되는 용적률에 주민공동시설에 해당하는 용적률을 가산한 범위에서 건축조례로 정하는 용적률을 적용할 것
⑥ 위 **(2)**의 ⑬의 경우
  ㉠ 위 ①의 각 사항의 기준에 적합할 것
  ㉡ 법 제55조 및 제56조에 따른 건폐율 또는 용적률의 기준은 법 제77조의4 제1항에 따라 건축협정이 체결된 지역 또는 구역(이하 '건축협정구역'이라 한다) 안에서 연접한 둘 이상의 대지에서 건축허가를 동시에 신청하는 경우 둘 이상의 대지를 하나의 대지로 보아 적용할 것

02 기존 건축물에 대한 특례 등

(1) 기존 건축물에 대한 특례

허가권자는 ① 법령의 제정·개정, ② 도시·군관리계획의 결정·변경 또는 행정구역의 변경, ③ 도시·군계획시설의 설치, 도시개발사업의 시행 또는 도로법에 따른 도로의 설치, ④ 그 밖에 ② 및 ③과 비슷한 경우로서 국토교통부령으로 정하는 경우로 인하여 기존의 대지나 건축물이 법령 등에 부적합하더라도 다음의 어느 하나에 해당하는 경우에는 건축을 허가할 수 있다(법 제6조, 영 제6조의2 제1항·제2항).

① 기존 건축물을 재축하는 경우
② 증축하거나 개축하려는 부분이 법령 등에 적합한 경우
③ 기존 건축물의 대지가 도시·군계획시설의 설치 또는 도로법에 따른 도로의 설치로 대지의 분할제한(법 제57조)에 따라 해당 지방자치단체가 정하는 면적에 미달되는 경우로서 그 기존 건축물을 연면적 합계의 범위에서 증축하거나 개축하는 경우
④ 기존 건축물이 도시·군계획시설 또는 도로법에 따른 도로의 설치로 건축물의 건폐율 또는 건축물의 용적률에 부적합하게 된 경우로서 화장실·계단·승강기의 설치 등 그 건축물의 기능을 유지하기 위하여 그 기존 건축물의 연면적 합계의 범위에서 증축하는 경우
⑤ 법률 제7696호 건축법 일부개정법률 제50조(대지 안의 공지)의 개정규정에 따라 최초로 개정한 해당 지방자치단체의 조례 시행일 이전에 건축된 기존 건축물의 건축선 및 인접 대지경계선으로부터의 거리가 그 조례로 정하는 거리에 미달되는 경우로서 그 기존 건축물을 건축 당시의 법령에 위반되지 않는 범위에서 수직으로 증축하는 경우

⑥ 기존 한옥을 개축하는 경우
⑦ 건축물 대지의 전부 또는 일부가 자연재해대책법 제12조에 따른 자연재해위험개선지구에 포함되고 법 제22조에 따른 사용승인 후 20년이 지난 기존 건축물을 재해로 인한 피해 예방을 위하여 연면적의 합계 범위에서 개축하는 경우

(2) 기존 공장 증축의 특례

허가권자는 국토의 계획 및 이용에 관한 법률 시행령 제84조의2 또는 제93조의2에 따라 기존 공장을 증축하는 경우에는 다음의 기준을 적용하여 해당 공장(이하 '기존 공장'이라 한다)의 증축을 허가할 수 있다(영 제6조의2 제3항).

① 영 제3조의3 제2호에도 불구하고 도시지역에서의 길이 35미터 이상인 막다른 도로의 너비기준은 4미터 이상으로 한다.
② 영 제28조 제2항에도 불구하고 연면적 합계가 3천제곱미터 미만인 기존 공장이 증축으로 3천제곱미터 이상이 되는 경우 해당 대지가 접하여야 하는 도로의 너비는 4미터 이상으로 하고, 해당 대지가 도로에 접하여야 하는 길이는 2미터 이상으로 한다.

(3) 용도변경의 특례

기존의 건축물 또는 대지가 (1)의 각 사유로 법령 등에 부적합하게 된 경우에는 건축조례로 정하는 바에 따라 용도변경을 할 수 있다(영 제14조 제6항).

(4) 특수구조 건축물 구조안전의 확인에 관한 특례

① 특수구조 건축물을 건축하거나 대수선하려는 건축주는 착공신고를 하기 전에 국토교통부령으로 정하는 바에 따라 허가권자에게 해당 건축물의 구조안전에 관하여 지방건축위원회의 심의를 신청하여야 한다. 이 경우 건축주는 설계자로부터 미리 구조안전확인을 받아야 한다(영 제6조의3 제2항).
② 위 ①에 따른 신청을 받은 허가권자는 심의신청 접수일부터 15일 이내에 건축구조분야 전문위원회에 심의안건을 상정하고, 심의결과를 심의를 신청한 자에게 통보하여야 하며, 심의결과에 이의가 있는 자는 심의결과를 통보받은 날부터 1개월 이내에 허가권자에게 재심의를 신청할 수 있고, 심의결과 또는 재심의결과를 통보받은 건축주는 착공신고를 할 때 그 결과를 반영하여야 한다(영 제6조의3 제3항·제4항·제5항).

03 부유식 건축물의 특례

공유수면 관리 및 매립에 관한 법률 제8조에 따른 공유수면 위에 고정된 인공대지를 설치하고 그 위에 설치한 건축물(이하 '부유식 건축물'이라 한다)은 다음의 구분기준에 따라 법 제40조부터 제44조까지, 제46조 및 제47조를 적용한다(법 제6조의3, 영 제6조의4).

① 법 제40조에 따른 대지의 안전기준의 경우: 같은 조 제3항에 따른 오수의 배출 및 처리에 관한 부분만 적용
② 법 제41조부터 제44조까지, 제46조 및 제47조의 경우: 미적용. 다만, 법 제44조는 부유식 건축물의 출입에 지장이 없다고 인정하는 경우에만 적용하지 아니한다.

04 리모델링에 대비한 특례

리모델링이 쉬운 구조의 공동주택의 건축을 촉진하기 위하여 공동주택을 다음의 요건에 적합한 구조로 하여 건축허가를 신청하면 법 제56조(건축물의 용적률), 제60조(건축물의 높이제한) 및 제61조(일조 등의 확보를 위한 건축물의 높이제한)에 따른 기준을 100분의 120(다만, 건축조례에서 지역별 특성 등을 고려하여 그 비율을 강화한 경우에는 건축조례로 정하는 기준에 따른다) 범위에서 완화하여 적용할 수 있다(법 제8조, 영 제6조의5).

① 각 세대는 인접한 세대와 수직 또는 수평방향으로 통합하거나 분할할 수 있을 것
② 구조체에서 건축설비, 내부마감재료 및 외부마감재료를 분리할 수 있을 것
③ 개별세대 안에서 구획된 실(室)의 크기, 개수 또는 위치 등을 변경할 수 있을 것

05 다른 법령의 배제

(1) 민법 제244조 제1항의 적용 배제

건축물의 건축 등을 위하여 지하를 굴착하는 경우에는 민법(제244조 제1항)을 적용하지 아니한다. 다만, 필요한 안전조치를 하여 위해(危害)를 방지하여야 한다(법 제9조 제1항).

> **민법**
> 제244조 【지하시설 등에 대한 제한】 ① 우물을 파거나 용수, 하수 또는 오물 등을 저치할 지하시설을 하는 때에는 경계로부터 2미터 이상의 거리를 두어야 하며 저수지, 구거 또는 지하실공사에는 경계로부터 그 깊이의 반 이상의 거리를 두어야 한다.

(2) 하수도법 제38조의 적용 배제

건축물에 딸린 개인하수처리시설에 관한 설계의 경우에는 하수도법(제38조)을 적용하지 아니한다(법 제9조 제2항).

> **하수도법**
> 제38조 【개인하수처리시설의 설계·시공】 ① 개인하수처리시설을 설치 또는 변경하고자 하는 자는 처리시설설계·시공업자(동조에 따른 건설사업자를 포함한다)로 하여금 설계·시공하도록 하여야 한다.

제3절 용어의 정의

(1) 지하층

건축물의 바닥이 지표면 아래에 있는 층으로서 바닥에서 지표면까지 평균높이가 해당 층 높이의 2분의 1 이상인 것을 말한다(법 제2조 제1항 제5호).

> **더 알아보기** **지하층의 지표면(영 제119조 제1항 제10호)**
>
> 지하층의 지표면은 각 층의 주위가 접하는 각 지표면 부분의 높이를 그 지표면 부분의 수평거리에 따라 가중평균한 높이의 수평면을 지표면으로 산정한다.

(2) 거실

건축물 안에서 거주, 집무, 작업, 집회, 오락, 그 밖에 이와 유사한 목적을 위하여 사용되는 방을 말한다(법 제2조 제1항 제6호).

(3) 주요구조부

내력벽, 기둥, 바닥, 보, 지붕틀 및 주계단을 말한다. 다만, 사이 기둥, 최하층 바닥, 작은 보, 차양, 옥외 계단, 그 밖에 이와 유사한 것으로 건축물의 구조상 중요하지 아니한 부분은 제외한다(법 제2조 제1항 제7호).

(4) 리모델링

건축물의 노후화를 억제하거나 기능 향상 등을 위하여 대수선하거나 건축물의 일부를 증축 또는 개축하는 행위를 말한다(법 제2조 제1항 제10호).

(5) 건축관계자

① **건축주**: 건축물의 건축·대수선·용도변경, 건축설비의 설치 또는 공작물의 축조에 관한 공사를 발주하거나 현장 관리인을 두어 스스로 그 공사를 하는 자를 말한다(법 제2조 제1항 제12호).

② **설계자**: 자기의 책임(보조자의 도움을 받는 경우를 포함한다)으로 설계도서를 작성하고 그 설계도서에서 의도하는 바를 해설하며, 지도하고 자문에 응하는 자를 말한다(법 제2조 제1항 제13호).

③ **공사감리자**: 자기의 책임(보조자의 도움을 받는 경우를 포함한다)으로 이 법으로 정하는 바에 따라 건축물, 건축설비 또는 공작물이 설계도서의 내용대로 시공되는지를 확인하고, 품질관리·공사관리·안전관리 등에 대하여 지도·감독하는 자를 말한다(법 제2조 제1항 제15호).

④ 공사시공자: 건설산업기본법 제2조 제4호에 따른 건설공사를 하는 자를 말한다(법 제2조 제1항 제16호).

⑤ 관계전문기술자: 건축물의 구조·설비 등 건축물과 관련된 전문기술자격을 보유하고 설계와 공사감리에 참여하여 설계자 및 공사감리자와 협력하는 자를 말한다(법 제2조 제1항 제17호).

⑥ 제조업자: 건축물의 건축·대수선·용도변경, 건축설비의 설치 또는 공작물의 축조 등에 필요한 건축자재를 제조하는 사람을 말한다(법 제2조 제1항 제12의2호).

⑦ 유통업자: 건축물의 건축·대수선·용도변경, 건축설비의 설치 또는 공작물의 축조에 필요한 건축자재를 판매하거나 공사현장에 납품하는 사람을 말한다(법 제2조 제1항 제12의3호).

(6) 설계도서

건축물의 건축 등에 관한 공사용 도면, 구조 계산서, 시방서, 그 밖에 국토교통부령으로 정하는 공사에 필요한 서류를 말한다(법 제2조 제1항 제14호).

> **더 알아보기** **국토교통부령으로 정하는 공사에 필요한 서류**(규칙 제1조의2)
>
> 1. 건축설비계산 관계 서류
> 2. 토질 및 지질 관계 서류
> 3. 기타 공사에 필요한 서류

(7) 내화·방화구조

① 내화구조: 화재에 견딜 수 있는 성능을 가진 구조로서 국토교통부령으로 정하는 기준에 적합한 구조를 말한다(영 제2조 제7호).

② 방화구조: 화염의 확산을 막을 수 있는 성능을 가진 구조로서 국토교통부령으로 정하는 기준에 적합한 구조를 말한다(영 제2조 제8호).

(8) 난연·불연·준불연·내수재료

① 난연재료: 불에 잘 타지 아니하는 성능을 가진 재료로서 국토교통부령으로 정하는 기준에 적합한 재료를 말한다(영 제2조 제9호).

② 불연재료: 불에 타지 아니하는 성질을 가진 재료로서 국토교통부령으로 정하는 기준에 적합한 재료를 말한다(영 제2조 제10호).

③ 준불연재료: 불연재료에 준하는 성질을 가진 재료로서 국토교통부령으로 정하는 기준에 적합한 재료를 말한다(영 제2조 제11호).

④ 내수재료: 인조석·콘크리트 등 내수성을 가진 재료로서 국토교통부령으로 정하는 재료를 말한다(영 제2조 제6호).

○ (8)에서 말하는 '국토교통부령'이란 '건축물의 피난·방화구조 등의 기준에 관한 규칙'을 말한다.

(9) 부속건축물

같은 대지에서 주된 건축물과 분리된 부속용도의 건축물로서 주된 건축물을 이용 또는 관리하는 데에 필요한 건축물을 말한다(영 제2조 제12호).

(10) 부속구조물

건축물의 안전·기능·환경 등을 향상시키기 위하여 건축물에 추가적으로 설치하는 환기시설물[급기(給氣) 및 배기(排氣)를 위한 건축 구조물의 개구부(開口部)인 환기구를 말한다]을 말한다(법 제2조 제1항 제21호, 영 제2조 제19호).

> **기출예제**
>
> **건축법 제2조(정의) 규정의 일부이다. (　　　)에 들어갈 용어를 쓰시오.**　　　제27회
>
> '(　　　)구조물'이란 건축물의 안전·기능·환경 등을 향상시키기 위하여 건축물에 추가적으로 설치하는 환기시설물 등 대통령령으로 정하는 구조물을 말한다.
>
> 정답: 부속

(11) 부속용도

건축물의 주된 용도의 기능에 필수적인 용도로서, 다음의 어느 하나에 해당하는 용도를 말한다(영 제2조 제13호).

> ① 건축물의 설비, 대피, 위생, 그 밖에 이와 비슷한 시설의 용도
> ② 사무, 작업, 집회, 물품저장, 주차, 그 밖에 이와 비슷한 시설의 용도
> ③ 구내식당·직장어린이집·구내운동시설 등 종업원 후생복리시설, 구내소각시설, 그 밖에 이와 비슷한 시설의 용도. 이 경우 다음의 요건을 모두 갖춘 휴게음식점([별표 1] 제3호의 제1종 근린생활시설 중 같은 호 나목에 따른 휴게음식점을 말한다)은 구내식당에 포함되는 것으로 본다.
> 　㉠ 구내식당 내부에 설치할 것
> 　㉡ 설치면적이 구내식당 전체 면적의 3분의 1 이하로서 50제곱미터 이하일 것
> 　㉢ 다류(茶類)를 조리·판매하는 휴게음식점일 것
> ④ 관계 법령에서 주된 용도의 부수시설로 설치할 수 있게 규정하고 있는 시설, 그 밖에 국토교통부장관이 이와 유사하다고 인정하여 고시하는 시설의 용도

(12) 발코니

건축물의 내부와 외부를 연결하는 완충공간으로서 전망이나 휴식 등의 목적으로 건축물 외벽에 접하여 부가적(附加的)으로 설치되는 공간을 말한다. 이 경우 주택에 설치되는 발코니로서 국토교통부장관이 정하는 기준에 적합한 발코니는 필요에 따라 거실 · 침실 · 창고 등의 용도로 사용할 수 있다(영 제2조 제14호).

(13) 고층 건축물

고층 건축물이란 층수가 30층 이상이거나 높이가 120미터 이상인 건축물을 말한다(법 제2조 제1항 제19호).

(14) 초고층 건축물

초고층 건축물이란 고층 건축물 중에서 층수가 50층 이상이거나 높이가 200미터 이상인 건축물을 말한다(영 제2조 제15호).

(15) 준초고층 건축물

준초고층 건축물이란 고층 건축물 중 초고층 건축물이 아닌 것을 말한다(영 제2조 제15호의2).

(16) 한옥

한옥이란 한옥 등 건축자산의 진흥에 관한 법률 제2조 제2호(주요 구조가 기둥 · 보 및 한식 지붕틀로 된 목구조로서 우리나라 전통양식이 반영된 건축물 및 그 부속건축물을 말한다)에 따른 한옥을 말한다(영 제2조 제16호).

(17) 특별건축구역

특별건축구역이란 조화롭고 창의적인 건축물의 건축을 통하여 도시경관의 창출, 건설기술 수준향상 및 건축 관련 제도개선을 도모하기 위하여 이 법 또는 관계 법령에 따라 일부 규정을 적용하지 아니하거나 완화 또는 통합하여 적용할 수 있도록 특별히 지정하는 구역을 말한다(법 제2조 제1항 제18호).

(18) 건축물의 유지 · 관리

건축물의 유지 · 관리란 건축물의 소유자나 관리자가 사용승인된 건축물의 대지 · 구조 · 설비 및 용도 등을 지속적으로 유지하기 위하여 건축물이 멸실될 때까지 관리하는 행위를 말한다(법 제2조 제1항 제16호의2).

(19) 실내건축

실내건축이란 건축물의 실내를 안전하고 쾌적하며 효율적으로 사용하기 위하여 내부 공간을 칸막이로 구획하거나 벽지, 천장재, 바닥재, 유리 등 다음의 재료 또는 장식물을 설치하는 것을 말한다(법 제2조 제1항 제20호, 영 제3조의4).

① 벽, 천장, 바닥 및 반자틀의 재료
② 실내에 설치하는 난간, 창호 및 출입문의 재료
③ 실내에 설치하는 전기 · 가스 · 급수(給水), 배수(排水) · 환기시설의 재료
④ 실내에 설치하는 충돌 · 끼임 등 사용자의 안전사고 방지를 위한 시설의 재료

(20) 다중이용 건축물

다음의 어느 하나에 해당하는 건축물을 말한다(영 제2조 제17호).

① 다음의 어느 하나에 해당하는 용도로 쓰는 바닥면적의 합계가 5천제곱미터 이상인 건축물
  ㉠ 문화 및 집회시설(동물원 · 식물원은 제외한다)
  ㉡ 종교시설
  ㉢ 판매시설
  ㉣ 운수시설 중 여객용 시설
  ㉤ 의료시설 중 종합병원
  ㉥ 숙박시설 중 관광숙박시설
② 16층 이상인 건축물

(21) 준다중이용 건축물

다중이용 건축물 외의 건축물로서 다음의 어느 하나에 해당하는 용도로 쓰는 바닥면적의 합계가 1천제곱미터 이상인 건축물을 말한다(영 제2조 제17의2호).

① 문화 및 집회시설(동물원 · 식물원은 제외한다)
② 종교시설
③ 판매시설
④ 운수시설 중 여객용 시설
⑤ 의료시설 중 종합병원

⑥ 교육연구시설
⑦ 노유자시설
⑧ 운동시설
⑨ 숙박시설 중 관광숙박시설
⑩ 위락시설
⑪ 관광휴게시설
⑫ 장례시설

(22) 특수구조 건축물

특수구조 건축물이란 다음의 어느 하나에 해당하는 건축물을 말한다(영 제2조 제18호).

① 한쪽 끝은 고정되고 다른 끝은 지지(支持)되지 아니한 구조로 된 보·차양 등이 외벽(외벽이 없는 경우에는 외곽 기둥을 말한다)의 중심선으로부터 3미터 이상 돌출된 건축물
② 기둥과 기둥 사이의 거리(기둥의 중심선 사이의 거리를 말하며, 기둥이 없는 경우에는 내력벽과 내력벽의 중심선 사이의 거리를 말한다. 이하 같다)가 20미터 이상인 건축물
③ 특수한 설계·시공·공법 등이 필요한 건축물로서 국토교통부장관이 정하여 고시하는 구조로 된 건축물

제4절 면적과 높이, 층수의 산정방법

제1항 건축물 면적의 산정방법

01 대지면적

대지의 수평투영면적으로 한다. 다만, 다음의 어느 하나에 해당하는 면적은 제외한다(영 제119조 제1항 제1호).

① 소요너비에 못 미치는 너비의 도로에 접하거나 도로의 모퉁이에 위치하여 대지에 건축선이 정하여진 경우(법 제46조 제1항): 그 건축선과 도로 사이의 대지면적
② 대지에 도시·군계획시설인 도로·공원 등이 있는 경우: 그 도시·군계획시설에 포함되는 대지(국토의 계획 및 이용에 관한 법률 제47조 제7항에 따라 건축물 또는 공작물을 설치하는 도시·군계획시설의 부지는 제외한다)면적

02 건축면적

(1) 원칙

건축물의 외벽(외벽이 없는 경우에는 외곽 부분의 기둥을 말한다. 이하 같다)의 중심선으로 둘러싸인 부분의 수평투영면적으로 한다(영 제119조 제1항 제2호).

(2) 건축면적의 산정

처마, 차양, 부연, 그 밖에 이와 비슷한 것으로서 그 외벽의 중심선으로부터 수평거리 1미터 이상 돌출된 부분이 있는 건축물의 건축면적은 그 돌출된 끝부분으로부터 다음의 구분에 따른 수평거리를 후퇴한 선으로 둘러싸인 부분의 수평투영면적으로 한다.

① 전통사찰의 보존 및 지원에 관한 법률에 따른 전통사찰: 4미터 이하의 범위에서 외벽의 중심선까지의 거리
② 가축에게 사료 등을 투여하는 부위의 상부에 한쪽 끝은 고정되고 다른 쪽 끝은 지지되지 아니한 구조로 된 돌출차양이 설치된 축사: 3미터 이하의 범위에서 외벽의 중심선까지의 거리
③ 한옥, 전기자동차 충전시설(그에 딸린 충전 전용 주차구획을 포함한다)의 설치를 목적으로 처마, 차양, 부연, 그 밖에 이와 비슷한 것이 설치된 공동주택, 신·재생에너지설비를 설치하기 위하여 처마, 차양, 부연, 그 밖에 이와 비슷한 것이 설치된 건축물로서 제로에너지건축물 인증을 받은 건축물, 수소연료공급시설을 설치하기 위하여 처마, 차양, 부연, 그 밖에 이와 비슷한 것이 설치된 [별표 1] 제19호 가목의 주유소, 같은 호 나목의 액화석유가스 충전소 또는 같은 호 바목의 고압가스충전소: 2미터 이하의 범위에서 외벽의 중심선까지의 거리
④ 그 밖의 건축물: 1미터

(3) 건축면적의 제외

다음의 경우에는 건축면적에 산입하지 아니한다.

① 지표면으로부터 1미터 이하에 있는 부분(창고 중 물품을 입출고하기 위하여 차량을 접안시키는 부분의 경우에는 지표면으로부터 1.5미터 이하에 있는 부분)
② 건축물 지상층에 일반인이나 차량이 통행할 수 있도록 설치한 보행통로나 차량통로
③ 지하주차장의 경사로
④ 건축물 지하층의 출입구 상부(출입구 너비에 상당하는 규모의 부분을 말한다)
⑤ 생활폐기물 보관함(음식물쓰레기, 의류 등의 수거함을 말한다)
⑥ 영유아보육법 제15조에 따른 설치기준에 따라 직통계단 1개 소를 갈음하여 건축물의 외부에 설치하는 비상계단(같은 조에 따른 어린이집이 2011년 4월 6일 이전에 설치된 경우로서 기존 건축물에 비상계단을 설치함으로써 법 제55조에 따른 건폐율 기준에 적합하지 않게 된 경우만 해당한다)
⑦ 장애인·노인·임산부 등의 편의증진 보장에 관한 법률 시행령 [별표 2] 제3호 가목 (6)에 따른 장애인용 승강기, 장애인용 에스컬레이터, 휠체어리프트, 경사로

⑧ 가축전염병 예방법 제17조 제1항 제1호에 따른 소독설비를 갖추기 위하여 같은 호에 따른 가축사육시설(2015년 4월 27일 전에 건축되거나 설치된 가축사육시설로 한정한다)에서 설치하는 시설
⑨ 매장유산 보호 및 조사에 관한 법률 시행령 제14조 제1항 제1호 및 제2호에 따른 현지보존 및 이전보존을 위하여 매장유산 보호 및 전시에 전용되는 부분
⑩ 가축분뇨의 관리 및 이용에 관한 법률 제12조 제1항에 따른 처리시설(법률 제12516호 가축분뇨의 관리 및 이용에 관한 법률 일부개정법률 부칙 제9조에 해당하는 배출시설의 처리시설로 한정한다)

핵심 콕! 콕! 건폐율

1. 의의
건폐율이란 대지면적에 대한 건축면적(대지에 건축물이 2 이상이 있는 경우에는 이들 건축면적의 합계로 한다)의 비율을 말한다.

$$건폐율(\%) = \frac{건축면적}{대지면적} \times 100$$

2. 규제목적
대지 내의 최소한의 공지를 확보하게 함으로써 일조·채광·통풍 등의 위생 확보와 쾌적한 생활환경을 확보함과 동시에 화재시 연소의 방지와 재난시 대피할 수 있는 공간을 확보함이 그 목적이다. 건폐율은 건축물의 평면적 규제로 볼 수 있다.

03 바닥면적

(1) 원칙

건축물의 각 층 또는 그 일부로서 벽, 기둥, 그 밖에 이와 비슷한 구획의 중심선으로 둘러싸인 부분의 수평투영면적으로 한다(영 제119조 제1항 제3호).

(2) 바닥면적의 산정

① 벽·기둥의 구획이 없는 건축물: 지붕 끝부분으로부터 수평거리 1미터를 후퇴한 선으로 둘러싸인 수평투영면적으로 한다.
② 건축물의 노대 등: 난간 등의 설치 여부에 관계없이 노대 등의 면적(외벽의 중심선으로부터 노대 등의 끝부분까지의 면적을 말한다)에서 노대 등이 접한 가장 긴 외벽에 접한 길이에 1.5미터를 곱한 값을 뺀 면적을 바닥면적에 산입한다.
③ 대피공간의 바닥면적: 대피공간의 바닥면적은 건축물의 각 층 또는 그 일부로서 벽의 내부선으로 둘러싸인 부분의 수평투영면적으로 한다.

(3) 바닥면적의 제외

① **필로티 등**: 필로티나 그 밖에 이와 비슷한 구조(벽면적의 2분의 1 이상이 그 층의 바닥면에서 위층 바닥 아래면까지 공간으로 된 것만 해당한다)의 부분은 그 부분이 공중의 통행이나 차량의 통행 또는 주차에 전용되는 경우와 공동주택의 경우에는 바닥면적에 산입하지 아니한다.

② **승강기탑(옥상 출입용 승강장을 포함한다), 계단탑, 다락 등**: 승강기탑, 계단탑, 장식탑, 다락[층고(層高)가 1.5미터(경사진 형태의 지붕인 경우에는 1.8미터) 이하인 것만 해당한다], 건축물의 외부 또는 내부에 설치하는 굴뚝, 더스트슈트, 설비덕트, 그 밖에 이와 비슷한 것과 옥상·옥외 또는 지하에 설치하는 물탱크, 기름탱크, 냉각탑, 정화조, 도시가스 정압기, 그 밖에 이와 비슷한 것을 설치하기 위한 구조물과 건축물간에 화물의 이동에 이용되는 컨베이어벨트만을 설치하기 위한 구조물은 바닥면적에 산입하지 아니한다.

③ **공동주택 지상층에 설치한 시설 등**: 공동주택으로서 지상층에 설치한 기계실, 전기실, 어린이놀이터, 조경시설 및 생활폐기물 보관함의 면적은 바닥면적에 산입하지 아니한다.

④ **외벽의 마감재료**: 건축물을 리모델링하는 경우로서 미관 향상, 열의 손실 방지 등을 위하여 외벽에 부가하여 마감재 등을 설치하는 부분은 바닥면적에 산입하지 아니한다.

⑤ **기존 다중이용업소의 옥외피난계단**: 다중이용업소의 안전관리에 관한 특별법 시행령 제9조에 따라 기존의 다중이용업소(2004년 5월 29일 이전의 것만 해당한다)의 비상구에 연결하여 설치하는 폭 1.5미터 이하의 옥외피난계단(기존 건축물에 옥외피난계단을 설치함으로써 법 제56조에 따른 용적률에 적합하지 아니하게 된 경우만 해당한다)은 바닥면적에 산입하지 아니한다.

⑥ 영유아보육법 제15조에 따른 영유아어린이집(2005년 1월 29일 이전에 설치된 것만 해당한다)의 비상구에 연결하여 설치하는 폭 2미터 이하의 영유아용 대피용 미끄럼대 또는 비상계단의 면적은 바닥면적(기존 건축물에 영유아용 대피용 미끄럼대 또는 비상계단을 설치함으로써 법 제56조에 따른 용적률 기준에 적합하지 아니하게 된 경우만 해당한다)에 산입하지 아니한다.

⑦ 장애인·노인·임산부 등의 편의증진 보장에 관한 법률 시행령 [별표 2] 제3호 가목 (6)에 따른 장애인용 승강기, 장애인용 에스컬레이터, 휠체어리프트, 경사로 또는 승강장은 바닥면적에 산입하지 아니한다.

⑧ 가축전염병 예방법 제17조 제1항 제1호에 따른 소독설비를 갖추기 위하여 같은 호에 따른 가축사육시설(2015년 4월 27일 전에 건축되거나 설치된 가축사육시설로 한정한다)에서 설치하는 시설은 바닥면적에 산입하지 아니한다.

⑨ 매장유산 보호 및 조사에 관한 법률 시행령 제14조 제1항 제1호 및 제2호에 따른 현지보존 및 이전보존을 위하여 매장유산 보호 및 전시에 전용되는 부분은 바닥면적에 산입하지 아니한다.

⑩ 대피공간에 하향식 피난구를 설치하거나, 대피공간과 동일하거나 그 이상의 성능이 있다고 인정하여 고시하는 구조 또는 시설(대체시설)을 갖춘 경우 또는 대체시설을 발코니(발코니의 외부에 접하는 경우를 포함한다)에 설치하는 경우에는 해당 구조 또는 시설이 설치되는 대피공간 또는 발코니의 면적 중 다음의 구분에 따른 면적까지를 바닥면적에 산입하지 않는다.
　㉠ 인접세대와 공동으로 설치하는 경우: 4제곱미터
　㉡ 각 세대별로 설치하는 경우: 3제곱미터

04 연면적

(1) 원칙

연면적이란 지하층을 포함하여 하나의 건축물의 각 층의 바닥면적의 합계를 말한다(영 제119조 제1항 제4호).

(2) 용적률 산정시 연면적에서 제외되는 면적

① 지하층의 면적
② 지상층의 주차용(해당 건축물의 부속용도인 경우만 해당한다)으로 쓰는 면적
③ 초고층 건축물과 준초고층 건축물에 설치하는 피난안전구역의 면적
④ 11층 이상인 건축물로서 11층 이상인 층의 바닥면적의 합계가 1만제곱미터 이상인 건축물 지붕을 경사지붕으로 하는 경우 경사지붕 아래에 설치하는 대피공간

> 더 알아보기 **연면적의 합계**
>
> 하나의 대지 안에 여러 동의 건축물이 있는 경우 각 동의 연면적의 합계를 말한다. 즉, 연면적이란 건축물의 동수에 상관없이 하나의 건축물만의 규모를 말하나 연면적의 합계라 함은 하나의 대지 안에 있는 모든 건축물들의 규모의 합계를 말한다.

> 핵심 콕! 콕! **용적률**
>
> 1. 의의
>   용적률이란 대지면적에 대한 연면적(대지에 건축물이 2 이상이 있는 경우에는 이들 연면적의 합계로 한다)의 비율을 말한다.
>
> $$용적률(\%) = \frac{연면적}{대지면적} \times 100$$
>
> 2. 규제목적
>   용적률은 과밀화 방지를 위하여 건축물의 규모를 제한함에 있으며, 건축물의 입체적 규제로 볼 수 있고, 건폐율과 함께 적용함으로써 건축물의 높이를 간접적으로 제한하는 역할을 한다.

제2항 건축물 높이와 층수의 산정방법

01 건축물의 높이

(1) 원칙

건축물의 높이는 지표면으로부터 그 건축물의 상단까지의 높이로 한다(영 제119조 제1항 제5호).

(2) 예외

① 지표면 산정기준

　㉠ 법 제60조(건축물의 높이제한)에 따른 건축물의 높이는 전면도로의 중심선으로부터의 높이로 산정한다. 다만, 전면도로가 다음의 어느 하나에 해당하는 경우에는 그에 따라 산정한다.

> ⓐ 건축물의 대지에 접하는 전면도로의 노면에 고저차가 있는 경우에는 그 건축물이 접하는 범위의 전면도로 부분의 수평거리에 따라 가중평균한 높이의 수평면을 전면도로면으로 본다.
> ⓑ 건축물의 대지의 지표면이 전면도로보다 높은 경우에는 그 고저차의 2분의 1의 높이만큼 올라온 위치에 그 전면도로의 면이 있는 것으로 본다.

　㉡ 법 제61조(일조 등의 확보를 위한 건축물의 높이제한)에 따른 건축물 높이를 산정할 때 건축물 대지의 지표면과 인접 대지의 지표면간에 고저차가 있는 경우에는 그 지표면의 평균 수평면을 지표면으로 본다. 다만, 전용주거지역 및 일반주거지역을 제외한 지역에서 공동주택을 다른 용도와 복합하여 건축하는 경우에는 공동주택의 가장 낮은 부분을 그 건축물의 지표면으로 본다.

② 필로티 부분: 건축물의 1층 전체에 필로티(건축물을 사용하기 위한 경비실, 계단실, 승강기실, 그 밖에 이와 비슷한 것을 포함한다)가 설치되어 있는 경우에는 법 제60조(건축물의 높이제한) 및 법 제61조(일조 등의 확보를 위한 건축물의 높이제한) 제2항을 적용할 때 필로티의 층고를 제외한 높이로 한다.

③ 건축물의 옥상에 설치된 승강기탑(옥상 출입용 승강장을 포함한다), 옥탑 등의 높이 산정기준: 건축물의 옥상에 설치되는 승강기탑·계단탑·망루·장식탑·옥탑 등으로서 그 수평투영면적의 합계가 해당 건축물 건축면적의 8분의 1(주택법에 따른 사업계획승인 대상인 공동주택 중 세대별 전용면적이 85제곱미터 이하인 경우에는 6분의 1) 이하인 경우로서 그 부분의 높이가 12미터를 넘는 경우에는 그 넘는 부분만 해당 건축물의 높이에 산입한다.

④ 높이 산정에서 제외되는 부분: 지붕마루장식 · 굴뚝 · 방화벽의 옥상돌출부나 그 밖에 이와 비슷한 옥상돌출물과 난간벽(그 벽면적의 2분의 1 이상이 공간으로 되어 있는 것만 해당한다)은 그 건축물의 높이에 산입하지 아니한다.

(3) 층고

방의 바닥구조체 윗면으로부터 위층 바닥구조체의 윗면까지의 높이로 한다. 다만, 한 방에서 층의 높이가 다른 부분이 있는 경우에는 그 각 부분 높이에 따른 면적에 따라 가중평균한 높이로 한다(영 제119조 제1항 제8호).

> **더 알아보기** 처마, 반자 높이 산정(영 제119조 제1항 제6호 · 제7호)
>
> 1. 처마높이
>   지표면으로부터 건축물의 지붕틀 또는 이와 비슷한 수평재를 지지하는 벽 · 깔도리 또는 기둥의 상단까지의 높이로 한다.
> 2. 반자높이
>   방의 바닥면으로부터 반자까지의 높이로 한다. 다만, 한 방에서 반자높이가 다른 부분이 있는 경우에는 그 각 부분의 반자면적에 따라 가중평균한 높이로 한다.

02 층수

(1) 층수 산정의 기준(영 제119조 제1항 제9호)

① 층의 구분이 명확하지 아니한 건축물: 높이 4미터마다 하나의 층으로 본다.
② 건축물이 부분에 따라 그 층수가 다른 경우: 그중 가장 많은 층수를 그 건축물의 층수로 본다.

(2) 층수 산정에서 제외되는 부분(영 제119조 제1항 제9호)

① 승강기탑(옥상 출입용 승강장을 포함한다), 계단탑, 망루, 장식탑, 옥탑, 그 밖에 이와 비슷한 건축물의 옥상 부분으로서 그 수평투영면적의 합계가 해당 건축물 건축면적의 8분의 1(주택법에 따른 사업계획승인대상인 공동주택 중 세대별 전용면적이 85제곱미터 이하인 경우에는 6분의 1) 이하인 것
② 지하층

01 건축물이란 토지에 정착(定着)하는 공작물 중 지붕 또는 기둥과 벽이 있는 것과 이에 딸린 시설물, 지하나 고가(高架)의 공작물에 설치하는 사무소 · 공연장 · 점포 · 차고 · 창고, 그 밖에 대통령령으로 정하는 것을 말한다. ( )

02 4미터를 넘는 굴뚝을 축조하려는 자는 대통령령으로 정하는 바에 따라 특별자치시장 · 특별자치도지사 또는 시장 · 군수 · 구청장에게 신고하여야 한다. ( )

03 기존 건축물의 전부 또는 일부[내력벽 · 기둥 · 보 · 지붕틀(제16호에 따른 한옥의 경우에는 지붕틀의 범위에서 서까래는 제외한다) 중 셋 이상이 포함되는 경우를 말한다]를 해체하고 그 대지에 종전과 같은 규모의 범위에서 건축물을 다시 축조하는 것은 재축을 의미한다. ( )

04 이전이란 건축물의 주요구조부를 해체하고 같은 대지의 다른 위치로 옮기는 것을 말한다. ( )

05 지하층이란 건축물의 바닥이 지표면 아래에 있는 층으로서 바닥에서 지표면까지 평균높이가 해당 층 높이의 3분의 1 이상인 것을 말한다. ( )

06 리모델링이란 건축물의 노후화를 억제하거나 기능 향상 등을 위하여 대수선하거나 건축물의 일부를 증축하는 행위를 말한다. ( )

---

01 × 지붕과 기둥 또는 벽이 있는 것이다.

02 × 6미터를 넘는 경우에 신고하여야 한다.

03 × 개축을 의미한다.

04 × 건축물의 주요구조부를 해체하지 아니하고 같은 대지의 다른 위치로 옮기는 것을 말한다.

05 × 해당 층 높이의 2분의 1 이상인 것을 말한다.

06 × 대수선하거나 건축물의 일부를 증축 또는 개축하는 행위를 말한다.

07 공사시공자란 건축물의 건축 · 대수선 · 용도변경, 건축설비의 설치 또는 공작물의 축조에 관한 공사를 발주하거나 현장 관리인을 두어 스스로 그 공사를 하는 자를 말한다. (　　)

08 관계전문기술자란 건축물의 구조 · 설비 등 건축물과 관련된 전문기술자격을 보유하고 설계와 공사시공에 참여하여 설계자 및 공사시공자와 협력하는 자를 말한다. (　　)

09 방화구조란 화재에 견딜 수 있는 성능을 가진 구조로서 국토교통부령으로 정하는 기준에 적합한 구조를 말한다. (　　)

10 초고층 건축물이란 고층 건축물 중에서 층수가 50층 이상이고 높이가 200미터 이상인 건축물을 말한다. (　　)

11 소요너비에 못 미치는 너비의 도로에 접하거나 도로의 모퉁이에 위치하여 대지에 건축선이 정하여진 경우에 그 건축선과 도로 사이의 면적은 대지면적에서 제외한다. (　　)

12 용적률이란 대지면적에 대한 건축면적(대지에 건축물이 2 이상이 있는 경우에는 이들 건축면적의 합계로 한다)의 비율을 말한다. (　　)

---

07 × 주어진 내용은 건축주에 대한 설명이다.

08 × 설계와 공사감리에 참여하여 설계자 및 공사감리자와 협력하는 자를 말한다.

09 × 주어진 내용은 내화구조에 대한 설명이다. 방화구조란 화염의 확산을 막을 수 있는 성능을 가진 구조로서 국토교통부령으로 정하는 기준에 적합한 구조를 말한다.

10 × 50층 이상이거나 높이가 200미터 이상인 건축물을 말한다.

11 ○

12 × 주어진 내용은 건폐율에 대한 설명이다. 용적률은 대지면적에 대한 연면적(대지에 건축물이 2 이상이 있는 경우에는 이들 연면적의 합계로 한다)의 비율을 말한다.

house.Hackers.com

제 2 장 건축물의 건축

📖 단원길라잡이

본 장은 건축법의 중요한 부분으로 매년 2~3문제 정도가 출제된다. 이 장에서는 건축허가에 있어서 허가대상, 허가권자, 허가거부, 허가제한·착공제한, 건축신고에 있어서 신고대상, 가설건축물에 있어서 건축허가, 건축절차에 있어서 사용승인에 관한 내용을 중점적으로 정리하여야 한다.

🔍 출제포인트

• 사전결정의 대상 및 효과
• 건축허가권자
• 건축허가의 요건
• 건축허가의 취소
• 건축허가의 제한
• 건축허가의 거부
• 건축신고대상 건축
• 가설건축물

01 의의

건축허가란 건축물의 건축, 대수선에 관한 일반적 금지를 특정한 경우에 해제하여 적법하게 건축할 수 있도록 하는 행정기관의 행정처분이다.

02 법적 성격

(1) 지방자치단체의 행정행위이지 국가의 행정행위가 아니다.

건축허가는 그 권한자가 지방자치단체의 장에 한정되어 있으므로 지방자치단체의 행정행위이지 국가의 행정행위가 아니다. 국가행정기관은 건축허가의 권한자가 아니다.

(2) 명령적 행위이지 형성적 행위가 아니다.

건축허가는 일반적·상대적 금지(법령에서 허가대상으로 규정하고 있는 것은 허가를 받지 아니하고는 하지 말라는 의미이다)를 특정한 경우에 해제하는 데 있으므로 명령적 행위이지 형성적 행위가 아니다. 다시 말하자면, 건축허가를 받게 되면 법령에 의하여 제한된 자연적 자유(권리)를 회복하는 것이지, 건축할 수 있는 특별한 권리·능력, 그 밖의 법적 지위를 설정받게 되는 것은 아니다.

(3) 기속행위 또는 기속재량행위이지 자유재량행위가 아니다.

건축허가는 그 법규상의 요건이 충족되면 그 권한자에게 재량권이 없어 허가하게 되어 있으므로 기속행위 또는 기속재량행위이지 자유재량행위가 아니다.

◉ 건축허가권자는 건축허가신청이 건축법 등 관계 법규에서 정하는 어떠한 제한에 배치되지 않는 이상 당연히 같은 법조에서 정하는 건축허가를 하여야 하고, 중대한 공익상의 필요가 없는데도 관계 법령에서 정하는 제한사유 이외의 사유를 들어 요건을 갖춘 자에 대한 허가를 거부할 수는 없다(대판 2009.9.24, 2009두8946).

(4) 쌍방적 행정행위이지 단독적 행정행위가 아니다.

건축허가는 그 발급에 대하여 상대방의 신청이 요구되는 쌍방적 행정행위이지 단독적 행정행위가 아니다.

(5) 요식행위이지 불요식행위가 아니다.

건축허가는 그 성립에 대하여 건축허가서라는 형식이 요구되므로 요식행위이지 불요식행위가 아니다. 불요식행위는 그 성립에 대하여 형식이 요구되지 않는다.

(6) 대물적 행정행위이지 대인적 행정행위가 아니다.

건축허가는 그 규율대상이 물건(건축물)의 객관적 성질에 있으므로 대물적 행정행위이지 대인적 행정행위가 아니다. 대인적 행정행위(의사면허 등)는 그 규율대상이 사람의 주관적 성질에 있기 때문에 이전성이 인정되지 않는다. 그러나 대물적 행정행위는 이전성이 인정된다. 예를 들어, 건축주가 건축허가를 받은 후 사망하면 그 상속인이 건축주의 건축허가로 인한 지위를 그대로 상속받게 되어 다시 건축허가를 받을 필요는 없고 건축주 명의변경신고만 하면 되기 때문이다.

(7) 적극적 행위이지 소극적 행위가 아니다.

건축허가는 기존 법률상태의 변동을 초래하므로 적극적 행위이지 소극적 행위가 아니다. 다시 말하자면, 건축허가를 받게 되면 적법하게 건축물을 건축할 수 있고, 그 건축물의 건축은 적법한 행위가 되는 것이다.

(8) 수익적 행정행위이지 침익적 행정행위가 아니다.

건축허가는 건축허가를 받은 자에 대하여 유리한 효과를 부여하므로 수익적 행정행위이지 침익적 행정행위가 아니다.

제2절 **건축물의 입지와 규모에 대한 사전결정**

01 사전결정의 법적 성질

사전결정이란 건축허가를 신청하기 전에 허가권자에게 당해 건축물을 해당 대지에서 건축하는 것이 허용되는지에 대한 사전판단을 신청할 수 있게 하여 건축주의 시간적·경제적 불편함을 덜어주기 위한 제도이다. 최종적인 결정을 내리기 전에 사전적인 단계에서 최종적인 요건 중 일부의 심사에 대한 판단으로 내려지는 결정을 의미하는 것으로서 그 자체가 행정행위의 성질을 지닌다고 볼 수 있다.

02 사전결정의 대상

건축허가대상 건축물을 건축하려는 자는 건축허가를 신청하기 전에 허가권자에게 그 건축물의 건축에 관한 다음의 사항에 대한 사전결정을 신청할 수 있다(법 제10조 제1항).

> ① 해당 대지에 건축하는 것이 이 법이나 관계 법령에서 허용되는지 여부
> ② 이 법 또는 관계 법령에 따른 건축기준 및 건축제한, 그 완화에 관한 사항 등을 고려하여 해당 대지에 건축 가능한 건축물의 규모인지 여부
> ③ 건축허가를 받기 위하여 신청자가 고려하여야 할 사항

03 사전결정의 절차

(1) 사전결정을 신청하는 자(이하 '사전결정신청자'라 한다)는 건축위원회 심의와 도시교통정비 촉진법에 따른 교통영향평가서의 검토를 동시에 신청할 수 있다(법 제10조 제2항).

(2) 허가권자는 사전결정이 신청된 건축물의 대지면적이 환경영향평가법 제43조에 따른 소규모 환경영향평가대상 사업인 경우 환경부장관이나 지방환경관서의 장과 소규모 환경영향평가에 관한 협의를 하여야 한다(법 제10조 제3항).

(3) 허가권자는 신청을 받으면 입지, 건축물의 규모, 용도 등을 사전결정한 후 사전결정일부터 7일 이내에 사전결정신청자에게 알려야 한다(법 제10조 제4항, 규칙 제5조 제1항).

04 사전결정의 효과

(1) 관련 법령의 허가 · 협의 또는 신고의 의제

① 사전결정 통지를 받은 경우에는 다음의 허가를 받거나 신고 또는 협의를 한 것으로 본다(법 제10조 제6항).

> ㉠ 국토의 계획 및 이용에 관한 법률에 따른 개발행위허가
> ㉡ 산지관리법에 따른 산지전용허가와 산지전용신고, 같은 법에 따른 산지일시사용허가 · 신고, 산지전용신고. 다만, 보전산지인 경우에는 도시지역만 해당된다.
> ㉢ 농지법에 따른 농지전용허가 · 신고 및 협의
> ㉣ 하천법에 따른 하천점용허가

② 허가권자는 ①의 어느 하나에 해당되는 내용이 포함된 사전결정을 하려면 미리 관계 행정기관의 장과 협의하여야 하며, 협의를 요청받은 관계 행정기관의 장은 요청받은 날부터 15일 이내에 의견을 제출하여야 한다(법 제10조 제7항).

③ 관계 행정기관의 장이 ②에서 정한 기간(민원처리에 관한 법률 제20조 제2항에 따라 회신기간을 연장한 경우에는 그 연장된 기간을 말한다) 내에 의견을 제출하지 아니하면 협의가 이루어진 것으로 본다(법 제10조 제8항).

(2) 건축허가의 신청의무

사전결정신청자는 사전결정을 통지받은 날부터 2년 이내에 건축허가를 신청하여야 하며, 이 기간에 건축허가를 신청하지 아니하면 사전결정의 효력이 상실된다(법 제10조 제9항).

01 건축허가권자

(1) 원칙 – 특별자치시장 · 특별자치도지사 또는 시장 · 군수 · 구청장

건축물을 건축하거나 대수선하려는 자는 특별자치시장 · 특별자치도지사 또는 시장 · 군수 · 구청장의 허가를 받아야 한다(법 제11조 제1항 본문).

> **더 알아보기 건축허가 신청시 첨부서류(규칙 제6조 제1항)**
>
> 건축물(가설건축물을 포함한다)의 건축허가를 받으려는 자는 건축 · 대수선 · 용도변경허가신청서에 다음의 도서를 첨부하여 허가권자에게 제출(전자문서로 제출하는 것을 포함한다)하여야 한다. 다만, 2.의 서류 중 토지 등기사항증명서는 제출하지 아니하며, 이 경우 허가권자는 행정정보의 공동이용을 통하여 해당 토지 등기사항증명서를 확인하여야 한다.
> 1. 건축할 대지의 범위에 관한 서류
> 2. 건축할 대지의 소유 또는 그 사용에 관한 권리를 증명하는 서류. 다만, 다음의 경우에는 그에 따른 서류로 갈음할 수 있다.
>   • 건축할 대지에 포함된 국유지 또는 공유지에 대해서는 허가권자가 해당 토지의 관리청과 협의하여 그 관리청이 해당 토지를 건축주에게 매각하거나 양여할 것을 확인한 서류
>   • 집합건물의 공용부분을 변경하는 경우에는 결의가 있었음을 증명하는 서류
>   • 분양을 목적으로 하는 공동주택을 건축하는 경우에는 그 대지의 소유에 관한 권리를 증명하는 서류. 다만, 주택과 주택 외의 시설을 동일 건축물로 건축하는 건축허가를 받아 호수 또는 세대수 이상으로 건설 · 공급하는 경우 대지의 소유권에 관한 사항은 주택법 제21조를 준용한다.

(2) 예외 – 특별시장 · 광역시장

21층 이상의 건축물 등 다음의 건축물을 특별시나 광역시에 건축하려면 특별시장이나 광역시장의 허가를 받아야 한다. 단, 공장, 창고, 지방건축위원회의 심의를 거친 건축물(특별시 또는 광역시의 건축조례로 정하는 바에 따라 해당 지방건축위원회의 심의사항으로 할 수 있는 건축물에 한정하며, 초고층 건축물은 제외한다)은 제외한다(법 제11조 제1항 단서, 영 제8조 제1항).

> ① 층수가 21층 이상이거나 연면적의 합계가 10만제곱미터 이상인 건축물의 건축
> ② 연면적의 10분의 3 이상을 증축하여 층수가 21층 이상으로 되거나 연면적의 합계가 10만제곱미터 이상으로 되는 경우

02 건축허가의 사전승인

(1) 사전승인대상 건축물

시장 · 군수는 다음의 어느 하나에 해당하는 건축물의 건축을 허가하려면 미리 건축계획서와 국토교통부령으로 정하는 건축물의 용도, 규모 및 형태가 표시된 기본설계도서를 첨부하여 도지사의 승인을 받아야 한다(법 제11조 제2항, 영 제8조 제3항).

> ① 층수가 21층 이상이거나 연면적의 합계가 10만제곱미터 이상인 건축물의 건축이거나, 연면적의 10분의 3 이상을 증축하여 층수가 21층 이상으로 되거나 연면적의 합계가 10만제곱미터 이상으로 되는 경우[공장, 창고 및 영 제5조의5 제1항 제4호에 따라 지방건축위원회의 심의를 거친 건축물(초고층 건축물은 제외)은 제외한다]. 다만, 도시환경, 광역교통 등을 고려하여 해당 도의 조례로 정하는 건축물은 제외한다.
> ② 자연환경이나 수질을 보호하기 위하여 도지사가 지정 · 공고한 구역에 건축하는 3층 이상 또는 연면적의 합계가 1천제곱미터 이상인 공동주택, 제2종 근린생활시설 중 일반음식점, 업무시설 중 일반업무시설, 숙박시설, 위락시설
> ③ 주거환경이나 교육환경 등 주변 환경을 보호하기 위하여 필요하다고 인정하여 도지사가 지정 · 공고한 구역에 건축하는 위락시설 및 숙박시설

(2) 사전승인의 절차

사전승인의 신청을 받은 도지사는 승인요청을 받은 날부터 50일 이내에 승인 여부를 시장 · 군수에게 통보(전자문서에 의한 통보를 포함한다)하여야 한다. 다만, 건축물의 규모가 큰 경우 등 불가피한 경우에는 30일의 범위 내에서 그 기간을 연장할 수 있다(규칙 제7조 제2항).

03 건축허가의 절차

(1) 건축물의 건축 또는 대수선의 허가를 받으려는 자는 국토교통부령으로 정하는 바에 따라 허가신청서에 관계 서류를 첨부하여 허가권자에게 제출하여야 한다. 다만, 방위사업법에 따른 방위산업시설의 건축 또는 대수선의 허가를 받으려는 경우에는 건축 관계 법령에 적합한지 여부에 관한 설계자의 확인으로 관계 서류를 갈음할 수 있다(영 제9조 제1항).

(2) 허가권자는 (1)에 따라 허가를 하였으면 국토교통부령으로 정하는 바에 따라 허가서를 신청인에게 발급하여야 한다(영 제9조 제2항).

(3) 법 제4조 제1항에 따른 건축위원회의 심의를 받은 자가 심의결과를 통지받은 날부터 2년 이내에 건축허가를 신청하지 아니하면 건축위원회 심의의 효력이 상실된다(법 제11조 제10항).

04 건축허가의 요건

(1) 대지의 소유권 확보

건축허가를 받으려는 자는 해당 대지의 소유권을 확보하여야 한다. 다만, 다음의 어느 하나에 해당하는 경우에는 그러하지 아니하다(법 제11조 제11항, 영 제9조의3 제1항).

> ① 건축주가 대지의 소유권을 확보하지 못하였으나 그 대지를 사용할 수 있는 권원을 확보한 경우. 다만, 분양을 목적으로 하는 공동주택은 제외한다.
> ② 건축주가 다음의 어느 하나에 해당하는 사유로 건축물을 신축·개축·재축 및 리모델링을 하기 위하여 건축물 및 해당 대지의 공유자 수의 100분의 80 이상의 동의를 얻고 동의한 공유자의 지분 합계가 전체 지분의 100분의 80 이상인 경우
>   ㉠ 급수·배수·오수설비 등의 설비 또는 지붕·벽 등의 노후화나 손상으로 그 기능 유지가 곤란할 것으로 우려되는 경우
>   ㉡ 건축물의 노후화로 내구성에 영향을 주는 기능적 결함이나 구조적 결함이 있는 경우
>   ㉢ 건축물이 훼손되거나 일부가 멸실되어 붕괴 등 그 밖의 안전사고가 우려되는 경우
>   ㉣ 천재지변이나 그 밖의 재해로 붕괴되어 다시 신축하거나 재축하려는 경우
> ③ 건축주가 건축허가를 받아 주택과 주택 외의 시설을 동일 건축물로 건축하기 위하여 주택법 제21조를 준용한 대지 소유 등의 권리관계를 증명한 경우. 다만, 주택법 제15조 제1항 각 호 외의 부분 본문에 따른 대통령령으로 정하는 호수 이상으로 건설·공급하는 경우에 한정한다.
> ④ 건축하려는 대지에 포함된 국유지 또는 공유지에 대하여 허가권자가 해당 토지의 관리청이 해당 토지를 건축주에게 매각하거나 양여할 것을 확인한 경우
> ⑤ 건축주가 집합건물의 공용부분을 변경하기 위하여 집합건물의 소유 및 관리에 관한 법률 제15조 제1항에 따른 결의가 있었음을 증명한 경우
> ⑥ 건축주가 집합건물을 재건축하기 위하여 집합건물의 소유 및 관리에 관한 법률 제47조에 따른 결의가 있었음을 증명한 경우

(2) 현지조사와 안전진단

허가권자는 건축주가 (1)의 ② ㉠부터 ㉢까지의 어느 하나에 해당하는 사유로 (1)의 ②의 동의요건을 갖추어 건축허가를 신청한 경우에는 그 사유 해당 여부를 확인하기 위하여 현지조사를 하여야 한다. 이 경우 필요한 경우에는 건축주에게 다음의 어느 하나에 해당하는 자로부터 안전진단을 받고 그 결과를 제출하도록 할 수 있다(영 제9조의3 제2항).

> ① 건축사
> ② 기술사법 제5조의7에 따라 등록한 건축구조기술사
> ③ 시설물의 안전 및 유지관리에 관한 특별법 제28조 제1항에 따라 등록한 건축분야 안전진단전문기관

05 매도청구 등

(1) 매도청구

04의 (1) ②에 따라 건축허가를 받은 건축주는 해당 건축물 또는 대지의 공유자 중 동의하지 아니한 공유자에게 그 공유지분을 시가(市價)로 매도할 것을 청구할 수 있다. 이 경우 매도청구를 하기 전에 매도청구대상이 되는 공유자와 3개월 이상 협의를 하여야 하며, 매도청구에 관하여는 집합건물의 소유 및 관리에 관한 법률 제48조를 준용한다. 이 경우 구분소유권 및 대지사용권은 매도청구의 대상이 되는 대지 또는 건축물의 공유지분으로 본다(법 제17조의2).

(2) 소유자를 확인하기 곤란한 공유지분 등에 대한 처분

① **04**의 (1) ②에 따라 건축허가를 받은 건축주는 해당 건축물 또는 대지의 공유자가 거주하는 곳을 확인하기가 현저히 곤란한 경우에는 전국적으로 배포되는 둘 이상의 일간신문에 두 차례 이상 공고하고, 공고한 날부터 30일 이상이 지났을 때에는 매도청구 대상이 되는 건축물 또는 대지로 본다(법 제17조의3 제1항).

② 건축주는 ①에 따른 매도청구대상 공유지분의 감정평가액에 해당하는 금액을 법원에 공탁(供託)하고 착공할 수 있다(법 제17조의3 제2항).

③ 위 ②에 따른 공유지분의 감정평가액은 허가권자가 추천하는 감정평가 및 감정평가사에 관한 법률에 따른 감정평가법인 등 2인 이상이 평가한 금액을 산술평균하여 산정한다(법 제17조의3 제3항).

06 건축허가의 효과

(1) 건축허가를 받으면 다음의 허가 등을 받거나 신고를 한 것으로 보며, 공장건축물의 경우에는 산업집적활성화 및 공장설립에 관한 법률에 따라 관련 법률의 인·허가 등이나 허가 등을 받은 것으로 본다(법 제11조 제5항).

① 법 제20조 제3항에 따른 공사용 가설건축물의 축조신고
② 법 제83조에 따른 공작물의 축조신고
③ 국토의 계획 및 이용에 관한 법률 제56조에 따른 개발행위허가
④ 국토의 계획 및 이용에 관한 법률 제86조 제5항에 따른 시행자의 지정과 같은 법 제88조 제2항에 따른 실시계획의 인가
⑤ 산지관리법 제14조와 제15조에 따른 산지전용허가와 산지전용신고, 같은 법 제15조의2에 따른 산지일시사용허가·신고. 다만, 보전산지인 경우에는 도시지역만 해당된다.
⑥ 사도법 제4조에 따른 사도(私道)개설허가
⑦ 농지법 제34조, 제35조 및 제43조에 따른 농지전용허가·신고 및 협의

⑧ 도로법 제36조에 따른 도로관리청이 아닌 자에 대한 도로공사 시행의 허가, 같은 법 제52조 제1항에 따른 도로와 다른 시설의 연결 허가
⑨ 도로법 제61조에 따른 도로의 점용허가
⑩ 하천법 제33조에 따른 하천점용 등의 허가
⑪ 하수도법 제27조에 따른 배수설비(配水設備)의 설치신고
⑫ 하수도법 제34조 제2항에 따른 개인하수처리시설의 설치신고
⑬ 수도법 제38조에 따라 수도사업자가 지방자치단체인 경우 그 지방자치단체가 정한 조례에 따른 상수도 공급신청
⑭ 전기안전관리법 제8조에 따른 자가용전기설비 공사계획의 인가 또는 신고
⑮ 물환경보전법 제33조에 따른 수질오염물질 배출시설 설치의 허가나 신고
⑯ 대기환경보전법 제23조에 따른 대기오염물질 배출시설 설치의 허가나 신고
⑰ 소음 · 진동관리법 제8조에 따른 소음 · 진동 배출시설 설치의 허가나 신고
⑱ 가축분뇨의 관리 및 이용에 관한 법률 제11조에 따른 배출시설 설치의 허가나 신고
⑲ 자연공원법 제23조에 따른 행위허가
⑳ 도시공원 및 녹지 등에 관한 법률 제24조에 따른 도시공원의 점용허가
㉑ 토양환경보전법 제12조에 따른 특정토양오염관리대상시설의 신고
㉒ 수산자원관리법 제52조 제2항에 따른 행위의 허가
㉓ 초지법 제23조에 따른 초지전용의 허가 및 신고

(2) 허가권자는 (1)의 어느 하나에 해당하는 사항이 다른 행정기관의 권한에 속하면 그 행정기관의 장과 미리 협의하여야 하며, 협의요청을 받은 관계 행정기관의 장은 요청을 받은 날부터 15일 이내에 의견을 제출하여야 한다. 이 경우 관계 행정기관의 장은 법 제11조 제8항에 따른 처리기준이 아닌 사유를 이유로 협의를 거부할 수 없고, 협의요청을 받은 날부터 15일 이내에 의견을 제출하지 아니하면 협의가 이루어진 것으로 본다(법 제11조 제6항).

07 건축허가의 취소

허가권자는 건축허가를 받은 자가 다음의 어느 하나에 해당하면 허가를 취소하여야 한다. 다만, ①에 해당하는 경우로서 정당한 사유가 있다고 인정되면 1년의 범위에서 공사의 착수기간을 연장할 수 있다(법 제11조 제7항).

① 허가를 받은 날부터 2년(산업집적활성화 및 공장설립에 관한 법률 제13조에 따라 공장의 신설 · 증설 또는 업종변경의 승인을 받은 공장은 3년) 이내에 공사에 착수하지 아니한 경우
② 위 ①의 기간 이내에 공사에 착수하였으나 공사의 완료가 불가능하다고 인정되는 경우
③ 착공신고 전에 경매 또는 공매 등으로 건축주가 대지의 소유권을 상실한 때부터 6개월이 지난 이후 공사의 착수가 불가능하다고 판단되는 경우

08 건축허가의 거부

허가권자는 건축허가를 하고자 하는 때에 건축기본법 제25조에 따른 한국건축규정의 준수 여부를 확인하여야 한다. 다만, 다음의 어느 하나에 해당하는 경우에는 이 법이나 다른 법률에도 불구하고 건축위원회의 심의를 거쳐 건축허가를 하지 아니할 수 있다(법 제11조 제4항, 영 제9조의2).

① 위락시설이나 숙박시설에 해당하는 건축물의 건축을 허가하는 경우 해당 대지에 건축하려는 건축물의 용도·규모 또는 형태가 주거환경이나 교육환경 등 주변 환경을 고려할 때 부적합하다고 인정되는 경우
② 국토의 계획 및 이용에 관한 법률 제37조 제1항 제4호에 따른 방재지구 및 자연재해대책법 제12조 제1항에 따른 자연재해위험개선지구(상습가뭄재해지구는 제외한다), 허가권자가 상습적으로 침수되거나 침수가 우려된다고 인정하여 지정·고시하는 지역에 건축하려는 건축물에 대하여 일부 공간에 거실을 설치하는 것이 부적합하다고 인정되는 경우

09 건축허가의 제한

(1) 국토교통부장관의 제한

국토교통부장관은 국토관리를 위하여 특히 필요하다고 인정하거나 주무부장관이 국방, 국가유산기본법 제3조에 따른 국가유산의 보존, 환경보전 또는 국민경제를 위하여 특히 필요하다고 인정하여 요청하면 허가권자의 건축허가나 허가를 받은 건축물의 착공을 제한할 수 있다(법 제18조 제1항).

(2) 특별시장·광역시장·도지사의 제한

특별시장·광역시장·도지사는 지역계획이나 도시계획에 특히 필요하다고 인정하면 시장·군수·구청장의 건축허가나 허가를 받은 건축물의 착공을 제한할 수 있으며, 제한한 경우 즉시 국토교통부장관에게 보고하여야 한다. 보고를 받은 국토교통부장관은 제한 내용이 지나치다고 인정하면 해제를 명할 수 있다(법 제18조 제2항·제6항).

(3) 제한절차

국토교통부장관이나 시·도지사는 건축허가나 건축허가를 받은 건축물의 착공을 제한하려는 경우에는 토지이용규제 기본법 제8조에 따라 주민의견을 청취한 후 건축위원회의 심의를 거쳐야 하고, 제한 목적·기간, 대상 건축물의 용도와 대상 구역의 위치·면적·경계 등을 상세하게 정하여 허가권자에게 통보하여야 하며, 통보를 받은 허가권자는 지체 없이 이를 공고하여야 한다(법 제18조 제3항·제5항).

(4) 제한기간

건축허가나 건축물의 착공을 제한하는 경우 제한기간은 2년 이내로 한다. 다만, 1회에 한하여 1년 이내의 범위에서 제한기간을 연장할 수 있다(법 제18조 제4항).

---

01 공용건축물의 건축

(1) 사전협의

국가나 지방자치단체는 건축물을 건축하거나 대수선하려는 경우에는 대통령령으로 정하는 바에 따라 미리 건축물의 소재지를 관할하는 허가권자와 협의하여야 하며 협의한 경우에는 건축허가 또는 건축신고를 한 것으로 본다(법 제29조 제1항·제2항).

(2) 사후통보

협의한 건축물에는 사용승인의 규정을 적용하지 아니한다. 다만, 건축물의 공사가 끝난 경우에는 지체 없이 허가권자에게 통보하여야 한다(법 제29조 제3항).

(3) 구분지상권의 설정

국가나 지방자치단체가 소유한 대지의 지상 또는 지하 여유공간에 구분지상권을 설정하여 주민편의시설 등 대통령령으로 정하는 시설을 설치하고자 하는 경우 허가권자는 구분지상권자를 건축주로 보고 구분지상권이 설정된 부분을 대지로 보아 건축허가를 할 수 있다. 이 경우 구분지상권 설정의 대상 및 범위, 기간 등은 국유재산법과 공유재산 및 물품 관리법에 적합하여야 한다(법 제29조 제4항).

02 건축신고

(1) 건축신고의 법적 성질

건축물의 건축은 건축행정의 목적을 달성하기 위하여 원칙적으로 허가대상이지만, 예외적으로 경미한 건축행위 등은 그 절차를 간소화하여 건축신고를 함으로써 건축허가를 받은 것으로 보게 된다. 종전에는 이러한 건축신고는 건축을 하고자 하는 자가 적법한 요건을 갖춘 신고만 하면 행정청의 수리행위 등 별다른 조치를 기다릴 필요 없이 건축을 할 수 있는 것으로 건축신고를 수리한 행위가 행정처분이라고 할 수 없다는 것이 일관된 판례였으나, 최근 대법원의 전원합의체 판결에서 "건축신고 반려행위에 대하여 행정처분에 해당하는 것으로 판시하고, 건축신고행위에 대하여 요건을 판단하여 요건에 적합하지 아니한 경우에는 반려 또는 거부할 수 있고, 이러한 반려 또는 거부행위에 대하여 항고소송을 제기할 수 있다."라고 판시하였다.

(2) 건축신고대상 건축물

허가대상 건축물이라 하더라도 다음의 어느 하나에 해당하는 경우에는 미리 특별자치시장·특별자치도지사 또는 시장·군수·구청장에게 신고를 하면 건축허가를 받은 것으로 본다(법 제14조 제1항, 영 제11조 제1항·제2항·제3항).

① 바닥면적의 합계가 85제곱미터 이내의 증축·개축 또는 재축. 다만, 3층 이상 건축물인 경우에는 증축·개축 또는 재축하려는 부분의 바닥면적의 합계가 건축물 연면적의 10분의 1 이내인 경우로 한정한다.

② 국토의 계획 및 이용에 관한 법률에 따른 관리지역, 농림지역 또는 자연환경보전지역에서 연면적이 200제곱미터 미만이고 3층 미만인 건축물의 건축. 다만, 다음의 어느 하나에 해당하는 구역에서의 건축은 제외한다.
   ㉠ 지구단위계획구역
   ㉡ 방재지구 등 재해취약지역으로서 대통령령으로 정하는 다음의 구역
      ⓐ 국토의 계획 및 이용에 관한 법률 제37조에 따라 지정된 방재지구
      ⓑ 급경사지 재해예방에 관한 법률 제6조에 따라 지정된 붕괴위험지역

③ 연면적이 200제곱미터 미만이고 3층 미만인 건축물의 대수선

④ 주요구조부의 해체가 없는 등 다음의 어느 하나에 해당하는 대수선
   ㉠ 내력벽의 면적을 30제곱미터 이상 수선하는 것
   ㉡ 기둥을 세 개 이상 수선하는 것
   ㉢ 보를 세 개 이상 수선하는 것
   ㉣ 지붕틀을 세 개 이상 수선하는 것
   ㉤ 방화벽 또는 방화구획을 위한 바닥 또는 벽을 수선하는 것
   ㉥ 주계단·피난계단 또는 특별피난계단을 수선하는 것

⑤ 그 밖에 소규모 건축물로서 다음의 어느 하나에 해당하는 건축물의 건축
   ㉠ 연면적의 합계가 100제곱미터 이하인 건축물
   ㉡ 건축물의 높이를 3미터 이하의 범위에서 증축하는 건축물
   ㉢ 표준설계도서에 따라 건축하는 건축물로서 그 용도 및 규모가 주위 환경이나 미관에 지장이 없다고 인정하여 건축조례로 정하는 건축물
   ㉣ 국토의 계획 및 이용에 관한 법률에 따른 공업지역, 같은 법에 따른 지구단위계획구역(산업·유통형만 해당한다)과 산업입지 및 개발에 관한 법률에 따른 산업단지에서 건축하는 2층 이하인 건축물로서 연면적 합계 500제곱미터 이하인 공장(제2종 근린생활시설의 제조업소 등 물품의 제조·가공을 위한 시설을 포함한다)
   ㉤ 농업이나 수산업을 경영하기 위하여 읍·면지역(특별자치시장·특별자치도지사·시장·군수가 지역계획 또는 도시계획에 지장이 있다고 지정·공고한 구역은 제외한다)에서 건축하는 연면적 200제곱미터 이하의 창고 및 연면적 400제곱미터 이하의 축사, 작물재배사, 종묘배양시설, 화초 및 분재 등의 온실

(3) 건축신고의 수리

특별자치시장·특별자치도지사 또는 시장·군수·구청장은 신고를 받은 날부터 5일 이내에 신고수리 여부 또는 민원처리 관련 법령에 따른 처리기간의 연장 여부를 신고인에게 통지하여야 한다. 다만, 이 법 또는 다른 법령에 따라 심의, 동의, 협의, 확인 등이 필요한 경우에는 20일 이내에 통지하여야 한다(법 제14조 제3항).

(4) 건축신고의 의제와 효력상실

건축신고에 관하여는 법 제11조 제5항(건축허가의 의제사항)을 준용하며, 건축신고를 한 자가 신고일부터 1년 이내에 공사에 착수하지 아니하면 그 신고의 효력은 없어진다. 다만, 건축주의 요청에 따라 허가권자가 정당한 사유가 있다고 인정하면 1년의 범위에서 착수기한을 연장할 수 있다(법 제14조 제2항·제5항).

03 허가·신고사항의 변경

(1) 변경 전 허가·신고

건축주가 허가를 받았거나 신고한 사항을 변경하려면 변경하기 전에 다음의 구분에 따라 허가권자의 허가를 받거나 특별자치시장·특별자치도지사 또는 시장·군수·구청장에게 신고하여야 한다. 다만, 신축·증축·개축·재축·이전·대수선 또는 용도변경에 해당하지 아니하는 경미한 변경은 그러하지 아니하다(법 제16조 제1항, 영 제12조 제1항·제2항).

> ① 바닥면적의 합계가 85제곱미터를 초과하는 부분에 대한 신축·증축·개축에 해당하는 변경인 경우에는 허가를 받고, 그 밖의 경우에는 신고할 것
> ② 신고로써 허가를 갈음하는 건축물에 대하여는 변경 후 건축물의 연면적을 각각 신고로써 허가를 갈음할 수 있는 규모에서 변경하는 경우에는 ①에도 불구하고 신고할 것
> ③ 건축주·설계자·공사시공자 또는 공사감리자(이하 '건축관계자'라 한다)를 변경하는 경우에는 신고할 것

> **더 알아보기** **건축관계자 변경신고(규칙 제11조 제1항·제2항)**
>
> 1. 건축허가 및 건축신고에 따라 건축 또는 대수선에 관한 허가를 받거나 신고를 한 자가 다음의 어느 하나에 해당하게 된 경우에는 그 양수인·상속인 또는 합병 후 존속하거나 합병에 의하여 설립되는 법인은 그 사실이 발생한 날부터 7일 이내에 건축관계자변경신고서에 변경 전 건축주의 명의변경동의서 또는 권리관계의 변경사실을 증명할 수 있는 서류를 첨부하여 허가권자에게 제출(전자문서에 의한 제출을 포함한다)하여야 한다.
>   • 허가를 받거나 신고를 한 건축주가 허가 또는 신고대상 건축물을 양도한 경우
>   • 허가를 받거나 신고를 한 건축주가 사망한 경우
>   • 허가를 받거나 신고를 한 법인이 다른 법인과 합병을 한 경우

2. 건축주는 설계자 공사시공자 또는 공사감리자를 변경한 때에는 그 변경한 날부터 7일 이내에 건축관계자변경신고서를 허가권자에게 제출(전자문서에 의한 제출을 포함한다)하여야 한다.

(2) 허가 · 신고절차

허가나 신고사항의 변경에 관하여는 허가절차를 준용한다(영 제12조 제4항).

(3) 일괄 변경신고사항

허가나 신고사항 중 다음의 어느 하나에 해당하는 사항의 변경은 사용승인을 신청할 때 허가권자에게 일괄하여 신고할 수 있다(법 제16조 제2항, 영 제12조 제3항).

① 건축물의 동수나 층수를 변경하지 아니하면서 변경되는 부분의 바닥면적의 합계가 50제곱미터 이하인 경우로서 다음의 요건을 모두 갖춘 경우
　㉠ 변경되는 부분의 높이가 1미터 이하이거나 전체 높이의 10분의 1 이하일 것
　㉡ 허가를 받거나 신고를 하고 건축 중인 부분의 위치 변경범위가 1미터 이내일 것
　㉢ 법 제14조 제1항에 따라 신고를 하면 법 제11조에 따른 건축허가를 받은 것으로 보는 규모에서 건축허가를 받아야 하는 규모로의 변경이 아닐 것
② 건축물의 동수나 층수를 변경하지 아니하면서 변경되는 부분이 연면적 합계의 10분의 1 이하인 경우(연면적이 5천제곱미터 이상인 건축물은 각 층의 바닥면적이 50제곱미터 이하의 범위에서 변경되는 경우만 해당한다). 다만, ④ 본문 및 ⑤ 본문에 따른 범위의 변경인 경우만 해당한다.
③ 대수선에 해당하는 경우
④ 건축물의 층수를 변경하지 아니하면서 변경되는 부분의 높이가 1미터 이하이거나 전체 높이의 10분의 1 이하인 경우. 다만, 변경되는 부분이 ①의 본문, ②의 본문 및 ⑤의 본문에 따른 범위의 변경인 경우만 해당한다.
⑤ 허가를 받거나 신고를 하고 건축 중인 부분의 위치가 1미터 이내에서 변경되는 경우. 다만, 변경되는 부분이 ①의 본문, ②의 본문 및 ④의 본문에 따른 범위의 변경인 경우만 해당한다.

01 허가대상 가설건축물

도시·군계획시설 및 도시·군계획시설예정지에서 가설건축물을 건축하려는 자는 특별자치시장·특별자치도지사 또는 시장·군수·구청장의 허가를 받아야 하며, 특별자치시장·특별자치도지사 또는 시장·군수·구청장은 해당 가설건축물의 건축이 다음의 어느 하나에 해당하는 경우가 아니면 허가를 하여야 한다(법 제20조 제1항·제2항, 영 제15조 제1항).

① 국토의 계획 및 이용에 관한 법률 제64조(개발행위허가)에 위배되는 경우
② 4층 이상인 경우
③ 구조, 존치기간, 설치목적 및 다른 시설 설치 필요성 등에 관하여 다음의 기준의 범위에서 조례로 정하는 바에 따르지 아니한 경우
　㉠ 철근콘크리트조 또는 철골철근콘크리트조가 아닐 것
　㉡ 존치기간은 3년 이내일 것. 다만, 도시·군계획사업이 시행될 때까지 그 기간을 연장할 수 있다.
　㉢ 전기·수도·가스 등 새로운 간선 공급설비의 설치를 필요로 하지 아니할 것
　㉣ 공동주택·판매시설·운수시설 등으로서 분양을 목적으로 건축하는 건축물이 아닐 것
④ 그 밖에 이 법 또는 다른 법령에 따른 제한규정을 위반하는 경우

02 신고대상 가설건축물

(1) 허가대상 가설건축물 외에 재해복구, 흥행, 전람회, 공사용 가설건축물 등 다음의 어느 하나에 해당하는 것을 축조하려는 자는 대통령령으로 정하는 설치기준 및 절차에 따라 특별자치시장·특별자치도지사 또는 시장·군수·구청장에게 신고한 후 착공하여야 한다(법 제20조 제3항, 영 제15조 제5항).

① 재해가 발생한 구역 또는 그 인접구역으로서 특별자치시장·특별자치도지사 또는 시장·군수·구청장이 지정하는 구역에서 일시사용을 위하여 건축하는 것
② 특별자치시장·특별자치도지사 또는 시장·군수·구청장이 도시미관이나 교통소통에 지장이 없다고 인정하는 가설흥행장, 가설전람회장, 농·수·축산물 직거래용 가설점포, 그 밖에 이와 비슷한 것
③ 공사에 필요한 규모의 공사용 가설건축물 및 공작물
④ 전시를 위한 견본주택이나 그 밖에 이와 비슷한 것

⑤ 특별자치시장·특별자치도지사 또는 시장·군수·구청장이 도로변 등의 미관정비를 위하여 지정·공고하는 구역에서 축조하는 가설점포(물건 등의 판매를 목적으로 하는 것을 말한다)로서 안전·방화 및 위생에 지장이 없는 것

⑥ 조립식 구조로 된 경비용으로 쓰는 가설건축물로서 연면적이 10제곱미터 이하인 것

⑦ 조립식 경량구조로 된 외벽이 없는 임시자동차차고

⑧ 컨테이너 또는 이와 비슷한 것으로 된 가설건축물로서 임시사무실·임시창고 또는 임시숙소로 사용되는 것(건축물의 옥상에 축조하는 것은 제외한다. 다만, 2009년 7월 1일부터 2019년 6월 30일까지 공장의 옥상에 축조하는 것은 포함한다)

⑨ 도시지역 중 주거지역·상업지역 또는 공업지역에 설치하는 농업·어업용 비닐하우스로서 연면적이 100제곱미터 이상인 것

⑩ 연면적이 100제곱미터 이상인 간이축사용, 가축분뇨처리용, 가축운동용, 가축의 비가림용 비닐하우스 또는 천막(벽 또는 지붕이 합성수지재질로 된 것과 지붕면적의 2분의 1 이하가 합성강판으로 된 것을 포함한다)구조 건축물

⑪ 농업·어업용 고정식 온실 및 간이작업장, 가축양육실

⑫ 물품저장용, 간이포장용, 간이수선작업용 등으로 쓰기 위하여 공장 또는 창고시설에 설치하거나 인접 대지에 설치하는 천막(벽 또는 지붕이 합성수지재질로 된 것을 포함한다), 그 밖에 이와 비슷한 것

⑬ 유원지, 종합휴양업 사업지역 등에서 한시적인 관광·문화행사 등을 목적으로 천막 또는 경량구조로 설치하는 것

⑭ 야외전시시설 및 촬영시설

⑮ 야외흡연실 용도로 쓰는 가설건축물로서 연면적이 50제곱미터 이하인 것

⑯ 그 밖에 ①부터 ⑭까지의 규정에 해당하는 것과 비슷한 것으로서 건축조례로 정하는 건축물

기출예제

건축법령상 도시·군계획시설예정지에서 가설건축물을 축조하려는 자가 특별자치시장·특별자치도지사 또는 시장·군수·구청장에게 신고한 후 착공하여야 하는 경우가 아닌 것은? (단, 조례 및 공용건축물에 대한 특례는 고려하지 않는다) 제26회

① 유원지에서 한시적인 문화행사를 목적으로 천막을 설치하는 것

② 조립식 구조로 된 경비용으로 쓰는 가설건축물로서 연면적이 10제곱미터 이하인 것

③ 조립식 경량구조로 된 외벽이 없는 임시자동차차고

④ 야외흡연실 용도로 쓰는 가설건축물로서 연면적이 75제곱미터 이상인 것

⑤ 도시지역 중 주거지역에 설치하는 농업용 비닐하우스로서 연면적이 100제곱미터 이상인 것

(2) 신고하여야 하는 가설건축물의 존치기간은 3년 이내로 한다. 다만, 공사용 가설건축물 및 공작물의 경우에는 해당 공사의 완료일까지의 기간으로 한다(영 제15조 제7항).

03 가설건축물의 처리절차 및 존치기간 연장

(1) 협의

가설건축물의 건축허가 신청 또는 축조신고를 받은 때에는 다른 법령에 따른 제한규정에 대하여 확인이 필요한 경우 관계 행정기관의 장과 미리 협의하여야 하고, 협의요청을 받은 관계 행정기관의 장은 요청을 받은 날부터 15일 이내에 의견을 제출하여야 한다. 이 경우 관계 행정기관의 장이 협의요청을 받은 날부터 15일 이내에 의견을 제출하지 아니하면 협의가 이루어진 것으로 본다(법 제20조 제7항).

(2) 신고의 수리

특별자치시장·특별자치도지사 또는 시장·군수·구청장은 가설건축물의 축조신고를 받은 날부터 5일 이내에 신고수리 여부를 신고인에게 통지하여야 한다. 다만, 이 법 또는 다른 법령에 따라 심의, 동의, 협의, 확인 등이 필요한 경우에는 20일 이내에 통지하여야 한다(법 제20조 제4항, 법 제14조 제3항).

(3) 연장 통지

특별자치시장·특별자치도지사 또는 시장·군수·구청장은 가설건축물의 존치기간 만료일 30일 전까지 해당 가설건축물의 건축주에게 다음의 사항을 알려야 한다(법 제20조, 영 제15조의2 제1항).

① 존치기간 만료일
② 존치기간 연장 가능 여부
③ 아래 **(5)**에 따라 존치기간이 연장될 수 있다는 사실(공장에 설치한 가설건축물에 한정한다)

(4) 연장신청 · 신고

존치기간을 연장하려는 가설건축물의 건축주는 다음의 구분에 따라 특별자치시장 · 특별자치도지사 또는 시장 · 군수 · 구청장에게 허가를 신청하거나 신고하여야 한다(법 제20조, 영 제15조의2 제2항).

① 허가대상 가설건축물: 존치기간 만료일 14일 전까지 허가신청
② 신고대상 가설건축물: 존치기간 만료일 7일 전까지 신고

(5) 공장에 설치한 가설건축물 등의 존치기간 연장

위 **(4)**에도 불구하고 다음의 요건을 모두 충족하는 가설건축물로서 건축주가 **(4)**의 구분에 따른 기간까지 특별자치시장 · 특별자치도지사 또는 시장 · 군수 · 구청장에게 그 존치기간의 연장을 원하지 않는다는 사실을 통지하지 아니하는 경우에는 기존 가설건축물과 동일한 기간(①의 ©의 경우에는 국토의 계획 및 이용에 관한 법률 제2조 제10호의 도시 · 군계획시설사업이 시행되기 전까지의 기간으로 한정한다)으로 존치기간을 연장한 것으로 본다(법 제20조, 영 제15조의3).

① 다음의 어느 하나에 해당하는 가설건축물일 것
　⊙ 공장에 설치한 가설건축물
　© 농업 · 어업용 고정식 온실 및 간이작업장, 가축양육실(농림지역에 설치한 것만 해당한다)
　© 도시 · 군계획시설 예정지에 설치한 가설건축물
② 존치기간 연장이 가능한 가설건축물일 것

04 가설건축물의 건축특례

(1) 건축법 일부 규정의 부적용

가설건축물을 건축하거나 축조할 때에는 대통령령으로 정하는 바에 따라 제25조, 제38조부터 제42조까지, 제44조부터 제50조까지, 제50조의2, 제51조부터 제64조까지, 제67조, 제68조와 녹색건축물 조성 지원법 제15조, 국토의 계획 및 이용에 관한 법률 제76조 중 일부 규정을 적용하지 아니한다(법 제20조 제5항).

(2) 가설건축물대장

특별자치시장·특별자치도지사 또는 시장·군수·구청장은 가설건축물의 건축을 허가하거나 축조신고를 받은 경우 국토교통부령으로 정하는 바에 따라 가설건축물대장에 이를 기재하여 관리하여야 한다(법 제20조 제6항). 가설건축물의 소유자나 가설건축물에 대한 이해관계자는 이에 의한 가설건축물관리대장을 열람할 수 있다(규칙 제13조 제4항).

> **더 알아보기** **가설건축물의 적용특례(영 제15조 제2항·제3항·제4항)**
>
> 1. 허가대상 가설건축물에 대하여는 법 제38조(건축물대장)를 적용하지 아니한다.
> 2. 허가대상 가설건축물 중 시장의 공지 또는 도로에 설치하는 차양시설에 대하여는 법 제46조(건축선 지정) 및 법 제55조(건폐율)를 적용하지 아니한다.
> 3. 허가대상 가설건축물을 도시·군계획예정도로에 건축하는 경우에는 법 제45조(도로의 지정·변경·폐지), 제46조(건축선 지정), 제47조(건축선에 따른 건축제한)를 적용하지 아니한다.

제6절 | 기타 건축 관련 제도와 절차

01 건축복합민원 일괄협의회

허가권자는 허가를 하려면 해당 용도·규모 또는 형태의 건축물을 건축하려는 대지에 건축하는 것이 국토의 계획 및 이용에 관한 법률의 규정(제54조, 제56조부터 제62조까지 및 제76조부터 제82조까지)과 그 밖에 대통령령으로 정하는 관계 법령(영 제10조)의 규정에 맞는지를 확인하고, 건축 관련 입지와 규모의 사전결정 또는 건축허가로 의제되는 관련 인·허가 등 또는 신고와 관계 행정기관의 장과의 협의사항을 처리하기 위하여 다음과 같이 건축복합민원 일괄협의회를 개최하여야 한다(법 제12조 제1항·제2항, 영 제10조 제2항·제3항·제4항·제5항).

> ① 허가권자는 건축복합민원 일괄협의회(이하 '협의회'라 한다)의 회의를 사전결정신청일 또는 건축허가신청일부터 10일 이내에 개최하여야 한다.
> ② 허가권자는 협의회의 회의를 개최하기 3일 전까지 회의개최사실을 관계 행정기관 및 관계 부서에 통보하여야 하는데, 협의회의 회의에 참석하는 관계 공무원은 회의에서 관계 법령에 관한 의견을 발표하여야 한다.

③ 사전결정 또는 건축허가를 하는 관계 행정기관 및 관계 부서는 그 협의회의 회의를 개최한 날부터 5일 이내에 동의 또는 부동의 의견을 허가권자에게 제출하여야 한다.

④ 의제사항의 관계 행정기관의 장은 소속공무원을 협의회에 참석하게 하여야 한다.

02 건축공사현장 안전관리예치금

(1) 공사현장의 안전관리

건축허가를 받은 자는 건축물의 건축공사를 중단하고 장기간 공사현장을 방치할 경우 공사현장의 미관개선과 안전관리 등 필요한 조치를 하여야 한다(법 제13조 제1항).

(2) 안전관리예치금의 예치

① **예치대상 및 예치방법**: 허가권자는 연면적이 1천제곱미터 이상인 건축물로서 해당 지방자치단체의 조례로 정하는 건축물에 대하여는 법 제21조에 따른 착공신고를 하는 건축주에게 장기간 건축물의 공사현장이 방치되는 것에 대비하여 미리 미관개선과 안전관리에 필요한 비용(다음의 어느 하나에 해당하는 보증서를 포함하며, 이하 '예치금'이라한다)을 건축공사비의 1퍼센트의 범위에서 예치하게 할 수 있다(법 제13조 제2항, 영 제10조의2 제1항, 규칙 제9조).

> ㉠ 보험업법에 따른 보험회사가 발행한 보증보험증권
> ㉡ 은행법에 따른 금융기관이 발행한 지급보증서
> ㉢ 건설산업기본법에 따른 공제조합이 발행한 채무액 등의 지급을 보증하는 보증서
> ㉣ 자본시장과 금융투자업에 관한 법률 시행령에 따른 상장증권
> ㉤ 주택도시기금법 제16조에 따라 설립된 주택도시보증공사가 발행하는 보증서

더 알아보기 | **예치금 예치의무의 제외대상**

> 1. 건축물 중 주택도시보증공사가 분양보증을 한 건축물이나 건축물의 분양에 관한 법률(제4조 제1항 제1호)에 따른 분양보증이나 신탁계약을 체결한 건축물은 제외한다.
> 2. 건축주 중 한국토지주택공사법에 따른 한국토지주택공사 또는 지방공기업법에 따라 건축사업을 수행하기 위하여 설립된 지방공사는 제외한다.

② **예치금의 반환**: 허가권자가 예치금을 반환할 때에는 대통령령으로 정하는 이율로 산정한 이자를 포함하여 반환하여야 한다. 다만, 보증서를 예치한 경우에는 그러하지 아니하다(법 제13조 제3항).

③ 미관개선 및 안전관리를 위한 명령
  ㉠ 허가권자는 공사현장이 방치되어 도시미관을 저해하고 안전을 위해한다고 판단되면 건축허가를 받은 자에게 건축물 공사현장의 미관과 안전관리를 위한 다음의 개선을 명할 수 있다(법 제13조 제5항).

  > ⓐ 안전펜스 설치 등 안전조치
  > ⓑ 공사 재개 또는 해체 등 정비

  ㉡ 허가권자는 개선명령을 받은 자가 개선을 하지 아니하면 행정대집행법으로 정하는 바에 따라 대집행을 할 수 있다. 이 경우 건축주가 예치한 예치금을 행정대집행에 필요한 비용에 사용할 수 있으며, 행정대집행에 필요한 비용이 이미 납부한 예치금보다 많을 때에는 행정대집행법 제6조에 따라 그 차액을 추가로 징수할 수 있다(법 제13조 제6항).

  ㉢ 허가권자는 방치되는 공사현장의 안전관리를 위하여 긴급한 필요가 있다고 인정하는 경우에는 건축주에게 고지한 후 건축주가 예치한 예치금을 사용하여 다음의 각 조치를 할 수 있다(법 제13조 제7항, 영 제10조의2 제3항).

  > ⓐ 공사현장 안전울타리의 설치
  > ⓑ 대지 및 건축물의 붕괴 방지 조치
  > ⓒ 공사현장의 미관개선을 위한 조경 또는 시설물 등의 설치
  > ⓓ 그 밖에 공사현장의 미관개선 또는 대지 및 건축물에 대한 안전관리 개선조치가 필요하여 건축조례로 정하는 사항

03 건축물 안전영향평가

(1) 안전영향평가대상

허가권자는 다음의 건축물에 대하여 건축허가를 하기 전에 건축물의 구조안전과 인접 대지의 안전에 미치는 영향 등을 평가하는 건축물 안전영향평가를 안전영향평가기관에 의뢰하여 실시하여야 한다(법 제13조의2 제1항, 영 제10조의3 제1항).

> ① 초고층 건축물
> ② 연면적(하나의 대지에 둘 이상의 건축물을 건축하는 경우에는 각각의 건축물의 연면적을 말한다)이 10만제곱미터 이상이면서 16층 이상인 건축물

(2) 안전영향평가

① **평가기관**: 안전영향평가기관은 국토교통부장관이 공공기관의 운영에 관한 법률 제4조에 따른 공공기관으로서 건축 관련 업무를 수행하는 기관 중에서 지정하여 고시한다(법 제13조의2 제2항).

② **평가절차**: 안전영향평가 결과는 건축위원회의 심의를 거쳐 확정한다. 이 경우 법 제4조의2에 따라 건축위원회의 심의를 받아야 하는 건축물은 건축위원회 심의에 안전영향평가 결과를 포함하여 심의할 수 있다(법 제13조의2 제3항).

③ **재심의**: 안전영향평가대상 건축물의 건축주는 건축허가 신청시 제출하여야 하는 도서에 안전영향평가 결과를 반영하여야 하며, 건축물의 계획상 반영이 곤란하다고 판단되는 경우에는 그 근거자료를 첨부하여 허가권자에게 건축위원회의 재심의를 요청할 수 있다(법 제13조의2 제4항).

④ **평가방법**: 안전영향평가기관은 안전영향평가를 의뢰받은 날부터 30일 이내에 안전영향평가 결과를 허가권자에게 제출하여야 한다. 다만, 부득이한 경우에는 20일의 범위에서 그 기간을 한 차례만 연장할 수 있다. 허가권자는 안전영향평가 결과를 제출받은 경우에는 지체 없이 안전영향평가를 의뢰한 자에게 그 내용을 통보하여야 하며, 안전영향평가에 드는 비용은 안전영향평가를 의뢰한 자가 부담한다(영 제10조의3 제4항·제6항·제7항).

⑤ **평가공개**: 허가권자는 ② 및 ③의 심의 결과 및 안전영향평가 내용을 해당 지방자치단체의 공보에 게시하는 방법으로 즉시 공개하여야 한다(법 제13조의2 제6항, 규칙 제9조의2 제2항).

⑥ **평가대체**: 안전영향평가를 실시하여야 하는 건축물이 다른 법률에 따라 구조안전과 인접 대지의 안전에 미치는 영향 등을 평가받은 경우에는 안전영향평가의 해당 항목을 평가받은 것으로 본다(법 제13조의2 제7항).

> **기출예제**
>
> **건축법상 건축물 안전영향평가(이하 '안전영향평가'라 한다)에 관한 설명으로 옳지 않은 것은?**
>
> 제26회
>
> ① 초고층 건축물은 안전영향평가의 대상이다.
> ② 안전영향평가에서는 건축물의 구조, 지반 및 풍환경(風環境) 등이 건축물의 구조안전과 인접 대지의 안전에 미치는 영향 등을 평가한다.
> ③ 안전영향평가 결과는 지방의회의 동의를 얻어 시·도지사가 확정한다.
> ④ 안전영향평가대상 건축물의 건축주는 건축허가 신청시 제출하여야 하는 도서에 안전영향평가 결과를 반영하여야 한다.
> ⑤ 허가권자는 건축위원회의 심의 결과 및 안전영향평가 내용을 즉시 공개하여야 한다.

건축물의 안전영향평가

1. 평가대상: 허가권자는 다음의 건축물에 대하여 건축허가를 하기 전에 건축물 안전영향평가를 평가기관에 의뢰하여 실시하여야 한다.
   - 초고층 건축물
   - 연면적이 10만제곱미터 이상이면서 16층 이상인 건축물
2. 평가방법: 평가기관은 의뢰받은 날부터 30일 이내에 안전영향평가 결과를 허가권자에게 제출하여야 한다. 평가비용은 안전영향평가를 의뢰한 자가 부담한다.
3. 공개: 허가권자는 평가내용을 공보에 즉시 공개하여야 한다.
4. 확정: 안전영향평가 결과는 건축위원회의 심의를 거쳐 확정한다.

정답: ③

04 건축관계자의 의무와 책임

(1) 의무

건축관계자는 건축물이 설계도서에 따라 이 법과 이 법에 따른 명령이나 처분, 그 밖의 관계 법령에 맞게 건축되도록 업무를 성실히 수행하여야 하며, 서로 위법하거나 부당한 일을 하도록 강요하거나 이와 관련하여 어떠한 불이익도 주어서는 아니 된다(법 제15조 제1항).

(2) 책임

① 건축관계자간의 책임에 관한 내용과 그 범위는 이 법에서 규정한 것 외에는 건축주와 설계자, 건축주와 공사시공자, 건축주와 공사감리자간의 계약으로 정한다(법 제15조 제2항).

② 국토교통부장관은 ①에 따른 계약의 체결에 필요한 표준계약서를 작성하여 보급하고 활용하게 하거나 건축사법 제31조에 따른 건축사협회, 건설산업기본법 제50조에 따른 건설사업자단체로 하여금 표준계약서를 작성하여 보급하고 활용하게 할 수 있다(법 제15조 제3항).

05 건축물의 설계

(1) 설계자의 제한

① 건축허가를 받아야 하거나 건축신고를 하여야 하는 건축물 또는 주택법에 따른 리모델링을 하는 건축물의 건축 등을 위한 설계는 건축사가 아니면 할 수 없다. 다만, 다음의 어느 하나에 해당하는 경우에는 그러하지 아니하다(법 제23조 제1항, 영 제18조).

⊙ 바닥면적의 합계가 85제곱미터 미만인 증축 · 개축 또는 재축

© 연면적이 200제곱미터 미만이고 층수가 3층 미만인 건축물의 대수선

© 읍 · 면지역(시장 또는 군수가 지역계획 또는 도시 · 군계획에 지장이 있다고 인정하여 지정 · 공고한 구역은 제외한다)에서 건축하는 건축물 중 연면적이 200제곱미터 이하인 창고 및 농막(농지법에 따른 농막을 말한다)과 연면적 400제곱미터 이하인 축사, 작물재배사, 종묘배양시설, 화초 및 분재 등의 온실

② 신고대상 가설건축물로서 건축조례로 정하는 가설건축물

② 국토교통부장관이 국토교통부령(표준설계도서 등의 운영에 관한 규칙)으로 정하는 바에 따라 작성하거나 인정하는 표준설계도서나 특수한 공법을 적용한 설계도서에 따라 건축물을 건축하는 경우에는 ①을 적용하지 아니한다(법 제23조 제4항).

기출예제

건축법령상 건축물의 건축 등을 위한 설계를 건축사가 아니라도 할 수 있는 경우에 해당하는 것은? (단, 건축물의 소재지는 읍 · 면지역이 아니며, 가설건축물은 고려하지 않는다)

제26회

① 바닥면적의 합계가 85제곱미터인 건축물의 증축

② 바닥면적의 합계가 100제곱미터인 건축물의 개축

③ 바닥면적의 합계가 150제곱미터인 건축물의 재축

④ 연면적이 150제곱미터이고 층수가 2층인 건축물의 대수선

⑤ 연면적이 200제곱미터이고 층수가 4층인 건축물의 대수선

해설

건축사 설계의 예외

건축허가 또는 건축신고를 하여야 하는 건축물 또는 주택법에 따른 리모델링을 하는 건축물의 건축 등을 위한 설계는 건축사가 아니면 할 수 없다. 다만, 다음의 어느 하나에 해당하는 경우에는 그러하지 아니하다.

• 바닥면적의 합계가 85제곱미터 미만인 증축 · 개축 또는 재축
• 연면적이 200제곱미터 미만이고 층수가 3층 미만인 건축물의 대수선
• 읍 · 면지역에서 건축하는 건축물 중 연면적이 200제곱미터 이하인 창고 및 농막과 연면적이 400제곱미터 이하인 축사 등
• 신고대상 가설건축물로서 건축조례로 정하는 가설건축물

정답: ④

---

(2) 설계자의 업무

① 설계자는 건축물이 이 법과 이 법에 따른 명령이나 처분, 그 밖의 관계 법령에 맞고 안전 · 기능 및 미관에 지장이 없도록 설계하여야 하며, 국토교통부장관이 정하여 고시하는 설계도서 작성기준에 따라 설계도서를 작성하여야 한다. 다만, 해당 건축물의 공법(工法) 등이 특수한 경우로서 국토교통부령으로 정하는 바에 따라 건축위원회의 심의를 거친 때에는 그러하지 아니하다(법 제23조 제2항).

② 설계도서를 작성한 설계자는 설계가 이 법과 이 법에 따른 명령이나 처분, 그 밖의 관계 법령에 맞게 작성되었는지를 확인한 후 설계도서에 서명날인하여야 한다(법 제23조 제3항).

06 착공신고

(1) 건축허가 · 건축신고 또는 허가대상 가설건축물의 공사를 착수하려는 건축주는 국토교통부령으로 정하는 바에 따라 허가권자에게 공사계획을 신고하여야 한다. 다만, 건축물관리법 제30조에 따라 건축물의 해체 허가를 받거나 신고할 때 착공예정일을 기재한 경우에는 그러하지 아니하다(법 제21조 제1항).

(2) 공사계획을 신고하거나 변경신고를 하는 경우 해당 공사감리자(공사감리자 지정대상인 경우만 해당된다)와 공사시공자가 신고서에 함께 서명하여야 한다(법 제21조 제2항).

(3) 허가권자는 (1)에 따른 신고를 받은 날부터 3일 이내에 신고수리 여부 또는 민원처리 관련 법령에 따른 처리기간의 연장 여부를 신고인에게 통지하여야 하며, 허가권자가 기간 내에 신고수리 여부 또는 민원처리 관련 법령에 따른 처리기간의 연장 여부를 신고인에게 통지하지 아니하면 그 기간이 끝난 날의 다음 날에 신고를 수리한 것으로 본다(법 제21조 제3항 · 제4항).

(4) 건축허가를 받은 건축물의 건축주는 신고를 할 때에는 각 계약서(법 제15조 제2항)의 사본을 첨부하여야 한다(법 제21조 제6항).

07 건축시공

(1) 시공자의 의무

① 건축주는 건설산업기본법 제41조를 위반하여 건축물의 공사를 하거나 하게 할 수 없다(법 제21조 제5항).

② 공사시공자는 계약대로 성실하게 공사를 수행하여야 하며, 이 법과 이 법에 따른 명령이나 처분, 그 밖의 관계 법령에 맞게 건축물을 건축하여 건축주에게 인도하여야 한다(법 제24조 제1항).

③ 공사시공자는 건축물(건축허가나 용도변경 허가대상인 것만 해당된다)의 공사현장에 설계도서를 갖추어 두어야 한다(법 제24조 제2항).

④ 공사시공자는 건축허가나 용도변경허가가 필요한 건축물의 건축공사를 착수한 경우에는 해당 건축공사의 현장에 국토교통부령으로 정하는 바에 따라 건축허가 표지판을 설치하여야 한다(법 제24조 제5항).

(2) 설계변경 요청

공사시공자는 건축물(건축허가나 용도변경허가 대상인 것만 해당된다)의 공사현장에 설계도서를 갖추어 두어야 하는데, 공사시공자는 설계도서가 이 법과 이 법에 따른 명령이나 처분, 그 밖의 관계 법령에 맞지 아니하거나 공사의 여건상 불합리하다고 인정되면 건축주와 공사감리자의 동의를 받아 서면으로 설계자에게 설계를 변경하도록 요청할 수 있다. 이 경우 설계자는 정당한 사유가 없으면 요청에 따라야 한다(법 제24조 제2항·제3항).

(3) 상세시공도면의 작성

① 연면적의 합계가 5천제곱미터 이상인 건축공사의 공사감리자는 필요하다고 인정하면 공사시공자에게 상세시공도면을 작성하도록 요청할 수 있다(영 제19조 제4항).

② 공사시공자는 공사를 하는 데에 필요하다고 인정하거나 공사감리자로부터 상세시공도면을 작성하도록 요청을 받으면 상세시공도면을 작성하여 공사감리자의 확인을 받아야 하며, 이에 따라 공사를 하여야 한다(법 제24조 제4항).

(4) 공사현장의 안전관리

① 건축물의 공사시공자는 대통령령으로 정하는 바에 따라 공사현장의 위해를 방지하기 위하여 필요한 조치를 하여야 한다(법 제28조 제1항).

② 허가권자는 건축물의 공사와 관련하여 건축관계자간 분쟁상담 등의 필요한 조치를 하여야 한다(법 제28조 제2항).

③ 건설산업기본법 제41조 제1항 각 호에 해당하지 아니하는 건축물의 건축주는 공사현장의 공정 및 안전을 관리하기 위하여 같은 법 제2조 제15호에 따른 건설기술인 1명을 현장관리인으로 지정하여야 한다. 이 경우 현장관리인은 국토교통부령으로 정하는 바에 따라 공정 및 안전관리업무를 수행하여야 하며, 건축주의 승낙을 받지 아니하고는 정당한 사유 없이 그 공사현장을 이탈하여서는 아니 된다(법 제24조 제6항).

④ 공동주택, 종합병원, 관광숙박시설 등 대통령령으로 정하는 용도 및 규모의 건축물의 공사시공자는 건축주, 공사감리자 및 허가권자가 설계도서에 따라 적정하게 공사되었는지를 확인할 수 있도록 공사의 공정이 다음의 진도에 다다른 때마다 사진 및 동영상을 촬영하고 보관하여야 한다. 이 경우 촬영 및 보관 등 그 밖에 필요한 사항은 국토교통부령으로 정한다(법 제24조 제7항, 영 제18조의2 제1항).

> ㉠ 다중이용 건축물: 영 제19조 제3항 제1호부터 제3호까지의 구분에 따른 단계
> ㉡ 특수구조 건축물: 다음의 어느 하나에 해당하는 단계
>   ⓐ 매 층마다 상부 슬래브배근을 완료한 경우
>   ⓑ 매 층마다 주요구조부의 조립을 완료한 경우
> ㉢ 3층 이상의 필로티 형식 건축물: 다음의 어느 하나에 해당하는 단계
>   ⓐ 기초공사시 철근배치를 완료한 경우
>   ⓑ 건축물 상층부의 하중이 상층부와 다른 구조형식의 하층부로 전달되는 다음의 어느 하나에 해당하는 부재(部材)의 철근배치를 완료한 경우
>   • 기둥 또는 벽체 중 하나
>   • 보 또는 슬래브 중 하나

08 건축자재의 제조 및 유통관리

(1) 제조업자 및 유통업자는 건축물의 안전과 기능 등에 지장을 주지 아니하도록 건축자재를 제조 · 보관 및 유통하여야 한다(법 제52조의3 제1항).

(2) 국토교통부장관, 시 · 도지사 및 시장 · 군수 · 구청장은 건축물의 구조 및 재료의 기준 등이 공사현장에서 준수되고 있는지를 확인하기 위하여 제조업자 및 유통업자에게 필요한 자료의 제출을 요구하거나 건축공사장, 제조업자의 제조현장 및 유통업자의 유통장소 등을 점검할 수 있으며 필요한 경우에는 시료를 채취하여 성능 확인을 위한 시험을 할 수 있다(법 제52조의3 제2항).

(3) 국토교통부장관, 시 · 도지사 및 시장 · 군수 · 구청장은 (2)의 점검을 통하여 위법사실을 확인한 경우에는 해당 건축관계자 및 제조업자 · 유통업자에게 위법사실을 통보하여야 하며 건축관계자 및 제조업자 · 유통업자는 위법사실을 통보받거나 명령을 받은 경우에는 그날부터 7일 이내에 조치계획을 수립하여 국토교통부장관, 시 · 도지사 및 시장 · 군수 · 구청장에게 제출하여야 한다(법 제52조의3 제3항 · 제4항, 영 제61조의3 제1항 · 제2항).

09 공사감리

(1) 감리자의 제한

건축주는 다음의 용도 · 규모 및 구조의 건축물을 건축하는 경우 아래와 같이 구분하여 공사감리자(공사시공자 본인과 독점규제 및 공정거래에 관한 법률 제2조에 따른 계열회사는 제외한다)로 지정하여 공사감리를 하게 하여야 한다(법 제25조 제1항, 영 제19조 제1항).

건축사	① 건축허가를 받아야 하는 건축물을 건축하는 경우(건축신고대상은 제외한다) ② 리모델링 활성화 구역 안의 건축물 ③ 사용승인 후 15년 이상 지난 건축물의 리모델링 ④ 기존 건축물을 건축(증축, 일부 개축 또는 일부 재축으로 한정한다)하거나 대수선하는 경우로서 법정요건(제6조 제1항 제6호 다목)을 모두 갖춘 건축물
건설엔지니어링사업자(공사시공자 본인이거나 계열회사인 건설엔지니어링사업자는 제외한다) 또는 건축사(건설사업관리기술자를 배치하는 경우만 해당한다)	다중이용건축물을 건축하는 경우

(2) 소규모 건축물의 공사감리

① 허가권자의 감리자 지정대상: 위 (1)에도 불구하고 건설산업기본법 제41조 제1항 각 호에 해당하지 아니하는 소규모 건축물로서 건축주가 직접 시공하는 건축물 및 주택으로 사용하는 건축물 중 다음의 건축물의 경우에는 대통령령으로 정하는 바에 따라 허가권자가 해당 건축물의 설계에 참여하지 아니한 자 중에서 공사감리자를 지정하여야 한다 (법 제25조 제2항, 영 제19조의2 제1항).

> ㉠ 건설산업기본법 제41조 제1항에 해당하지 아니하는 건축물 중 다음의 어느 하나에 해당하지 아니하는 건축물
> ⓐ 단독주택
> ⓑ 농업 · 임업 · 축산업 또는 어업용으로 설치하는 창고 · 저장고 · 작업장 · 퇴비사 · 축사 · 양어장 및 그 밖에 이와 유사한 용도의 건축물
> ⓒ 해당 건축물의 건설공사가 건설산업기본법 시행령 제8조 제1항 각 어느 하나에 해당하는 경미한 건설공사인 경우
> ㉡ 주택으로 사용하는 다음의 어느 하나에 해당하는 건축물(주상복합건물 등을 포함한다)
> ⓐ 아파트
> ⓑ 연립주택
> ⓒ 다세대주택
> ⓓ 다중주택
> ⓔ 다가구주택

더 알아보기 **건설공사 시공자의 제한(건설산업기본법 제41조 제1항)**

다음의 어느 하나에 해당하는 건축물의 건축 또는 대수선에 관한 건설공사는 건설사업자가 하여야 한다.
1. 연면적이 200제곱미터를 초과하는 건축물
2. 연면적이 200제곱미터 이하인 건축물로서 다음의 어느 하나에 해당하는 경우
   • 공동주택

- 단독주택 중 다중주택, 다가구주택, 공관, 그 밖에 대통령령으로 정하는 경우
- 주거용 외의 건축물로서 많은 사람이 이용하는 건축물 중 학교, 병원 등 대통령령으로 정하는 건축물

② 위 ①에도 불구하고 다음의 어느 하나에 해당하는 건축물의 건축주가 국토교통부령으로 정하는 바에 따라 허가권자에게 신청하는 경우에는 해당 건축물을 설계한 자를 공사감리자로 지정할 수 있다(법 제25조 제2항).

- ㉠ 건설기술 진흥법 제14조에 따른 신기술 중 대통령령으로 정하는 신기술을 보유한 자가 그 신기술을 적용하여 설계한 건축물
- ㉡ 건축서비스산업 진흥법 제13조 제4항에 따른 역량 있는 건축사로서 대통령령으로 정하는 건축사가 설계한 건축물
- ㉢ 설계공모를 통하여 설계한 건축물

(3) 감리자의 업무

① 감리업무의 수행: 공사감리자가 수행하여야 하는 감리업무는 다음과 같다(영 제19조 제9항).

- ㉠ 공사시공자가 설계도서에 따라 적합하게 시공하는지 여부의 확인
- ㉡ 공사시공자가 사용하는 건축자재가 관계 법령에 따른 기준에 적합한 건축자재인지 여부의 확인
- ㉢ 그 밖에 공사감리에 관한 사항으로서 국토교통부령으로 정하는 사항

② 감리업무의 방법

㉠ 수시 · 방문감리: 공사감리자는 수시로 또는 필요할 때 공사현장에서 감리업무를 수행하여야 한다(영 제19조 제5항 전단).

㉡ 상주감리: 다음의 건축공사를 감리하는 경우에는 건축사법 제2조 제2호에 따른 건축사보(기술사법 제6조에 따른 기술사사무소 또는 건축사법 제23조 제8항 각 호의 감리전문회사 등에 소속되어 있는 자로서 국가기술자격법에 따른 해당 분야 기술계 자격을 취득한 자와 건설기술진흥법 시행령 제4조에 따른 건설사업관리를 수행할 자격이 있는 자를 포함한다) 중 건축분야의 건축사보 한 명 이상을 전체 공사기간 동안, 토목 · 전기 또는 기계분야의 건축사보 한 명 이상을 각 분야별 해당 공사기간 동안 각각 공사현장에서 감리업무를 수행하게 하여야 한다. 이 경우 건축사보는 해당 분야의 건축공사의 설계 · 시공 · 시험 · 검사 · 공사감독 또는 감리업무 등에 2년 이상 종사한 경력이 있는 자이어야 한다(영 제19조 제5항 후단).

ⓐ 바닥면적의 합계가 5천제곱미터 이상인 건축공사. 다만, 축사 또는 작물재배사의 건축공사는 제외한다.

ⓑ 연속된 5개 층(지하층을 포함한다) 이상으로서 바닥면적의 합계가 3천제곱미터 이상인 건축공사

ⓒ 아파트 건축공사

ⓓ 준다중이용 건축물의 건축공사

ⓒ 공사감리의 방법 및 범위 등은 건축물의 용도·규모 등에 따라 대통령령으로 정하되, 이에 따른 세부기준이 필요한 경우에는 국토교통부장관이 정하거나 건축사협회로 하여금 국토교통부장관의 승인을 받아 정하도록 할 수 있는데(법 제25조 제8항), 국토교통부장관은 이에 따라 세부기준을 정하거나 승인을 한 경우 이를 고시하여야 한다(법 제25조 제8항·제9항).

③ **위반사항 발견시 조치**

㉠ 공사감리자는 공사감리를 할 때 이 법과 이 법에 따른 명령이나 처분, 그 밖의 관계 법령에 위반된 사항을 발견하거나 공사시공자가 설계도서대로 공사를 하지 아니하면 이를 건축주에게 알린 후 공사시공자에게 시정하거나 재시공하도록 요청하여야 하며, 공사시공자가 시정이나 재시공요청에 따르지 아니하면 서면으로 그 건축공사를 중지하도록 요청할 수 있다. 이 경우 공사중지를 요청받은 공사시공자는 정당한 사유가 없으면 즉시 공사를 중지하여야 한다(법 제25조 제3항).

㉡ 공사감리자는 공사시공자가 시정이나 재시공요청을 받은 후 이에 따르지 아니하거나 공사중지요청을 받고도 공사를 계속하면 국토교통부령으로 정하는 바에 따라 이를 허가권자에게 보고하여야 한다(법 제25조 제4항).

㉢ 건축주나 공사시공자는 위반사항에 대한 시정이나 재시공을 요청하거나 위반사항을 허가권자에게 보고한 공사감리자에게 이를 이유로 공사감리자의 지정을 취소하거나 보수의 지급을 거부하거나 지연시키는 등 불이익을 주어서는 아니 된다(법 제25조 제7항).

④ **감리일지, 감리중간보고서, 감리완료보고서의 작성**: 공사감리자는 국토교통부령으로 정하는 바에 따라 감리일지를 기록·유지하여야 하고, 공사의 공정(工程)이 대통령령으로 정하는 진도에 다다른 경우에는 감리중간보고서를, 공사를 완료한 경우에는 감리완료보고서를 국토교통부령으로 정하는 바에 따라 각각 작성하여 건축주에게 제출하여야 한다. 이 경우 건축주는 감리중간보고서는 제출받은 때, 감리완료보고서는 건축물의 사용승인을 신청할 때 허가권자에게 제출하여야 한다(법 제25조 제6항).

(4) 다른 법령의 적용

주택법 제15조에 따른 사업계획승인대상과 건설기술 진흥법 제39조 제2항에 따라 건설사업관리를 하게 하는 건축물의 공사감리는 각각 해당 법령으로 정하는 바에 따른다(법 제25조 제10항).

(5) 허용오차

설계와 시공은 일치하는 것이 원칙이나 대지의 측량(공간정보의 구축 및 관리 등에 관한 법률에 따른 지적측량은 제외한다)이나 건축물의 건축과정에서 부득이하게 발생하는 오차는 이 법을 적용할 때 국토교통부령으로 정하는 범위에서 허용한다(법 제26조, 규칙 제20조 [별표 5]).

① 대지 관련 건축기준의 허용오차

항목	허용되는 오차의 범위
건축선의 후퇴거리	3퍼센트 이내
인접 대지경계선과의 거리	3퍼센트 이내
인접 건축물과의 거리	3퍼센트 이내
건폐율	0.5퍼센트 이내(건축면적 5제곱미터를 초과할 수 없다)
용적률	1퍼센트 이내(연면적 30제곱미터를 초과할 수 없다)

② 건축 관련 건축기준의 허용오차

항목	허용되는 오차의 범위
건축물 높이	2퍼센트 이내(1미터를 초과할 수 없다)
평면 길이	2퍼센트 이내(건축물 전체 길이는 1미터를 초과할 수 없고, 벽으로 구획된 각 실의 경우에는 10센티미터를 초과할 수 없다)
출구 너비	2퍼센트 이내
반자 높이	2퍼센트 이내
벽체 두께	3퍼센트 이내
바닥판 두께	3퍼센트 이내

10 건축관계자 등에 대한 업무제한

(1) 허가권자는 설계자, 공사시공자, 공사감리자 및 관계전문기술자(이하 '건축관계자 등'이라 한다)가 다음의 건축물에 대하여 착공신고시부터 건설산업기본법 제28조에 따른 하자담보책임기간에 제40조, 제41조, 제48조, 제50조 및 제51조를 위반하거나 중대한 과실로 건축물의 기초 및 주요구조부에 중대한 손괴를 일으켜 사람을 사망하게 한 경우에는 1년 이내의 기간을 정하여 이 법에 의한 업무를 수행할 수 없도록 업무정지를 명할 수 있다(법 제25조의2 제1항, 영 제19조의3 제1항).

① 다중이용 건축물
② 준다중이용 건축물

(2) 허가권자는 건축관계자 등이 제40조, 제41조, 제48조, 제49조, 제50조, 제50조의2, 제51조, 제52조 및 제52조의4를 위반하여 건축물의 기초 및 주요구조부에 중대한 손괴를 일으켜 도급 또는 하도급받은 금액의 100분의 10 이상으로서 그 금액이 1억원 이상인 재산상의 피해가 발생한 경우(위 (1)에 해당하는 위반행위는 제외한다)에는 다음에서 정하는 기간 이내의 범위에서 다중이용 건축물 등 대통령령으로 정하는 주요 건축물에 대하여 이 법에 의한 업무를 수행할 수 없도록 업무정지를 명할 수 있다(법 제25조의2 제2항, 영 제19조의3 제2항).

① 최초로 위반행위가 발생한 경우: 업무정지일부터 6개월
② 2년 이내에 동일한 현장에서 위반행위가 다시 발생한 경우: 다시 업무정지를 받는 날부터 1년

(3) 허가권자는 건축관계자 등이 제40조(대지의 안전), 제41조(토지의 굴착), 제48조(구조 내력), 제49조(피난시설), 제50조(내화구조, 방화벽), 제50조의2(고층 건축물 안전), 제51조(방화지구), 제52조(마감재료), 제52조의4(품질관리)를 위반한 경우이거나, 제28조(공사현장 위해방지)를 위반하여 가설시설물이 붕괴된 경우에는 기간을 정하여 시정을 명하거나 필요한 지시를 할 수 있다(법 제25조의2 제3항).

(4) 허가권자는 시정명령 등에도 불구하고 특별한 이유 없이 이를 이행하지 아니한 경우에는 다음에서 정하는 기간 이내의 범위에서 이 법에 의한 업무를 수행할 수 없도록 업무정지를 명할 수 있다(법 제25조의2 제4항).

① 최초의 위반행위가 발생하여 허가권자가 지정한 시정기간 동안 특별한 사유 없이 시정하지 아니하는 경우: 업무정지일부터 3개월
② 2년 이내에 (3)에 따른 위반행위가 동일한 현장에서 2차례 발생한 경우: 업무정지일부터 3개월
③ 2년 이내에 (3)에 따른 위반행위가 동일한 현장에서 3차례 발생한 경우: 업무정지일부터 1년

(5) 허가권자는 (4)에 따른 업무정지처분을 갈음하여 다음의 구분에 따라 건축관계자 등에게 과징금을 부과할 수 있다(법 제25조의2 제5항).

① (4)의 ① 또는 ②에 해당하는 경우: 3억원 이하
② (4)의 ③에 해당하는 경우: 10억원 이하

11 현장조사 · 검사 및 확인업무의 대행

(1) 대행자의 선정

허가권자는 허가대상 건축물(신고대상 건축물은 제외한다) 중 건축조례로 정하는 건축물의 건축허가, 사용승인 및 임시사용승인과 관련되는 현장조사 · 검사 및 확인업무를 건축사사무소개설신고를 한 자에게 대행하게 할 수 있다. 이 경우 허가권자는 건축물의 사용승인 및 임시사용승인과 관련된 현장조사 · 검사 및 확인업무를 대행할 건축사사무소개설신고를 한 자를 다음의 기준에 따라 선정하여야 한다(법 제27조 제1항, 영 제20조 제1항).

> ① 해당 건축물의 설계자 또는 공사감리자가 아닐 것
> ② 건축주의 추천을 받지 아니하고 직접 선정할 것

(2) 대행결과의 보고

업무를 대행하는 자는 현장조사 · 검사 또는 확인결과를 국토교통부령으로 정하는 바에 따라 허가권자에게 서면으로 보고하여야 하며, 허가권자는 업무를 대행하게 한 경우 국토교통부령으로 정하는 범위에서 해당 지방자치단체의 조례로 정하는 수수료를 지급하여야 한다(법 제27조 제2항 · 제3항).

12 사용승인

(1) 사용승인의 대상

건축주가 건축허가 · 건축신고대상 건축물 또는 허가대상 가설건축물의 건축공사를 완료[하나의 대지에 둘 이상의 건축물을 건축하는 경우 동(棟)별 공사를 완료한 경우를 포함한다]한 후 그 건축물을 사용하려면 공사감리자가 작성한 감리완료보고서(공사감리자를 지정한 경우만 해당된다)와 공사완료도서를 첨부하여 허가권자에게 사용승인을 신청하여야 한다(법 제22조 제1항).

(2) 사용승인의 절차

허가권자는 사용승인신청을 받은 경우 그 신청서를 받은 날부터 7일 이내에 다음의 사항에 대한 검사를 실시하고, 검사에 합격된 건축물에 대하여는 사용승인서를 내주어야 한다. 다만, 해당 지방자치단체의 조례로 정하는 건축물은 사용승인을 위한 검사를 실시하지 아니하고 사용승인서를 내줄 수 있다(법 제22조 제2항, 규칙 제16조 제2항).

① 사용승인을 신청한 건축물이 이 법에 따라 허가 또는 신고한 설계도서대로 시공되었는지의 여부
② 감리완료보고서, 공사완료도서 등의 서류 및 도서가 적합하게 작성되었는지의 여부

(3) 사용승인의 효과

① **건축물의 사용**: 건축주는 사용승인을 받은 후가 아니면 건축물을 사용하거나 사용하게 할 수 없다. 다만, 다음의 어느 하나에 해당하는 경우에는 그러하지 아니하다(법 제22조 제3항).

> ㉠ 허가권자가 기간 내에 사용승인서를 교부하지 아니한 경우
> ㉡ 사용승인서를 교부받기 전에 공사가 완료된 부분이 건폐율, 용적률, 설비, 피난 · 방화 등 국토교통부령으로 정하는 기준에 적합한 경우로서 기간을 정하여 대통령령으로 정하는 바에 따라 임시로 사용의 승인을 한 경우

② **관련 사용승인 · 준공검사 또는 등록신청 등 및 검사 등의 의제**: 건축주가 사용승인을 받은 경우에는 다음에 따른 사용승인 · 준공검사 또는 등록신청 등을 받거나 한 것으로 보며, 공장건축물의 경우에는 산업집적활성화 및 공장설립에 관한 법률 제14조의2에 따라 관련 법률의 검사 등을 받은 것으로 본다(법 제22조 제4항).

> ㉠ 하수도법 제27조에 따른 배수설비(排水設備)의 준공검사 및 같은 법 제37조에 따른 개인하수처리시설의 준공검사
> ㉡ 공간정보의 구축 및 관리 등에 관한 법률 제64조에 따른 지적공부(地籍公簿)의 변동사항 등록신청
> ㉢ 승강기안전관리법 제28조에 따른 승강기 설치검사
> ㉣ 에너지이용 합리화법 제39조에 따른 보일러 설치검사
> ㉤ 전기사업법 제63조에 따른 전기설비의 사용전검사
> ㉥ 정보통신공사업법 제36조에 따른 정보통신공사의 사용전검사
> ㉦ 도로법 제62조 제2항에 따른 도로점용공사의 준공 확인
> ㉧ 국토의 계획 및 이용에 관한 법률 제62조에 따른 개발행위의 준공검사
> ㉨ 국토의 계획 및 이용에 관한 법률 제98조에 따른 도시 · 군계획시설사업의 준공검사
> ㉩ 물환경보전법 제37조에 따른 수질오염물질 배출시설의 가동개시의 신고
> ㉪ 대기환경보전법 제30조에 따른 대기오염물질 배출시설의 가동개시의 신고
> ㉫ 기계설비법 제15조에 따른 기계설비의 사용 전 검사

③ 건축물대장의 기재: 특별시장 또는 광역시장은 사용승인을 한 경우 지체 없이 그 사실을 군수 또는 구청장에게 알려서 건축물대장에 적게 하여야 한다. 이 경우 건축물대장에는 설계자, 대통령령으로 정하는 주요 공사의 시공자, 공사감리자를 적어야 한다(법 제22조 제6항).

(4) 임시사용승인

① 임시사용승인대상, 임시사용승인권자: 임시사용승인대상은 사용승인서를 교부받기 전에 공사가 완료된 부분이며, 임시사용승인권자는 허가권자이다(법 제22조 제3항 단서, 영 제17조 제2항).

② 임시사용승인기준, 임시사용승인조건: 허가권자는 임시사용승인신청서를 접수한 경우에는 공사가 완료된 부분이 기준에 적합한 경우에만 임시사용을 승인할 수 있으며, 식수 등 조경에 필요한 조치를 하기에 부적합한 시기에 건축공사가 완료된 건축물은 허가권자가 지정하는 시기까지 식수 등 조경에 필요한 조치를 할 것을 조건으로 임시사용을 승인할 수 있다(영 제17조 제3항).

③ 임시사용승인절차, 임시사용승인기간
　　㉠ 건축주는 사용승인서를 받기 전에 공사가 완료된 부분에 대한 임시사용의 승인을 받으려는 경우에는 국토교통부령으로 정하는 바에 따라 임시사용승인신청서를 허가권자에게 제출(전자문서에 의한 제출을 포함한다)하여야 하는데(영 제17조 제2항), 허가권자는 임시사용승인신청을 받은 경우에는 해당 신청서를 받은 날부터 7일 이내에 임시사용승인서를 신청인에게 교부하여야 한다(규칙 제17조 제3항).
　　㉡ 임시사용승인의 기간은 2년 이내로 한다. 다만, 허가권자는 대형건축물 또는 암반공사 등으로 인하여 공사기간이 긴 건축물에 대하여는 그 기간을 연장할 수 있다(영 제17조 제4항).

제7절 건축통계와 건축행정전산화, 건축종합민원실

01 건축통계

허가권자는 건축통계를 국토교통부령으로 정하는 바에 따라 국토교통부장관이나 시 · 도지사에게 보고하여야 하며, 건축통계의 작성 등에 필요한 사항은 국토교통부령으로 정한다(법 제30조).

> **더 알아보기** 보고대상 통계사항(법 제30조 제1항)
>
> 1. 건축허가 현황
> 2. 건축신고 현황
> 3. 용도변경허가 및 신고 현황
> 4. 착공신고 현황
> 5. 사용승인 현황
> 6. 그 밖에 대통령령으로 정하는 사항

02 건축행정전산화

(1) 국토교통부장관은 이 법에 따른 건축행정 관련 업무를 전산처리하기 위하여 종합적인 계획을 수립 · 시행할 수 있다(법 제31조 제1항).

(2) 허가권자는 법 제10조(사전결정), 제11조(건축허가), 제14조(건축신고), 제16조(허가나 신고사항의 변경), 제19조(용도변경), 제20조(가설건축물), 제21조(착공신고), 제22조(사용승인), 제25조(공사감리), 제29조(공용건축물 특례), 제30조(건축통계), 제38조(건축물대장), 제83조(공작물축조신고) 및 제92조(분쟁조정 등)에 따른 신청서, 신고서, 첨부서류, 통지, 보고 등을 디스켓, 디스크 또는 정보통신망 등으로 제출하게 할 수 있다(법 제31조 제2항).

03 건축허가 업무 등의 전산처리 등

(1) 허가권자는 건축허가 업무 등의 효율적인 처리를 위하여 국토교통부령으로 정하는 바에 따라 전자정보처리시스템을 이용하여 이 법에 규정된 업무를 처리할 수 있다(법 제32조 제1항).

(2) 위 (1)에 따라 전산자료를 이용하려는 자는 사용료를 내고 대통령령으로 정하는 바에 따라 관계 중앙행정기관의 장의 심사를 거쳐 다음의 구분에 따라 국토교통부장관, 시 · 도지사 또는 시장 · 군수 · 구청장의 승인을 받아야 한다. 다만, 지방자치단체의 장이 승인을 신청하는 경우에는 관계 중앙행정기관의 장의 심사를 받지 아니한다(법 제32조 제2항).

> ① 전국 단위의 전산자료: 국토교통부장관
> ② 시 · 도 단위의 전산자료: 시 · 도지사
> ③ 시 · 군 또는 구(자치구를 말한다) 단위의 전산자료: 시장 · 군수 · 구청장

(3) 국토교통부장관, 시 · 도지사 또는 시장 · 군수 · 구청장이 (2)에 따른 승인신청을 받은 경우에는 건축허가업무 등의 효율적인 처리에 지장이 없고 대통령령으로 정하는 건축주 등의 개인정보 보호기준을 위반하지 아니한다고 인정되는 경우에만 승인할 수 있다. 이 경우 용도를 한정하여 승인할 수 있다(법 제32조 제3항).

(4) 위 (2) · (3)에도 불구하고 건축물의 소유자가 본인 소유의 건축물에 대한 소유 정보를 신청하거나 건축물의 소유자가 사망하여 그 상속인이 피상속인의 건축물에 대한 소유 정보를 신청하는 경우에는 승인 및 심사를 받지 아니할 수 있다(법 제32조 제4항).

(5) 국토교통부장관, 시 · 도지사 또는 시장 · 군수 · 구청장은 필요하다고 인정되면 전산자료의 보유 또는 관리 등에 관한 사항에 관하여 전산자료를 이용하는 자를 지도 · 감독할 수 있다(법 제33조).

04 건축종합민원실

특별자치시장 · 특별자치도지사 또는 시장 · 군수 · 구청장은 대통령령으로 정하는 바에 따라 건축허가, 건축신고, 사용승인 등 건축과 관련된 민원을 종합적으로 접수하여 처리할 수 있는 민원실을 설치 · 운영하여야 하며, 민원실은 민원인의 이용에 편리한 곳에 설치하고, 그 조직 및 기능에 관하여는 특별자치시 · 특별자치도 또는 시 · 군 · 구의 규칙으로 정한다(법 제34조, 영 제22조의4 제2항).

> **더 알아보기** **건축종합민원실의 업무(영 제22조의4 제1항)**
>
> 1. 사용승인에 관한 업무
> 2. 건축사가 현장조사 · 검사 및 확인업무를 대행하는 건축물의 건축허가와 사용승인 및 임시사용승인에 관한 업무
> 3. 건축물대장의 작성 및 관리에 관한 업무
> 4. 복합민원의 처리에 관한 업무
> 5. 건축허가 · 건축신고 또는 용도변경에 관한 상담업무
> 6. 건축관계자 사이의 분쟁에 대한 상담
> 7. 그 밖에 특별자치시장 · 특별자치도지사 또는 시장 · 군수 · 구청장이 주민의 편익을 위하여 필요하다고 인정하는 업무

01 건축허가대상 또는 건축신고대상 건축물을 건축하려는 자는 건축허가를 신청하기 전에 허가권자에게 그 건축물의 건축에 대한 대통령령으로 정하는 사항에 관한 사전결정을 신청할 수 있다.
( )

02 사전결정신청자는 사전결정을 통지받은 날부터 2년 이내에 착수하여야 하며, 이 기간에 공사에 착수하지 아니하면 사전결정의 효력이 상실된다.
( )

03 층수가 21층 이상이거나 연면적의 합계가 10만제곱미터 이상인 건축물을 시 또는 군에서 건축하려는 자는 도지사에게 건축허가를 신청하여야 한다.
( )

04 건축위원회의 심의를 받은 자가 심의결과를 통지받은 날부터 2년 이내에 건축허가를 신청하지 아니하면 건축위원회 심의의 효력이 상실된다.
( )

05 건축허가나 건축물의 착공을 제한하는 경우 제한기간은 3년 이내로 한다. 다만, 1회에 한하여 2년 이내의 범위에서 제한기간을 연장할 수 있다.
( )

---

01 × 건축허가대상 건축물이다.

02 × 사전결정신청자는 사전결정을 통지받은 날부터 2년 이내에 건축허가를 신청하여야 하며, 이 기간에 건축허가를 신청하지 아니하면 사전결정의 효력이 상실된다.

03 × 시장 또는 군수에게 신청하여야 하며, 시장 또는 군수가 허가하기 전에 도지사에게 사전승인을 받아야 하는 경우이다.

04 ○

05 × 건축허가나 건축물의 착공을 제한하는 경우 제한기간은 2년 이내로 한다. 다만, 1회에 한하여 1년 이내의 범위에서 제한기간을 연장할 수 있다.

06 국가나 지방자치단체는 건축물을 건축하거나 대수선하려는 경우에는 대통령령으로 정하는 바에 따라 미리 건축물의 소재지를 관할하는 허가권자와 협의하여야 하며, 협의한 경우에는 건축허가 또는 건축신고를 한 것으로 본다. ( )

07 건축신고를 한 자가 신고일부터 2년 이내에 공사에 착수하지 아니하면 그 신고의 효력은 없어진다. 다만, 건축주의 요청에 따라 허가권자가 정당한 사유가 있다고 인정하면 1년의 범위에서 착수기한을 연장할 수 있다. ( )

08 도시·군계획시설 및 도시·군계획시설예정지에서 가설건축물을 건축하려는 자는 특별자치시장·특별자치도지사 또는 시장·군수·구청장에게 신고하여야 한다. ( )

09 허가권자는 연면적이 1천제곱미터 이상인 건축물로서 해당 지방자치단체의 조례로 정하는 건축물에 대하여는 착공신고를 하는 건축주에게 장기간 건축물의 공사현장이 방치되는 것에 대비하여 미리 미관개선과 안전관리에 필요한 비용을 건축공사비의 1퍼센트의 범위에서 예치하게 할 수 있다. ( )

10 건축허가·건축신고 또는 허가대상 가설건축물의 공사를 착수하려는 건축주는 국토교통부령으로 정하는 바에 따라 허가권자에게 공사계획을 신고하여야 한다. ( )

11 연면적의 합계가 1천제곱미터 이상인 건축공사의 공사감리자는 필요하다고 인정하면 공사시공자에게 상세시공도면을 작성하도록 요청할 수 있다. ( )

---

06 ○

07 ✕ 건축신고를 한 자가 신고일부터 1년 이내에 공사에 착수하지 아니하면 그 신고의 효력은 없어진다.

08 ✕ 도시·군계획시설 및 도시·군계획시설예정지에서 가설건축물을 건축하려는 자는 특별자치시장·특별자치도지사 또는 시장·군수·구청장의 허가를 받아야 한다.

09 ○

10 ○

11 ✕ 연면적의 합계가 5천제곱미터 이상인 건축공사에 해당한다.

house.Hackers.com

제**3**장 건축물의 유지와 관리

📖 **단원길라잡이**

이 장은 건축물관리법의 시행으로 대부분의 규정들이 이전되었다. 따라서 현재는 건축지도원, 건축물대장과 등기촉탁에 관한 내용에 대해서만 학습하면 된다.

📑 **출제포인트**
• 건축지도원의 업무
• 등기촉탁

01 건축지도원

(1) 건축지도원의 지정

특별자치시장 · 특별자치도지사 또는 시장 · 군수 · 구청장은 이 법 또는 이 법에 따른 명령이나 처분에 위반하는 건축물의 발생을 예방하고 건축물의 적법한 유지 · 관리를 지도하기 위하여 특별자치시 · 특별자치도 또는 시 · 군 · 구에 근무하는 건축직렬의 공무원과 건축에 관한 학식이 풍부한 자로서 건축조례가 정하는 자격을 갖춘 자 중에서 건축지도원을 지정한다(법 제37조 제1항, 영 제24조 제1항).

(2) 건축지도원의 업무

건축지도원의 업무는 다음과 같다(영 제24조 제2항).

① 건축신고를 하고 건축 중에 있는 건축물의 시공지도와 위법시공 여부 확인 · 지도 및 단속
② 건축물의 대지, 높이 및 형태, 구조안전 및 화재안전, 건축설비 등이 법령 등에 적합하게 유지 · 관리되고 있는지의 확인 · 지도 및 단속
③ 허가를 받지 아니하거나 신고를 하지 아니하고 건축하거나 용도변경한 건축물의 단속

(3) 업무수행 준칙

건축지도원은 그 업무를 수행하는 때에는 권한을 나타내는 증표를 지니고 관계인에게 내보여야 하며, 건축지도원의 지정절차 · 보수기준 등에 관하여 필요한 사항은 건축조례로 정한다(영 제24조 제3항 · 제4항).

02 건축물대장 및 등기촉탁

(1) 건축물대장의 기재와 보관

특별자치시장 · 특별자치도지사 또는 시장 · 군수 · 구청장은 건축물의 소유 · 이용 및 유지 · 관리상태를 확인하거나 건축정책의 기초자료로 활용하기 위하여 다음의 어느 하나에 해당하면 건축물대장에 건축물과 그 대지의 현황 및 국토교통부령으로 정하는 건축물의 구조내력(構造耐力)에 관한 정보를 적어서 보관하고 이를 지속적으로 정비한다(법 제38조 제1항, 영 제25조).

① 사용승인서를 내준 경우
② 건축허가대상 건축물(신고대상 건축물을 포함한다) 외의 건축물의 공사를 끝낸 후 기재를 요청한 경우
③ 집합건물의 소유 및 관리에 관한 법률 제56조 및 제57조에 따른 건축물대장의 신규등록 및 변경등록의 신청이 있는 경우

④ 법 시행일 전에 법령 등에 적합하게 건축되고 유지·관리된 건축물의 소유자가 그 건축물의 건축물관리대장이나 그 밖에 이와 비슷한 공부(公簿)를 법 제38조에 따른 건축물대장에 옮겨 적을 것을 신청한 경우
⑤ 그 밖에 기재내용의 변경 등의 필요가 있는 경우로서 국토교통부령이 정하는 경우

(2) 등기촉탁

특별자치시장·특별자치도지사 또는 시장·군수·구청장은 다음에 해당하는 사유로 인하여 건축물대장의 기재내용이 변경되는 경우(②의 경우에는 신규등록을 제외한다)에는 관할 등기소에 그 등기를 촉탁하여야 한다. 이 경우 ①과 ④의 등기촉탁은 지방자치단체가 자기를 위하여 하는 등기로 본다(법 제39조 제1항).

① 지번 또는 행정구역의 명칭에 변경이 있는 경우
② 사용승인을 얻은 건축물로서 그 사용승인 내용에 건축물의 면적·구조·용도·층수에 변경이 있는 경우
③ 건축물관리법 제30조에 따라 건축물을 해체한 경우
④ 건축물관리법 제34조에 따른 건축물의 멸실 후 멸실신고를 한 경우

house.Hackers.com

제 **4** 장 건축물의 대지와 도로

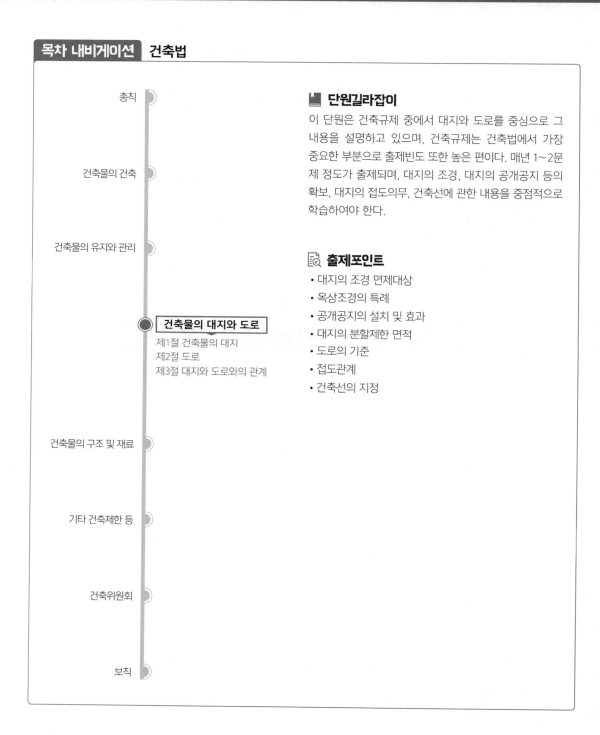

📖 **단원길라잡이**

이 단원은 건축규제 중에서 대지와 도로를 중심으로 그 내용을 설명하고 있으며, 건축규제는 건축법에서 가장 중요한 부분으로 출제빈도 또한 높은 편이다. 매년 1~2문제 정도가 출제되며, 대지의 조경, 대지의 공개공지 등의 확보, 대지의 접도의무, 건축선에 관한 내용을 중점적으로 학습하여야 한다.

📑 **출제포인트**

- 대지의 조경 면제대상
- 옥상조경의 특례
- 공개공지의 설치 및 효과
- 대지의 분할제한 면적
- 도로의 기준
- 접도관계
- 건축선의 지정

01 대지의 안전

(1) 저대지 금지

대지는 이와 인접하는 도로면보다 낮아서는 안 된다. 다만, 배수에 지장이 없거나 방습의 필요가 없는 경우에는 그러하지 아니하다(법 제40조 제1항).

(2) 습지와 매립지의 조치의무

습한 토지, 물이 나올 우려가 많은 토지 또는 쓰레기 등으로 매립된 토지에 건축하는 경우에는 성토, 지반의 개량 등 필요한 조치를 하여야 한다(법 제40조 제2항).

(3) 배수시설의 설치

대지에는 빗물 · 오수처리를 위한 하수관 · 하수구 · 저수탱크, 기타 시설을 하여야 한다(법 제40조 제3항).

(4) 옹벽의 설치

손궤의 우려가 있는 토지에 대지를 조성하는 경우에는 옹벽의 설치 등 다음의 조치를 하여야 한다. 다만, 건축사 또는 기술사법에 따라 등록한 건축구조기술사에 의하여 해당 토지의 구조안전이 확인된 경우는 그러하지 아니하다(법 제40조 제4항, 규칙 제25조).

① 성토 또는 절토하는 부분의 경사도가 1 : 1.5 이상으로서 높이가 1미터 이상인 부분에는 옹벽을 설치할 것
② 옹벽의 높이가 2미터 이상인 경우에는 이를 콘크리트구조로 할 것. 다만, [별표 6]의 옹벽에 관한 기술적 기준에 적합한 경우에는 그러하지 아니하다.
③ 옹벽의 외벽면에는 이의 지지 또는 배수를 위한 시설 외의 구조물이 밖으로 튀어 나오지 아니하게 할 것
④ 옹벽의 윗가장자리로부터 안쪽으로 2미터 이내에 묻는 배수관은 주철관, 강관 또는 흡관으로 하고, 이음부분은 물이 새지 아니하도록 할 것
⑤ 옹벽에는 3제곱미터마다 하나 이상의 배수구멍을 설치하여야 하고, 옹벽의 윗가장자리로부터 안쪽으로 2미터 이내에서의 지표수는 지상으로 또는 배수관으로 배수하여 옹벽의 구조상 지장이 없도록 할 것
⑥ 성토부분의 높이는 법 제40조에 따른 대지의 안전 등에 지장이 없는 한 인접대지의 지표면보다 0.5미터 이상 높게 하지 아니할 것. 다만, 절토에 의하여 조성된 대지 등 허가권자가 지형 조건상 부득이하다고 인정하는 경우에는 그러하지 아니하다.

(5) 토지 굴착부분에 대한 조치

① **조치의무자**: 공사시공자는 대지를 조성하거나 건축공사를 하기 위하여 토지를 굴착·절토·매립 또는 성토 등을 하는 경우 그 변경 부분에는 국토교통부령으로 정하는 바에 따라 공사 중 비탈면 붕괴, 토사 유출 등 위험 발생의 방지, 환경보존, 그 밖에 필요한 조치를 한 후 해당 공사현장에 그 사실을 게시하여야 하며, 허가권자는 위반한 자에게 의무이행에 필요한 조치를 명할 수 있다(법 제41조).

② **위험 발생의 방지조치**: 대지를 조성하거나 건축공사에 수반하는 토지를 굴착하는 경우에는 다음에 따른 위험 발생의 방지조치를 하여야 한다(규칙 제26조 제1항).

> ㉠ 지하에 묻은 수도관·하수도관·가스관 또는 케이블 등이 토지 굴착으로 인하여 파손되지 아니하도록 할 것
> ㉡ 건축물 및 공작물에 근접하여 토지를 굴착하는 경우에는 그 건축물 및 공작물의 기초 또는 지반의 구조내력의 약화를 방지하고 급격한 배수를 피하는 등 토지의 붕괴에 의한 위해를 방지하도록 할 것
> ㉢ 토지를 깊이 1.5미터 이상 굴착하는 경우에는 그 경사도가 [별표 7]에 의한 비율 이하이거나 주변 상황에 비추어 위해방지에 지장이 없다고 인정되는 경우를 제외하고는 토압에 대하여 안전한 구조의 흙막이를 설치할 것
> ㉣ 굴착공사 및 흙막이공사의 시공 중에는 항상 점검을 하여 흙막이의 보강, 적절한 배수조치 등 안전상태를 유지하도록 하고, 흙막이판을 제거하는 경우에는 주변지반의 내려앉음을 방지하도록 할 것

③ **환경의 보전조치**: 성토부분·절토부분 또는 되메우기를 하지 아니하는 굴착부분의 비탈면으로서 옹벽을 설치하지 아니하는 부분에 대하여는 다음에 따른 환경의 보전을 위한 조치를 하여야 한다(규칙 제26조 제2항).

> ㉠ 배수를 위한 수로는 돌 또는 콘크리트를 사용하여 토양의 유실을 막을 수 있도록 할 것
> ㉡ 높이가 3미터를 넘는 경우에는 높이 3미터 이내마다 그 비탈면적의 5분의 1 이상에 해당하는 면적의 단을 만들 것. 다만, 허가권자가 그 비탈면의 토질·경사도 등을 고려하여 붕괴의 우려가 없다고 인정하는 경우에는 그러하지 아니하다.
> ㉢ 비탈면에는 토양의 유실방지와 미관의 유지를 위하여 나무 또는 잔디를 심을 것. 다만, 나무 또는 잔디를 심는 것으로는 비탈면의 안전을 유지할 수 없는 경우에는 돌붙이기를 하거나 콘크리트블록격자 등의 구조물을 설치하여야 한다.

02 대지의 조경

(1) 원칙

① 면적이 200제곱미터 이상인 대지에 건축을 하는 건축주는 용도지역 및 건축물의 규모에 따라 해당 지방자치단체의 조례로 정하는 기준에 따라 대지에 조경이나 그 밖에 필요한 조치를 하여야 한다(법 제42조 제1항 본문).

② 국토교통부장관은 식재기준, 조경시설물의 종류 및 설치방법, 옥상조경의 방법 등 조경에 필요한 사항을 정하여 고시할 수 있다(법 제42조 제2항).

> **더 알아보기** **조경설치기준(영 제27조 제2항)**
>
> 조경 등의 조치에 관한 기준은 다음과 같다. 다만, 건축조례로 다음의 기준보다 더 완화된 기준을 정한 경우에는 그 기준에 따른다.
>
> 1. 공장(아래 (2) ①의 ㉡·㉢·㉣에 해당하는 공장은 제외한다) 및 물류시설((2) ①의 ◎에 해당하는 물류시설과 주거지역 또는 상업지역에 건축하는 물류시설은 제외한다)
>   - 연면적의 합계가 2천제곱미터 이상인 경우: 대지면적의 10퍼센트 이상
>   - 연면적의 합계가 1천 500제곱미터 이상 2천제곱미터 미만인 경우: 대지면적의 5퍼센트 이상
> 2. 공항시설법에 따른 공항시설: 대지면적(활주로·유도로·계류장·착륙대 등 항공기의 이륙 및 착륙시설로 쓰는 면적은 제외한다)의 10퍼센트 이상
> 3. 철도의 건설 및 철도시설 유지관리에 관한 법률에 따른 철도 중 역시설: 대지면적(선로·승강장 등 철도운행에 이용되는 시설의 면적은 제외한다)의 10퍼센트 이상
> 4. 그 밖에 면적 200제곱미터 이상 300제곱미터 미만인 대지에 건축하는 건축물: 대지면적의 10퍼센트 이상

(2) 예외

① **조경설치의무의 예외:** 다음의 어느 하나에 해당하는 건축물에 대하여는 조경 등의 조치를 하지 아니할 수 있다(법 제42조 제1항 단서, 영 제27조 제1항, 규칙 제26조의2).

> ㉠ 녹지지역에 건축하는 건축물
> ㉡ 면적 5천제곱미터 미만인 대지에 건축하는 공장
> ㉢ 연면적의 합계가 1천 500제곱미터 미만인 공장
> ㉣ 산업집적활성화 및 공장설립에 관한 법률 제2조 제7호에 따른 산업단지의 공장
> ㉤ 대지에 염분이 함유되어 있는 경우 또는 건축물 용도의 특성상 조경 등의 조치를 하기가 곤란하거나 조경 등의 조치를 하는 것이 불합리한 경우로서 건축조례로 정하는 건축물
> ㉥ 축사
> ㉦ 허가대상 가설건축물(법 제20조 제1항)

◎ 연면적의 합계가 1천 500제곱미터 미만인 물류시설(주거지역 또는 상업지역에 건축하는 것은 제외한다)로서 물류정책기본법에 따른 물류시설을 말한다.
㉯ 국토의 계획 및 이용에 관한 법률에 따라 지정된 자연환경보전지역·농림지역 또는 관리지역(지구단위계획구역으로 지정된 지역은 제외한다)의 건축물
㉰ 다음의 어느 하나에 해당하는 건축물 중 건축조례로 정하는 건축물
ⓐ 관광진흥법에 따른 관광지 또는 관광단지에 설치하는 관광시설
ⓑ 관광진흥법 시행령에 따른 전문휴양업의 시설 또는 종합휴양업의 시설
ⓒ 국토의 계획 및 이용에 관한 법률 시행령에 따른 관광·휴양형 지구단위계획구역에 설치하는 관광시설
ⓓ 체육시설의 설치·이용에 관한 법률 시행령 [별표 1]에 따른 골프장

② **옥상조경의 특례:** 건축물의 옥상에 국토교통부장관이 고시하는 기준에 따라 조경이나 그 밖에 필요한 조치를 하는 경우에는 옥상부분 조경면적의 3분의 2에 해당하는 면적을 대지의 조경면적으로 산정할 수 있다(법 제42조 제1항 단서, 영 제27조 제3항 본문). 이 경우 조경면적으로 산정하는 면적은 대지의 조경면적의 100분의 50을 초과할 수 없다(영 제27조 제3항 단서).

03 공개공지 등의 확보

(1) 확보대상 지역 및 확보대상 건축물

다음의 어느 하나에 해당하는 지역의 환경을 쾌적하게 조성하기 위하여 대통령령으로 정하는 용도와 규모의 건축물은 일반이 사용할 수 있도록 대통령령으로 정하는 기준에 따라 소규모 휴식시설 등의 공개공지(空地: 공터) 또는 공개공간(이하 '공개공지 등'이라 한다)을 설치하여야 한다(법 제43조 제1항, 영 제27조의2 제1항).

① 대상 지역
㉠ 일반주거지역, 준주거지역
㉡ 상업지역
㉢ 준공업지역
㉣ 특별자치시장·특별자치도지사 또는 시장·군수·구청장이 도시화의 가능성이 크거나 노후 산업단지의 정비가 필요하다고 인정하여 지정·공고하는 지역
② 대상 건축물
㉠ 문화 및 집회시설, 종교시설, 판매시설(농수산물 유통 및 가격안정에 관한 법률에 따른 농수산물유통시설은 제외한다), 운수시설(여객용 시설만 해당한다), 업무시설 및 숙박시설로서 해당 용도로 쓰는 바닥면적의 합계가 5천제곱미터 이상인 건축물
㉡ 그 밖에 다중이 이용하는 시설로서 건축조례로 정하는 건축물

(2) 설치면적과 기준

① **설치면적**: 공개공지 등의 면적은 대지면적의 100분의 10 이하의 범위에서 건축조례로 정한다. 이 경우 조경면적과 매장유산 보호 및 조사에 관한 법률에 따른 매장유산의 현지보존 조치 면적을 공개공지 등의 면적으로 할 수 있다(영 제27조의2 제2항).

② **설치기준**: 공개공지는 필로티의 구조로 설치할 수 있으며, 공개공지 등을 설치할 때에는 모든 사람들이 환경친화적으로 편리하게 이용할 수 있도록 긴 의자 또는 조경시설 등 건축조례로 정하는 시설을 설치해야 한다(영 제27조의2 제3항).

(3) 설치효과

① **효과**: 공개공지 등의 확보대상 건축물(확보대상 건축물과 이에 해당되지 아니하는 건축물이 하나의 건축물로 복합된 경우를 포함한다)에 공개공지 등을 설치하는 경우에는 건축물의 건폐율, 건축물의 용적률과 건축물의 높이제한을 다음에 따라 완화하여 적용할 수 있다. 다만, 다음의 범위에서 건축조례로 정한 기준이 완화비율보다 큰 경우에는 해당 건축조례로 정하는 바에 따른다(법 제43조 제2항, 영 제27조의2 제4항).

> ㉠ 건축물의 용적률(법 제56조)은 해당 지역에 적용하는 용적률의 1.2배 이하
> ㉡ 건축물의 높이제한(법 제60조)은 해당 건축물에 적용하는 높이기준의 1.2배 이하

② **대상 건축물이 아닌 건축물에의 준용**: 공개공지 등의 설치대상이 아닌 건축물(주택법 제15조 제1항에 따른 사업계획승인대상인 공동주택 중 주택 외의 시설과 주택을 동일 건축물로 건축하는 것 외의 공동주택은 제외한다)에 **(2)**의 기준에 적합한 공개공지를 설치하는 경우에는 위의 ①을 준용한다(영 제27조의2 제5항).

(4) 공개공지의 관리

① 시·도지사 또는 시장·군수·구청장은 관할구역 내 공개공지 등에 대한 점검 등 유지·관리에 관한 사항을 해당 지방자치단체의 조례로 정할 수 있다(법 제43조 제3항).

② 누구든지 공개공지 등에 물건을 쌓아놓거나 출입을 차단하는 시설을 설치하는 등 공개공지 등의 활용을 저해하는 행위를 하여서는 아니 된다(법 제43조 제4항).

③ 공개공지 등에는 연간 60일 이내의 기간 동안 건축조례로 정하는 바에 따라 주민들을 위한 문화행사를 열거나 판촉활동을 할 수 있다. 다만, 울타리를 설치하는 등 공중이 해당 공개공지 등을 이용하는 데 지장을 주는 행위를 해서는 아니 된다(영 제27조의2 제6항).

1. 공개공지 등의 일정 공간을 점유하여 영업을 하는 행위
2. 공개공지 등의 이용에 방해가 되는 행위로서 다음의 행위
   - 공개공지 등에 제3항((2)의 ②)에 따른 시설 외의 시설물을 설치하는 행위
   - 공개공지 등에 물건을 쌓아놓는 행위
3. 울타리나 담장 등의 시설을 설치하거나 출입구를 폐쇄하는 등 공개공지 등의 출입을 차단하는 행위
4. 공개공지 등과 그에 설치된 편의시설을 훼손하는 행위
5. 그 밖에 1.부터 4.까지의 행위와 유사한 행위로서 건축조례로 정하는 행위

04 대지 안의 공지

(1) 공지의 설치기준

건축물을 건축하는 경우에는 국토의 계획 및 이용에 관한 법률에 따른 용도지역·용도지구, 건축물의 용도 및 규모 등에 따라 건축물의 각 부분을 건축선(법정 건축선을 말한다) 및 인접 대지경계선(대지와 대지 사이에 공원, 철도, 하천, 광장, 공공공지, 녹지, 그 밖에 건축이 허용되지 아니하는 공지가 있는 경우에는 그 반대편의 경계선을 말한다)으로부터 6미터 이내의 범위에서 대통령령이 정하는 바에 따라 해당 지방자치단체의 조례로 정하는 거리 이상을 띄워야 한다(법 제58조, 영 제80조의2 [별표 2]).

> **기출예제**
>
> 건축법 제58조(대지 안의 공지) 규정이다. (   ) 안에 들어갈 용어와 아라비아 숫자를 쓰시오.
> 제26회
>
> > 건축물을 건축하는 경우에는 국토의 계획 및 이용에 관한 법률에 따른 용도지역·용도지구, 건축물의 용도 및 규모 등에 따라 (㉠) 및 인접 대지경계선으로부터 (㉡)미터 이내의 범위에서 대통령령으로 정하는 바에 따라 해당 지방자치단체의 조례로 정하는 거리 이상을 띄워야 한다.
>
> 정답: ㉠ 건축선, ㉡ 6

(2) 건축선으로부터 건축물까지 띄어야 하는 거리(영 [별표 2])

대상 건축물	건축조례에서 정하는 건축기준
① 바닥면적의 합계가 500제곱미터 이상인 공장(전용·일반공업지역 또는 산업단지에 건축하는 공장은 제외)으로서 건축조례로 정하는 건축물	• 준공업지역: 1.5미터 이상 6미터 이하 • 준공업지역 외: 3미터 이상 6미터 이하
② 바닥면적의 합계가 500제곱미터 이상인 창고(전용·일반공업지역 또는 산업단지에 건축하는 창고는 제외)로서 건축조례로 정하는 건축물	• 준공업지역: 1.5미터 이상 6미터 이하 • 준공업지역 외: 3미터 이상 6미터 이하
③ 바닥면적의 합계가 1천제곱미터 이상인 판매, 숙박(일반숙박시설 제외), 문화 및 집회시설(전시장 및 동·식물원 제외), 종교시설	3미터 이상 6미터 이하
④ 다중이용 건축물로서 건축조례로 정하는 건축물	3미터 이상 6미터 이하
⑤ 공동주택	• 아파트: 2미터 이상 6미터 이하 • 연립주택: 2미터 이상 5미터 이하 • 다세대: 1미터 이상 4미터 이하
⑥ 그 밖에 건축조례로 정하는 건축물	1미터 이상 6미터 이하(한옥은 처마선 2미터 이하, 외벽선 1미터 이상 2미터 이하)

(3) 인접 대지경계선으로부터 건축물까지 띄어야 하는 거리

대상 건축물	건축조례에서 정하는 건축기준
① 전용주거지역에 건축하는 건축물(공동주택 제외)	1미터 이상 6미터 이하(한옥은 처마선 2미터 이하, 외벽선 1미터 이상 2미터 이하)
② 바닥면적의 합계가 500제곱미터 이상인 공장(전용·일반공업지역 또는 산업단지에 건축하는 공장은 제외)으로서 건축조례로 정하는 건축물	• 준공업지역: 1미터 이상 6미터 이하 • 준공업지역 외: 1.5미터 이상 6미터 이하
③ 상업지역 외 지역에 건축하는 건축물로서 바닥면적의 합계가 1천제곱미터 이상인 판매, 숙박(일반숙박시설은 제외), 문화 및 집회시설(전시장 및 동·식물원은 제외), 종교시설	1.5미터 이상 6미터 이하
④ 다중이용 건축물(상업지역의 건축물은 제외)로서 건축조례로 정하는 건축물	1.5미터 이상 6미터 이하
⑤ 공동주택(상업지역에 건축하는 공동주택으로서 스프링클러나 그 밖에 이와 비슷한 자동식 소화설비를 설치한 공동주택은 제외)	• 아파트: 2미터 이상 6미터 이하 • 연립주택: 1.5미터 이상 5미터 이하 • 다세대: 0.5미터 이상 4미터 이하
⑥ 그 밖에 건축조례로 정하는 건축물	0.5미터 이상 6미터 이하(한옥은 처마선 2미터 이하, 외벽선 1미터 이상 2미터 이하)

05 맞벽건축과 연결복도

(1) 맞벽건축

다음의 지역에서 도시미관 등을 위하여 둘 이상의 건축물 벽을 맞벽(대지경계선으로부터 50센티미터 이내인 경우를 말한다)으로 하여 건축하는 경우에는 법 제58조(대지 안의 공지), 제61조(일조 등의 확보를 위한 높이제한) 및 민법 제242조(경계선 부근의 건축)를 적용하지 아니한다(법 제59조 제1항 제1호, 영 제81조 제1항).

> ① 상업지역(다중이용 건축물 및 공동주택은 스프링클러나 그 밖에 이와 비슷한 자동식 소화설비를 설치한 경우로 한정한다)
> ② 주거지역(건축물 및 토지의 소유자간 맞벽건축을 합의한 경우에 한정한다)
> ③ 허가권자가 도시미관 또는 한옥의 보전·진흥을 위하여 건축조례로 정하는 구역
> ④ 건축협정구역

(2) 맞벽의 설치기준

맞벽은 다음의 기준에 적합하여야 하며, **(1)**에 따른 지역(건축협정구역은 제외한다)에서 맞벽건축을 할 때 맞벽대상 건축물의 용도, 맞벽건축물의 수 및 층수 등 맞벽에 필요한 사항은 건축조례로 정한다(영 제81조 제3항·제4항).

> ① 주요구조부가 내화구조일 것
> ② 마감재료가 불연재료일 것

(3) 연결복도

다음의 기준에 따라 인근 건축물과 이어지는 연결복도나 연결통로를 설치하는 경우에는 법 제58조(대지 안의 공지), 제61조(일조 등의 확보를 위한 높이제한) 및 민법 제242조(경계선 부근에서의 건축)를 적용하지 아니하며, 연결복도나 연결통로는 건축사 또는 건축구조기술사로부터 안전에 관한 확인을 받아야 한다(법 제59조 제1항 제2호, 영 제81조 제5항·제6항).

> ① 주요구조부가 내화구조일 것
> ② 마감재료가 불연재료일 것
> ③ 밀폐된 구조인 경우 벽면적의 10분의 1 이상에 해당하는 면적의 창문을 설치할 것. 다만, 지하층으로서 환기설비를 설치하는 경우에는 그러하지 아니하다.

④ 너비 및 높이가 각각 5미터 이하일 것. 다만, 허가권자가 건축물의 용도나 규모 등을 고려할 때 원활한 통행을 위하여 필요하다고 인정하면 지방건축위원회의 심의를 거쳐 그 기준을 완화하여 적용할 수 있다.

⑤ 건축물과 복도 또는 통로의 연결부분에 자동방화셔터 또는 방화문을 설치할 것

⑥ 연결복도가 설치된 대지면적의 합계가 국토의 계획 및 이용에 관한 법률 시행령에 따른 개발행위의 최대 규모 이하일 것. 다만, 지구단위계획구역에서는 그러하지 아니하다.

06 대지의 분할제한

(1) 용도지역별 분할제한

건축물이 있는 대지는 다음의 어느 하나에 해당하는 규모 이상의 범위에서 해당 지방자치단체의 조례로 정하는 면적에 못 미치게 분할할 수 없다(법 제57조 제1항, 영 제80조).

① 주거지역: 60제곱미터
② 상업지역: 150제곱미터
③ 공업지역: 150제곱미터
④ 녹지지역: 200제곱미터
⑤ 위 ①부터 ④까지에 해당하지 아니하는 지역: 60제곱미터

(2) 기타 건축규제에 따른 분할제한

건축물이 있는 대지는 다음에 따른 기준에 못 미치게 분할할 수 없다(법 제57조 제2항).

① 대지와 도로의 관계(법 제44조)
② 건축물의 건폐율(법 제55조)
③ 건축물의 용적률(법 제56조)
④ 대지 안의 공지(법 제58조)
⑤ 건축물의 높이제한(법 제60조)
⑥ 일조 등의 확보를 위한 건축물의 높이제한(법 제61조)

(3) 분할제한의 특례

위 (1)과 (2)에도 불구하고 법 제77조의6에 따라 건축협정이 인가된 경우 그 건축협정의 대상이 되는 대지는 분할할 수 있다(법 제57조 제3항).

01 도로의 의의와 구분

(1) 도로

도로란 보행과 자동차 통행이 가능한 너비 4미터 이상의 도로(지형적으로 자동차 통행이 불가능한 경우와 막다른 도로의 경우에는 **(2)**의 구조와 너비의 도로)로서 다음의 어느 하나에 해당하는 도로나 그 예정도로를 말한다(법 제2조 제1항 제11호).

> ① 국토의 계획 및 이용에 관한 법률, 도로법, 사도법, 그 밖의 관계 법령에 따라 신설 또는 변경에 관한 고시가 된 도로
> ② 건축허가 또는 신고시에 특별시장 · 광역시장 · 특별자치시장 · 도지사 · 특별자치도지사(이하 '시 · 도지사'라 한다) 또는 시장 · 군수 · 구청장(자치구의 구청장을 말한다)이 위치를 지정하여 공고한 도로

(2) 지형적 조건 등에 따른 도로

지형적으로 자동차 통행이 불가능한 경우와 막다른 도로의 경우에는 다음의 어느 하나에 해당하는 도로를 말한다(영 제3조의3).

> ① 특별자치시장 · 특별자치도지사 또는 시장 · 군수 · 구청장이 지형적 조건으로 인하여 차량 통행을 위한 도로의 설치가 곤란하다고 인정하여 그 위치를 지정 · 공고하는 구간의 너비 3미터 이상(길이가 10미터 미만인 막다른 도로인 경우에는 너비 2미터 이상)인 도로
> ② 위 ①에 해당하지 아니하는 막다른 도로로서 그 도로의 너비가 그 길이에 따라 각각 다음의 기준 이상인 도로
>
> | 막다른 도로의 길이 | 도로의 너비 |
> | --- | --- |
> | 10미터 미만 | 2미터 |
> | 10미터 이상 35미터 미만 | 3미터 |
> | 35미터 이상 | 6미터(도시지역이 아닌 읍 · 면지역은 4미터) |

02 도로의 지정 · 변경 · 폐지

(1) 도로의 지정

허가권자는 도로의 위치를 지정 · 공고하려면 그 도로에 대한 이해관계인의 동의를 받아야 한다. 다만, 다음에 해당하는 경우에는 이해관계인의 동의를 받지 아니하고 건축위원회의 심의를 거쳐 도로를 지정할 수 있다(법 제45조 제1항).

> ① 허가권자가 이해관계인이 해외 거주하는 등으로 인해 동의를 받기가 곤란하다고 인정하는 경우
> ② 주민이 오랫동안 통행로로 이용하고 있는 사실상의 통로로서 해당 지방자치단체의 조례로 정하는 것인 경우

(2) 도로의 폐지 또는 변경

허가권자는 지정한 도로를 폐지 또는 변경하려면 그 도로에 대한 이해관계인의 동의를 받아야 한다. 그 도로에 편입된 토지의 소유자, 건축주 등이 허가권자에게 지정된 도로의 폐지 또는 변경을 신청하는 경우에도 또한 같다(법 제45조 제2항).

(3) 도로관리대장

허가권자는 도로를 지정하거나 변경하면 국토교통부령으로 정하는 바에 따라 도로관리대장에 이를 적어서 관리하여야 한다(법 제45조 제3항).

제3절 **대지와 도로와의 관계**

01 접도의 의무

(1) 건축물의 대지는 2미터 이상이 도로(자동차만의 통행에 사용되는 도로는 제외한다)에 접하여야 한다. 다만, 다음의 어느 하나에 해당하면 그러하지 아니하다(법 제44조 제1항, 영 제28조 제1항).

> ① 해당 건축물의 출입에 지장이 없다고 인정되는 경우
> ② 건축물의 주변에 광장, 공원, 유원지, 그 밖에 관계 법령에 따라 건축이 금지되고 공중의 통행에 지장이 없는 공지로서 허가권자가 인정한 공지가 있는 경우
> ③ 농지법 제2조 제1호 나목에 따른 농막을 건축하는 경우

(2) 연면적의 합계가 2천제곱미터(공장인 경우에는 3천제곱미터) 이상인 건축물(축사, 작물재배사, 그 밖에 이와 비슷한 건축물로서 건축조례로 정하는 규모의 건축물은 제외한다)의 대지는 너비 6미터 이상의 도로에 4미터 이상 접하여야 한다(법 제44조 제2항, 영 제28조 제2항).

02 건축선

(1) 의의

건축선이라 함은 대지와 도로의 접한 부분의 대지 안에서 건축물을 건축하거나 공작물을 설치할 수 있는 한계선을 의미하며, 건축물에 의한 도로의 침식을 방지하고 교통의 원활을 도모하는 기능을 한다. 일반적으로 건축선은 도로의 경계선과 일치하나, 다르게 설치할 수도 있다.

(2) 법정 건축선

① 원칙: 도로와 접한 부분에 건축물을 건축할 수 있는 선[이하 '건축선(建築線)'이라 한다]은 대지와 도로의 경계선으로 한다(법 제46조 제1항 본문).

② 소요너비에 못 미치는 도로에서의 건축선: 소요너비(4미터)에 못 미치는 너비의 도로인 경우에는 그 중심선으로부터 그 소요너비의 2분의 1의 수평거리만큼 물러난 선을 건축선으로 하되, 그 도로의 반대쪽에 경사지, 하천, 철도, 선로부지, 그 밖에 이와 유사한 것이 있는 경우에는 그 경사지 등이 있는 쪽의 도로경계선에서 소요너비에 해당하는 수평거리의 선을 건축선으로 한다(법 제46조 제1항 단서).

> 더 알아보기 | **건축선의 지정**
>
> **1. 도로 양쪽에 대지가 있는 경우의 건축선**
>
>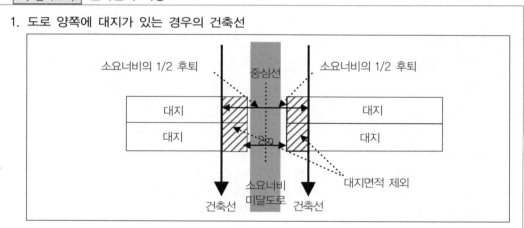

2. 도로 한쪽에 경사지 등이 있는 경우의 건축선

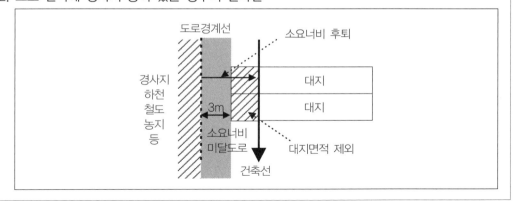

③ 도로의 모퉁이에 위치한 대지의 건축선: 너비 8미터 미만인 도로의 모퉁이에 위치한 대지의 도로모퉁이 부분의 건축선은 그 대지에 접한 도로경계선의 교차점으로부터 도로경계선에 따라 다음의 표에 따른 거리를 각각 후퇴한 두 점을 연결한 선으로 한다(법 제46조 제1항 단서, 영 제31조 제1항).

도로의 교차각	해당 도로의 너비		교차되는 도로의 너비
	6미터 이상 8미터 미만	4미터 이상 6미터 미만	
90도 미만	4미터	3미터	6미터 이상 8미터 미만
	3미터	2미터	4미터 이상 6미터 미만
90도 이상 120도 미만	3미터	2미터	6미터 이상 8미터 미만
	2미터	2미터	4미터 이상 6미터 미만

더 알아보기 **건축선의 지정요건 등**

1. 대지면적과의 관계

   법정 건축선과 도로 사이의 면적은 대지면적을 산정하는 경우에 제외하나, 지정 건축선과 도로 사이의 면적은 대지면적을 산정하는 경우에는 포함된다.

2. 모퉁이 대지에서의 건축선의 지정요건
   - 두 개의 도로가 모두 8미터 미만이라야, 2개의 도로 중 어느 하나만이라도 8미터 이상인 경우에는 건축선이 발생하지 않는다. 한편, 두 개의 도로가 모두 4미터 이상인 경우이어야 하고, 2개의 도로 중 어느 하나만이라도 4미터 미만인 경우에는 건축선이 발생하지 않는다.
   - 도로의 교차각이 120도 미만인 경우이어야 하고, 도로의 교차각이 120도 이상인 경우에는 건축선이 발생하지 아니한다.
   - 대지에 접한 도로경계선의 교차점으로부터 도로경계선에 따라 후퇴하는 길이는 최소 2미터 이상 최대 4미터 이하이다.

(3) 지정 건축선

① 특별자치시장·특별자치도지사 또는 시장·군수·구청장은 시가지 안에서 건축물의 위치나 환경을 정비하기 위하여 필요하다고 인정하면 (2)에도 불구하고 국토의 계획 및 이용에 관한 법률에 따른 도시지역에는 4미터 이하의 범위에서 건축선을 따로 지정할 수 있다(법 제46조 제2항, 영 제31조 제2항).

② 특별자치시장·특별자치도지사 또는 시장·군수·구청장은 건축선을 지정하려면 미리 그 내용을 해당 지방자치단체의 공보, 일간신문 또는 인터넷 홈페이지 등에 30일 이상 공고하여야 하며, 공고한 내용에 대하여 의견이 있는 자는 공고기간에 특별자치시장·특별자치도지사 또는 시장·군수·구청장에게 의견을 제출(전자문서에 의한 제출을 포함한다)할 수 있으며(영 제31조 제3항), 특별자치시장·특별자치도지사 또는 시장·군수·구청장은 건축선을 지정하면 지체 없이 이를 고시하여야 한다(법 제46조 제3항).

03 건축선에 따른 건축제한

(1) 건축물과 담장은 건축선의 수직면을 넘어서는 아니 된다. 다만, 지표 아래 부분은 그러하지 아니하다(법 제47조 제1항).

(2) 도로면으로부터 높이 4.5미터 이하에 있는 출입구, 창문, 그 밖에 이와 유사한 구조물은 열고 닫을 때 건축선의 수직면을 넘지 아니하는 구조로 하여야 한다(법 제47조 제2항).

01 대지는 이와 인접하는 대지면보다 낮아서는 안 된다. 다만, 배수에 지장이 없거나 방습의 필요가 없는 경우에는 그러하지 아니하다. ( )

02 연면적이 200제곱미터 이상인 건축물을 건축하는 건축주는 용도지역 및 건축물의 규모에 따라 해당 지방자치단체의 조례로 정하는 기준에 따라 대지에 조경이나 그 밖에 필요한 조치를 하여야 한다. ( )

03 건축물의 옥상에 국토교통부장관이 고시하는 기준에 따라 조경이나 그 밖에 필요한 조치를 하는 경우에는 옥상부분 조경면적의 3분의 2에 해당하는 면적을 대지의 조경면적으로 산정할 수 있다. 이 경우 조경면적으로 산정하는 면적은 대지의 조경면적의 100분의 50을 초과할 수 없다. ( )

04 공개공지 등의 면적은 연면적의 100분의 10 이상의 범위에서 건축조례로 정한다. 이 경우 조경면적과 매장유산 보호 및 조사에 관한 법률에 따른 매장유산의 현지보존 조치 면적을 공개공지 등의 면적으로 할 수 있다. ( )

05 주거지역에서 건축물이 있는 대지는 150제곱미터 이상의 범위에서 해당 지방자치단체의 조례로 정하는 면적에 못 미치게 분할할 수 없다. ( )

01 ✕ 대지는 이와 인접하는 도로면보다 낮아서는 안 된다.
02 ✕ 면적이 200제곱미터 이상인 대지에서 건축하는 경우이다.
03 ○
04 ✕ 대지면적의 100분의 10 이하의 범위에서 건축조례로 정한다.
05 ✕ 60제곱미터 이상의 범위이다.

06 건축물의 대지는 4미터 이상이 도로(자동차만의 통행에 사용되는 도로는 제외한다)에 접하여야 한다. ( )

07 연면적의 합계가 2천제곱미터(공장인 경우에는 3천제곱미터) 이상인 건축물(축사, 작물재배사, 그 밖에 이와 비슷한 건축물로서 건축조례로 정하는 규모의 건축물은 제외한다)의 대지는 너비 6미터 이상의 도로에 4미터 이상 접하여야 한다. ( )

08 소요너비(4미터)에 못 미치는 너비의 도로인 경우에는 그 중심선으로부터 그 소요너비의 수평 거리만큼 물러난 선을 건축선으로 한다. ( )

09 특별자치시장·특별자치도지사 또는 시장·군수·구청장은 시가지 안에서 건축물의 위치나 환경을 정비하기 위하여 필요하다고 인정하면 국토의 계획 및 이용에 관한 법률에 따른 도시지역에는 4미터 이하의 범위에서 건축선을 따로 지정할 수 있다. ( )

10 건축물과 담장은 건축선의 수직면을 넘어서는 아니 된다. 지표 아래 부분 또한 그러하다. ( )

---

06 × 2미터 이상이 도로에 접하여야 한다.

07 ○

08 × 그 중심선으로부터 그 소요너비의 2분의 1의 수평거리만큼 물러난 선을 건축선으로 한다.

09 ○

10 × 지표 아래 부분은 그러하지 아니하다.

house.Hackers.com

제 5 장 건축물의 구조 및 재료

📖 단원길라잡이

본 장은 건축물의 구조안전과 설비기준에 관한 부분으로 매년 1~2문제 정도가 출제되는 영역이다. 이 단원은 그 내용의 세밀한 전개로 인하여 암기를 요하는 부분이 상당히 많이 산재되어 있다. 따라서 시간의 제약을 받는 수험생분들은 해당 부분을 잘 선별해서 학습하여야 하며, 특히 설비부분에서는 모두 학습을 하기에는 그 출제빈도에 비해 학습량이 상당하므로 일부 포기함도 고려하여야 할 것이다.

🔍 출제포인트

• 구조안전확인대상
• 내진능력공개대상
• 방화지구에서의 건축기준
• 피난계단의 설치기준
• 고층 건축물의 안전관리

제1절 구조내력의 기준

(1) 건축물의 안전구조

건축물은 고정하중, 적재하중, 적설하중, 풍압, 지진, 그 밖의 진동 및 충격 등에 대하여 안전한 구조를 가져야 하며, 구조내력의 기준과 구조계산의 방법 등에 관하여 필요한 사항은 국토교통부령(건축물의 구조기준 등에 관한 규칙)으로 정한다(법 제48조 제1항·제4항).

(2) 건축물 내진등급의 설정

국토교통부장관은 지진으로부터 건축물의 구조안전을 확보하기 위하여 건축물의 용도, 규모 및 설계구조의 중요도에 따라 내진등급을 설정하여야 하며, 내진등급을 설정하기 위한 내진등급기준 등 필요한 사항은 국토교통부령(건축물의 구조기준 등에 관한 규칙)으로 정한다(법 제48조의2).

(3) 건축물의 내진능력 공개

다음의 어느 하나에 해당하는 건축물을 건축하고자 하는 자는 사용승인을 받는 즉시 건축물이 지진 발생시에 견딜 수 있는 능력(이하 '내진능력'이라 한다)을 공개하여야 한다. 다만, 창고, 축사, 작물재배사 및 표준설계도서에 따라 건축하는 건축물로서 구조안전 확인대상 건축물이 아니거나 국토교통부령으로 정하는 소규모 건축구조기준을 적용한 건축물은 공개하지 아니한다(법 제48조의3 제1항, 영 제32조 제2항, 영 제32조의2).

① 층수가 2층[주요구조부인 기둥과 보를 설치하는 건축물로서 그 기둥과 보가 목재인 목구조 건축물(이하 '목구조 건축물'이라 한다)의 경우에는 3층] 이상인 건축물
② 연면적이 200제곱미터(목구조 건축물의 경우에는 500제곱미터) 이상인 건축물
③ 높이가 13미터 이상인 건축물
④ 처마높이가 9미터 이상인 건축물
⑤ 기둥과 기둥 사이의 거리가 10미터 이상인 건축물
⑥ 건축물의 용도 및 규모를 고려한 중요도가 높은 건축물로서 국토교통부령으로 정하는 건축물
⑦ 국가적 문화유산으로 보존가치가 있는 건축물로서 국토교통부령으로 정하는 것
⑧ 한쪽 끝은 고정되고 다른 끝은 지지(支持)되지 아니한 구조로 된 보·차양 등이 외벽의 중심선으로부터 3미터 이상 돌출된 건축물
⑨ 단독주택 및 공동주택

01 구조안전 확인대상 건축물

(1) 건축물을 건축하거나 대수선하는 경우 해당 건축물의 설계자는 국토교통부령으로 정하는 구조기준 등에 따라 그 구조의 안전을 확인하여야 한다. 지방자치단체의 장은 구조안전 확인대상 건축물에 대하여 허가 등을 하는 경우 내진성능 확보 여부를 확인하여야 한다 (법 제48조 제2항 · 제3항).

(2) 구조안전을 확인한 건축물 중 다음의 어느 하나에 해당하는 건축물의 건축주는 해당 건축물의 설계자로부터 구조안전의 확인서류를 받아 착공신고를 하는 때에 그 확인서류를 허가권자에게 제출하여야 한다. 다만, 표준설계도서에 따라 건축하는 건축물은 제외한다 (영 제32조 제2항).

> ① 층수가 2층(주요구조부인 기둥과 보를 설치하는 건축물로서 그 기둥과 보가 목재인 목구조 건축물의 경우에는 3층) 이상인 건축물
> ② 연면적이 200제곱미터(목구조 건축물의 경우에는 500제곱미터) 이상인 건축물. 다만, 창고, 축사, 작물재배사는 제외한다.
> ③ 높이가 13미터 이상인 건축물
> ④ 처마높이가 9미터 이상인 건축물
> ⑤ 기둥과 기둥 사이의 거리가 10미터 이상인 건축물
> ⑥ 건축물의 용도 및 규모를 고려한 중요도가 높은 건축물로서 국토교통부령으로 정하는 건축물
> ⑦ 국가적 문화유산으로 보존가치가 있는 건축물로서 국토교통부령으로 정하는 것
> ⑧ 한쪽 끝은 고정되고 다른 끝은 지지(支持)되지 아니한 구조로 된 보 · 차양 등이 외벽의 중심선으로부터 3미터 이상 돌출된 건축물
> ⑨ 단독주택 및 공동주택

(3) 기존 건축물을 건축 또는 대수선하려는 건축주는 법 제5조 제1항에 따라 적용의 완화를 요청할 때 구조안전의 확인서류를 허가권자에게 제출하여야 한다(영 제32조 제3항).

02 관계 전문기술자와의 협력

(1) 협력대상

설계자와 공사감리자는 제40조, 제41조, 제48조부터 제50조까지, 제50조의2, 제51조, 제52조, 제62조, 제64조와 녹색건축물 조성 지원법 제15조에 따른 대지의 안전, 건축물의 구조상 안전, 부속구조물 및 건축설비의 설치 등을 위한 설계 및 공사감리를 할 때 대통령령으로 정하는 바에 따라 다음의 어느 하나의 자격을 갖춘 관계 전문기술자[기술사

법 제21조 제2호에 따라 벌칙을 받은 후 대통령령으로 정하는 기간(2년)이 경과되지 아니한 자는 제외한다]의 협력을 받아야 한다(법 제67조).

① 기술사법 제6조에 따라 기술사사무소를 개설등록한 자
② 건설기술 진흥법 제26조에 따라 건설엔지니어링사업자로 등록한 자
③ 엔지니어링산업 진흥법 제21조에 따라 엔지니어링사업자의 신고를 한 자
④ 전력기술관리법 제14조에 따라 설계업 및 감리업으로 등록한 자

(2) 다음의 어느 하나에 해당하는 건축물의 설계자는 위 **01**의 (1)에 따라 해당 건축물에 대한 구조의 안전을 확인하는 경우에는 건축구조기술사의 협력을 받아야 한다(영 제91조의3 제1항).

① 6층 이상인 건축물
② 특수구조 건축물
③ 다중이용 건축물
④ 준다중이용 건축물
⑤ 3층 이상의 필로티 형식 건축물
⑥ **01**의 (2)의 ⑥에 해당하는 건축물 중 국토교통부령으로 정하는 건축물

(3) 연면적 1만제곱미터 이상인 건축물(창고시설은 제외한다) 또는 에너지를 대량으로 소비하는 건축물로서 국토교통부령으로 정하는 건축물에 건축설비를 설치하는 경우에는 국토교통부령으로 정하는 바에 따라 다음의 구분에 따른 관계 전문기술자의 협력을 받아야 한다(영 제91조의3 제2항).

① 전기, 승강기(전기분야만 해당한다) 및 피뢰침: 기술사법에 따라 등록한 건축전기설비기술사 또는 발송배전기술사
② 급수 · 배수(配水) · 배수(排水) · 환기 · 난방 · 소화 · 배연 · 오물처리설비 및 승강기(기계분야만 해당한다): 기술사법에 따라 등록한 건축기계설비기술사 또는 공조냉동기계기술사
③ 가스설비: 기술사법에 따라 등록한 건축기계설비기술사, 공조냉동기계기술사 또는 가스기술사

(4) 깊이 10미터 이상의 토지 굴착공사 또는 높이 5미터 이상의 옹벽 등의 공사를 수반하는 건축물의 설계자 및 공사감리자는 토지 굴착 등에 관하여 국토교통부령으로 정하는 바에 따라 기술사법에 따라 등록한 토목분야 기술사 또는 국토개발분야의 지질 및 기반 기술사의 협력을 받아야 한다(영 제91조의3 제3항).

(5) 설계자 및 공사감리자는 안전상 필요하다고 인정하는 경우, 관계 법령에서 정하는 경우 및 설계계약 또는 감리계약에 따라 건축주가 요청하는 경우에는 관계 전문기술자의 협력을 받아야 한다(영 제91조의3 제4항).

(6) 특수구조 건축물 및 고층 건축물의 공사감리자는 영 제19조 제3항 제1호 각 목 및 제2호 각 목에 해당하는 공정에 다다를 때 건축구조기술사의 협력을 받아야 한다(영 제91조의3 제5항).

(7) 위 (2)부터 (6)까지의 규정에 따라 설계자 또는 공사감리자에게 협력한 관계 전문기술자는 공사현장을 확인하고, 그가 작성한 설계도서 또는 감리중간보고서 및 감리완료보고서에 설계자 또는 공사감리자와 함께 서명날인하여야 한다(영 제91조의3 제7항).

(8) 구조안전의 확인에 관하여 설계자에게 협력한 건축구조기술사는 구조의 안전을 확인한 건축물의 구조도 등 구조 관련 서류에 설계자와 함께 서명날인하여야 한다(영 제91조의3 제8항).

(9) 3층 이상인 필로티 형식 건축물의 공사감리자는 법 제48조에 따른 건축물의 구조상 안전을 위한 공사감리를 할 때 공사가 영 제18조의2 제2항 제3호 나목에 따른 단계에 다다른 경우마다 법 제67조 제1항 제1호부터 제3호까지의 규정에 따른 관계 전문기술자의 협력을 받아야 한다. 이 경우 관계 전문기술자는 건설기술 진흥법 시행령 [별표 1] 제3호 라목 1)에 따른 건축구조분야의 특급 또는 고급기술자의 자격요건을 갖춘 소속 기술자로 하여금 업무를 수행하게 할 수 있다(영 제91조의3 제6항).

03 신기술·신제품인 건축설비의 기술적 기준

(1) 국토교통부장관은 기술적 기준 및 세부기준을 적용하기 어려운 건축설비에 관한 기술·제품이 개발된 경우, 개발한 자의 신청을 받아 그 기술·제품을 평가하여 신규성·진보성 및 현장 적용성이 있다고 판단하는 경우에는 대통령령으로 정하는 바에 따라 설치 등을 위한 기준을 건축위원회의 심의를 거쳐 인정할 수 있다(법 제68조, 영 제91조의4 제1항).

(2) 국토교통부장관은 기술적 기준의 인정요청을 받은 기술·제품이 신규성·진보성 및 현장 적용성이 있다고 판단되면 그 기술적 기준을 중앙건축위원회의 심의를 거쳐 인정할 수 있다(영 제91조의4 제3항).

(3) 국토교통부장관은 기술적 기준을 인정할 때 5년의 범위에서 유효기간을 정할 수 있다. 이 경우 유효기간은 국토교통부령으로 정하는 바에 따라 연장할 수 있으며, 기술적 기준을 인정하면 그 기준과 유효기간을 관보에 고시하고, 인터넷 홈페이지에 게재해야 한다(영 제91조의4 제4항).

제3절 건축물의 방화 관련 기준

01 건축물의 내화구조와 방화벽 등

(1) 내화구조

문화 및 집회시설, 의료시설, 공동주택 등 다음의 어느 하나에 해당하는 건축물(⑤에 해당하는 건축물로서 2층 이하인 건축물은 지하층 부분만 해당한다)의 주요구조부와 지붕은 내화구조로 해야 한다. 다만, 연면적이 50제곱미터 이하인 단층의 부속건축물로서 외벽 및 처마 밑면을 방화구조로 한 것과 무대의 바닥은 그렇지 않으며, 막구조의 건축물은 주요구조부에만 내화구조로 할 수 있다(법 제50조 제1항, 영 제56조 제1항·제2항).

① 제2종 근린생활시설 중 공연장·종교집회장(해당 용도로 쓰는 바닥면적의 합계가 각각 300제곱미터 이상인 경우만 해당한다), 문화 및 집회시설(전시장 및 동·식물원은 제외한다), 종교시설, 위락시설 중 주점영업 및 장례시설의 용도로 쓰는 건축물로서 관람실 또는 집회실의 바닥면적의 합계가 200제곱미터(옥외관람석의 경우에는 1천제곱미터) 이상인 건축물

② 문화 및 집회시설 중 전시장 또는 동·식물원, 판매시설, 운수시설, 교육연구시설에 설치하는 체육관·강당, 수련시설, 운동시설 중 체육관·운동장, 위락시설(주점영업의 용도로 쓰는 것은 제외한다), 창고시설, 위험물 저장 및 처리시설, 자동차 관련 시설, 방송통신시설 중 방송국·전신전화국·촬영소, 묘지 관련 시설 중 화장시설·동물화장시설 또는 관광휴게시설의 용도로 쓰는 건축물로서 그 용도로 쓰는 바닥면적의 합계가 500제곱미터 이상인 건축물

③ 공장의 용도로 쓰는 건축물로서 그 용도로 쓰는 바닥면적의 합계가 2천제곱미터 이상인 건축물. 다만, 화재의 위험이 적은 공장으로서 국토교통부령으로 정하는 공장은 제외한다.

④ 건축물의 2층이 단독주택 중 다중주택 및 다가구주택, 공동주택, 제1종 근린생활시설(의료의 용도로 쓰는 시설만 해당한다), 제2종 근린생활시설 중 다중생활시설, 의료시설, 노유자시설 중 아동 관련 시설 및 노인복지시설, 수련시설 중 유스호스텔, 업무시설 중 오피스텔, 숙박시설 또는 장례시설의 용도로 쓰는 건축물로서 그 용도로 쓰는 바닥면적의 합계가 400제곱미터 이상인 건축물

⑤ 3층 이상인 건축물 및 지하층이 있는 건축물. 다만, 단독주택(다중주택 및 다가구주택은 제외한다), 동물 및 식물 관련 시설, 발전시설(발전소의 부속용도로 쓰는 시설은 제외한다), 교도소·감화원 또는 묘지 관련 시설(화장시설 및 동물화장시설은 제외한다)의 용도로 쓰는 건축물과 철강 관련 업종의 공장 중 제어실로 사용하기 위하여 연면적 50제곱미터 이하로 증축하는 부분은 제외한다.

건축법 제50조(건축물의 내화구조와 방화벽) 제1항 규정이다. (   ) 안에 들어갈 용어를 쓰시오.

문화 및 집회시설, 의료시설, 공동주택 등 대통령령으로 정하는 건축물은 국토교통부령으로 정하는 기준에 따라 (㉠)(와)과 지붕을 내화(耐火)구조로 하여야 한다. 다만, 막구조 등 대통령령으로 정하는 구조는 (㉠)에만 내화구조로 할 수 있다.

정답: 주요구조부

(2) 대규모 건축물의 방화벽

연면적 1천제곱미터 이상인 건축물은 방화벽으로 구획하되, 각 구획된 바닥면적의 합계는 1천제곱미터 미만이어야 한다. 다만, 주요구조부가 내화구조이거나 불연재료인 건축물과 위 (1)의 ⑤ 단서에 따른 건축물 또는 내부설비의 구조상 방화벽으로 구획할 수 없는 창고시설의 경우에는 그러하지 아니하다(법 제50조 제2항, 영 제57조 제1항).

(3) 방화구획의 설치

① 원칙: 주요구조부가 내화구조 또는 불연재료로 된 건축물로서 연면적이 1천제곱미터를 넘는 것은 다음의 구조물로 구획(이하 '방화구획'이라 한다)을 해야 한다. 다만, 원자력안전법에 따른 원자로 및 관계 시설은 원자력안전법에서 정하는 바에 따르며, 건축물 일부의 주요구조부를 내화구조로 하거나 아래의 ②에 따라 건축물의 일부에 원칙을 완화하여 적용한 경우에는 내화구조로 한 부분 또는 완화하여 적용한 부분과 그 밖의 부분을 방화구획으로 구획하여야 한다(영 제46조 제1항 · 제3항).

㉠ 내화구조로 된 바닥 및 벽
㉡ 60분+ 방화문, 60분 방화문 또는 자동방화셔터(국토교통부령으로 정하는 기준에 적합한 것을 말한다. 이하 같다)

핵심 콕! 콕! 방화문의 구분

1. 60분+ 방화문: 연기 및 불꽃을 차단할 수 있는 시간이 60분 이상이고, 열을 차단할 수 있는 시간이 30분 이상인 방화문
2. 60분 방화문: 연기 및 불꽃을 차단할 수 있는 시간이 60분 이상인 방화문
3. 30분 방화문: 연기 및 불꽃을 차단할 수 있는 시간이 30분 이상 60분 미만인 방화문

② 예외: 다음의 어느 하나에 해당하는 건축물의 부분에는 ①을 적용하지 아니하거나 그 사용에 지장이 없는 범위에서 ①을 완화하여 적용할 수 있다(영 제46조 제2항).

> ㉠ 문화 및 집회시설(동·식물원은 제외한다), 종교시설, 운동시설 또는 장례시설의 용도로 쓰는 거실로서 시선 및 활동공간의 확보를 위하여 불가피한 부분
> ㉡ 물품의 제조·가공 및 운반 등(보관은 제외한다)에 필요한 고정식 대형 기기(器機) 또는 설비의 설치를 위하여 불가피한 부분. 다만, 지하층인 경우에는 지하층의 외벽 한쪽 면(지하층의 바닥면에서 지상층 바닥 아래면까지의 외벽 면적 중 4분의 1 이상이 되는 면을 말한다) 전체가 건물 밖으로 개방되어 보행과 자동차의 진입·출입이 가능한 경우로 한정한다.
> ㉢ 계단실·복도 또는 승강기의 승강장 및 승강로로서 그 건축물의 다른 부분과 방화구획으로 구획된 부분. 다만, 해당 부분에 위치하는 설비배관 등이 바닥을 관통하는 부분은 제외한다.
> ㉣ 건축물의 최상층 또는 피난층으로서 대규모 회의장·강당·스카이라운지·로비 또는 피난안전구역 등의 용도로 쓰는 부분으로서 그 용도로 사용하기 위하여 불가피한 부분
> ㉤ 복층형 공동주택의 세대별 층간바닥 부분
> ㉥ 주요구조부가 내화구조 또는 불연재료로 된 주차장
> ㉦ 단독주택, 동물 및 식물 관련 시설 또는 국방·군사시설(집회, 체육, 창고 등의 용도로 사용되는 시설만 해당한다)로 쓰는 건축물
> ㉧ 건축물의 1층과 2층의 일부를 동일한 용도로 사용하며 그 건축물의 다른 부분과 방화구획으로 구획된 부분(바닥면적의 합계가 500제곱미터 이하인 경우로 한정한다)

③ 노약자 보호시설의 설치: 요양병원, 정신병원, 노인요양시설, 장애인 거주시설 및 장애인 의료재활시설의 피난층 외의 층에는 다음의 어느 하나에 해당하는 시설을 설치하여야 한다(영 제46조 제6항).

> ㉠ 각 층마다 별도로 방화구획된 대피공간
> ㉡ 거실에 접하여 설치된 노대 등
> ㉢ 계단을 이용하지 아니하고 건물 외부의 지상으로 통하는 경사로 또는 인접 건축물로 피난할 수 있도록 설치하는 연결복도 또는 연결통로

(4) 목조 건축물의 방화기준

연면적 1천제곱미터 이상인 목조 건축물의 구조는 국토교통부령으로 정하는 바에 따라 방화구조로 하거나 불연재료로 하여야 한다(영 제57조 제3항).

02 방화지구에서의 건축기준

(1) 주요구조부와 외벽의 내화구조

국토의 계획 및 이용에 관한 법률에 따른 방화지구 안에서는 건축물의 주요구조부와 지붕·외벽을 내화구조로 하여야 한다. 다만, 다음의 경우에는 그러하지 아니하다(법 제51조 제1항, 영 제58조).

> ① 연면적 30제곱미터 미만인 단층 부속건축물로서 외벽 및 처마면이 내화구조 또는 불연재료로 된 것
> ② 도매시장의 용도로 쓰는 건축물로서 그 주요구조부가 불연재료로 된 것

(2) 방화지구 안의 공작물과 외벽의 설치기준

방화지구 안의 공작물로서 간판, 광고탑, 그 밖에 대통령령으로 정하는 공작물 중 건축물의 지붕 위에 설치하는 공작물이나 높이 3미터 이상의 공작물은 주요부를 불연재료로 하여야 하며, 방화지구 안의 지붕·방화문 및 인접 대지경계선에 접하는 외벽은 국토교통부령으로 정하는 구조 및 재료로 하여야 한다(법 제51조 제2항·제3항).

03 건축물의 마감재료

(1) 내부 마감재료

다음의 용도 및 규모의 건축물의 벽, 반자, 지붕(반자가 없는 경우에 한정한다) 등 내부의 마감재료는 방화에 지장이 없는 재료로 하되, 실내공기질 관리법 제5조 및 제6조에 따른 실내공기질 유지기준 및 권고기준을 고려하고 관계 중앙행정기관의 장과 협의하여 국토교통부령으로 정하는 기준에 따른 것이어야 한다. 다만, 그 주요구조부가 내화구조 또는 불연재료로 되어 있고 그 거실의 바닥면적(스프링클러나 그 밖에 이와 비슷한 자동식 소화설비를 설치한 바닥면적을 뺀 면적으로 한다. 이하 같다) 200제곱미터 이내마다 방화구획이 되어 있는 건축물은 제외한다(법 제52조 제1항, 영 제61조 제1항).

> ① 단독주택 중 다중주택·다가구주택, 공동주택
> ② 제2종 근린생활시설 중 공연장·종교집회장·인터넷컴퓨터게임시설제공업소·학원·독서실·당구장·다중생활시설의 용도로 쓰는 건축물
> ③ 발전시설, 방송통신시설(방송국·촬영소의 용도로 쓰는 건축물로 한정한다)
> ④ 공장, 창고시설, 위험물 저장 및 처리시설(자가난방과 자가발전 등의 용도로 쓰는 시설을 포함한다), 자동차 관련 시설의 용도로 쓰는 건축물
> ⑤ 5층 이상인 층 거실의 바닥면적의 합계가 500제곱미터 이상인 건축물

⑥ 문화 및 집회시설, 종교시설, 판매시설, 운수시설, 의료시설, 교육연구시설 중 학교·학원, 노유자시설, 수련시설, 업무시설 중 오피스텔, 숙박시설, 위락시설, 장례시설

⑦ 다중이용업소의 안전관리에 관한 특별법 시행령 제2조에 따른 다중이용업의 용도로 쓰는 건축물

(2) 외벽 마감재료

다음의 건축물의 외벽에 사용하는 마감재료는 방화에 지장이 없는 재료로 하여야 한다. 이 경우 마감재료의 기준은 국토교통부령으로 정한다(법 제52조 제2항, 영 제61조 제2항).

① 상업지역(근린상업지역은 제외한다)의 건축물로서 다음의 어느 하나에 해당하는 것
  ㉠ 제1종 근린생활시설, 제2종 근린생활시설, 문화 및 집회시설, 종교시설, 판매시설, 운동시설 및 위락시설의 용도로 쓰는 건축물로서 그 용도로 쓰는 바닥면적의 합계가 2천제곱미터 이상인 건축물
  ㉡ 공장(국토교통부령으로 정하는 화재 위험이 적은 공장은 제외한다)의 용도로 쓰는 건축물로부터 6미터 이내에 위치한 건축물
② 의료시설, 교육연구시설, 노유자시설 및 수련시설의 용도로 쓰는 건축물
③ 3층 이상 또는 높이 9미터 이상인 건축물
④ 1층의 전부 또는 일부를 필로티 구조로 설치하여 주차장으로 쓰는 건축물
⑤ 공장, 창고시설, 위험물 저장 및 처리시설(자가난방과 자가발전 등의 용도로 쓰는 시설을 포함한다), 자동차 관련 시설의 용도로 쓰는 건축물

(3) 바닥 마감재료

욕실, 화장실, 목욕장 등의 바닥 마감재료는 미끄럼을 방지할 수 있도록 국토교통부령으로 정하는 기준에 적합하여야 한다(법 제52조 제3항).

(4) 외벽창호기준

위 (2)의 건축물 외벽에 설치되는 창호(窓戶)는 방화에 지장이 없도록 인접 대지와의 이격거리를 고려하여 방화성능 등이 국토교통부령으로 정하는 기준에 적합하여야 한다(법 제52조 제4항, 영 제61조 제2항).

(5) 실내건축

다음의 용도 및 규모에 해당하는 건축물의 실내건축은 방화에 지장이 없고 사용자의 안전에 문제가 없는 구조 및 재료로 시공하여야 하며, 특별자치시장·특별자치도지사 또는 시장·군수·구청장은 실내건축이 적정하게 설치 및 시공되었는지를 검사하여야 한다. 이 경우 검사하는 대상 건축물과 주기는 건축조례로 정한다(법 제52조의2, 영 제61조의2).

① 다중이용 건축물
② 건축물의 분양에 관한 법률 제3조에 따른 건축물
③ [별표 1] 제3호 나목 및 같은 표 제4호 아목에 따른 건축물(칸막이로 거실의 일부를 가로로 구획하거나 가로 및 세로로 구획하는 경우만 해당한다)

04 방화에 장애가 되는 용도의 제한

(1) 복합용도 제한

의료시설, 노유자시설(아동 관련 시설 및 노인복지시설만 해당한다), 공동주택, 장례시설 또는 제1종 근린생활시설(산후조리원만 해당한다)과 위락시설, 위험물 저장 및 처리시설, 공장 또는 자동차 관련 시설(정비공장만 해당한다)은 같은 건축물에 함께 설치할 수 없다. 다만, 다음의 어느 하나에 해당하는 경우로서 국토교통부령으로 정하는 경우에는 그러하지 아니하다(법 제49조 제2항, 영 제47조 제1항).

① 공동주택(기숙사만 해당한다)과 공장이 같은 건축물에 있는 경우
② 중심상업지역·일반상업지역 또는 근린상업지역에서 도시 및 주거환경정비법에 따른 재개발사업을 시행하는 경우
③ 공동주택과 위락시설이 같은 초고층 건축물에 있는 경우. 다만, 사생활을 보호하고 방범·방화 등 주거안전을 보장하며 소음·악취 등으로부터 주거환경을 보호할 수 있도록 주택의 출입구·계단 및 승강기 등을 주택 외의 시설과 분리된 구조로 하여야 한다.
④ 산업집적활성화 및 공장설립에 관한 법률 제2조 제13호에 따른 지식산업센터와 영유아보육법 제10조 제4호에 따른 직장어린이집이 같은 건축물에 있는 경우

(2) 기타 복합용도 제한

다음의 어느 하나에 해당하는 용도의 시설은 같은 건축물에 함께 설치할 수 없다(법 제49조 제2항, 영 제47조 제2항).

① 노유자시설 중 아동 관련 시설 또는 노인복지시설과 판매시설 중 도매시장 또는 소매시장
② 단독주택(다중주택, 다가구주택에 한정한다), 공동주택, 제1종 근린생활시설 중 조산원 또는 산후조리원과 제2종 근린생활시설 중 다중생활시설

(3) 건축물의 범죄예방

국토교통부장관은 범죄를 예방하고 안전한 생활환경을 조성하기 위하여 건축물, 건축설비 및 대지에 관한 범죄예방기준을 정하여 고시할 수 있고, 다음의 건축물은 범죄예방기준에 따라 건축하여야 한다(법 제53조의2, 영 제63조의7).

① 다가구주택, 아파트, 연립주택 및 다세대주택
② 제1종 근린생활시설 중 일용품을 판매하는 소매점
③ 제2종 근린생활시설 중 다중생활시설
④ 문화 및 집회시설(동·식물원은 제외한다)
⑤ 교육연구시설(연구소 및 도서관은 제외한다)
⑥ 노유자시설
⑦ 수련시설
⑧ 업무시설 중 오피스텔
⑨ 숙박시설 중 다중생활시설

제4절 건축물의 피난시설 설치기준

01 건축물의 피난시설 등의 설치

(1) 피난시설의 설치

대통령령으로 정하는 용도 및 규모의 건축물과 그 대지에는 국토교통부령으로 정하는 바에 따라 복도, 계단, 출입구, 그 밖의 피난시설과 저수조(貯水槽), 대지 안의 피난과 소화에 필요한 통로를 설치하여야 한다(법 제49조 제1항).

(2) 피난규정의 적용

건축물이 창문, 출입구, 그 밖의 개구부(開口部)(이하 '창문 등'이라 한다)가 없는 내화구조의 바닥 또는 벽으로 구획되어 있는 경우에는 그 구획된 각 부분을 각각 별개의 건축물로 보아 제34조부터 제41조까지 및 제48조를 적용한다(영 제44조).

02 대피공간

(1) 설치기준

공동주택 중 아파트로서 4층 이상인 층의 각 세대가 2개 이상의 직통계단을 사용할 수 없는 경우에는 발코니(발코니의 외부에 접하는 경우를 포함한다)에 인접 세대와 공동으로 또는 각 세대별로 다음의 요건을 모두 갖춘 대피공간을 하나 이상 설치하여야 한다. 이 경우 인접 세대와 공동으로 설치하는 대피공간은 인접 세대를 통하여 2개 이상의 직통계단을 쓸 수 있는 위치에 우선 설치되어야 한다(영 제46조 제4항).

① 대피공간은 바깥의 공기와 접할 것
② 대피공간은 실내의 다른 부분과 방화구획으로 구획될 것
③ 대피공간의 바닥면적은 인접 세대와 공동으로 설치하는 경우에는 3제곱미터 이상, 각 세대별로 설치하는 경우에는 2제곱미터 이상일 것
④ 대피공간으로 통하는 출입문은 60분+ 방화문으로 설치할 것
⑤ 국토교통부장관이 정하는 기준에 적합할 것

(2) 설치면제

아파트의 4층 이상인 층에서 발코니(발코니의 외부에 접하는 경우를 포함한다)에 다음의 어느 하나에 해당하는 구조 또는 시설을 설치한 경우에는 대피공간을 설치하지 아니할 수 있다(영 제46조 제5항).

① 발코니와 인접 세대와의 경계벽이 파괴하기 쉬운 경량구조 등인 경우
② 발코니의 경계벽에 피난구를 설치한 경우
③ 발코니의 바닥에 국토교통부령으로 정하는 하향식 피난구를 설치한 경우
④ 국토교통부장관이 대피공간과 동일하거나 그 이상의 성능이 있다고 인정하여 고시하는 구조 또는 시설(대체시설)을 갖춘 경우. 이 경우 국토교통부장관은 대체시설의 성능에 대해 미리 과학기술분야 정부출연연구기관 등의 설립·운영 및 육성에 관한 법률 제8조 제1항에 따라 설립된 한국건설기술연구원의 기술검토를 받은 후 고시해야 한다.

03 직통계단의 설치

(1) 원칙

건축물의 피난층(직접 지상으로 통하는 출입구가 있는 층 및 초고층 건축물과 준초고층 건축물에 설치하는 피난안전구역을 말한다. 이하 같다) 외의 층에서는 피난층 또는 지상으로 통하는 직통계단(경사로를 포함한다. 이하 같다)을 거실의 각 부분으로부터 계단(거실로부터 가장 가까운 거리에 있는 1개 소의 계단을 말한다)에 이르는 보행거리가 30미터 이하가 되도록 설치해야 한다(영 제34조 제1항 본문).

(2) 완화

건축물(지하층에 설치하는 것으로서 바닥면적의 합계가 300제곱미터 이상인 공연장·집회장·관람장 및 전시장은 제외한다)의 주요구조부가 내화구조 또는 불연재료로 된 건축물은 그 보행거리가 50미터(층수가 16층 이상인 공동주택의 경우 16층 이상인 층에 대해서는 40미터) 이하가 되도록 설치할 수 있으며, 자동화 생산시설에 스프링클러 등 자동식 소화설비를 설치한 공장으로서 국토교통부령으로 정하는 공장인 경우에는 그 보행거리가 75미터(무인화 공장인 경우에는 100미터) 이하가 되도록 설치할 수 있다(영 제34조 제1항 단서).

(3) 직통계단을 2개 소 이상 설치하여야 하는 경우

피난층 외의 층이 다음의 어느 하나에 해당하는 용도 및 규모의 건축물에는 국토교통부령이 정하는 기준에 따라 피난층 또는 지상으로 통하는 직통계단을 2개 소 이상 설치하여야한다(영 제34조 제2항).

① 제2종 근린생활시설 중 공연장·종교집회장, 문화 및 집회시설(전시장 및 동·식물원은 제외한다), 종교시설, 위락시설 중 주점영업 또는 장례시설의 용도로 쓰는 층으로서 그 층에서 해당 용도로 쓰는 바닥면적의 합계가 200제곱미터(제2종 근린생활시설 중 공연장·종교집회장은 각각 300제곱미터) 이상인 것
② 단독주택 중 다중주택·다가구주택, 제1종 근린생활시설 중 정신과의원(입원실이 있는 경우로 한정한다), 제2종 근린생활시설 중 인터넷컴퓨터게임시설제공업소(해당 용도로 쓰는 바닥면적의 합계가 300제곱미터 이상인 경우만 해당한다)·학원·독서실, 판매시설, 운수시설(여객용 시설만 해당한다), 의료시설(입원실이 없는 치과병원은 제외한다), 교육연구시설 중 학원, 노유자시설 중 아동 관련 시설·노인복지시설·장애인 거주시설(장애인복지법 제58조 제1항 제1호에 따른 장애인 거주시설 중 국토교통부령으로 정하는 시설을 말한다. 이하 같다) 및 장애인복지법 제58조 제1항 제4호에 따른 장애인 의료재활시설(이하 '장애인 의료재활시설'이라 한다), 수련시설 중 유스호스텔 또는 숙박시설의 용도로 쓰는 3층 이상의 층으로서 그 층의 해당 용도로 쓰는 거실의 바닥면적의 합계가 200제곱미터 이상인 것
③ 공동주택(층당 4세대 이하인 것은 제외한다) 또는 업무시설 중 오피스텔의 용도로 쓰는 층으로서 그 층의 해당 용도로 쓰는 거실의 바닥면적의 합계가 300제곱미터 이상인 것
④ 위 ①부터 ③까지의 공동주택(층당 4세대 이하인 것은 제외한다) 또는 업무시설 중 오피스텔의 용도로 쓰는 층으로서 그 층의 해당 용도로 쓰는 거실의 바닥면적의 합계가 300제곱미터 이상인 것
⑤ 지하층으로서 그 층 거실의 바닥면적의 합계가 200제곱미터 이상인 것

04 피난계단·특별피난계단의 설치

(1) 피난계단의 설치

5층 이상 또는 지하 2층 이하의 층에 설치하는 직통계단은 국토교통부령이 정하는 기준에 따라 피난계단 또는 특별피난계단으로 설치하여야 한다. 다만, 건축물의 주요구조부가 내화구조 또는 불연재료로 되어 있는 경우로서 다음에 해당하는 경우에는 그러하지아니하다(영 제35조 제1항).

① 5층 이상의 층의 바닥면적의 합계가 200제곱미터 이하인 경우
② 5층 이상의 층의 바닥면적 200제곱미터 이내마다 방화구획이 되어 있는 경우

(2) 판매시설의 직통계단

위 (1)에도 불구하고 판매시설의 용도로 쓰는 층으로부터의 직통계단은 그중 1개 소 이상을 특별피난계단으로 설치하여야 한다(영 제35조 제3항).

(3) 특별피난계단의 설치

건축물(갓복도식 공동주택은 제외한다)의 11층(공동주택의 경우에는 16층) 이상인 층(바닥면적이 400제곱미터 미만인 층은 제외한다) 또는 지하 3층 이하인 층(바닥면적이 400제곱미터 미만인 층은 제외한다)으로부터 피난층 또는 지상으로 통하는 직통계단은 특별피난계단으로 설치하여야 한다(영 제35조 제2항).

(4) 직통계단 외 피난계단의 설치

건축물의 5층 이상인 층으로서 문화 및 집회시설 중 전시장 또는 동·식물원, 판매시설, 운수시설(여객용 시설만 해당한다), 운동시설, 위락시설, 관광휴게시설(다중이 이용하는 시설만 해당한다) 또는 수련시설 중 생활권 수련시설의 용도로 쓰는 층에는 직통계단 외에 그 층의 해당 용도로 쓰는 바닥면적의 합계가 2천제곱미터를 넘는 경우에는 그 넘는 2천제곱미터 이내마다 1개 소의 피난계단 또는 특별피난계단(4층 이하의 층에는 쓰지 아니하는 피난계단 또는 특별피난계단만 해당한다)을 설치하여야 한다(영 제35조 제5항).

> **더 알아보기** 직통계단·피난계단·특별피난계단의 의미
>
> 1. **직통계단**
>   건축물의 피난층으로 직통으로 통하는 계단. 예를 들면, 3층에서 1층으로 계단만 쭉 타고 내려와야 하는 구조이다. 만약 3층에서 2층으로 내려와서 2층의 복도를 통행하여 다시 1층으로 내려가는 계단구조이어서는 안 된다.
> 2. **피난계단**
>   직통계단이어야 하고 불연재료로 마감하며, 예비조명 설치와 계단실 입구에 방화문 등이 설치되어 방화위험에 더 안전한 직통계단이다.
> 3. **특별피난계단**
>   방화문을 한번 열면 공간이 있고 그 공간에서 또 방화문을 열어 계단실에 들어가게 되는 구조이고, 그 공간에 피난계단으로의 연기의 침입을 방지하고 침입된 연기를 배출할 수 있도록 전실을 설치한 구조이다.

05 옥외피난계단의 설치

건축물의 3층 이상의 층(피난층을 제외한다)으로서 다음에 해당하는 용도에 쓰이는 층의 경우에는 직통계단 외에 그 층으로부터 지상으로 통하는 옥외피난계단을 따로 설치하여야 한다(영 제36조).

① 제2종 근린생활시설 중 공연장(해당 용도로 쓰는 바닥면적의 합계가 300제곱미터 이상인 경우만 해당한다), 문화 및 집회시설 중 공연장이나 위락시설 중 주점영업의 용도로 쓰는 층으로서 그 층 거실의 바닥면적의 합계가 300제곱미터 이상인 것

② 문화 및 집회시설 중 집회장의 용도로 쓰는 층으로서 그 층 거실의 바닥면적의 합계가 1천제곱미터 이상인 것

06 고층 건축물의 피난 및 안전관리

(1) 원칙

① 고층 건축물에는 대통령령으로 정하는 바에 따라 피난안전구역을 설치하거나 대피공간을 확보한 계단을 설치하여야 하며, 설치된 피난안전구역·피난시설 또는 대피공간에는 국토교통부령으로 정하는 바에 따라 화재 등의 경우에 피난 용도로 사용되는 것임을 표시하여야 한다(법 제50조의2 제1항·제2항).

② 고층 건축물의 화재예방 및 피해경감을 위하여 국토교통부령으로 정하는 바에 따라 법 제48조부터 제50조까지(건축물의 구조, 피난시설, 내화구조기준 등)의 기준을 강화하여 적용할 수 있다(법 제50조의2 제3항).

(2) 초고층 건축물의 피난안전구역

초고층 건축물에는 피난층 또는 지상으로 통하는 직통계단과 직접 연결되는 피난안전구역(건축물의 피난·안전을 위하여 건축물 중간층에 설치하는 대피공간을 말한다. 이하 같다)을 지상층으로부터 최대 30개 층마다 1개 소 이상 설치하여야 한다(영 제34조 제3항).

(3) 준초고층 건축물의 피난안전구역

준초고층 건축물에는 피난층 또는 지상으로 통하는 직통계단과 직접 연결되는 피난안전구역을 해당 건축물 전체 층수의 2분의 1에 해당하는 층으로부터 상하 5개 층 이내에 1개 소 이상 설치하여야 한다. 다만, 국토교통부령으로 정하는 기준에 따라 피난층 또는 지상으로 통하는 직통계단을 설치하는 경우에는 그러하지 아니하다(영 제34조 제4항).

07 개방공간의 설치

바닥면적의 합계가 3천제곱미터 이상인 공연장·집회장·관람장 또는 전시장을 지하층에 설치하는 경우에는 각 실에 있는 자가 지하층 각 층에서 건축물 밖으로 피난하여 옥외계단 또는 경사로 등을 이용하여 피난층으로 대피할 수 있도록 천장이 개방된 외부 공간을 설치하여야 한다(영 제37조).

08 난간 · 옥상광장 · 헬리포트의 설치

(1) 난간의 설치

옥상광장 또는 2층 이상인 층에 있는 노대 등[노대(露臺)나 그 밖에 이와 비슷한 것을 말한다]의 주위에는 높이 1.2미터 이상의 난간을 설치하여야 한다. 다만, 그 노대 등에 출입할 수 없는 구조인 경우에는 그러하지 아니하다(영 제40조 제1항).

(2) 옥상광장의 설치

5층 이상인 층이 제2종 근린생활시설 중 공연장 · 종교집회장 · 인터넷컴퓨터게임시설제공업소(해당 용도로 쓰는 바닥면적의 합계가 각각 300제곱미터 이상인 경우만 해당한다), 문화 및 집회시설(전시장 및 동 · 식물원은 제외한다), 종교시설, 판매시설, 위락시설 중 주점영업 또는 장례시설의 용도로 쓰는 경우에는 피난 용도로 쓸 수 있는 광장을 옥상에 설치하여야 한다(영 제40조 제2항).

(3) 헬리포트의 설치

층수가 11층 이상인 건축물로서 11층 이상인 층의 바닥면적의 합계가 1만제곱미터 이상인 건축물의 옥상에는 다음의 구분에 따른 공간을 확보하여야 한다(영 제40조 제3항).

> ① 건축물의 지붕을 평지붕으로 하는 경우: 헬리포트를 설치하거나 헬리콥터를 통하여 인명 등을 구조할 수 있는 공간
> ② 건축물의 지붕을 경사지붕으로 하는 경우: 경사지붕 아래에 설치하는 대피공간

09 관람실 등으로부터의 출구 설치

다음의 어느 하나에 해당하는 건축물에는 국토교통부령이 정하는 기준에 따라 관람실 또는 집회실로부터의 출구를 설치해야 한다(영 제38조).

> ① 제2종 근린생활시설 중 공연장 · 종교집회장(해당 용도로 쓰는 바닥면적의 합계가 각각 300제곱미터 이상인 경우만 해당한다)
> ② 문화 및 집회시설(전시장 및 동 · 식물원은 제외한다)
> ③ 종교시설
> ④ 위락시설
> ⑤ 장례시설

기출예제

건축법령상 피난과 소화를 위해 관람실 또는 집회실로부터의 출구를 건축물에 설치해야 하는 시설이 아닌 것은?

제26회

① 전시장
② 종교시설
③ 위락시설
④ 장례시설
⑤ 제2종 근린생활시설 중 공연장(해당 용도로 쓰는 바닥면적의 합계가 300제곱미터인 경우)

해설

출구 설치대상 건축물
다음의 어느 하나에 해당하는 건축물에는 국토교통부령이 정하는 기준에 따라 관람실 또는 집회실로부터의 출구를 설치해야 한다(영 제38조).
• 제2종 근린생활시설 중 공연장·종교집회장(해당 용도로 쓰는 바닥면적의 합계가 각각 300제곱미터 이상인 경우만 해당한다)
• 문화 및 집회시설(전시장 및 동·식물원은 제외한다)
• 종교시설
• 위락시설
• 장례시설

정답: ①

10 건축물의 바깥쪽으로의 출구 설치

다음의 어느 하나에 해당하는 건축물에는 국토교통부령이 정하는 기준에 따라 그 건축물로부터 바깥쪽으로 나가는 출구를 설치하여야 하며, 국토교통부령이 정하는 기준에 적합할 경우에는 회전문으로 설치할 수 있다(영 제39조 제1항·제2항).

① 제2종 근린생활시설 중 공연장·종교집회장·인터넷컴퓨터게임시설제공업소(해당 용도로 쓰는 바닥면적의 합계가 각각 300제곱미터 이상인 경우만 해당한다)
② 문화 및 집회시설(전시장 및 동·식물원은 제외한다)
③ 종교시설
④ 판매시설
⑤ 업무시설 중 국가 또는 지방자치단체의 청사
⑥ 위락시설
⑦ 연면적이 5천제곱미터 이상인 창고시설
⑧ 교육연구시설 중 학교
⑨ 장례시설
⑩ 승강기를 설치하여야 하는 건축물

건축법령상 피난시설로서 건축물로부터 바깥쪽으로 나가는 출구를 설치하여야 하는 건축물이 아닌 것은? (단, 특례 및 조례는 고려하지 않음)

제27회

① 문화 및 집회시설(전시장 및 동·식물원만 해당한다)
② 승강기를 설치하여야 하는 건축물
③ 연면적이 5천제곱미터 이상인 창고시설
④ 교육연구시설 중 학교
⑤ 제2종 근린생활시설 중 인터넷컴퓨터게임시설제공업소(해당 용도로 쓰는 바닥면적의 합계가 300제곱미터 이상인 경우만 해당한다)

해설

바깥쪽 출구 설치대상 건축물
• 제2종 근린생활시설 중 공연장·종교집회장·인터넷컴퓨터게임시설제공업소(해당 용도로 쓰는 바닥면적의 합계가 각각 300제곱미터 이상인 경우만 해당한다)
• 문화 및 집회시설(전시장 및 동·식물원은 제외한다)
• 종교시설
• 판매시설
• 업무시설 중 국가 또는 지방자치단체의 청사
• 위락시설
• 연면적이 5천제곱미터 이상인 창고시설
• 교육연구시설 중 학교
• 장례시설
• 승강기를 설치하여야 하는 건축물

정답: ①

11 대지 안의 피난 및 소화에 필요한 통로 설치

(1) 바깥쪽 통로의 설치

건축물의 대지 안에는 그 건축물 바깥쪽으로 통하는 주된 출구와 지상으로 통하는 피난계단 및 특별피난계단으로부터 도로 또는 공지(공원, 광장, 그 밖에 이와 비슷한 것으로서 피난 및 소화를 위하여 해당 대지의 출입에 지장이 없는 것을 말한다)로 통하는 통로를 다음의 기준에 따라 설치하여야 한다(영 제41조 제1항).

① 통로의 너비는 다음의 구분에 따른 기준에 따라 확보할 것
　ⓐ 단독주택: 유효너비 0.9미터 이상
　ⓑ 바닥면적의 합계가 500제곱미터 이상인 문화 및 집회시설, 종교시설, 의료시설, 위락시설 또는 장례시설: 유효너비 3미터 이상
　ⓒ 그 밖의 용도로 쓰는 건축물: 유효너비 1.5미터 이상
② 필로티 내 통로의 길이가 2미터 이상인 경우에는 피난 및 소화활동에 장애가 발생하지 아니하도록 자동차 진입억제용 말뚝 등 통로 보호시설을 설치하거나 통로에 단차를 둘 것

(2) 소방자동차 출입통로의 설치

위 **(1)**에도 불구하고 다중이용 건축물, 준다중이용 건축물 또는 층수가 11층 이상인 건축물이 건축되는 대지에는 그 안의 모든 다중이용 건축물, 준다중이용 건축물 또는 층수가 11층 이상인 건축물에 소방기본법에 따른 소방자동차의 접근이 가능한 통로를 설치하여야 한다. 다만, 모든 다중이용 건축물, 준다중이용 건축물 또는 층수가 11층 이상인 건축물이 소방자동차의 접근이 가능한 도로 또는 공지에 직접 접하여 건축되는 경우로서 소방자동차가 도로 또는 공지에서 직접 소방활동이 가능한 경우에는 그러하지 아니하다 (영 제41조 제2항).

(3) 주·야간 식별표시

11층 이하의 건축물에는 국토교통부령으로 정하는 기준에 따라 소방관이 진입할 수 있는 곳을 정하여 소방관이 진입할 수 있는 창을 설치하고, 외부에서 주·야간 식별할 수 있는 표시를 하여야 한다. 다만, 다음의 어느 하나에 해당하는 아파트는 제외한다(법 제49조 제3항, 영 제51조 제4항).

> ① 대피공간 등을 설치한 아파트
> ② 주택건설기준 등에 관한 규정 제15조 제2항에 따라 비상용 승강기를 설치한 아파트

(4) 층간소음 방지를 위한 시설

① 다음의 어느 하나에 해당하는 건축물의 경계벽은 가구·세대 등간 소음 방지를 위하여 내화구조로 하고, 지붕 밑 또는 바로 위층의 바닥판까지 닿는 경계벽을 설치하여야 한다 (법 제49조 제4항, 영 제53조 제1항, 규칙 제19조).

> ㉠ 단독주택 중 다가구주택의 각 가구간 또는 공동주택(기숙사는 제외한다)의 각 세대간 경계벽(거실·침실 등의 용도로 쓰지 아니하는 발코니 부분은 제외한다)
> ㉡ 공동주택 중 기숙사의 침실, 의료시설의 병실, 교육연구시설 중 학교의 교실 또는 숙박시설의 객실간 경계벽
> ㉢ 제2종 근린생활시설 중 다중생활시설의 호실간 경계벽
> ㉣ 노유자시설 중 노인복지주택의 각 세대간 경계벽
> ㉤ 노유자시설 중 노인요양시설의 호실간 경계벽

더 알아보기 **건축물의 경계벽**

1. 경계벽의 구조
   - 철근콘크리트조 · 철골철근콘크리트조로서 두께가 10센티미터 이상인 것
   - 무근콘크리트조 또는 석조로서 두께가 10센티미터(시멘트모르타르 · 회반죽 또는 석고플라스터의 바름두께를 포함한다) 이상인 것
   - 콘크리트블록조 또는 벽돌조로서 두께가 19센티미터 이상인 것

2. 위 1.에도 불구하고 다가구주택 및 공동주택의 세대간의 경계벽인 경우에는 주택건설기준 등에 관한 규정 제14조에 따른다. 철근 · 철골콘크리트 15센티미터, 무근 · 벽돌조 20센티미터, 조립식 주택부재 12센티미터

② 다음의 어느 하나에 해당하는 건축물의 층간바닥(화장실의 바닥은 제외한다)은 국토교통부령으로 정하는 기준[가구 · 세대 등간 소음 방지를 위한 바닥은 경량충격음(58데시벨 이하)과 중량충격음(50데시벨 이하)을 차단할 수 있는 구조]에 따라 설치하여야 한다(법 제49조 제4항, 영 제53조 제2항).

> ⊙ 단독주택 중 다가구주택
> ○ 공동주택(주택법 제15조에 따른 주택건설사업계획승인대상은 제외한다)
> © 업무시설 중 오피스텔
> ® 제2종 근린생활시설 중 다중생활시설
> @ 숙박시설 중 다중생활시설

(5) 침수방지시설

자연재해대책법 제12조 제1항에 따른 자연재해위험개선지구 중 침수위험지구에 국가 · 지방자치단체 또는 공공기관의 운영에 관한 법률 제4조 제1항에 따른 공공기관이 건축하는 건축물은 침수방지 및 방수를 위하여 다음의 기준에 따라야 한다(법 제49조 제5항, 규칙 제19조의2).

> ① 건축물의 1층 전체를 필로티(건축물을 사용하기 위한 경비실, 계단실, 승강기실, 그 밖에 이와 비슷한 것을 포함한다) 구조로 할 것
> ② 다음의 침수방지시설을 설치할 것
>   ⊙ 차수판(遮水板)
>   ○ 역류방지 밸브

01 건축설비기준에 관한 일반

(1) 일반원칙

건축설비는 건축물의 안전·방화, 위생, 에너지 및 정보통신의 합리적 이용에 지장이 없도록 설치하여야 하고, 배관피트 및 닥트의 단면적과 수선구의 크기를 해당 설비의 수선에 지장이 없도록 하는 등 설비의 유지·관리가 쉽게 설치하여야 한다(법 제62조, 영 제87조 제1항).

(2) 기술적 기준

건축물에 설치하는 급수·배수·냉방·난방·환기·피뢰 등 건축설비의 설치에 관한 기술적 기준은 국토교통부령으로 정하되, 에너지 이용 합리화와 관련한 건축설비의 기술적 기준에 관하여는 산업통상자원부장관과 협의하여 정한다(영 제87조 제2항).

(3) 장애인 관련 시설

건축물에 설치하여야 하는 장애인 관련 시설 및 설비는 장애인·노인·임산부 등의 편의증진보장에 관한 법률에 따라 작성하여 보급하는 편의시설 상세표준도에 따른다(영 제87조 제3항).

(4) 방송 공동수신설비의 설치

건축물에는 방송수신에 지장이 없도록 공동시청 안테나, 유선방송 수신시설, 위성방송 수신설비, FM라디오방송 수신설비 또는 방송 공동수신설비를 설치할 수 있다. 다만, 다음의 건축물에는 방송 공동수신설비를 설치하여야 하며, 방송 수신설비의 설치기준은 과학기술정보통신부장관이 정하여 고시하는 바에 따른다(영 제87조 제4항·제5항).

① 공동주택
② 바닥면적의 합계가 5천제곱미터 이상으로서 업무시설이나 숙박시설의 용도로 쓰는 건축물

(5) 배전시설 설치공간의 확보

연면적이 500제곱미터 이상인 건축물의 대지에는 국토교통부령으로 정하는 바에 따라 전기사업자가 전기를 배전하는 데 필요한 전기설비를 설치할 수 있는 공간을 확보하여야 한다(영 제87조 제6항).

(6) 해풍 · 염분피해 방지조치

해풍이나 염분 등으로 인하여 건축물의 재료 및 기계설비 등에 조기 부식과 같은 피해 발생이 우려되는 지역에서는 해당 지방자치단체는 이를 방지하기 위하여 다음의 사항을 조례로 정할 수 있다(영 제87조 제7항).

> ① 해풍이나 염분 등에 대한 내구성 설계기준
> ② 해풍이나 염분 등에 대한 내구성 허용기준
> ③ 그 밖에 해풍이나 염분 등에 따른 피해를 막기 위하여 필요한 사항

(7) 계단 · 복도 및 출입구의 설치

200제곱미터를 초과하는 건축물에 설치하는 계단 및 복도는 국토교통부령으로 정하는 기준에 적합하여야 하고(영 제48조 제1항), 건축물에 설치하여야 하는 우편수취함은 우편법 제37조의2의 기준에 따른다(영 제87조 제8항).

02 거실반자

공장, 창고시설, 위험물 저장 및 처리시설, 동물 및 식물 관련 시설, 자원순환 관련 시설 또는 묘지 관련 시설 외의 용도로 쓰는 건축물 거실의 반자(반자가 없는 경우에는 보 또는 바로 위층의 바닥판의 밑면, 그 밖에 이와 비슷한 것을 말한다)는 국토교통부령으로 정하는 기준에 적합해야 한다(영 제50조, 규칙 제16조).

> **더 알아보기** **거실의 반자높이(규칙 제16조)**
>
> 1. 높이 2.1미터 이상
> 2. 문화 및 집회시설(전시장 및 동 · 식물원은 제외한다), 종교시설, 장례식장 또는 위락시설 중 유흥주점의 용도에 쓰이는 건축물의 관람실 또는 집회실로서 그 바닥면적이 200제곱미터 이상인 것의 반자의 높이는 위 1.에도 불구하고 4미터(노대의 아랫부분의 높이는 2.7미터) 이상이어야 한다. 다만, 기계환기장치를 설치하는 경우에는 그렇지 않다.

03 거실의 채광 등

(1) 채광창과 환기창

단독주택 및 공동주택의 거실, 교육연구시설 중 학교의 교실, 의료시설의 병실 및 숙박시설의 객실에는 국토교통부령으로 정하는 기준에 따라 채광 및 환기를 위한 창문 등이나 설비를 설치하여야 한다(영 제51조 제1항).

더 알아보기 **채광창과 환기창의 설치기준**

1. 채광창의 면적은 그 거실의 바닥면적의 10분의 1 이상이어야 한다. 다만, 거실의 용도에 따라 법정 조도 이상의 조명장치를 설치하는 경우에는 그러하지 아니하다.

2. 환기창의 면적은 그 거실의 바닥면적의 20분의 1 이상이어야 한다. 다만, 기계환기장치 및 중앙관리방식의 공기조화설비를 설치하는 경우에는 그러하지 아니하다.

3. 위 1. 및 2.의 규정을 적용함에 있어서 수시로 개방할 수 있는 미닫이로 구획된 2개의 거실은 이를 1개의 거실로 본다.

(2) 배연설비

다음의 건축물의 거실(피난층의 거실은 제외한다)에는 국토교통부령으로 정하는 기준에 따라 배연설비를 하여야 한다(영 제51조 제2항).

① 6층 이상인 건축물로서 다음의 어느 하나에 해당하는 용도로 쓰는 건축물
  ㉠ 제2종 근린생활시설 중 공연장, 종교집회장, 인터넷컴퓨터게임시설제공업소 및 다중생활시설(공연장, 종교집회장 및 인터넷컴퓨터게임시설제공업소는 해당 용도로 쓰는 바닥면적의 합계가 각각 300제곱미터 이상인 경우만 해당한다)
  ㉡ 문화 및 집회시설
  ㉢ 종교시설
  ㉣ 판매시설
  ㉤ 운수시설
  ㉥ 의료시설(요양병원 빛 정신병원은 제외한다)
  ㉦ 교육연구시설 중 연구소
  ㉧ 노유자시설 중 아동 관련 시설, 노인복지시설(노인요양시설은 제외한다)
  ㉨ 수련시설 중 유스호스텔
  ㉩ 운동시설
  ㉪ 업무시설
  ㉫ 숙박시설
  ㉬ 위락시설
  ㉭ 관광휴게시설
  ㉮ 장례시설
② 다음의 어느 하나에 해당하는 용도로 쓰는 건축물
  ㉠ 의료시설 중 요양병원 및 정신병원
  ㉡ 노유자시설 중 노인요양시설 · 장애인거주시설 및 장애인의료재활시설
  ㉢ 제1종 근린생활시설 중 산후조리원

(3) 추락방지시설

오피스텔에 거실 바닥으로부터 높이 1.2미터 이하 부분에 여닫을 수 있는 창문을 설치하

는 경우에는 국토교통부령으로 정하는 기준에 따라 추락방지를 위한 안전시설을 설치하여야 한다(영 제51조 제3항).

04 방습조치

다음의 어느 하나에 해당하는 거실·욕실 또는 조리장의 바닥 부분에는 국토교통부령으로 정하는 기준에 따라 방습을 위한 조치를 하여야 한다(영 제52조).

> ① 건축물의 최하층에 있는 거실(바닥이 목조인 경우만 해당한다)
> ② 제1종 근린생활시설 중 목욕장의 욕실과 휴게음식점 및 제과점의 조리장
> ③ 제2종 근린생활시설 중 일반음식점, 휴게음식점 및 제과점의 조리장과 숙박시설의 욕실

05 건축물의 굴뚝과 창문의 차면시설

(1) 건축물에 설치하는 굴뚝은 국토교통부령으로 정하는 기준에 따라 설치하여야 한다(영 제54조).

(2) 인접 대지경계선으로부터 직선거리 2미터 이내에 이웃 주택의 내부가 보이는 창문 등을 설치하는 경우에는 차면시설을 설치하여야 한다(영 제55조).

06 건축물의 지하층

(1) 지하층의 구조

건축물에 설치하는 지하층의 구조 및 설비는 다음의 기준에 맞게 하여야 한다(법 제53조 제1항, 규칙 제25조).

① **구조 및 설비기준**: 건축물에 설치하는 지하층의 구조 및 설비는 다음의 기준에 적합하여야 한다(규칙 제25조 제1항)

> ㉠ 거실의 바닥면적이 50제곱미터 이상인 층에는 직통계단 외에 피난층 또는 지상으로 통하는 비상탈출구 및 환기통을 설치할 것. 다만, 직통계단이 2개 소 이상 설치되어 있는 경우에는 그러하지 아니하다.
> ㉡ 제2종 근린생활시설 중 공연장·단란주점·당구장·노래연습장, 문화 및 집회시설 중 예식장·공연장, 수련시설 중 생활권수련시설·자연권수련시설, 숙박시설 중 여관·여인숙, 위락시설 중 단란주점·유흥주점 또는 다중이용업소의 안전관리에 관한 특별법 시행령 제2조에 따른 다중이용업의 용도에 쓰이는 층으로서 그 층의 거실의 바닥면적의 합계가 50제곱미터 이상인 건축물에는 직통계단을 2개 소 이상 설치할 것

ⓒ 바닥면적이 1천제곱미터 이상인 층에는 피난층 또는 지상으로 통하는 직통계단을 영 제
46조의 규정에 의한 방화구획으로 구획되는 각 부분마다 1개 소 이상 설치하되, 이를 피
난계단 또는 특별피난계단의 구조로 할 것
ⓓ 거실의 바닥면적의 합계가 1천제곱미터 이상인 층에는 환기설비를 설치할 것
ⓔ 지하층의 바닥면적이 300제곱미터 이상인 층에는 식수공급을 위한 급수전을 1개 소 이상
설치할 것

② **비상탈출구의 기준**: 지하층의 비상탈출구는 다음의 기준에 적합하여야 한다. 다만, 주
택의 경우에는 그러하지 아니하다(규칙 제25조 제2항).

ⓐ 비상탈출구의 유효너비는 0.75미터 이상으로 하고, 유효높이는 1.5미터 이상으로 할 것
ⓑ 비상탈출구의 문은 피난방향으로 열리도록 하고, 실내에서 항상 열 수 있는 구조로 하여
야 하며, 내부 및 외부에는 비상탈출구의 표시를 할 것
ⓒ 비상탈출구는 출입구로부터 3미터 이상 떨어진 곳에 설치할 것
ⓓ 지하층의 바닥으로부터 비상탈출구의 아랫부분까지의 높이가 1.2미터 이상이 되는 경우
에는 벽체에 발판의 너비가 20센티미터 이상인 사다리를 설치할 것
ⓔ 비상탈출구는 피난층 또는 지상으로 통하는 복도나 직통계단에 직접 접하거나 통로 등으
로 연결될 수 있도록 설치하여야 하며, 피난층 또는 지상으로 통하는 복도나 직통계단까
지 이르는 피난통로의 유효너비는 0.75미터 이상으로 하고, 피난통로의 실내에 접하는
부분의 마감과 그 바탕은 불연재료로 할 것
ⓕ 비상탈출구의 진입부분 및 피난통로에는 통행에 지장이 있는 물건을 방치하거나 시설물
을 설치하지 아니할 것
ⓖ 비상탈출구의 유도등과 피난통로의 비상조명등의 설치는 소방법령이 정하는 바에 의
할 것

(2) 지하층의 용도

단독주택, 공동주택의 지하층에는 거실(부속용도로 설치하는 경우는 제외)을 설치할 수
없다. 다만, 다음의 사항을 고려하여 해당 지방자치단체의 조례로 정하는 경우에는 그러
하지 아니하다(법 제53조 제1항, 영 제63조의6).

① 침수위험 정도를 비롯한 지역적 특성
② 피난 및 대피 가능성
③ 그 밖에 주거의 안전과 관련된 사항

01 승용 승강기

(1) 설치대상

건축주는 6층 이상으로서 연면적 2천제곱미터 이상인 건축물을 건축하고자 하는 경우에는 승강기를 설치하여야 하며, 승강기의 규모 및 구조는 국토교통부령으로 정한다(법 제64조 제1항).

(2) 설치의무의 면제

층수가 6층인 건축물로서 각 층 거실의 바닥면적 300제곱미터 이내마다 1개 소 이상의 직통계단을 설치한 건축물의 경우에는 설치의무에서 제외된다(영 제89조).

(3) 피난용 승강기

고층 건축물에는 승용 승강기 중 1대 이상을 다음 기준에 맞게 피난용 승강기로 설치하여야 한다(법 제64조 제3항, 영 제91조).

> ① 승강장의 바닥면적은 승강기 1대당 6제곱미터 이상으로 할 것
> ② 각 층으로부터 피난층까지 이르는 승강로를 단일구조로 연결하여 설치할 것
> ③ 예비전원으로 작동하는 조명설비를 설치할 것
> ④ 승강장의 출입구 부근의 잘 보이는 곳에 해당 승강기가 피난용 승강기임을 알리는 표지를 설치할 것
> ⑤ 그 밖에 화재예방 및 피해경감을 위하여 국토교통부령으로 정하는 구조 및 설비 등의 기준에 맞을 것

02 비상용 승강기

(1) 설치대상

높이 31미터를 넘는 건축물에는 다음의 기준에 따른 대수 이상의 비상용 승강기(비상용 승강기의 승강장 및 승강로를 포함한다)를 설치하여야 한다. 다만, 승용 승강기를 비상용 승강기의 구조로 하는 경우에는 그러하지 아니하다(법 제64조 제2항, 영 제90조 제1항).

> ① 높이 31미터를 넘는 각 층의 바닥면적 중 최대 바닥면적이 1천 500제곱미터 이하인 건축물: 1대 이상
> ② 높이 31미터를 넘는 각 층의 바닥면적 중 최대 바닥면적이 1천 500제곱미터를 넘는 건축물: 1대에 1천 500제곱미터를 넘는 매 3천제곱미터 이내마다 1대씩 가산한 대수 이상

(2) 설치의무의 면제

다음의 건축물의 경우에는 (1)의 ①에 따른 비상용 승강기를 추가로 설치하지 않아도 된다(법 제64조 제2항 단서, 규칙 제9조).

> ① 높이 31미터를 넘는 각 층을 거실 외의 용도로 쓰는 건축물
> ② 높이 31미터를 넘는 각 층의 바닥면적의 합계가 500제곱미터 이하인 건축물
> ③ 높이 31미터를 넘는 층수가 4개 층 이하로서 당해 각 층의 바닥면적의 합계 200제곱미터(벽 및 반자가 실내에 접하는 부분의 마감을 불연재료로 한 경우에는 500제곱미터) 이내마다 방화구획으로 구획한 건축물

(3) 설치기준

2대 이상의 비상용 승강기를 설치하는 경우에는 화재가 났을 때 소화에 지장이 없도록 일정한 간격을 두고 설치하여야 한다(영 제90조 제2항).

제7절 | 지능형 건축물

(1) 인증제도의 실시

국토교통부장관은 지능형 건축물(Intelligent Building)의 건축을 활성화하기 위하여 지능형 건축물 인증제도를 실시한다(법 제65조의2 제1항).

(2) 인증절차

국토교통부장관은 지능형 건축물의 인증을 위하여 인증기관을 지정할 수 있으며, 지능형 건축물의 인증을 받으려는 자는 인증기관에 인증을 신청하여야 한다(법 제65조의2 제2항 · 제3항).

(3) 인증기준

국토교통부장관은 건축물을 구성하는 설비 및 각종 기술을 최적으로 통합하여 건축물의 생산성과 설비 운영의 효율성을 극대화할 수 있도록 다음의 사항을 포함하여 지능형 건축물 인증기준을 고시하며, 인증기관의 지정기준, 지정절차 및 인증신청절차 등에 필요한 사항은 국토교통부령으로 정한다(법 제65조의2 제4항 · 제5항).

① 인증기준 및 절차
② 인증표시 홍보기준
③ 유효기간
④ 수수료
⑤ 인증등급 및 심사기준 등

(4) 특례

허가권자는 지능형 건축물로 인증을 받은 건축물에 대하여 법 제42조에 따른 조경설치면적을 100분의 85까지 완화하여 적용할 수 있으며, 제56조 및 제60조에 따른 용적률 및 건축물의 높이를 100분의 115의 범위에서 완화하여 적용할 수 있다(법 제65조의2 제6항).

01 국토교통부장관은 지진으로부터 건축물의 구조안전을 확보하기 위하여 건축물의 용도, 규모 및 설계구조의 중요도에 따라 내진등급을 설정하여야 한다. ( )

01 국토교통부장관은 지진으로부터 건축물의 구조안전을 확보하기 위하여 건축물의 용도, 규모 및 설계구조의 중요도에 따라 내진등급을 설정하여야 한다. (   )

02 연면적 1천제곱미터 이상인 건축물은 방화벽으로 구획하되, 각 구획된 바닥면적의 합계는 1천 제곱미터 미만이어야 한다. (   )

03 60분 방화문이란 연기 및 불꽃을 차단할 수 있는 시간이 60분 이상이고, 열을 차단할 수 있는 시간이 30분 이상인 방화문을 말한다. (   )

04 국토의 계획 및 이용에 관한 법률에 따른 방화지구 안에서는 건축물의 주요구조부와 지붕·외벽을 방화구조로 하여야 한다. (   )

05 욕실, 화장실, 목욕장 등의 바닥 마감재료는 미끄럼을 방지할 수 있도록 국토교통부령으로 정하는 기준에 적합하여야 한다. (   )

06 공동주택 중 아파트로서 3층 이상인 층의 각 세대가 2개 이상의 직통계단을 사용할 수 없는 경우에는 발코니에 인접 세대와 공동으로 또는 각 세대별로 대통령령으로 정하는 요건을 모두 갖춘 대피공간을 하나 이상 설치하여야 한다. (   )

01 ○

02 ○

03 ✕ 60분+ 방화문에 대한 설명이다. 60분 방화문은 연기 및 불꽃을 차단할 수 있는 시간이 60분 이상인 방화문을 말한다.

04 ✕ 내화구조로 하여야 한다.

05 ○

06 ✕ 공동주택 중 아파트로서 4층 이상인 층이다.

07 건축물의 피난층 외의 층에서는 피난층 또는 지상으로 통하는 직통계단을 거실의 각 부분으로부터 계단(거실로부터 가장 가까운 거리에 있는 1개 소의 계단을 말한다)에 이르는 보행거리가 50미터 이하가 되도록 설치해야 한다. ( )

08 초고층 건축물에는 피난층 또는 지상으로 통하는 직통계단과 직접 연결되는 피난안전구역을 해당 건축물 전체 층수의 2분의 1에 해당하는 층으로부터 상하 5개 층 이내에 1개 소 이상 설치하여야 한다. ( )

09 바닥면적의 합계가 5천제곱미터 이상인 공연장·집회장·관람장 또는 전시장을 지하층에 설치하는 경우에는 각 실에 있는 자가 지하층 각 층에서 건축물 밖으로 피난하여 옥외계단 또는 경사로 등을 이용하여 피난층으로 대피할 수 있도록 천장이 개방된 외부 공간을 설치하여야 한다. ( )

10 옥상광장 또는 2층 이상인 층에 있는 노대 등[노대(露臺)나 그 밖에 이와 비슷한 것을 말한다]의 주위에는 높이 1.2미터 이상의 난간을 설치하여야 한다. ( )

11 다중이용 건축물, 준다중이용 건축물 또는 층수가 11층 이상인 건축물이 건축되는 대지에는 그 안의 모든 다중이용 건축물, 준다중이용 건축물 또는 층수가 11층 이상인 건축물에 소방기본법에 따른 소방자동차의 접근이 가능한 통로를 설치하여야 한다. ( )

---

07 × 보행거리가 30미터 이하가 되도록 설치해야 한다.

08 × 지상층으로부터 최대 30개 층마다 1개 소 이상 설치하여야 한다.

09 × 3천제곱미터 이상인 경우에 설치한다.

10 ○

11 ○

12 11층 이하의 건축물에는 국토교통부령으로 정하는 기준에 따라 소방관이 진입할 수 있는 곳을 정하여 소방관이 진입할 수 있는 창을 설치하고, 외부에서 주·야간 식별할 수 있는 표시를 하여야 한다. ( )

13 자연재해대책법 제12조 제1항에 따른 자연재해위험개선지구 중 침수위험지구에 국가·지방자치단체 또는 공공기관 기타 건축하려는 모든 건축주의 건축물은 침수방지 및 방수를 위하여 1층 전체를 필로티 구조로 할 것이고, 규칙으로 정하는 침수방지시설을 설치하여야 한다. ( )

12 ○

13 × 국가·지방자치단체 또는 공공기관의 운영에 관한 법률 제4조 제1항에 따른 공공기관이 건축하는 경우에 한한다.

제 6 장 기타 건축제한 등

📖 단원길라잡이

본 장은 대지와 도로, 구조와 설비 외에 건축제한과 건축특례를 규정하는 부분으로 매년 1문제가 출제된다. 특히 건축물의 높이제한과 일조확보를 위한 높이제한, 특별건축구역, 건축협정 부분은 매년 출제될 수 있음에 주의하고 중요한 부분 위주로 철저히 정리하여야 한다.

🔍 출제포인트

- 가로구역별 높이제한
- 공동주택의 높이제한
- 일조확보를 위한 높이제한
- 특별건축구역의 지정금지대상
- 특별건축구역의 지정효과
- 특별가로구역의 지정대상
- 건축협정의 지정대상
- 건축협정의 체결 및 폐지
- 결합건축의 지정대상
- 결합건축의 지정요건

건축물의 대지가 지역·지구 또는 구역에 걸치는 경우의 조치

(1) 대지가 2 이상의 지역 등에 걸치는 경우

대지가 이 법이나 다른 법률에 따른 지역·지구(녹지지역과 방화지구는 제외한다. 이하 같다) 또는 구역에 걸치는 경우에는 대통령령으로 정하는 바에 따라 그 건축물과 대지의 전부에 대하여 대지의 과반(過半)이 속하는 지역·지구 또는 구역 안의 건축물 및 대지 등에 관한 이 법의 규정을 적용한다(법 제54조 제1항).

(2) 건축물이 방화지구에 걸치는 경우

하나의 건축물이 방화지구와 그 밖의 구역에 걸치는 경우에는 그 전부에 대하여 방화지구 안의 건축물에 관한 이 법의 규정을 적용한다. 다만, 건축물의 방화지구에 속한 부분과 그 밖의 구역에 속한 부분의 경계가 방화벽으로 구획되는 경우 그 밖의 구역에 있는 부분에 대하여는 그러하지 아니하다(법 제54조 제2항).

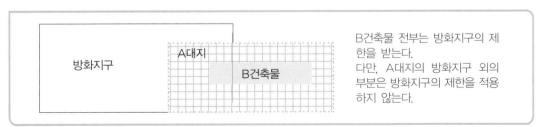

(3) 대지가 녹지지역에 걸치는 경우

대지가 녹지지역과 그 밖의 지역·지구 또는 구역에 걸치는 경우에는 각 지역·지구 또는 구역 안의 건축물과 대지에 관한 이 법의 규정을 적용한다. 다만, 녹지지역 안의 건축물이 방화지구에 걸치는 경우에는 (2)에 따른다(법 제54조 제3항).

공업지역		녹지지역
800m²	── 1,000m² ──	200m²

800m²는 공업지역의 제한을, 200m²는 녹지지역의 제한을 각각 따로 적용한다.

---

01 가로구역에서의 건축물의 높이제한

(1) 높이의 지정

허가권자는 가로구역[도로로 둘러싸인 일단(一團)의 지역을 말한다]을 단위로 하여 다음의 사항을 고려하여 대통령령으로 정하는 기준과 절차에 따라 건축물의 높이를 지정·공고할 수 있다(법 제60조 제1항 본문, 영 제82조 제1항).

① 도시·군관리계획 등의 토지이용계획
② 해당 가로구역이 접하는 도로의 너비
③ 해당 가로구역의 상·하수도 등 간선시설의 수용능력
④ 도시미관 및 경관계획
⑤ 해당 도시의 장래 발전계획

(2) 차등지정

허가권자는 같은 가로구역에서도 건축물의 용도 및 형태에 따라 건축물의 높이를 다르게 정할 수 있다(영 제82조 제3항).

(3) 완화지정

특별자치시장·특별자치도지사 또는 시장·군수·구청장은 가로구역의 높이를 완화하여 적용할 필요가 있다고 판단되는 대지에 대하여는 대통령령으로 정하는 바에 따라 건축위원회의 심의를 거쳐 높이를 완화하여 적용할 수 있으며 그 구체적인 완화의 기준은 건축조례로 정한다(법 제60조 제1항 단서, 영 제82조 제4항).

(4) 조례에 의한 높이의 지정

특별시장이나 광역시장은 도시의 관리를 위하여 필요하면 가로구역별 건축물의 높이를 특별시나 광역시의 조례로 정할 수 있다(법 제60조 제2항).

(5) 지정절차

허가권자는 가로구역별 건축물의 높이를 지정하려면 지방건축위원회의 심의를 거쳐야
한다. 이 경우 주민의 의견청취절차 등은 토지이용규제 기본법 제8조에 따른다(영 제82조
제2항).

02 일조 등의 확보를 위한 건축물의 높이제한

(1) 전용주거지역 · 일반주거지역에서의 일조 확보를 위한 높이제한

① 원칙: 정북방향 대지의 일조 확보

　전용주거지역이나 일반주거지역에서 건축물을 건축하는 경우에는 건축물의 각 부분을
정북(正北)방향으로의 인접 대지경계선으로부터 다음의 범위에서 건축조례로 정하는
거리 이상을 띄어 건축하여야 한다(법 제61조 제1항, 영 제86조 제1항).

> ㉠ 높이 10미터 이하인 부분: 인접 대지경계선으로부터 1.5미터 이상
> ㉡ 높이 10미터를 초과하는 부분: 인접 대지경계선으로부터 해당 건축물 각 부분 높이의
> 　 2분의 1 이상

② 예외: 다만, 건축물의 미관 향상을 위하여 너비 20미터 이상의 도로(자동차 · 보행자 ·
자전거 전용도로를 포함한다)로서 건축조례로 정하는 도로에 접한 대지(도로와 대지
사이에 도시 · 군계획시설인 완충녹지가 있는 경우 그 대지를 포함한다) 상호간에 건축
하는 건축물의 경우에는 위 ①의 규정을 적용하지 아니한다(영 제86조 제2항).

> ㉠ 다음의 어느 하나에 해당하는 구역 안의 대지 상호간에 건축하는 건축물로서 해당 대지
> 　 가 너비 20미터 이상의 도로(자동차 · 보행자 · 자전거 전용도로를 포함하며, 도로에 공
> 　 공공지, 녹지, 광장, 그 밖에 건축미관에 지장이 없는 도시 · 군계획시설이 접한 경우 해
> 　 당 시설을 포함한다)에 접한 경우
> 　 ⓐ 국토의 계획 및 이용에 관한 법률 제51조에 따른 지구단위계획구역, 같은 법 제37조
> 　 　 제1항 제1호에 따른 경관지구 및 같은 항 제2호에 따른 미관지구
> 　 ⓑ 경관법 제9조 제1항 제4호에 따른 중점경관관리구역
> 　 ⓒ 법 제77조의2 제1항에 따른 특별가로구역
> 　 ⓓ 도시미관 향상을 위하여 허가권자가 지정 · 공고하는 구역
> ㉡ 건축협정구역 안에서 대지 상호간에 건축하는 건축물(법 제77조의4 제1항에 따른 건축
> 　 협정에 일정 거리 이상을 띄어 건축하는 내용이 포함된 경우만 해당한다)의 경우
> ㉢ 건축물의 정북방향의 인접 대지가 전용주거지역이나 일반주거지역이 아닌 용도지역에
> 　 해당하는 경우

③ **정남방향 대지의 일조 확보:** 다음의 어느 하나에 해당하면 위 ①에도 불구하고 건축물의 높이를 정남방향의 인접 대지경계선으로부터의 거리에 따라 위 ①에 따른 높이의 범위에서 특별자치시장 · 특별자치도지사 또는 시장 · 군수 · 구청장이 정하여 고시하는 높이 이하로 할 수 있으며, 이에 따라 건축물의 높이를 고시하려면 국토교통부령으로 정하는 바에 따라 미리 해당 지역주민의 의견을 들어야 한다. 다만, 아래의 ㉠부터 ㉥까지의 어느 하나에 해당하는 지역인 경우로서 건축위원회의 심의를 거친 경우에는 그러하지 아니하다(법 제61조 제3항, 영 제86조 제5항).

㉠ 택지개발촉진법에 따른 택지개발지구인 경우
㉡ 주택법에 따른 대지조성사업지구인 경우
㉢ 지역 개발 및 지원에 관한 법률에 따른 지역개발사업구역인 경우
㉣ 산업입지 및 개발에 관한 법률에 따른 국가산업단지, 일반산업단지, 도시첨단산업단지 및 농공단지인 경우
㉤ 도시개발법에 따른 도시개발구역인 경우
㉥ 도시 및 주거환경정비법에 따른 정비구역인 경우
㉦ 정북방향으로 도로, 공원, 하천 등 건축이 금지된 공지에 접하는 대지인 경우
㉧ 정북방향으로 접하고 있는 대지의 소유자와 합의한 경우나 그 밖에 대통령령으로 정하는 경우

(2) 공동주택의 일조 등 확보를 위한 높이제한

다음의 어느 하나에 해당하는 공동주택(일반상업지역과 중심상업지역에 건축하는 것은 제외한다)은 채광 등의 확보를 위하여 대통령령으로 정하는 높이 이하로 하여야 한다(법 제61조 제2항, 영 제86조 제3항 · 제4항).

- 인접 대지경계선 등의 방향으로 채광을 위한 창문 등을 두는 경우
- 하나의 대지에 두 동(棟) 이상을 건축하는 경우

① **인접 대지경계선 등의 방향으로 채광창을 두는 경우의 높이제한**

㉠ **원칙:** 건축물(기숙사는 제외한다)의 각 부분의 높이는 그 부분으로부터 채광을 위한 창문 등이 있는 벽면에서 직각방향으로 인접 대지경계선까지의 수평거리의 2배(근린상업지역 또는 준주거지역의 건축물은 4배) 이하로 하여야 한다(영 제86조 제3항 제1호).

㉡ **예외:** 다만, 채광을 위한 창문 등이 있는 벽면에서 직각방향으로 인접 대지경계선까지의 수평거리가 1미터 이상으로서 건축조례로 정하는 거리 이상인 다세대주택은 위 ㉠을 적용하지 아니한다(영 제86조 제3항 단서).

② 하나의 대지에 두 동 이상을 건축하는 경우의 높이제한
  ㉠ 원칙: 같은 대지에서 두 동 이상의 건축물이 서로 마주보고 있는 경우(한 동의 건축물 각 부분이 서로 마주보고 있는 경우를 포함한다)에 건축물 각 부분 사이의 거리는 다음의 거리 이상을 띄어 건축하여야 한다(영 제86조 제3항 제2호).

> ⓐ 채광을 위한 창문 등이 있는 벽면으로부터 직각방향으로 건축물 각 부분 높이의 0.5배(도시형 생활주택의 경우에는 0.25배) 이상의 범위에서 건축조례로 정하는 거리 이상
> ⓑ 위 ⓐ에도 불구하고 서로 마주보는 건축물 중 남쪽방향(마주보는 두 동의 축이 남동에서 남서방향인 경우만 해당한다)의 건축물 높이가 낮고, 주된 개구부(거실과 주된 침실이 있는 부분의 개구부를 말한다)의 방향이 남쪽을 향하는 경우에는 높은 건축물 각 부분의 높이의 0.4배(도시형 생활주택의 경우에는 0.2배) 이상의 범위에서 건축조례로 정하는 거리 이상이고 낮은 건축물 각 부분의 높이의 0.5배(도시형 생활주택의 경우에는 0.25배) 이상의 범위에서 건축조례로 정하는 거리 이상
> ⓒ 위 ⓐ에도 불구하고 건축물과 부대시설 또는 복리시설이 서로 마주보고 있는 경우에는 부대시설 또는 복리시설 각 부분 높이의 1배 이상
> ⓓ 채광창(창넓이가 0.5제곱미터 이상인 창)이 없는 벽면과 측벽이 마주보는 경우에는 8미터 이상
> ⓔ 측벽과 측벽이 마주보는 경우[마주보는 측벽 중 하나의 측벽에 채광을 위한 창문 등이 설치되어 있지 아니한 바닥면적 3제곱미터 이하의 발코니(출입을 위한 개구부를 포함한다)를 설치하는 경우를 포함한다]에는 4미터 이상

  ㉡ 예외: 다만, 그 대지의 모든 세대가 동지를 기준으로 9시에서 15시 사이에 2시간 이상을 계속하여 일조를 확보할 수 있는 거리 이상으로 할 수 있으며(영 제86조 제2항 제2호), 주택단지에 두 동 이상의 건축물이 도로(보행과 자동차 통행이 가능한 4미터 이상의 도로)를 사이에 두고 서로 마주보고 있는 경우에는 위 ㉠의 ⓐ부터 ⓒ까지의 규정을 적용하지 아니하되, 해당 도로의 중심선을 인접 대지경계선으로 보아 ①의 ㉠을 적용한다(영 제86조 제3항 제3호).
③ 인접 대지경계선의 특례: 일조 등의 확보를 위한 건축물의 높이제한을 적용할 때 건축물을 건축하려는 대지와 다른 대지 사이에 다음의 시설 또는 부지가 있는 경우에는 그 반대편의 대지경계선(공동주택은 인접 대지경계선과 그 반대편 대지경계선의 중심선)을 인접 대지경계선으로 한다(영 제86조 제6항).

> ㉠ 공원(도시공원 및 녹지 등에 관한 법률 제2조 제3호에 따른 도시공원 중 지방건축위원회의 심의를 거쳐 허가권자가 공원의 일조 등을 확보할 필요가 있다고 인정하는 공원은 제외한다), 도로, 철도, 하천, 광장, 공공공지, 녹지, 유수지, 자동차 전용도로, 유원지

ⓒ 다음에 해당하는 대지(건축물이 없는 경우로 한정한다)
        ⓐ 너비(대지경계선에서 가장 가까운 거리를 말한다)가 2미터 이하인 대지
        ⓑ 면적이 제80조 각 호에 따른 분할제한기준 이하인 대지
    ⓒ 위 ⓖ 및 ⓒ 외에 건축이 허용되지 아니하는 공지

④ **적용 특례**: 일조 등의 확보를 위한 건축물의 높이제한을 적용할 때 건축물(공동주택으로 한정한다)을 건축하려는 하나의 대지 사이에 ③의 각 시설 또는 부지가 있는 경우에는 지방건축위원회의 심의를 거쳐 ③의 각 시설 또는 부지를 기준으로 마주하고 있는 해당 대지의 경계선의 중심선을 인접 대지경계선으로 할 수 있다(영 제86조 제7항).

⑤ **적용 제외**: 2층 이하로서 높이가 8미터 이하인 건축물에는 해당 지방자치단체의 조례로 정하는 바에 따라 일조 등의 확보를 위한 건축물의 높이제한을 적용하지 아니할 수 있다(법 제61조 제4항).

제3절 특별건축구역

01 의의

특별건축구역이란 조화롭고 창의적인 건축물의 건축을 통하여 도시경관의 창출, 건설기술 수준향상 및 건축 관련 제도개선을 도모하기 위하여 이 법 또는 관계 법령에 따라 일부 규정을 적용하지 아니하거나 완화 또는 통합하여 적용할 수 있도록 특별히 지정하는 구역을 말한다(법 제2조 제1항 제18호).

02 특별건축구역의 지정

(1) 지정권자 및 지정대상 지역

국토교통부장관 또는 시·도지사는 다음의 구분에 따라 도시나 지역의 일부가 특별건축구역으로 특례 적용이 필요하다고 인정하는 경우에는 특별건축구역을 지정할 수 있다(법 제69조 제1항).

① 국토교통부장관이 지정하는 경우
    ⓖ 국가가 국제행사 등을 개최하는 도시 또는 지역의 사업구역
    ⓒ 관계 법령에 따른 국가정책사업으로서 대통령령으로 정하는 사업구역
② 시·도지사가 지정하는 경우
    ⓖ 지방자치단체가 국제행사 등을 개최하는 도시 또는 지역의 사업구역

    ⓛ 관계 법령에 따른 도시개발·도시재정비 및 건축문화진흥사업으로서 건축물 또는 공간환경을 조성하기 위하여 대통령령으로 정하는 사업구역

    ⓒ 그 밖에 대통령령으로 정하는 도시 또는 지역의 사업구역

(2) 지정금지대상 지역 등

① 다음의 어느 하나에 해당하는 지역·구역 등에 대하여는 (1)에도 불구하고 특별건축구역으로 지정할 수 없다(법 제69조 제2항).

    ㉠ 개발제한구역의 지정 및 관리에 관한 특별조치법에 따른 개발제한구역
    ⓛ 자연공원법에 따른 자연공원
    ⓒ 도로법에 따른 접도구역
    ⓔ 산지관리법에 따른 보전산지

② 국토교통부장관 또는 시·도지사는 특별건축구역으로 지정하고자 하는 지역이 군사기지 및 군사시설 보호법에 따른 군사기지 및 군사시설 보호구역에 해당하는 경우에는 국방부장관과 사전에 협의하여야 한다(법 제69조 제3항).

03 특별건축구역의 지정절차

(1) 지정신청

중앙행정기관의 장, 사업구역을 관할하는 시·도지사 또는 시장·군수·구청장은 특별건축구역의 지정이 필요한 경우에는 다음의 자료를 갖추어 중앙행정기관의 장 또는 시·도지사는 국토교통부장관에게, 시장·군수·구청장은 특별시장·광역시장·도지사에게 각각 특별건축구역의 지정을 신청할 수 있다(법 제71조 제1항).

① 특별건축구역의 위치·범위 및 면적 등에 관한 사항
② 특별건축구역의 지정목적 및 필요성
③ 특별건축구역 내 건축물의 규모 및 용도 등에 관한 사항
④ 특별건축구역의 도시·군관리계획에 관한 사항. 이 경우 도시·군관리계획의 세부 내용은 대통령령으로 정한다.
⑤ 건축물의 설계, 공사감리 및 건축시공 등의 발주방법 등에 관한 사항
⑥ 특별건축구역 전부 또는 일부를 대상으로 통합하여 적용하는 미술작품, 부설주차장, 공원 등의 시설에 대한 운영관리계획서. 이 경우 운영관리계획서의 작성방법, 서식, 내용 등에 관한 사항은 국토교통부령으로 정한다.
⑦ 그 밖에 특별건축구역의 지정에 필요한 대통령령으로 정하는 사항

(2) 지정제안

위 (1)에 따른 지정신청기관 외의 자는 (1)의 각 호의 자료를 갖추어 사업구역을 관할하는 시·도지사에게 특별건축구역의 지정을 제안할 수 있으며, 특별건축구역 지정제안의 방법 및 절차 등에 관하여 필요한 사항은 대통령령으로 정한다(법 제71조 제2항·제3항).

(3) 심의와 조정

국토교통부장관 또는 특별시장·광역시장·도지사는 (2)에 따라 지정신청이 접수된 경우에는 특별건축구역 지정의 필요성, 타당성 및 공공성 등과 피난·방재 등의 사항을 검토하고, 지정 여부를 결정하기 위하여 지정신청을 받은 날부터 30일 이내에 국토교통부장관이 지정신청을 받은 경우에는 국토교통부장관이 두는 건축위원회(이하 '중앙건축위원회'라 한다), 특별시장·광역시장·도지사가 지정신청을 받은 경우에는 각각 특별시장·광역시장·도지사가 두는 건축위원회의 심의를 거쳐야 하며, 건축위원회의 심의 결과를 고려하여 필요한 경우 특별건축구역의 범위, 도시·군관리계획 등에 관한 사항을 조정할 수 있다(법 제71조 제4항·제5항).

(4) 직권지정

국토교통부장관 또는 시·도지사는 필요한 경우 직권으로 특별건축구역을 지정할 수 있다. 이 경우 (1)의 각 자료에 따라 특별건축구역 지정의 필요성, 타당성 및 공공성 등과 피난·방재 등의 사항을 검토하고 각각 중앙건축위원회 또는 시·도지사가 두는 건축위원회의 심의를 거쳐야 한다(법 제71조 제6항).

(5) 지정·고시

국토교통부장관 또는 시·도지사는 특별건축구역을 지정하거나 변경·해제하는 경우에는 대통령령으로 정하는 바에 따라 주요 내용을 관보(시·도지사는 공보)에 고시하고, 국토교통부장관 또는 특별시장·광역시장·도지사는 지정신청기관에 관계 서류의 사본을 송부하여야 하며, 사본을 받은 지정신청기관은 관계 서류에 도시·군관리계획의 결정사항이 포함되어 있는 경우에는 국토의 계획 및 이용에 관한 법률 제32조에 따라 지형도면의 승인신청 등 필요한 조치를 취하여야 한다(법 제71조 제7항·제8항).

(6) 지정의 해제

국토교통부장관 또는 시·도지사는 다음의 어느 하나에 해당하는 경우에는 특별건축구역의 전부 또는 일부에 대하여 지정을 해제할 수 있다. 이 경우 국토교통부장관 또는 특별시장·광역시장·도지사는 지정신청기관의 의견을 청취하여야 한다(법 제71조 제10항).

① 지정신청기관의 요청이 있는 경우
② 거짓이나 그 밖의 부정한 방법으로 지정을 받은 경우
③ 특별건축구역 지정일부터 5년 이내에 특별건축구역 지정목적에 부합하는 건축물의 착공이 이루어지지 아니하는 경우
④ 특별건축구역 지정요건 등을 위반하였으나 시정이 불가능한 경우

04 지정의 효력

1. 도시 · 군관리계획결정의 의제

특별건축구역을 지정하거나 변경한 경우에는 국토의 계획 및 이용에 관한 법률에 따른 도시 · 군관리계획의 결정(용도지역 · 지구 · 구역의 지정 및 변경을 제외한다)이 있는 것으로 본다(법 제71조 제11항).

2. 관계 법령 적용의 특례

(1) 특례적용대상 건축물

특별건축구역에서 건축기준 등의 특례를 적용하여 건축할 수 있는 건축물은 다음의 어느 하나에 해당되어야 한다(법 제70조, 영 제106조 제1항).

① 국가 또는 지방자치단체가 건축하는 건축물
② 공공기관의 운영에 관한 법률에 따른 공공기관 중 다음의 공공기관이 건축하는 건축물
　㉠ 한국토지주택공사법에 따른 한국토지주택공사
　㉡ 한국수자원공사법에 따른 한국수자원공사
　㉢ 한국도로공사법에 따른 한국도로공사
　㉣ 한국철도공사법에 따른 한국철도공사
　㉤ 국가철도공단법에 따른 국가철도공단
　㉥ 한국관광공사법에 따른 한국관광공사
　㉦ 한국농어촌공사 및 농지관리기금법에 따른 한국농어촌공사
③ 그 밖에 대통령령으로 정하는 용도 · 규모의 건축물로서 도시경관의 창출, 건설기술 수준향상 및 건축 관련 제도개선을 위하여 특례적용이 필요하다고 허가권자가 인정하는 건축물

더 알아보기 **특례적용대상 건축물**(영 제106조 제2항 [별표 3])

1. 문화 및 집회시설, 판매시설, 운수시설, 의료시설, 교육연구시설, 수련시설: 2천제곱미터 이상
2. 운동시설, 업무시설, 숙박시설, 관광휴게시설, 방송통신시설: 3천제곱미터 이상
3. 종교시설: 면적제한 없음

4. 노유자시설: 500제곱미터 이상

5. 공동주택(아파트와 연립주택만 해당한다): 300세대 이상(복합건축: 200세대 이상)

6. 단독주택(한옥이 밀집되어 있는 지역의 건축물로 한정하며, 단독주택 외의 용도로 쓰이는 건축물을 포함할 수 있다): 50동 이상

7. 그 밖의 용도: 1천제곱미터 이상

(2) 특례적용절차

① **건축허가의 신청:** 특별건축구역에서 건축기준 등의 특례사항을 적용하여 건축허가를 신청하고자 하는 자는 다음의 사항이 포함된 특례적용계획서를 첨부하여 해당 허가권자에게 건축허가를 신청하여야 한다(법 제72조 제1항 전단).

⊙ 법 제5조에 따라 기준을 완화하여 적용할 것을 요청하는 사항
ⓛ 법 제71조에 따른 특별건축구역의 지정요건에 관한 사항
ⓒ 법 제73조 제1항의 적용배제 특례를 적용한 사유 및 예상효과 등
ⓔ 법 제73조 제2항의 완화적용 특례의 동등 이상의 성능에 대한 증빙내용
ⓜ 건축물의 공사 및 유지·관리 등에 관한 계획

② **건축위원회의 심의:** 건축허가는 해당 건축물이 특별건축구역의 지정목적에 적합한지의 여부와 특례적용계획서 등 해당 사항에 대하여 시·도지사 및 시장·군수·구청장이 설치하는 건축위원회의 심의를 거쳐야 한다(법 제72조 제2항).

③ **교통영향평가서의 검토:** 허가신청자는 건축허가시 도시교통정비 촉진법에 따른 교통영향평가서의 검토를 동시에 진행하고자 하는 경우에는 같은 법 제16조에 따른 교통영향평가서에 관한 서류를 첨부하여 허가권자에게 심의를 신청할 수 있는데(법 제72조 제3항), 이에 따라 교통영향평가서에 대하여 지방건축위원회에서 통합심의한 경우에는 도시교통정비 촉진법 제17조에 따른 교통영향평가서의 심의를 한 것으로 본다(법 제72조 제4항).

④ **모니터링대상 건축물의 선정:** 국토교통부장관 또는 특별시장·광역시장·도지사는 건축제도의 개선 및 건설기술의 향상을 위하여 허가권자의 의견을 들어 특별건축구역 내에서 건축허가를 받은 건축물에 대하여 모니터링(특례를 적용한 건축물에 대하여 해당 건축물의 건축시공, 공사감리, 유지·관리 등의 과정을 검토하고 실제로 건축물에 구현된 기능·미관·환경 등을 분석하여 평가하는 것을 말한다)을 실시할 수 있다(법 제72조 제6항).

(3) 관계 법령의 적용특례

① **적용배제**: 특별건축구역에 건축하는 건축물에 대하여는 다음을 적용하지 아니할 수 있다
(법 제73조 제1항, 영 제109조 제1항).

> ㉠ 대지의 조경(법 제42조), 건폐율(법 제55조), 용적률(법 제56조), 대지 안의 공지(법 제
> 58조), 건축물의 높이제한(법 제60조) 및 일조 높이제한(법 제61조)
> ㉡ 주택법 제35조(주택건설기준 등) 중 주택건설기준 등에 관한 규정 제10조(배치기준), 제
> 13조(기준척도), 제35조(비상급수시설), 제37조(난방설비), 제50조(근린생활시설) 및
> 제52조(유치원)

② **적용완화**

㉠ 특별건축구역에 건축하는 건축물이 건축물의 피난시설 및 용도제한 등, 건축물의
내화구조와 방화벽, 방화지구 안의 건축물, 건축물의 내부마감재료, 지하층(법 제
49조부터 제53조까지), 건축설비기준 등(법 제62조), 승강기(법 제64조)와 녹색건축
물 조성 지원법 제15조에 해당할 때에는 해당 규정에서 요구하는 기준 또는 성능
등을 다른 방법으로 대신할 수 있는 것으로 지방건축위원회가 인정하는 경우에만
해당 규정의 전부 또는 일부를 완화하여 적용할 수 있다(법 제73조 제2항).

㉡ 소방시설 설치 및 관리에 관한 법률 제9조와 제11조에서 요구하는 기준 또는 성능
등을 다른 방법으로 대신할 수 있는 경우 전부 또는 일부를 완화하여 적용할 수
있으며(법 제73조 제3항), 완화하여 적용하려면 소방시설공사업법에 따른 지방소방
기술심의위원회의 심의를 거치거나 소방본부장 또는 소방서장과 협의를 하여야 한다
(영 제109조 제2항).

③ **통합적용**

㉠ **통합적용사항**: 특별건축구역에서는 다음 규정에 대하여는 개별 건축물마다 적용하
지 아니하고 특별건축구역 전부 또는 일부를 대상으로 통합하여 적용할 수 있다(법
제74조 제1항).

> ⓐ 문화예술진흥법에 따른 건축물에 대한 미술작품의 설치
> ⓑ 주차장법에 따른 부설주차장의 설치
> ⓒ 도시공원 및 녹지 등에 관한 법률에 따른 공원의 설치

㉡ **통합적용계획**

ⓐ 지정신청기관은 ㉠에 따라 관계 법령의 규정을 통합하여 적용하려는 경우에는
특별건축구역 전부 또는 일부에 대하여 미술작품, 부설주차장, 공원 등에 대한
수요를 개별법으로 정한 기준 이상으로 산정하여 파악하고 이용자의 편의성, 쾌
적성 및 안전 등을 고려한 통합적용계획을 수립하여야 한다(법 제74조 제2항).

ⓑ 지정신청기관이 통합적용계획을 수립하는 때에는 해당 구역을 관할하는 허가권자와 협의하여야 하며, 협의요청을 받은 허가권자는 요청받은 날부터 20일 이내에 지정신청기관에 의견을 제출하여야 한다(법 제74조 제3항).

ⓒ 지정신청기관은 도시 · 군관리계획의 변경을 수반하는 통합적용계획이 수립된 때에는 관련 서류를 국토의 계획 및 이용에 관한 법률 제30조에 따른 도시 · 군관리계획 결정권자에게 송부하여야 하며, 이 경우 해당 도시 · 군관리계획 결정권자는 특별한 사유가 없는 한 도시 · 군관리계획의 변경에 필요한 조치를 취하여야 한다(법 제74조 제4항).

(4) 건축주 등의 의무

특별건축구역에서 건축기준 등의 적용 특례사항을 적용하여 건축허가를 받은 건축물의 공사감리자, 시공자, 건축주 및 소유자 및 관리자는 시공 중이거나 건축물의 사용승인 이후에도 당초 허가를 받은 건축물의 형태, 재료, 색채 등이 원형을 유지하도록 필요한 조치를 하여야 한다(법 제75조 제1항).

(5) 허가권자 등의 의무

① 허가권자는 특별건축구역의 건축물에 대하여 설계자의 창의성 · 심미성 등의 발휘와 제도개선 · 기술발전 등이 유도될 수 있도록 노력하여야 한다(법 제76조 제1항).

② 허가권자는 모니터링 결과를 국토교통부장관 또는 특별시장 · 광역시장 · 도지사에게 제출하여야 하며, 국토교통부장관 또는 특별시장 · 광역시장 · 도지사는 법 제77조에 따른 검사 및 모니터링 결과 등을 분석하여 필요한 경우 이 법 또는 관계 법령의 제도개선을 위하여 노력하여야 한다(법 제76조 제2항).

(6) 특별건축구역 건축물의 검사 등

① 국토교통부장관 및 허가권자는 특별건축구역의 건축물에 대하여 검사를 실시할 수 있으며, 필요한 경우 시정명령 등 필요한 조치를 취할 수 있다(법 제77조 제1항).

② 국토교통부장관 및 허가권자는 모니터링을 실시하는 건축물에 대하여 직접 모니터링을 하거나 분야별 전문가 또는 전문기관에 용역을 의뢰할 수 있다. 이 경우 해당 건축물의 건축주, 소유자 또는 관리자는 특별한 사유가 없으면 모니터링에 필요한 사항에 대하여 협조하여야 한다(법 제77조 제2항).

(1) 특별가로구역의 지정

국토교통부장관 및 허가권자는 도로에 인접한 건축물의 건축을 통한 조화로운 도시경관의 창출을 위하여 이 법 및 관계 법령에 따라 일부 규정을 적용하지 아니하거나 완화하여 적용할 수 있도록 경관지구, 지구단위계획구역 중 미관유지를 위하여 필요하다고 인정하는 구역에서 다음의 어느 하나에 해당하는 도로에 접한 대지의 일정 구역을 특별가로구역으로 지정할 수 있다(법 제77조의2 제1항, 영 제110조의2).

① 건축선을 후퇴한 대지에 접한 도로로서 허가권자(허가권자가 구청장인 경우에는 특별시장이나 광역시장을 말한다. 이하 같다)가 건축조례로 정하는 도로
② 허가권자가 리모델링 활성화가 필요하다고 인정하여 지정·공고한 지역 안의 도로
③ 보행자전용도로로서 도시미관 개선을 위하여 허가권자가 건축조례로 정하는 도로
④ 지역문화진흥법 제18조에 따른 문화지구 안의 도로
⑤ 그 밖에 조화로운 도시경관 창출을 위하여 필요하다고 인정하여 국토교통부장관이 고시하거나 허가권자가 건축조례로 정하는 도로

(2) 지정절차

국토교통부장관 및 허가권자는 위 (1)에 따라 특별가로구역을 지정하려는 경우에는 다음의 자료를 갖추어 국토교통부장관 또는 허가권자가 두는 건축위원회의 심의를 거쳐야 하고, 특별가로구역을 지정하거나 변경·해제하는 경우에는 국토교통부령으로 정하는 바에 따라 이를 지역 주민에게 알려야 한다(법 제77조의2 제2항·제3항, 영 제110조의2 제2항).

① 특별가로구역의 위치·범위 및 면적 등에 관한 사항
② 특별가로구역의 지정목적 및 필요성
③ 특별가로구역 내 건축물의 규모 및 용도 등에 관한 사항
④ 특별가로구역에서 이 법 또는 관계 법령의 규정을 적용하지 아니하거나 완화하여 적용하는 경우에 해당 규정과 완화 등의 범위에 관한 사항
⑤ 건축물의 지붕 및 외벽의 형태나 색채 등에 관한 사항
⑥ 건축물의 배치, 대지의 출입구 및 조경의 위치에 관한 사항
⑦ 건축선 후퇴공간 및 공개공지 등의 관리에 관한 사항
⑧ 그 밖에 특별가로구역의 지정에 필요하다고 인정하여 국토교통부장관이 고시하거나 허가권자가 건축조례로 정하는 사항

(3) 지정효과

① 특별가로구역의 변경절차 및 해제, 특별가로구역 내 건축물에 관한 건축기준의 적용 등에 관하여는 법 제71조 제9항·제10항(각 호 외의 부분 후단은 제외한다), 제72조 제1항부터 제5항까지, 제73조 제1항(제77조의2 제1항 제3호에 해당하는 경우에는 제55조 및 제56조는 제외한다)·제2항, 제75조 제1항 및 제77조 제1항을 준용한다. 이 경우 '특별건축구역'은 각각 '특별가로구역'으로, '지정신청기관', '국토교통부장관 또는 시·도지사' 및 '국토교통부장관, 시·도지사 및 허가권자'는 각각 '국토교통부 장관 및 허가권자'로 본다(법 제77조의3 제2항).

② 특별가로구역 안의 건축물에 대하여 국토교통부장관 또는 허가권자가 배치기준을 따로 정하는 경우에는 민법 제242조(경계선 부근의 건축)를 적용하지 아니한다(법 제77 조의3 제3항).

제5절 건축협정

(1) 건축협정의 체결

토지 또는 건축물의 소유자, 지상권자 등 대통령령으로 정하는 자(이하 '소유자 등'이라 한다)는 전원의 합의로 다음의 어느 하나에 해당하는 지역 또는 구역에서 건축물의 건축·대수선 또는 리모델링에 관한 협정(이하 '건축협정'이라 한다)을 체결할 수 있으며, 이 경우 둘 이상의 토지를 소유한 자가 1인인 경우에도 그 토지소유자는 해당 토지의 구역을 건축협정대상 지역으로 하는 건축협정을 정할 수 있다. 이 경우 그 토지소유자 1인을 건축협정체결자로 본다(법 제77조의4 제1항·제2항·제6항).

> ① 국토의 계획 및 이용에 관한 법률에 따라 지정된 지구단위계획구역
> ② 도시 및 주거환경정비법에 따른 주거환경개선사업(스스로 시행하는 방법에 한한다)을 시행 하기 위하여 지정·고시된 정비구역
> ③ 도시재정비 촉진을 위한 특별법에 따른 존치지역
> ④ 도시재생 활성화 및 지원에 관한 특별법에 따른 도시재생활성화지역
> ⑤ 그 밖에 시·도지사 및 시장·군수·구청장(이하 '건축협정인가권자'라 한다)이 도시 및 주거 환경개선이 필요하다고 인정하여 해당 지방자치단체의 조례로 정하는 구역. 이 경우 시·도 지사가 필요하다고 인정하여 조례로 구역을 정하려는 때에는 해당 시장·군수·구청장의 의 견을 들어야 한다.

(2) 건축협정의 내용

건축협정은 다음의 사항을 포함하여야 한다(법 제77조의4 제4항, 영 제110조의3 제2항).

① 건축물의 건축·대수선 또는 리모델링에 관한 사항
② 대통령령으로 정하는 다음의 사항
    ㉠ 건축선
    ㉡ 건축물 및 건축설비의 위치
    ㉢ 건축물의 용도, 높이 및 층수
    ㉣ 건축물의 지붕 및 외벽의 형태
    ㉤ 건폐율 및 용적률
    ㉥ 담장, 대문, 조경, 주차장 등 부대시설의 위치 및 형태
    ㉦ 차양시설, 차면시설 등 건축물에 부착하는 시설물의 형태
    ㉧ 법 제59조 제1항 제1호에 따른 맞벽건축의 구조 및 형태
    ㉨ 그 밖에 건축조례로 정하는 사항

(3) 건축협정운영회의 설립

협정체결자는 건축협정서 작성 및 건축협정 관리 등을 위하여 필요한 경우 협정체결자간의 자율적 기구로서 운영회(이하 '건축협정운영회'라 한다)를 설립할 수 있으며, 설립하려면 협정체결자 과반수의 동의를 받아 건축협정운영회의 대표자를 선임하고, 국토교통부령으로 정하는 바에 따라 건축협정인가권자에게 신고하여야 한다(법 제77조의5 제1항·제2항).

(4) 건축협정의 인가

협정체결자 또는 건축협정운영회의 대표자는 건축협정서를 작성하여 국토교통부령으로 정하는 바에 따라 해당 건축협정인가권자의 인가를 받아야 하며, 인가신청을 받은 건축협정인가권자는 인가를 하기 전에 건축협정인가권자가 두는 건축위원회의 심의를 거쳐야 한다. 건축협정 체결대상 토지가 둘 이상의 특별자치시 또는 시·군·구에 걸치는 경우 건축협정 체결대상 토지면적의 과반(過半)이 속하는 건축협정인가권자에게 인가를 신청할 수 있다. 이 경우 인가신청을 받은 건축협정인가권자는 건축협정을 인가하기 전에 다른 특별자치시장 또는 시장·군수·구청장과 협의를 하여야 한다(법 제77조의6 제1항·제2항).

(5) 건축협정의 폐지

협정체결자 또는 건축협정운영회의 대표자는 건축협정을 폐지하려는 경우에는 협정체결자 과반수의 동의를 받아 국토교통부령으로 정하는 바에 따라 건축협정인가권자의 인가를 받아야 한다. 다만, 특례를 적용하여 착공신고를 한 경우에는 착공신고를 한 날부터 20년이 지난 후에 건축협정의 폐지인가를 신청할 수 있다. 다만, 다음의 요건을 모두 갖춘 경우에는 20년이 지난 것으로 본다(법 제77조의9 제1항·제2항, 영 제110조의4).

① 법 제57조 제3항에 따라 분할된 대지를 같은 조 제1항 및 제2항의 기준에 적합하게 할 것
② 법 제77조의13에 따른 특례를 적용받지 아니하는 내용으로 건축협정 변경인가를 받고 그에 따라 건축허가를 받을 것. 다만, 법 제77조의13에 따른 특례적용을 받은 내용대로 사용승인을 받은 경우에는 특례를 적용받지 아니하는 내용으로 건축협정 변경인가를 받고 그에 따라 건축허가를 받은 후 해당 건축물의 사용승인을 받아야 한다.
③ 법 제77조의11 제2항에 따라 지원받은 사업비용을 반환할 것

(6) 건축협정의 관리 등

건축협정인가권자는 건축협정을 인가하거나 변경인가하였을 때에는 건축협정관리대장을 작성하여 관리하여야 하며, 건축협정구역에서 건축물의 건축 · 대수선 또는 리모델링 등을 하려는 소유자 등은 건축협정에 따라야 한다. 그리고 건축협정구역에서 협정체결자인 소유자 등으로부터 건축물 등을 이전받거나 설정받은 자는 협정체결자로서의 지위를 승계한다. 다만, 건축협정에서 달리 정한 경우에는 그에 따른다(법 제77조의8, 제77조의10).

(7) 건축협정에 관한 계획 수립 및 지원

건축협정인가권자는 소유자 등이 건축협정을 효율적으로 체결할 수 있도록 건축협정구역에서 건축물의 건축 · 대수선 또는 리모델링에 관한 계획을 수립할 수 있고, 도로 개설 및 정비 등 건축협정구역 안의 주거환경개선을 위한 사업비용의 일부를 지원할 수 있다(법 제77조의11).

(8) 경관협정과의 관계

소유자 등은 건축협정을 체결할 때 경관법에 따른 경관협정을 함께 체결하려는 경우에는 경관법을 반영하여 건축협정인가권자에게 인가를 신청할 수 있고 건축협정을 인가받은 경우에는 경관협정의 인가를 받은 것으로 본다. 이 경우 인가신청을 받은 건축협정인가권자는 건축협정에 대한 인가를 하기 전에 건축위원회의 심의를 하는 때에 경관위원회와 공동으로 하는 심의를 거쳐야 한다(법 제77조의12).

(9) 건축협정에 따른 특례

① **맞벽건축의 특례:** 건축협정을 체결하여 둘 이상의 건축물 벽을 맞벽으로 하여 건축하려는 경우 맞벽으로 건축하려는 자는 공동으로 건축허가를 신청할 수 있고(법 제77조의13 제1항), 제17조(건축허가의 수수료), 제21조(착공신고), 제22조(사용승인) 및 제25조(공사감리)에 관하여는 개별 건축물마다 적용하지 아니하고 허가를 신청한 건축물 전부 또는 일부를 대상으로 통합하여 적용할 수 있다(법 제77조의13 제1항 · 제2항).

② **통합적용의 특례:** 인가를 받은 건축협정구역에서는 다음의 규정을 개별 건축물마다 적용하지 아니하고 전부 또는 일부를 대상으로 통합하여 적용할 수 있다(법 제77조의13 제3항). 다만, 조경 및 부설주차장에 대한 기준을 이 법 및 주차장법에서 정한 기준 이상으로 산정하여 적용하여야 한다(법 제77조의13 제4항).

> ㉠ 법 제42조에 따른 대지의 조경
> ㉡ 법 제44조에 따른 대지와 도로와의 관계
> ㉢ 법 제53조에 따른 지하층의 설치
> ㉣ 법 제55조에 따른 건폐율
> ㉤ 주차장법 제19조에 따른 부설주차장의 설치
> ㉥ 하수도법 제34조에 따른 개인하수처리시설의 설치

③ **경계벽 공유에 따른 통합적용:** 건축협정을 체결하여 둘 이상 건축물의 경계벽을 전체 또는 일부를 공유하여 건축하는 경우에는 위 ①·②의 특례(건축협정에 따른 특례)를 적용하며, 해당 대지를 하나의 대지로 보아 이 법의 기준을 개별 건축물마다 적용하지 아니하고 허가를 신청한 건축물의 전부 또는 일부를 대상으로 통합하여 적용할 수 있다(법 제77조의13 제5항).

④ **적용완화:** 건축협정구역에 건축하는 건축물에 대하여는 다음의 구분에 따라 완화하여 적용할 수 있다. 다만, 법 제56조(용적률)를 완화하여 적용하는 경우에는 건축위원회의 심의와 국토의 계획 및 이용에 관한 법률에 따른 지방도시계획위원회의 심의를 통합하여 거쳐야 한다(법 제77조의13 제6항, 영 제110조의7 제1항).

> ㉠ **법 제42조에 따른 대지의 조경면적:** 대지의 조경을 도로에 면하여 통합적으로 조성하는 건축협정구역에 한정하여 해당 지역에 적용하는 조경면적기준의 100분의 20의 범위에서 완화
> ㉡ **법 제55조에 따른 건폐율:** 해당 지역에 적용하는 건폐율의 100분의 20의 범위에서 완화. 이 경우 국토의 계획 및 이용에 관한 법률 제77조에 따른 건폐율의 최대한도를 초과할 수 없다.
> ㉢ **법 제56조에 따른 용적률:** 해당 지역에 적용하는 용적률의 100분의 20의 범위에서 완화. 이 경우 국토의 계획 및 이용에 관한 법률 제78조에 따른 용적률의 최대한도를 초과할 수 없다.
> ㉣ **법 제60조에 따른 높이제한:** 너비 6미터 이상의 도로에 접한 건축협정구역에 한정하여 해당 건축물에 적용하는 높이기준의 100분의 20의 범위에서 완화
> ㉤ **법 제61조에 따른 일조 등의 확보를 위한 건축물의 높이제한:** 건축협정구역 안에서 대지 상호간에 건축하는 공동주택에 한정하여 제86조 제3항 제1호에 따른 기준의 100분의 20의 범위에서 완화

(10) 건축협정 집중구역

① 지정: 건축협정인가권자는 건축협정의 효율적인 체결을 통한 도시의 기능 및 미관의 증진을 위하여 위 (1)의 어느 하나에 해당하는 지역 및 구역의 전체 또는 일부를 건축협정 집중구역으로 지정할 수 있다(법 제77조의14 제1항).

② 건축위원회의 심의: 건축협정인가권자는 건축협정 집중구역을 지정하는 경우에는 미리 다음의 사항에 대하여 건축협정인가권자가 두는 건축위원회의 심의를 거쳐야 한다. 다만, 건축협정 집중구역 내의 건축협정이 다음의 심의내용에 부합하는 경우에는 건축위원회의 심의를 생략할 수 있다(법 제77조의14 제2항 · 제4항).

> ○ 건축협정 집중구역의 위치, 범위 및 면적 등에 관한 사항
> ○ 건축협정 집중구역의 지정목적 및 필요성
> ○ 건축협정 집중구역에서 제77조의4 제4항 각 호의 사항 중 건축협정인가권자가 도시의 기능 및 미관 증진을 위하여 세부적으로 규정하는 사항
> ○ 건축협정 집중구역에서 제77조의13에 따른 건축협정의 특례 적용에 관하여 세부적으로 규정하는 사항

제6절 결합건축

(1) 의의

결합건축이란 용적률을 개별 대지마다 적용하지 아니하고, 2개 이상의 대지를 대상으로 통합적용하여 건축물을 건축하는 것을 말한다(법 제2조 제1항 제8의2호).

(2) 결합건축대상 지역

① 2개 대지간 결합건축이 가능한 지역: 다음의 어느 하나에 해당하는 지역에서 대지간의 최단거리가 100미터 이내의 범위에서 대통령령으로 정하는 범위에 있는 2개의 대지의 건축주가 서로 합의한 경우 2개의 대지를 대상으로 결합건축을 할 수 있다(법 제77조의15 제1항).

> ○ 국토의 계획 및 이용에 관한 법률 제36조에 따라 지정된 상업지역
> ○ 역세권의 개발 및 이용에 관한 법률 제4조에 따라 지정된 역세권개발구역
> ○ 도시 및 주거환경정비법 제2조에 따른 정비구역 중 주거환경개선사업의 시행을 위한 구역
> ○ 건축협정구역, 특별건축구역, 리모델링활성화구역

　　ⓜ 도시재생 활성화 및 지원에 관한 특별법 제2조 제1항 제5호에 따른 도시재생활성화 지역
　　ⓗ 한옥 등 건축자산의 진흥에 관한 법률 제17조 제1항에 따른 건축자산진흥구역

② **3개 이상의 대지간 결합건축이 가능한 지역:** 다음의 어느 하나에 해당하는 경우에는 위 ①의 어느 하나에 해당하는 지역에서 대통령령으로 정하는 범위에 있는 3개 이상 대지의 건축주 등이 서로 합의한 경우 3개 이상의 대지를 대상으로 결합건축을 할 수 있다(법 제77조의15 제2항).

　　㉠ 국가·지방자치단체 또는 공공기관의 운영에 관한 법률 제4조 제1항에 따른 공공기관이 소유 또는 관리하는 건축물과 결합건축하는 경우
　　㉡ 빈집 및 소규모주택 정비에 관한 특례법 제2조 제1항 제1호에 따른 빈집 또는 건축물관리법 제42조에 따른 빈 건축물을 철거하여 그 대지에 공원, 광장 등 대통령령으로 정하는 시설을 설치하는 경우
　　㉢ 그 밖에 대통령령으로 정하는 건축물과 결합건축하는 경우

③ **결합건축 금지:** 위 ①과 ②에도 불구하고 도시경관의 형성, 기반시설 부족 등의 사유로 해당 지방자치단체의 조례로 정하는 지역 안에서는 결합건축을 할 수 없다(법 제77조의15 제3항).

④ 위 ① 또는 ②에 따라 결합건축을 하려는 2개 이상의 대지를 소유한 자가 1명인 경우는 그 토지소유자는 해당 토지의 구역을 결합건축대상 지역으로 하는 결합건축을 할 수 있다(법 제77조의15 제4항).

(3) 결합건축 절차

① 결합건축을 하고자 하는 건축주는 건축허가를 신청하는 때에는 다음의 사항을 명시한 결합건축협정서를 첨부하여야 하며 국토교통부령으로 정하는 도서를 제출하여야 한다(법 제77조의16 제1항).

　　㉠ 결합건축대상 대지의 위치 및 용도지역
　　㉡ 결합건축협정서를 체결하는 자(이하 '결합건축협정체결자'라 한다)의 성명, 주소 및 생년월일(법인, 법인 아닌 사단이나 재단 및 외국인의 경우에는 부동산등기법 제49조에 따라 부여된 등록번호를 말한다)
　　㉢ 국토의 계획 및 이용에 관한 법률 제78조에 따라 조례로 정한 용적률과 결합건축으로 조정되어 적용되는 대지별 용적률
　　㉣ 결합건축대상 대지별 건축계획서

② 허가권자는 국토의 계획 및 이용에 관한 법률 제2조 제11호에 따른 도시ㆍ군계획사업에 편입된 대지가 있는 경우에는 결합건축을 포함한 건축허가를 아니할 수 있다(법 제77조의16 제2항).

③ 허가권자는 ①에 따른 건축허가를 하기 전에 건축위원회의 심의를 거쳐야 한다. 다만, 결합건축으로 조정되어 적용되는 대지별 용적률이 국토의 계획 및 이용에 관한 법률 제78조에 따라 해당 대지에 적용되는 도시계획조례의 용적률의 100분의 20을 초과하는 경우에는 건축위원회와 도시계획위원회의 공동위원회를 구성하여 심의를 하여야 한다(법 제77조의16 제3항, 영 제111조의2).

(4) 결합건축의 관리

① 허가권자는 결합건축을 포함하여 건축허가를 한 경우 국토교통부령으로 정하는 바에 따라 그 내용을 공고하고, 결합건축관리대장을 작성하여 관리하여야 한다(법 제77조의17 제1항).

② 허가권자는 결합건축과 관련된 건축물의 사용승인신청이 있는 경우 해당 결합건축협정서상의 다른 대지에서 착공신고 또는 다음의 조치가 이행되었는지를 확인한 후 사용승인을 하여야 한다(법 제77조의17 제2항, 영 제111조의3).

> ㉠ 법 제11조 제7항 각 호 외의 부분 단서에 따른 공사의 착수기간 연장 신청. 다만, 착공이 지연된 것에 건축주의 귀책사유가 없고 착공 지연에 따른 건축허가 취소의 가능성이 없다고 인정하는 경우로 한정한다.
> ㉡ 국토의 계획 및 이용에 관한 법률에 따른 도시ㆍ군계획시설의 결정

③ 허가권자는 결합건축을 허용한 경우 건축물대장에 국토교통부령으로 정하는 바에 따라 결합건축에 관한 내용을 명시하여야 하며, 결합건축협정서에 따른 협정체결 유지기간은 최소 30년으로 한다. 다만, 결합건축협정서의 용적률 기준을 종전대로 환원하여 신축ㆍ개축ㆍ재축하는 경우에는 그러하지 아니한다(법 제77조의17 제3항ㆍ제4항).

④ 결합건축협정서를 폐지하려는 경우에는 결합건축협정체결자 전원이 동의하여 허가권자에게 신고하여야 하며, 허가권자는 용적률을 이전받은 건축물이 멸실된 것을 확인한 후 결합건축의 폐지를 수리하여야 한다. 이 경우 결합건축 폐지에 관하여는 ① 및 ③을 준용한다(법 제77조의17 제5항).

01 대지가 이 법이나 다른 법률에 따른 지역·지구(녹지지역과 방화지구는 제외한다) 또는 구역에 걸치는 경우에는 대통령령으로 정하는 바에 따라 그 건축물과 대지의 전부에 대하여 대지의 과반(過半)이 속하는 지역·지구 또는 구역 안의 건축물 및 대지 등에 관한 이 법의 규정을 적용한다. ( )

02 하나의 건축물이 방화지구와 그 밖의 구역에 걸치는 경우에는 그 건축물과 대지의 전부에 대하여 방화지구 안의 건축물에 관한 이 법의 규정을 적용한다. ( )

03 허가권자는 같은 가로구역에서도 건축물의 용도 및 형태에 따라 건축물의 높이를 다르게 정할 수 있고, 시장 또는 군수는 도시의 관리를 위하여 필요하면 가로구역별 건축물의 높이를 조례로 정할 수 있다. ( )

04 인접 대지경계선 등의 방향으로 채광창을 두는 공동주택의 경우에 건축물의 각 부분의 높이는 그 부분으로부터 채광을 위한 창문 등이 있는 벽면에서 직각방향으로 인접 대지경계선까지의 수평거리의 2배(근린상업지역 또는 준주거지역의 건축물은 4배) 이하로 하여야 한다. ( )

05 2층 이하이거나 높이가 8미터 이하인 건축물에는 해당 지방자치단체의 조례로 정하는 바에 따라 일조 등의 확보를 위한 건축물의 높이제한을 적용하지 아니할 수 있다. ( )

---

01 ○

02 × 그 전부에 대하여 방화지구 안의 건축물에 관한 이 법의 규정을 적용한다.

03 × 특별시장이나 광역시장은 도시의 관리를 위하여 필요하면 가로구역별 건축물의 높이를 특별시나 광역시의 조례로 정할 수 있다.

04 ○

05 × 2층 이하로서 높이가 8미터 이하인 건축물이다.

06 국토교통부장관 또는 시 · 도지사는 특별건축구역으로 지정하고자 하는 지역이 군사기지 및 군사시설 보호법에 따른 군사기지 및 군사시설 보호구역에 해당하는 경우에는 국방부장관과 사전에 협의하여야 한다. ( )

07 특별건축구역을 지정하거나 변경한 경우에는 국토의 계획 및 이용에 관한 법률에 따른 도시 · 군관리계획의 결정(용도지역 · 지구 · 구역의 지정 및 변경을 제외한다)이 있는 것으로 본다. ( )

08 특별건축구역에 건축하는 건축물에 대하여는 주차장법에 따른 부설주차장의 설치에 관한 규정을 적용하지 아니할 수 있다. ( )

09 국토교통부장관 및 허가권자는 도로에 인접한 건축물의 건축을 통한 조화로운 도시경관의 창출을 위하여 이 법 및 관계 법령에 따라 일부 규정을 적용하지 아니하거나 완화하여 적용할 수 있도록 경관지구, 지구단위계획구역 중 미관유지를 위하여 필요하다고 인정하는 구역에 대하여 특별건축구역을 적용할 수 있다. ( )

10 협정체결자 또는 건축협정운영회의 대표자는 건축협정을 폐지하려는 경우에는 협정체결자 전원의 동의를 받아 건축협정인가권자의 인가를 받아야 한다. 다만, 특례를 적용하여 착공신고를 한 경우에는 착공신고를 한 날부터 30년이 지난 후에 건축협정의 폐지인가를 신청할 수 있다. ( )

11 '결합건축'이란 건폐율과 용적률을 개별 대지마다 적용하지 아니하고, 2개 이상의 대지를 대상으로 통합적용하여 건축물을 건축하는 것을 말한다. ( )

---

06 ○
07 ○
08 × 통합적용할 수 있는 규정에 해당한다.
09 × 특별가로구역을 적용할 수 있다.
10 × 협정체결자 과반수의 동의를 받아야 하며, 착공신고를 한 날부터 20년이 지난 후에 건축협정의 폐지인가를 신청할 수 있다.
11 × 용적률을 개별 대지마다 적용하지 아니하고, 통합적용하여 건축물을 건축하는 것을 말한다.

house.Hackers.com

📖 단원길라잡이

본 장의 내용은 중요성이 다소 떨어지는 부분으로, 3~4년 단위로 1문제 정도가 출제되고 있다. 다만, 건축분쟁 심사에 대한 부분은 눈여겨보아야 할 것이며, 건축분쟁전문위원회의 역할과 조정·재정절차의 일부는 꼭 숙지하여야 한다.

🔍 출제포인트

- 지방건축위원회의 업무
- 건축분쟁조정절차

제1절 건축위원회

국토교통부장관, 시·도지사 및 시장·군수·구청장은 다음의 사항을 조사·심의·조정 또는 재정(이하 '심의 등'이라 한다)하기 위하여 다음에 따라 각각 건축위원회를 두어야 한다(법 제4조 제1항).

> ① 이 법과 조례의 제정·개정 및 시행에 관한 중요 사항
> ② 건축물의 건축 등과 관련된 분쟁의 조정 또는 재정에 관한 사항. 다만, 시·도지사 및 시장·군수·구청장이 두는 건축위원회는 제외한다.
> ③ 건축물의 건축 등과 관련된 민원에 관한 사항. 다만, 국토교통부장관이 두는 건축위원회는 제외한다.
> ④ 건축물의 건축 또는 대수선에 관한 사항
> ⑤ 다른 법령에서 건축위원회의 심의를 받도록 규정한 사항

제2절 중앙건축위원회

01 심의사항

다음 사항의 심의 등을 하기 위하여 국토교통부에 중앙건축위원회를 둔다(영 제5조 제1항).

> ① 표준설계도서의 인정에 관한 사항
> ② 건축물의 건축·대수선·용도변경, 건축설비의 설치 또는 공작물의 축조와 관련된 분쟁의 조정 또는 재정에 관한 사항
> ③ 법과 이 영의 제정·개정 및 시행에 관한 중요 사항
> ④ 다른 법령에서 중앙건축위원회의 심의를 받도록 한 경우 해당 법령에서 규정한 심의사항
> ⑤ 그 밖에 국토교통부장관이 중앙건축위원회의 심의가 필요하다고 인정하여 회의에 부치는 사항

02 중앙건축위원회의 구성

중앙건축위원회의 구성에 필요한 사항은 다음과 같이 대통령령으로 정한다(법 제4조 제5항, 영 제5조 제3항·제4항·제5항·제6항).

> ① 중앙건축위원회는 위원장 및 부위원장 각 1명을 포함하여 70명 이내의 위원으로 구성한다.
> ② 중앙건축위원회의 위원은 관계 공무원과 건축에 관한 학식 또는 경험이 풍부한 사람 중 국토교통부장관이 임명하거나 위촉한다.

③ 중앙건축위원회의 위원장과 부위원장은 임명 또는 위촉된 위원 중에서 국토교통부장관이 임명하거나 위촉한다.
④ 공무원이 아닌 위원의 임기는 2년으로 하며, 한 차례만 연임할 수 있다.

03 중앙건축위원회의 운영

(1) 회의 운영

중앙건축위원회의 회의는 다음에 따라 운영한다(규칙 제2조 제1항·제3항).

① 중앙건축위원회의 위원장은 중앙건축위원회의 회의를 소집하고, 그 의장이 된다.
② 중앙건축위원회의 회의는 구성위원(위원장과 위원장이 회의시마다 확정하는 위원을 말한다) 과반수의 출석으로 개의(開議)하고, 출석위원 과반수의 찬성으로 심의 등을 의결한다.
③ 중앙건축위원회의 위원장은 업무수행을 위하여 필요하다고 인정하는 경우에는 관계 전문가를 중앙건축위원회의 회의에 출석하게 하여 발언하게 하거나 관계 기관·단체에 대하여 자료를 요구할 수 있다.
④ 중앙건축위원회는 심의신청 접수일부터 30일 이내에 심의를 마쳐야 한다. 다만, 심의요청서 보완 등 부득이한 사정이 있는 경우에는 20일의 범위에서 연장할 수 있다.
⑤ 중앙건축위원회의 심의 등 관련 서류는 심의 등의 완료 후 2년간 보존하여야 한다.

(2) 심의결과의 통보

국토교통부장관은 중앙건축위원회가 심의 등을 의결한 날부터 7일 이내에 심의 등을 신청한 자에게 그 심의 등의 결과를 서면으로 알려야 한다(규칙 제2조의2).

04 전문위원회

국토교통부장관, 시·도지사 및 시장·군수·구청장은 건축위원회의 심의 등을 효율적으로 수행하기 위하여 필요하면 자신이 설치하는 건축위원회에 다음의 전문위원회를 두어 운영할 수 있고, 전문위원회는 건축위원회가 정하는 사항에 대하여 심의 등을 하며, 전문위원회의 심의 등을 거친 사항은 건축위원회의 심의 등을 거친 것으로 본다(법 제4조 제2항·제3항·제4항).

① 건축분쟁전문위원회(국토교통부에 설치하는 건축위원회에 한정한다)
② 건축민원전문위원회(시·도 및 시·군·구에 설치하는 건축위원회에 한정한다)
③ 건축계획·건축구조·건축설비 등 분야별 전문위원회

01 건축위원회의 심의

(1) 신청

대통령령으로 정하는 건축물을 건축하거나 대수선하려는 자는 건축허가를 신청하거나 대수선 허가를 신청하기 전에 국토교통부령으로 정하는 바에 따라 시·도지사 또는 시장·군수·구청장에게 건축위원회의 심의를 신청하여야 하며, 신청을 받은 시·도지사 또는 시장·군수·구청장은 대통령령으로 정하는 바에 따라 건축위원회에 심의안건을 상정하고, 심의결과를 국토교통부령으로 정하는 바에 따라 심의를 신청한 자에게 통보하여야 한다(법 제4조의2 제1항·제2항).

(2) 재심의

건축위원회의 심의결과에 이의가 있는 자는 심의결과를 통보받은 날부터 1개월 이내에 시·도지사 또는 시장·군수·구청장에게 건축위원회의 재심의를 신청할 수 있으며, 재심의 신청을 받은 시·도지사 또는 시장·군수·구청장은 그 신청을 받은 날부터 15일 이내에 대통령령으로 정하는 바에 따라 건축위원회에 재심의 안건을 상정하고, 재심의결과를 국토교통부령으로 정하는 바에 따라 재심의를 신청한 자에게 통보하여야 한다(법 제4조의2 제3항·제4항).

(3) 건축위원회 회의록의 공개

시·도지사 또는 시장·군수·구청장은 심의(재심의를 포함한다)를 신청한 자가 요청하는 경우에는 대통령령으로 정하는 바에 따라 건축위원회 심의의 일시·장소·안건·내용·결과 등이 기록된 회의록을 공개하여야 한다. 다만, 심의의 공정성을 침해할 우려가 있다고 인정되는 이름, 주민등록번호 등 대통령령으로 정하는 개인식별정보에 관한 부분의 경우에는 그러하지 아니하다(법 제4조의3).

02 심의사항

시·도 및 시·군·구에 두는 건축위원회(이하 '지방건축위원회'라 한다)는 다음의 사항에 대한 심의 등을 한다(영 제5조의5 제1항).

> ① 법 제46조 제2항(지정건축선)에 따른 건축선의 지정에 관한 사항
> ② 법 또는 이 영에 따른 조례(해당 지방자치단체의 장이 발의하는 조례만 해당한다)의 제정·개정에 관한 사항
> ③ 다중이용 건축물 및 특수구조 건축물의 구조안전에 관한 사항

④ 다른 법령에서 지방건축위원회의 심의를 받도록 한 경우 해당 법령에서 규정한 심의사항

⑤ 시·도지사 및 시장·군수·구청장이 도시 및 건축 환경의 체계적인 관리를 위하여 필요하다고 인정하여 지정·공고한 지역에서 건축조례로 정하는 건축물의 건축 등에 관한 것으로서 시·도지사 및 시장·군수·구청장이 지방건축위원회의 심의가 필요하다고 인정한 사항. 이 경우 심의사항은 시·도지사 및 시장·군수·구청장이 건축 계획, 구조 및 설비 등에 대해 심의기준을 정하여 공고한 사항으로 한정한다.

03 구성·운영 및 심의기준

(1) 구성 및 운영

① 지방건축위원회는 위원장 및 부위원장 각 1명을 포함하여 25명 이상 150명 이하의 위원으로 구성한다(영 제5조의5 제3항).

② 지방건축위원회의 위원은 다음의 어느 하나에 해당하는 사람 중에서 시·도지사 및 시장·군수·구청장이 임명하거나 위촉한다(영 제5조의5 제4항).

> ㉠ 도시계획 및 건축 관계 공무원
> ㉡ 도시계획 및 건축 등에서 학식과 경험이 풍부한 사람

③ 지방건축위원회의 위원장과 부위원장은 ②에 따라 임명 또는 위촉된 위원 중에서 시·도지사 및 시장·군수·구청장이 임명하거나 위촉한다(영 제5조의5 제5항).

④ 공무원이 아닌 위원의 임기는 3년 이내로 하며, 필요한 경우에는 한 차례만 연임할 수 있다(영 제5조의5 제6항 제1호의 마목).

⑤ 위원의 제척·기피·회피·해촉에 관하여는 중앙건축위원회를 준용한다(영 제5조의5 제6항 제1호의 라목).

(2) 심의 등에 관한 기준(영 제5조의5 제6항 제2호)

① 국토의 계획 및 이용에 관한 법률에 따라 건축위원회와 도시계획위원회가 공동으로 심의한 사항에 대해서는 심의를 생략할 것

② 지방건축위원회의 위원장은 회의 개최 10일 전까지 회의안건과 심의에 참여할 위원을 확정하고, 회의 개최 7일 전까지 회의에 부치는 안건을 각 위원에게 알릴 것. 다만, 대외적으로 기밀 유지가 필요한 사항이나 그 밖에 부득이한 사유가 있는 경우에는 그러하지 아니하다.

③ 지방건축위원회의 위원장은 ②에 따라 심의에 참여할 위원을 확정하면 심의 등을 신청한 자에게 위원 명단을 알릴 것

④ 지방건축위원회의 회의는 구성위원(위원장과 위원장이 ②에 따라 회의 참여를 확정한 위원을 말한다) 과반수의 출석으로 개의하고, 출석위원 과반수 찬성으로 심의 등을 의결하며, 심의 등을 신청한 자에게 심의 등의 결과를 알릴 것

⑤ 지방건축위원회의 위원장은 업무 수행을 위하여 필요하다고 인정하는 경우에는 관계 전문가를 지방건축위원회의 회의에 출석하게 하여 발언하게 하거나 관계 기관·단체에 자료를 요구할 것

⑥ 건축주·설계자 및 심의 등을 신청한 자가 희망하는 경우에는 회의에 참여하여 해당 안건 등에 대하여 설명할 수 있도록 할 것

⑦ **02**의 ③·④·⑤의 규정에 따른 사항을 심의하는 경우 심의 등을 신청한 자에게 지방건축위원회에 간략설계도서(배치도·평면도·입면도·주단면도 및 국토교통부장관이 정하여 고시하는 도서로 한정하며, 전자문서로 된 도서를 포함한다)를 제출하도록 할 것

⑧ 건축구조분야 등 전문분야에 대해서는 분야별 해당 전문위원회에서 심의하도록 할 것(제5조의6 제1항에 따라 분야별 전문위원회를 구성한 경우만 해당한다)

⑨ 지방건축위원회 심의절차 및 방법 등에 관하여 국토교통부장관이 정하여 고시하는 기준에 따를 것

건축분쟁전문위원회

01 위원회의 설치

국토교통부장관은 필요하면 중앙건축위원회에 건축분쟁전문위원회를 두어 운영할 수 있으며, 건축분쟁전문위원회의 심의 등을 거친 사항은 건축위원회의 심의 등을 거친 것으로 본다(법 제4조 제2항·제4항).

02 건축분쟁전문위원회

(1) 설치 및 권한

건축 등과 관련된 다음의 분쟁(건설산업기본법 제69조에 따른 조정의 대상이 되는 분쟁은 제외한다. 이하 같다)의 조정(調停) 및 재정(裁定)을 하기 위하여 국토교통부에 건축분쟁전문위원회(이하 '분쟁위원회'라 한다)를 둔다(법 제88조 제1항).

① 건축관계자와 해당 건축물의 건축 등으로 피해를 입은 인근주민간의 분쟁
② 관계 전문기술자와 인근주민간의 분쟁
③ 건축관계자와 관계 전문기술자간의 분쟁
④ 건축관계자간의 분쟁
⑤ 인근주민간의 분쟁
⑥ 관계 전문기술자간의 분쟁
⑦ 그 밖에 대통령령으로 정하는 사항

(2) 구성

① **구성:** 분쟁위원회는 위원장과 부위원장 각 1명을 포함한 15명 이내의 위원으로 구성하며, 위원장과 부위원장은 위원 중에서 국토교통부장관이 위촉한다(법 제89조 제1항 · 제4항).

② **분쟁위원회의 위원:** 분쟁위원회의 위원은 건축이나 법률에 관한 학식과 경험이 풍부한 자로서, 다음의 어느 하나에 해당하는 자 중에서 국토교통부장관이 임명하거나 위촉한다. 이 경우 ⓒ에 해당하는 자가 2명 이상 포함되어야 한다(법 제89조 제2항).

> ⊙ 3급 상당 이상의 공무원으로 1년 이상 재직한 자
> ⓛ 고등교육법에 따른 대학에서 건축공학이나 법률학을 가르치는 조교수 이상의 직에 3년 이상 재직한 자
> ⓒ 판사, 검사 또는 변호사의 직에 6년 이상 재직한 자
> ⓔ 국가기술자격법에 따른 건축분야 기술사 또는 건축사법에 따라 건축사사무소 개설신고를 하고 건축사로 6년 이상 종사한 자
> ⓜ 건설공사나 건설업에 대한 학식과 경험이 풍부한 자로서 그 분야에 15년 이상 종사한 자

③ **임기:** 공무원이 아닌 위원의 임기는 3년으로 하되 연임할 수 있으며, 보궐위원의 임기는 전임자의 남은 임기로 한다(법 제89조 제5항).

④ **결격사유:** 다음의 어느 하나에 해당하는 자는 분쟁위원회의 위원이 될 수 없다(법 제89조 제7항).

> ⊙ 피성년후견인, 피한정후견인 또는 파산선고를 받고 복권되지 아니한 자
> ⓛ 금고 이상의 실형을 선고받고 그 집행이 끝나거나(집행이 끝난 것으로 보는 경우를 포함한다) 집행이 면제된 날부터 2년이 지나지 아니한 자
> ⓒ 법원의 판결이나 법률에 따라 자격이 정지된 자

(3) 조정위원회 · 재정위원회

① **구성**: 조정은 3명의 위원으로 구성되는 조정위원회에서 하고, 재정은 5명의 위원으로 구성되는 재정위원회에서 하며 그들 위원은 사건마다 분쟁위원회의 위원 중에서 위원 장이 지명한다. 이 경우 재정위원회에는 판사, 검사 또는 변호사의 직에 6년 이상 재 직한 자에 해당하는 위원이 1명 이상 포함되어야 한다(법 제94조 제1항·제2항).

② **회의**: 조정위원회와 재정위원회의 회의는 구성원 전원의 출석으로 열고 과반수의 찬성 으로 의결한다(법 제94조 제3항).

(4) 조정 · 재정의 절차

① **조정 · 재정의 신청**: 건축물의 건축 등과 관련된 분쟁의 조정 또는 재정을 신청하려는 자는 분쟁위원회에 조정 등의 신청서를 제출하여야 하는데, 이때 조정신청은 해당 사 건의 당사자 중 1명 이상이 하며, 재정신청은 해당 사건 당사자간의 합의로 한다. 다만, 분쟁위원회는 조정신청을 받으면 해당 사건의 모든 당사자에게 조정신청이 접수된 사 실을 알려야 한다(법 제92조 제1항·제2항).

② **조정 · 재정의 기간**: 분쟁위원회는 당사자의 조정신청을 받으면 60일 이내에, 재정신청 을 받으면 120일 이내에 절차를 마쳐야 한다. 다만, 부득이한 사정이 있으면 분쟁위원 회의 의결로 기간을 연장할 수 있다(법 제92조 제3항).

③ **공사의 진행**: 시·도지사 또는 시장·군수·구청장은 위해 방지를 위하여 긴급한 상황 이거나 그 밖에 특별한 사유가 없으면 조정 등의 신청이 있다는 이유만으로 해당 공사 를 중지하게 하여서는 아니 된다(법 제93조 제3항).

(5) 조정 · 재정의 방법과 효력

① **조정의 방법**: 조정위원회는 조정에 필요하다고 인정하면 조정위원 또는 사무국의 소속 공무원에게 관계 서류를 열람하게 하거나 관계 사업장에 출입하여 조사하게 할 수 있 으며, 필요하다고 인정하면 당사자나 참고인을 조정위원회에 출석하게 하여 의견을 들 을 수 있고, 조정신청을 받은 조정위원회는 조정기간 내에 심사하여 조정안을 작성하 여야 한다(법 제95조).

② **조정의 효력**: 조정위원회는 조정안을 작성하면 지체 없이 각 당사자에게 조정안을 제시 하여야 하며, 조정안을 제시받은 당사자는 제시를 받은 날부터 15일 이내에 수락 여부 를 조정위원회에 알려야 하고, 당사자가 조정안을 수락하고 조정서에 기명날인하면 당사자간에 조정서와 동일한 내용의 재판상 화해가 성립된 것으로 본다(법 제96조).

③ **재정의 방법**: 재정은 문서에 다음의 사항을 적고 재정위원이 이에 기명날인한 문서로 하여야 하며, 이유를 적을 때에는 주문의 내용이 정당하다는 것을 인정할 수 있는 한도 에서 당사자의 주장 등을 표시하여야 하고, 재정을 하면 지체 없이 재정문서의 정본을 당사자나 대리인에게 송달하여야 한다(법 제97조).

> ㉠ 사건번호와 사건명
> ㉡ 당사자, 선정대표자, 대표당사자 및 대리인의 주소·성명
> ㉢ 주문(主文)
> ㉣ 신청 취지
> ㉤ 이유
> ㉥ 재정 날짜

④ **재정의 효력:** 재정위원회가 재정을 한 경우 재정문서의 정본이 당사자에게 송달된 날부터 60일 이내에 당사자 양쪽이나 어느 한쪽으로부터 그 재정의 대상인 건축물의 건축 등의 분쟁을 원인으로 하는 소송이 제기되지 아니하거나 그 소송이 철회되면 당사자간에 재정내용과 동일한 재판상 화해가 성립된 것으로 본다(법 제99조).

⑤ **시효의 중단:** 당사자가 재정에 불복하여 소송을 제기한 경우 시효의 중단과 제소기간을 산정할 때에는 재정신청을 재판상의 청구로 본다(법 제100조).

⑥ **직권조정:** 건축분쟁전문위원회는 재정신청이 된 사건을 조정에 회부하는 것이 적합하다고 인정하면 직권으로 직접 조정할 수 있다(법 제101조).

⑦ **비용의 부담:** 분쟁의 조정 등을 위한 감정·진단·시험 등에 드는 비용은 당사자간의 합의로 정하는 비율에 따라 당사자가 부담하여야 한다. 다만, 당사자간에 비용부담에 대하여 합의가 되지 아니하면 조정위원회나 재정위원회에서 부담비율을 정하고, 조정위원회나 재정위원회는 필요하다고 인정하면 대통령령으로 정하는 바에 따라 당사자에게 비용을 예치하게 할 수 있다(법 제102조).

⑧ **절차의 비공개:** 분쟁위원회가 행하는 조정 등의 절차는 이 법 또는 이 영에 특별한 규정이 있는 경우를 제외하고는 공개하지 아니한다(영 제119조의5).

(6) 대리인

당사자는 다음에 해당하는 자를 대리인으로 선임할 수 있다(법 제91조 제1항).

> ① 당사자의 배우자, 직계존·비속 또는 형제자매
> ② 당사자인 법인의 임직원
> ③ 변호사

(7) 위탁

국토교통부장관은 분쟁위원회의 운영 및 사무처리를 국토안전관리원법에 따른 국토안전관리원에 위탁할 수 있으며, 예산의 범위에서 분쟁위원회의 운영 및 사무처리에 필요한 경비를 국토안전관리원에 출연 또는 보조할 수 있다(법 제103조).

제5절 건축민원전문위원회

(1) 위원회의 설치

건축민원전문위원회는 건축물의 건축 등과 관련된 다음의 민원(허가권자의 처분이 완료되기 전의 것으로 한정하며, 이하 '질의민원'이라 한다)을 심의하며, 시·도지사가 설치하는 건축민원전문위원회(이하 '광역지방건축민원전문위원회'라 한다)와 시장·군수·구청장이 설치하는 건축민원전문위원회(이하 '기초지방건축민원전문위원회'라 한다)로 구분한다(법 제4조의4 제1항).

> ① 건축법령의 운영 및 집행에 관한 민원
> ② 건축물의 건축 등과 복합된 사항으로서 제11조 제5항 각 호에 해당하는 법률 규정의 운영 및 집행에 관한 민원
> ③ 그 밖에 대통령령으로 정하는 민원

(2) 업무

광역지방건축민원전문위원회는 허가권자나 도지사(이하 '허가권자 등'이라 한다)의 건축허가나 사전승인에 대한 질의민원을 심의하고, 기초지방건축민원전문위원회는 시장(행정시의 시장을 포함한다)·군수·구청장의 건축허가 또는 건축신고와 관련한 질의민원을 심의하며, 건축민원전문위원회의 구성·회의·운영, 그 밖에 필요한 사항은 해당 지방자치단체의 조례로 정한다(법 제4조의4 제2항·제3항).

(3) 질의민원 신청

질의민원의 심의를 신청하려는 자는 관할 건축민원전문위원회에 심의신청서를 제출하여야 하며, 심의를 신청하고자 하는 자는 다음의 사항을 기재하여 문서로 신청하여야 한다. 다만, 문서에 의할 수 없는 특별한 사정이 있는 경우에는 구술로 신청할 수 있다(법 제4조의5 제1항·제2항).

> ① 신청인의 이름과 주소
> ② 신청의 취지·이유와 민원신청의 원인이 된 사실내용
> ③ 그 밖에 행정기관의 명칭 등 대통령령으로 정하는 사항

(4) 질의민원 처리절차

① 건축민원전문위원회는 신청인의 질의민원을 받으면 15일 이내에 심의절차를 마쳐야 한다. 다만, 사정이 있으면 건축민원전문위원회의 의결로 15일 이내의 범위에서 기간을 연장할 수 있다(법 제4조의5 제3항).

② 건축민원전문위원회는 심의에 필요하다고 인정하면 위원 또는 사무국의 소속 공무원에게 관계 서류를 열람하게 하거나 관계 사업장에 출입하여 조사하게 할 수 있고, 허가권자의 업무담당자, 이해관계자 또는 참고인을 위원회에 출석하게 하여 의견을 들을 수 있다(법 제4조의6 제1항·제2항).

③ 민원의 심의신청을 받은 건축민원전문위원회는 심의기간 내에 심의하여 심의결정서를 작성하여야 한다(법 제4조의6 제3항).

④ 건축민원전문위원회는 질의민원에 대하여 관계 법령, 관계 행정기관의 유권해석, 유사판례와 현장여건 등을 충분히 검토하여 심의의견을 제시할 수 있다(법 제4조의7 제1항).

⑤ 건축민원전문위원회는 민원심의의 결정내용을 지체 없이 신청인 및 해당 허가권자 등에게 통지하여야 하고, 통지받은 허가권자 등은 이를 존중하여야 하며, 통지받은 날부터 10일 이내에 그 처리결과를 해당 건축민원전문위원회에 통보하여야 하며, 그 처리결과를 통보받은 건축민원전문위원회는 신청인에게 그 내용을 지체 없이 통보하여야 한다(법 제4조의7 제2항·제3항·제5항).

⑥ ⑤에 따른 심의 결정내용을 시장·군수·구청장이 이행하지 아니하는 경우에는 해당 민원인은 시장·군수·구청장이 통보한 처리결과를 첨부하여 광역지방건축민원전문위원회에 심의를 신청할 수 있다(법 제4조의7 제4항).

(5) 사무국

건축민원전문위원회의 사무를 처리하기 위하여 위원회에 사무국을 두어야 하며, 건축민원전문위원회에는 다음의 사무를 나누어 맡도록 심사관을 둔다(법 제4조의8).

> ① 건축민원전문위원회의 심의·운영에 관한 사항
> ② 건축물의 건축 등과 관련된 민원처리에 관한 업무지원사항
> ③ 그 밖에 위원장이 지정하는 사항

01 국토교통부장관은 필요하면 중앙건축위원회에 건축분쟁전문위원회를 두어 운영할 수 있으며, 건축분쟁전문위원회의 심의 등을 거친 사항은 건축위원회의 심의 등을 거친 것으로 본다.

( )

02 분쟁위원회는 당사자의 조정신청을 받으면 90일 이내에, 재정신청을 받으면 150일 이내에 절차를 마쳐야 한다. 다만, 부득이한 사정이 있으면 분쟁위원회의 의결로 기간을 연장할 수 있다.

( )

03 재정위원회가 재정을 한 경우 재정문서의 정본이 당사자에게 송달된 날부터 60일 이내에 당사자 양쪽이나 어느 한쪽으로부터 그 재정의 대상인 건축물의 건축 등의 분쟁을 원인으로 하는 소송이 제기되지 아니하거나 그 소송이 철회되면 당사자간에 재정내용과 동일한 재판상 화해가 성립된 것으로 본다.

( )

04 건축민원전문위원회는 신청인의 질의민원을 받으면 30일 이내에 심의절차를 마쳐야 한다. 다만, 사정이 있으면 건축민원전문위원회의 의결로 30일 이내의 범위에서 기간을 연장할 수 있다.

( )

05 건축민원전문위원회는 민원심의의 결정내용을 지체 없이 신청인 및 해당 허가권자 등에게 통지하여야 하고, 통지받은 허가권자 등은 이를 존중하여야 하며, 통지받은 날부터 10일 이내에 그 처리결과를 해당 건축민원전문위원회에 통보하여야 하며, 그 처리결과를 통보받은 건축민원전문위원회는 신청인에게 그 내용을 지체 없이 통보하여야 한다.

( )

---

01 ○

02 × 분쟁위원회는 당사자의 조정신청을 받으면 60일 이내에, 재정신청을 받으면 120일 이내에 절차를 마쳐야 한다.

03 ○

04 × 건축민원전문위원회는 신청인의 질의민원을 받으면 15일 이내에 심의절차를 마쳐야 한다.

05 ○

제 8 장 보칙

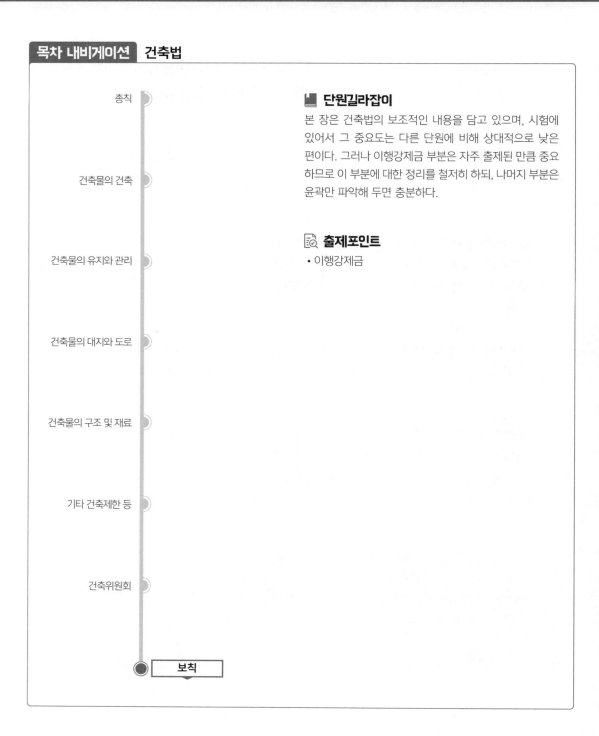
📖 **단원길라잡이**

본 장은 건축법의 보조적인 내용을 담고 있으며, 시험에 있어서 그 중요도는 다른 단원에 비해 상대적으로 낮은 편이다. 그러나 이행강제금 부분은 자주 출제된 만큼 중요하므로 이 부분에 대한 정리를 철저히 하되, 나머지 부분은 윤곽만 파악해 두면 충분하다.

🔍 **출제포인트**

• 이행강제금

01 감독

(1) 업무감독

① 국토교통부장관은 시·도지사 또는 시장·군수·구청장이 한 명령이나 처분이 이 법이나 이 법에 따른 명령이나 처분 또는 조례에 위반되거나 부당하다고 인정하면 그 명령 또는 처분의 취소·변경, 그 밖에 필요한 조치를 명할 수 있다(법 제78조 제1항).

② 특별시장·광역시장·도지사는 시장·군수·구청장이 한 명령이나 처분이 이 법 또는 이 법에 따른 명령이나 처분 또는 조례에 위반되거나 부당하다고 인정하면 그 명령이나 처분의 취소·변경, 그 밖에 필요한 조치를 명할 수 있다(법 제78조 제2항).

③ 시·도지사 또는 시장·군수·구청장이 ①에 따라 필요한 조치명령을 받으면 그 시정결과를 국토교통부장관에게 지체 없이 보고하여야 하며, 시장·군수·구청장이 ②에 따라 필요한 조치명령을 받으면 그 시정결과를 특별시장·광역시장·도지사에게 지체 없이 보고하여야 한다(법 제78조 제3항).

(2) 지도·점검계획

국토교통부장관 및 시·도지사는 건축허가의 적법한 운영, 위법건축물의 관리실태 등 건축행정의 건실한 운영을 지도·점검하기 위하여 국토교통부령이 정하는 바에 의하여 매년 지도·점검계획을 수립·시행하여야 한다(법 제78조 제4항).

(3) 보고와 검사 등

① 국토교통부장관, 시·도지사, 시장·군수·구청장, 그 소속 공무원, 법 제27조에 따른 업무대행자 또는 법 제37조에 따른 건축지도원은 건축물의 건축주 등, 공사감리자, 공사시공자 또는 관계 전문기술자에게 필요한 자료의 제출이나 보고를 요구할 수 있으며, 건축물·대지 또는 건축공사장에 출입하여 그 건축물, 건축설비, 그 밖에 건축공사에 관련되는 물건을 검사하거나 필요한 시험을 할 수 있다(법 제87조 제1항).

② 위 ①에 따라 검사나 시험을 하는 자는 그 권한을 표시하는 증표를 지니고 이를 관계인에게 내보여야 한다(법 제87조 제2항).

③ 허가권자는 건축관계자 등과의 계약내용을 검토할 수 있으며, 검토결과 불공정 또는 불합리한 사항이 있어 부실설계·시공·감리가 될 우려가 있는 경우에는 해당 건축주에게 그 사실을 통보하고 해당 건축물의 건축공사현장을 특별히 지도·감독하여야 한다(법 제87조 제3항).

02 위반건축물에 대한 조치

(1) 허가·승인의 취소 및 시정명령

① 허가권자는 이 법 또는 이 법에 따른 명령이나 처분에 위반되는 대지나 건축물에 대하여 이 법에 따른 허가 또는 승인을 취소하거나 그 건축물의 건축주·공사시공자·현장관리인·소유자·관리자 또는 점유자(이하 '건축주 등'이라 한다)에게 공사의 중지를 명하거나 상당한 기간을 정하여 그 건축물의 철거·개축·증축·수선·용도변경·사용금지·사용제한, 그 밖에 필요한 조치를 명할 수 있다(법 제79조 제1항).

② 허가권자는 ①에 따라 허가나 승인 등을 취소하려면 청문을 실시하여야 한다(법 제86조).

③ 허가권자는 이 법 또는 이 법에 따른 명령이나 처분에 위반되는 대지나 건축물에 대한 실태를 파악하기 위하여 조사를 할 수 있다(법 제79조 제5항).

(2) 영업 등 행위허가 금지 요청

허가권자는 (1)에 따라 허가나 승인이 취소된 건축물 또는 (1)에 따른 시정명령을 받고 이행하지 아니한 건축물에 대하여는 다른 법령에 따른 영업이나 그 밖의 행위를 허가하지 아니하도록 요청할 수 있다. 요청을 받은 자는 특별한 이유가 없는 한 이에 응하여야 한다. 다만, 허가권자가 기간을 정하여 그 사용 또는 영업, 그 밖의 행위를 허용한 주택과 바닥면적의 합계가 400제곱미터 미만인 축사와 바닥면적의 합계가 400제곱미터 미만인 농업용·임업용·축산업용 및 수산업용 창고인 경우에는 그러하지 아니하다(법 제79조 제2항·제3항, 영 제114조).

(3) 위반건축물 표지 설치

허가권자는 (1)에 따른 시정명령을 하는 경우 다음의 사항을 건축물대장에 적어야 한다(법 제79조 제4항, 규칙 제8조 제1항).

> ① 위반건축물이라는 표시
> ② 위반일자
> ③ 위반내용
> ④ 시정명령한 내용

(4) 위반건축물에 대한 실태조사 및 정비

① 허가권자는 실태조사를 매년 정기적으로 하며, 위반행위의 예방 또는 확인을 위하여 수시로 실태조사를 할 수 있다(영 제115조 제1항).

② 허가권자는 ①에 따른 조사를 하려는 경우에는 조사 목적·기간·대상 및 방법 등이 포함된 실태조사계획을 수립해야 한다(영 제115조 제2항).

③ 위 ①에 따른 조사는 서면 또는 현장조사의 방법으로 실시할 수 있다(영 제115조 제3항).

④ 허가권자는 ①에 따른 조사를 한 경우 법 제79조에 따른 시정조치를 하기 위하여 정비계획을 수립·시행해야 하며, 그 결과를 시·도지사(특별자치시장 및 특별자치도지사는 제외한다)에게 보고해야 한다(영 제115조 제4항).

⑤ 허가권자는 위반건축물의 체계적인 사후관리와 정비를 위하여 국토교통부령으로 정하는 바에 따라 위반건축물관리대장을 작성·관리해야 한다. 이 경우 전자적 처리가 불가능한 특별한 사유가 없으면 전자적 처리가 가능한 방법으로 작성·관리해야 한다(영 제115조 제5항).

03 권한의 위임 등

(1) 권한의 위임

① 국토교통부장관은 특별건축구역의 지정, 변경 및 해제에 관한 권한(국토교통부장관의 직권지정은 제외한다)을 시·도지사에게 위임한다(법 제82조 제1항, 영 제117조 제1항).

② 시·도지사는 이 법에 의한 권한의 일부를 대통령령이 정하는 바에 의하여 시장(행정시의 시장을 포함한다)·군수·구청장에게 위임할 수 있고, 시장·군수·구청장은 이 법에 의한 권한의 일부를 대통령령이 정하는 바에 의하여 구청장(자치구 아닌 구의 구청장)·동장 또는 읍·면장에게 위임할 수 있다(법 제82조 제2항·제3항, 영 제117조).

> ㉠ 구청장(자치구가 아닌 구의 구청장을 말한다) 또는 동장·읍장·면장(지방자치단체의 행정기구와 정원기준 등에 관한 규정 [별표 3] 제2호 비고 제2호에 따라 행정안전부장관이 시장·군수·구청장과 협의하여 정하는 동장·읍장·면장으로 한정한다)에게 위임할 수 있는 권한은 다음과 같다.
> ⓐ 6층 이하로서 연면적 2천제곱미터 이하인 건축물의 건축·대수선 및 용도변경에 관한 권한
> ⓑ 기존 건축물 연면적의 10분의 3 미만의 범위에서 하는 증축에 관한 권한
> ㉡ 시장·군수·구청장이 동장·읍장·면장에게 위임할 수 있는 권한
> ⓐ 법 제14조에 따른 건축신고에 관한 권한
> ⓑ 법 제20조 제3항에 따른 가설건축물의 축조신고에 관한 권한
> ⓒ 법 제22조에 따른 사용승인에 관한 권한(신고대상 건축물인 경우만 해당한다)
> ⓓ 법 제83조에 따른 옹벽 등의 공작물 축조신고에 관한 권한

(2) 전자정보처리시스템 운영의 위탁

국토교통부장관은 법 제31조 제1항(건축행정의 전산화)과 제32조 제1항(건축허가업무 등의 전산처리)에 따라 건축허가업무 등을 효율적으로 처리하기 위하여 구축하는 전자정보처리시스템의 운영을 다음의 기관 또는 단체에 위탁할 수 있다(법 제82조 제4항, 영 제117조 제5항).

> ① 공공기관의 운영에 관한 법률에 따른 공기업
> ② 정부출연연구기관 등의 설립·운영 및 육성에 관한 법률 및 과학기술분야 정부출연연구기관 등의 설립·운영 및 육성에 관한 법률에 따른 연구기관

(3) 대집행의 적용특례

허가권자는 제11조(건축허가), 제14조(건축신고), 제41조(토지굴착에 따른 조치)와 제79조 제1항(위반건축물에 대한 조치)에 따라 필요한 조치를 할 때 다음의 어느 하나에 해당하는 경우로서 행정대집행법에 따른 절차(사전계고·통지)에 의하면 그 목적을 달성하기 곤란한 때에는 해당 절차를 거치지 아니하고 대집행할 수 있다. 다만, 대집행은 건축물의 관리를 위하여 필요한 최소한도에 그쳐야 한다(법 제85조, 영 제119조의2).

> ① 재해가 발생할 위험이 절박한 경우
> ② 건축물의 구조안전상 심각한 문제가 있어 붕괴 등 손괴의 위험이 예상되는 경우
> ③ 허가권자의 공사중지명령을 받고도 불응하여 공사를 강행하는 경우
> ④ 도로통행에 현저하게 지장을 주는 불법건축물인 경우
> ⑤ 그 밖에 공공의 안전 및 공익에 심히 저해되어 신속하게 실시할 필요가 있다고 인정되는 경우로서 대기환경보전법에 따른 대기오염물질 또는 물환경보전법에 따른 수질오염물질을 배출하는 건축물로서 주변 환경을 심각하게 오염시킬 우려가 있는 경우

(4) 지역건축안전센터 설립

① 지방자치단체의 장은 다음의 업무를 수행하기 위하여 관할 구역에 지역건축안전센터를 둘 수 있다(법 제87조의2 제1항).

> ㉠ 법 제11조, 제14조, 제16조, 제21조, 제22조, 제27조, 제35조 제3항, 제81조 및 제87조에 따른 기술적인 사항에 대한 보고·확인·검토·심사 및 점검
> ㉡ 법 제25조에 따른 공사감리에 대한 관리·감독
> ㉢ 그 밖에 대통령령으로 정하는 사항

> **더 알아보기** **특별회계의 사용용도**
>
> 1. 지역건축안전센터의 설치·운영에 필요한 경비
> 2. 지역건축안전센터의 전문인력 배치에 필요한 인건비
> 3. 위 ①의 업무수행을 위한 조사·연구비
> 4. 특별회계의 조성·운용 및 관리를 위하여 필요한 경비
> 5. 그 밖에 건축물 안전에 관한 기술지원 및 정보제공을 위하여 해당 지방자치단체의 조례로 정하는 사업의 수행에 필요한 비용

② 위 ①에도 불구하고 다음의 어느 하나에 해당하는 지방자치단체의 장은 관할 구역에 지역건축안전센터를 설치하여야 한다(법 제87조의2 제2항).

> ㉠ 시·도
> ㉡ 인구 50만 명 이상 시·군·구
> ㉢ 국토교통부령으로 정하는 바에 따라 산정한 건축허가 면적(직전 5년 동안의 연평균 건축허가 면적을 말한다) 또는 노후건축물 비율이 전국 지방자치단체 중 상위 30퍼센트 이내에 해당하는 인구 50만 명 미만 시·군·구

③ 체계적이고 전문적인 업무 수행을 위하여 지역건축안전센터에 건축사법 제23조 제1항에 따라 신고한 건축사 또는 기술사법 제6조 제1항에 따라 등록한 기술사 등 전문인력을 배치하여야 한다(법 제87조의2 제3항).

(5) 건축안전특별회계의 설치

시·도지사 또는 시장·군수·구청장은 관할 구역의 지역건축안전센터 설치·운영 등을 지원하기 위하여 건축안전특별회계(이하 '특별회계'라 한다)를 설치할 수 있으며, 특별회계는 다음의 재원으로 조성한다(법 제87조의3 제1항·제2항).

> ① 일반회계로부터의 전입금
> ② 법 제17조에 따라 납부되는 건축허가 등의 수수료 중 해당 지방자치단체의 조례로 정하는 비율의 금액
> ③ 법 제80조에 따라 부과·징수되는 이행강제금 중 해당 지방자치단체의 조례로 정하는 비율의 금액
> ④ 법 제113조에 따라 부과·징수되는 과태료 중 해당 지방자치단체의 조례로 정하는 비율의 금액
> ⑤ 그 밖의 수입금

04 이행강제금

1. 의의

건축법 위반자가 위반사항에 대한 벌금 등 처벌을 받음과 동시에 시정명령을 받은 후 이를 이행하지 않을 경우에 시정이 이루어질 때까지 반복하여 부과·징수함으로써 벌금·과태료 등 처벌이 지닌 흠결을 보완하여 행정처분으로 실효성을 확보하기 위하여 마련된 제도이다.

2. 이행강제금의 부과대상과 기준

(1) 원칙

허가권자는 시정명령을 받은 후 시정기간 내에 시정명령을 이행하지 아니한 건축주 등에 대하여는 그 시정명령의 이행에 필요한 상당한 이행기한을 정하여 그 기한까지 시정명령을 이행하지 아니하면 다음의 이행강제금을 탄력적으로 부과한다(법 제80조 제1항 본문, 영 제115조의3 제1항).

① 건축물이 건폐율 또는 용적률을 초과하여 건축된 경우 또는 허가를 받지 아니하거나 신고를 하지 아니하고 건축된 경우: 지방세법에 의하여 해당 건축물에 적용되는 1제곱미터당 시가표준액의 100분의 50에 상당하는 금액에 위반면적을 곱한 금액 이하의 범위에서 위반내용에 따라 다음의 구분에 따른 비율을 곱한 금액. 다만, 건축조례로 다음의 비율을 낮추어 정할 수 있되, 낮추는 경우에도 그 비율은 100분의 60 이상이어야 한다.
   ㉠ 건폐율을 초과하여 건축한 경우: 100분의 80
   ㉡ 용적률을 초과하여 건축한 경우: 100분의 90
   ㉢ 허가를 받지 아니하고 건축한 경우: 100분의 100
   ㉣ 신고를 하지 아니하고 건축한 경우: 100분의 70
② 기타 위반건축물에 해당하는 경우: 지방세법에 따라 그 건축물에 적용되는 시가표준액에 상당하는 금액의 100분의 10의 범위 안에서 위반내용에 따라 대통령령이 정하는 금액([별표 15])

> **기출예제**
>
> 건축법 제80조(이행강제금)와 건축법 시행령 제115조의3(이행강제금의 탄력적 운영)의 규정에 따를 때, 허가를 받지 아니하고 건축된 건축물에 부과하는 이행강제금의 산정방식이다. (   )에 들어갈 용어와 아라비아 숫자를 쓰시오. (단, 특례 및 조례는 고려하지 않음)
>
> 제27회
>
> > 지방세법에 따라 해당 건축물에 적용되는 1제곱미터의 시가표준액의 100분의 50에 해당하는 금액에 (㉠)(을)를 곱한 금액 이하의 범위에서 100분의 (㉡)을 곱한 금액
>
> 정답: ㉠ 위반면적, ㉡ 100

(2) 이행강제금의 가중

허가권자는 다음의 어느 하나에 해당하는 경우에는 (1)에 따른 금액을 100분의 100의 범위에서 가중할 수 있다. 다만, 위반행위 후 소유권이 변경된 경우는 제외한다(법 제80조 제2항, 영 제115조의3 제2항).

① 임대 등 영리를 목적으로 법 제19조를 위반하여 용도변경을 한 경우(위반면적이 50제곱미터를 초과하는 경우로 한정한다)
② 임대 등 영리를 목적으로 허가나 신고 없이 신축 또는 증축한 경우(위반면적이 50제곱미터를 초과하는 경우로 한정한다)
③ 임대 등 영리를 목적으로 허가나 신고 없이 다세대주택의 세대수 또는 다가구주택의 가구수를 증가시킨 경우(5세대 또는 5가구 이상 증가시킨 경우로 한정한다)
④ 동일인이 최근 3년 내에 2회 이상 법 또는 법에 따른 명령이나 처분을 위반한 경우
⑤ 위 ①부터 ④까지의 규정과 비슷한 경우로서 건축조례로 정하는 경우

(3) 이행강제금의 감경

연면적(공동주택의 경우에는 세대면적을 기준으로 한다)이 60제곱미터 이하인 주거용 건축물과 (1)의 ②에 해당하는 건물 중 주거용 건축물로서 대통령령으로 정하는 다음의 경우에는 (1)에 해당하는 금액의 2분의 1의 범위에서 해당 지방자치단체의 조례로 정하는 금액을 부과한다(법 제80조 제1항 단서, 영 제115조의2 제1항).

① 법 제22조에 따른 사용승인을 받지 아니하고 건축물을 사용한 경우
② 법 제42조에 따른 대지의 조경에 관한 사항을 위반한 경우
③ 법 제60조에 따른 건축물의 높이제한을 위반한 경우
④ 법 제61조에 따른 일조 등의 확보를 위한 건축물의 높이제한을 위반한 경우
⑤ 그 밖에 법 또는 법에 따른 명령이나 처분을 위반한 경우로서 건축조례로 정하는 경우

(4) 이행강제금 부과에 관한 특례

허가권자는 이행강제금을 다음에서 정하는 바에 따라 감경할 수 있다. 다만, 지방자치단체의 조례로 정하는 기간까지 위반내용을 시정하지 아니한 경우는 제외한다(법 제80조의2 제1항, 영 제115조의4 제1항).

① 축사 등 농업용·어업용 시설로서 500제곱미터(수도권정비계획법 제2조 제1호에 따른 수도권 외의 지역에서는 1천제곱미터) 이하인 경우는 5분의 1을 감경
② 그 밖에 위반동기, 위반범위 및 위반시기 등을 고려하여 다음에 해당하는 경우(제80조 제2항에 해당하는 경우는 제외한다)에는 100분의 75의 범위에서 ㉠부터 ㉺까지의 경우에는 100분의 50을, ㉪의 경우에는 건축조례로 정하는 비율로 감경
  ㉠ 위반행위 후 소유권이 변경된 경우

ⓛ 임차인이 있어 현실적으로 임대기간 중에 위반내용을 시정하기 어려운 경우(법 제79조 제1항에 따른 최초의 시정명령 전에 이미 임대차계약을 체결한 경우로서 해당 계약이 종료되거나 갱신되는 경우는 제외한다) 등 상황의 특수성이 인정되는 경우

ⓒ 위반면적이 30제곱미터 이하인 경우([별표 1] 제1호부터 제4호까지의 규정에 따른 건축물로 한정하며, 집합건물의 소유 및 관리에 관한 법률의 적용을 받는 집합건축물은 제외한다)

ⓔ 집합건물의 소유 및 관리에 관한 법률의 적용을 받는 집합건축물의 구분소유자가 위반한 면적이 5제곱미터 이하인 경우([별표 1] 제2호부터 제4호까지의 규정에 따른 건축물로 한정한다)

ⓜ 법 제22조에 따른 사용승인 당시 존재하던 위반사항으로서 사용승인 이후 확인된 경우

ⓗ 법률 제12516호 가축분뇨의 관리 및 이용에 관한 법률 일부개정법률 부칙 제9조에 따라 같은 조 제1항 각 호에 따른 기간(같은 조 제3항에 따른 환경부령으로 정하는 규모 미만의 시설의 경우 같은 항에 따른 환경부령으로 정하는 기한을 말한다) 내에 가축분뇨의 관리 및 이용에 관한 법률 제11조에 따른 허가 또는 변경허가를 받거나 신고 또는 변경신고를 하려는 배출시설(처리시설을 포함한다)의 경우

ⓢ 가축분뇨의 관리 및 이용에 관한 법률 일부개정법률 부칙 제10조의2에 따라 같은 조 제1항에 따른 기한까지 환경부장관이 정하는 바에 따라 허가신청을 하였거나 신고한 배출시설(개 사육시설은 제외하되, 처리시설은 포함한다)의 경우

ⓞ 그 밖에 위반행위의 정도와 위반동기 및 공중에 미치는 영향 등을 고려하여 감경이 필요한 경우로서 건축조례로 정하는 경우

3. 부과방법

(1) 사전계고

허가권자는 이행강제금을 부과하기 전에 이행강제금을 부과·징수한다는 뜻을 미리 문서로써 계고하여야 한다(법 제80조 제3항).

(2) 문서주의

허가권자는 이행강제금을 부과하는 경우에는 이행강제금의 금액, 이행강제금의 부과사유, 이행강제금의 납부기한 및 수납기관, 이의제기방법 및 이의제기기관 등을 명시한 문서로써 행하여야 한다(법 제80조 제4항).

(3) 부과 횟수

허가권자는 최초의 시정명령이 있었던 날을 기준으로 하여 1년에 2회 이내의 범위에서 해당 지방자치단체의 조례로 정하는 횟수만큼 그 시정명령이 이행될 때까지 반복하여 이행강제금을 부과·징수할 수 있다(법 제80조 제5항).

(4) 부과 중지

시정명령을 받은 자가 시정명령을 이행하는 경우에는 새로운 이행강제금의 부과를 즉시 중지하되, 이미 부과된 이행강제금은 이를 징수하여야 한다(법 제80조 제6항).

(5) 강제징수

허가권자는 이행강제금 부과처분을 받은 자가 이행강제금을 납부기한까지 내지 아니하면 지방행정제재·부과금의 징수 등에 관한 법률에 따라 징수한다(법 제80조 제7항).

01 건축법령상의 규정이 적용되는 건축물에 해당하는 것은? 제11회

① 문화유산의 보존 및 활용에 관한 법률에 따른 임시지정문화유산
② 고속도로통행료 징수시설
③ 철도나 궤도의 선로부지에 있는 운전보안시설
④ 산업집적활성화 및 공장설립에 관한 법률에 따른 공장의 용도로만 사용되는 건축물의 대지에 설치하는 것으로서 이동이 쉬운 컨테이너를 이용한 간이창고
⑤ 고속철도의 역사

02 건축법령상 건축물과 분리하여 공작물을 축조할 때 특별자치시장·특별자치도지사 또는 시장·군수·구청장에게 신고를 하여야 하는 공작물이 아닌 것은? 제15회

① 높이 3미터인 담장
② 높이 7미터인 장식탑
③ 높이 5미터인 광고탑
④ 높이 9미터인 고가수조
⑤ 높이 4미터인 굴뚝

03 건축법령상 건축물이 대수선에 해당하지 않는 것은? (단, 증축·개축 또는 재축에 해당하지 않음을 전제로 함) 제20회

① 내력벽의 벽면적을 30제곱미터 이상 수선 또는 변경하는 것
② 기둥을 증설 또는 해체하는 것
③ 방화벽을 수선 또는 변경하는 것
④ 건축물의 내부에 사용하는 마감재료를 증설 또는 해체하는 것
⑤ 다가구주택의 가구간 경계벽을 수선 또는 변경하는 것

04 건축법령상 용어의 정의가 옳지 않은 것으로 짝지어진 것은?

> ○ 재축이란 기존 건축물의 전부를 철거하고 그 대지에 종전과 같은 규모의 범위에서 건축물을 다시 축조하는 것을 말한다.
>
> ○ 거실이란 주택의 침실뿐만 아니라 공장의 작업장, 학교의 교실 등을 말한다.
>
> ○ 지하층이란 건축물의 바닥이 지표면 아래에 있는 층으로서 바닥에서 지표면까지 평균높이가 해당 층 높이의 2분의 1 이상인 것을 말한다.
>
> ○ 주요구조부란 내력벽, 기둥, 바닥, 보, 지붕틀 및 주계단을 말한다.
>
> ○ 리모델링이란 건축물의 노후화 억제나 기능 향상을 위한 대수선으로서 증축을 제외한 행위를 말한다.

① ㉠, ㉡   ② ㉡, ㉢

③ ㉡, ㉣   ④ ㉠, ㉣

⑤ ㉢, ㉣

정답 | 해설

01 ⑤ 고속철도의 역사는 건축법령상 철도시설이라는 건축물 용도에 해당하며, 건축법령이 적용된다.

02 ⑤ 굴뚝의 경우 높이 6미터를 넘어가는 경우에 신고하여야 한다.

03 ④ 건축물의 외벽 마감재료이다.

04 ④ ㉠ 기존 건축물의 전부를 해체하고 그 대지에 종전과 같은 규모의 범위에서 건축물을 다시 축조하는 것은 개축이다. 재축이란 건축물이 천재지변이나 그 밖의 재해(災害)로 멸실된 경우 그 대지에 종전과 같은 규모의 범위에서 다시 축조하는 것을 말한다.

    ㉣ 리모델링이란 건축물의 노후화를 억제하거나 기능 향상 등을 위하여 대수선하거나 일부 증축 또는 개축하는 행위를 말한다. 즉, 리모델링에는 증축이 포함된다.

05 건축법령상 사용승인을 받은 건축물의 용도를 변경하려는 경우 특별자치시장·특별자치도지사 또는 시장·군수·구청장의 허가를 받아야 하는 사항은? 제13회

① 업무시설을 교육연구시설로 용도변경하는 경우
② 노유자시설을 공동주택으로 용도변경하는 경우
③ 판매시설을 제2종 근린생활시설로 용도변경하는 경우
④ 창고시설을 수련시설로 용도변경하는 경우
⑤ 위락시설을 숙박시설로 용도변경하는 경우

06 건축법령상 건축물의 면적 등의 산정방법에 관한 설명으로 옳은 것은? 제15회

① 벽·기둥의 구획이 없는 건축물은 그 지붕 끝부분으로부터 수평거리 1미터를 후퇴한 선으로 둘러싸인 수평투영면적을 건축면적이라 한다.
② 바닥면적은 원칙적으로 건축물의 외벽의 중심선으로 둘러싸인 부분의 수평투영면적으로 한다.
③ 건축물 지상층에 일반인이나 차량이 통행할 수 있도록 설치한 보행통로나 차량통로 및 지하주차장의 경사로는 건축면적에 산입하지 아니한다.
④ 연면적은 하나의 건축물 각 층(지하층을 포함한다)의 건축면적의 합계로 한다.
⑤ 공동주택으로서 지상층에 설치한 기계실, 전기실, 어린이놀이터, 조경시설 및 생활폐기물 보관함의 면적은 바닥면적에 산입한다.

07 건축법령상 다음과 같은 조건을 갖는 건축물의 용적률은 몇 퍼센트(%)인가?

제13회

- 대지면적: 20,000m²
- 지하 2층: 주차장(12,000m²), 전기실 · 기계실 등 공용시설(2,000m²)
- 지하 1층: 제1종 근린생활시설(8,000m²), 주차장(6,000m²)
- 지상 1층: 필로티 구조로 전부를 상층부 공동주택의 부속용도인 주차장으로 사용 (4,000m²)
- 지상 2층 ~ 지상 9층: 공동주택(각 층 바닥면적의 합계가 4,000m²이며, 60세대이다)
- 지상 10층: 주민공동시설(2,000m²)

① 140%
② 150%
③ 160%
④ 170%
⑤ 200%

정답 | 해설

05 ① ① 상위군으로 용도변경하는 경우이므로 허가권자의 <u>허가</u>를 받아야 한다.
②③④⑤ 하위군으로 용도변경하는 경우이므로 <u>신고</u>하여야 한다.

06 ③ ① <u>바닥면적</u>에 대한 설명이다.
② <u>건축면적</u>에 대한 설명이다.
④ 연면적은 하나의 건축물 각 층(지하층을 포함한다)의 <u>바닥면적</u>의 합계로 한다.
⑤ 바닥면적에 <u>산입하지 아니한다</u>.

07 ④ 1. 건축물의 용적률은 대지면적에 대한 건축물의 연면적의 비율을 말하고, 건축물의 연면적은 하나의 건축물 각 층의 바닥면적의 합계로 하되 용적률을 산정할 때에는 지하층의 면적, 지상층의 주차용(해당 건축물의 부속용도인 경우만 해당한다)으로 쓰는 면적, 고층 건축물에서의 피난안전구역과 헬리포트 설치 예외인 경우에 대체되는 대피공간은 제외한다.
2. 필로티 부분을 주차장이나 통로로 사용하거나 공동주택인 경우에는 바닥면적에서 제외하므로 해당 건축물의 용적률을 산정할 때의 건축물의 연면적은 지상 2층~지상 9층(공동주택)과 10층 부분의 주민공동시설의 바닥면적의 합계인 34,000m²이다.
3. 해당 건축물의 용적률은 대지면적(20,000m²)에 대한 건축물의 연면적(34,000m²)의 비율인 170%가 된다.

08 건축법령상 건축허가와 건축신고에 관한 설명으로 옳지 않은 것은? 제20회

① 허가권자는 건축허가를 신청한 숙박시설 규모 또는 형태가 교육환경을 고려할 때 부적합하다고 인정되는 경우에는 건축위원회의 심의를 거쳐 건축허가를 하지 아니할 수 있다.

② 건축위원회의 심의를 받은 자가 심의결과를 통지받은 날부터 2년 이내에 건축허가를 신청하지 아니하면 건축위원회 심의의 효력이 상실된다.

③ 특별시나 광역시가 아닌 시에 21층 이상의 건축물을 건축하려면 도지사의 허가를 받아야 한다.

④ 연면적의 합계가 100제곱미터 이하인 건축물을 신축하는 경우 건축신고를 하면 건축허가를 받은 것으로 본다.

⑤ 단층 건축물을 바닥면적의 합계가 85제곱미터 이내로 재축하는 경우 건축신고를 하면 건축허가를 받은 것으로 본다.

09 건축법령상 건축신고를 함으로써 건축허가를 받은 것으로 보는 경우가 아닌 것은? 제13회

① 바닥면적의 합계가 85제곱미터 이내인 증축·개축 또는 재축

② 지구단위계획구역에서 연면적이 200제곱미터 미만이고 3층 미만인 건축물의 건축

③ 연면적이 200제곱미터 미만이고 3층 미만인 건축물의 대수선

④ 주요구조부의 해체가 없고, 내력벽의 면적을 30제곱미터 이상 수선하는 건축물의 대수선

⑤ 건축물의 높이를 3미터 이하의 범위에서 증축하는 건축물의 건축

10 건축법령상 건축허가의 제한에 관한 설명으로 옳은 것은? 제11회

① 국토교통부장관이 건축허가나 건축물의 착공을 제한하는 경우 그 제한기간은 2년 이내로 하되, 1회에 한하여 2년 이내의 범위에서 제한기간을 연장할 수 있다.

② 특별시장·광역시장·도지사는 주무부장관이 국민경제를 위하여 특히 필요하다고 인정하여 요청하면 허가권자의 건축허가를 제한할 수 있다.

③ 특별시장·광역시장·도지사는 국토관리를 위하여 특히 필요하다고 인정하면 허가권자의 건축허가를 제한할 수 있다.

④ 특별시장·광역시장·도지사는 지역계획이나 도시계획에 특히 필요하다고 인정하면 시장·군수·구청장의 건축허가나 허가를 받은 건축물의 착공을 제한할 수 있다.

⑤ 특별시장·광역시장·도지사가 건축허가를 제한하는 경우에는 제한목적·기간, 대상 건축물의 용도 등을 상세하게 정하여 국토교통부장관에게 통보하여야 한다.

정답 | 해설

08 ③ 시장·군수가 도지사의 사전승인을 받아야 하는 경우이다. <u>도지사는 허가권자가 아니다.</u>

09 ② 연면적이 200제곱미터 미만이고 3층 미만인 건축물의 건축이라도 지구단위계획구역에서의 건축은 <u>신고 대상에서 제외</u>되어 있다. 따라서 허가대상에 해당한다.

10 ④ ① 국토교통부장관이 건축허가나 건축물의 착공을 제한하는 경우 그 제한기간은 2년 이내로 하되, 1회에 한하여 <u>1년 이내</u>의 범위에서 제한기간을 연장할 수 있다.

② <u>국토교통부장관</u>은 주무부장관이 국민경제를 위하여 특히 필요하다고 인정하여 요청하면 허가권자의 건축허가를 제한할 수 있다.

③ <u>국토교통부장관</u>은 국토관리를 위하여 특히 필요하다고 인정하면 허가권자의 건축허가를 제한할 수 있다.

⑤ 특별시장·광역시장·도지사가 건축허가를 제한하는 경우에는 제한목적·기간, 대상 건축물의 용도 등을 상세하게 정하여 <u>시장·군수·구청장</u>에게 통보하여야 한다.

11 건축법령상 대지에 관한 설명으로 옳지 않은 것은? 제15회

① 대지란 공간정보의 구축 및 관리 등에 관한 법률에 따라 각 필지로 나눈 토지를 말한다. 다만, 대통령령으로 정하는 토지는 둘 이상의 필지를 하나의 대지로 하거나 하나 이상의 필지의 일부를 하나의 대지로 할 수 있다.

② 대지는 인접한 도로면보다 낮아서는 아니 된다. 다만, 대지의 배수에 지장이 없거나 건축물의 용도상 방습의 필요가 없는 경우에는 인접한 도로면보다 낮아도 된다.

③ 대지에는 빗물과 오수를 배출하거나 처리하기 위하여 필요한 하수관, 하수구, 저수탱크, 그 밖에 이와 유사한 시설을 하여야 한다.

④ 상업지역에 연면적의 합계가 5천제곱미터 이상인 종교시설인 건축물의 대지에는 공개공지 또는 공개공간을 확보하여야 한다.

⑤ 대지에 도시·군계획시설인 도로·공원 등이 있는 경우 그 도시·군계획시설에 포함되는 대지면적은 대지의 수평투영면적으로 산입한다.

12 건축법령상 상업지역 내의 건축물로서 그 대지에 공개공지 등을 확보하여야 하는 대상은? 제14회

① 바닥면적의 합계가 3천제곱미터인 종교시설
② 바닥면적의 합계가 5천제곱미터인 화물용 운수시설
③ 바닥면적의 합계가 3천제곱미터인 문화 및 집회시설
④ 바닥면적의 합계가 3천제곱미터인 숙박시설
⑤ 바닥면적의 합계가 5천제곱미터인 업무시설

13 건축법령상 건축물의 대지가 도로(자동차만의 통행에 사용되는 도로는 제외)에 접해야 하는 경우, 연면적의 합계가 5천제곱미터인 공장의 대지가 접하여야 하는 도로의 기준으로 옳은 것은? 제16회

① 너비 4미터 이상의 도로에 2미터 이상 접하여야 한다.
② 너비 4미터 이상의 도로에 4미터 이상 접하여야 한다.
③ 너비 6미터 이상의 도로에 4미터 이상 접하여야 한다.
④ 너비 6미터 이상의 도로에 6미터 이상 접하여야 한다.
⑤ 너비 10미터 이상의 도로에 6미터 이상 접하여야 한다.

14 건축법령상 건축물의 대지와 도로에 관한 설명으로 옳지 않은 것은? (단, 건축법상 적용제외 규정 및 건축협정에 따른 특례는 고려하지 않음) 제20회

① 건축물의 대지는 건축물의 용도상 방습이 필요가 없는 경우에는 인접한 도로면보다 낮아도 된다.
② 건축물의 대지에 확보하여야 하는 공개공지 등의 면적은 대지면적의 100분의 10 이하의 범위에서 건축조례로 정한다.
③ 건축물의 대지에 확보하는 공개공지는 필로티 구조로 설치할 수 없다.
④ 해당 건축물이 출입에 지장이 없다고 인정되는 경우 건축물의 대지는 도로(자동차만 통행에 사용되는 도로는 제외)에 2미터 이상 접할 것이 요구되지 아니 한다.
⑤ 지표 아래 부분을 제외하고는 건축물과 담장은 건축선의 수직면을 넘어서는 아니 된다.

정답 | 해설

11 ⑤ 도시·군계획시설에 포함된 부분은 대지면적을 산정함에 있어서 제외한다.

12 ⑤ 바닥면적의 합계가 5천제곱미터 이상의 업무시설인 경우에 설치대상에 포함된다.

13 ③ 대지는 2미터 이상을 도로에 접하여야 하며, 연면적의 합계가 2천제곱미터(공장인 경우에는 3천제곱미터) 이상의 건축물인 경우에는 너비 6미터 이상의 도로에 4미터 이상을 접하여야 한다.

14 ③ 공개공지는 필로티 구조로 설치할 수 있다.

15 건축법령상 건축선의 지정 및 건축제한에 관한 설명으로 옳지 않은 것은? 제12회

① 건축선은 원칙적으로 대지와 도로의 경계선으로 한다.

② 대지가 소요너비에 못 미치는 도로에 접하는 경우 그 중심선에서 그 소요너비의 2분의 1의 수평거리만큼 물러난 선을 건축선으로 한다.

③ 대지가 소요너비에 미달되는 도로에 접하는 경우로서 그 도로의 반대쪽에 경사지 등이 있는 경우 그 경사지 등이 있는 쪽 도로경계선에서 소요너비에 해당하는 수평거리의 선을 건축선으로 한다.

④ 특별자치시장·특별자치도지사 또는 시장·군수·구청장은 시가지 안에서 건축물의 위치나 환경을 정비하기 위하여 건축선을 따로 지정할 수 있다.

⑤ 건축물과 담장 및 그 지표 아래 부분은 건축선의 수직면을 넘어서는 아니 된다.

16 건축법령상 피난시설에 관한 설명으로 옳지 않은 것은? 제12회

① 건축물의 피난층 외의 층에서는 피난층 또는 지상으로 통하는 직통계단(경사로 포함)을 거실의 각 부분으로부터 가장 가까운 거리에 있는 계단에 이르는 보행거리가 30미터 이하가 되도록 설치하는 것이 원칙이다.

② 5층 이상 또는 지하 2층 이하인 층에 설치하는 직통계단은 피난계단 또는 특별피난계단으로 설치하는 것이 원칙이다.

③ 건축물의 주요구조부가 내화구조 또는 불연재료로 되어 있고 5층 이상인 층의 바닥면적의 합계가 200제곱미터 이하인 경우에는 직통계단을 피난계단 또는 특별피난계단으로 설치하지 아니할 수 있다.

④ 옥상광장 또는 2층 이상인 층에 있는 노대 등의 난간 높이는 1.2미터 이상으로 한다. 다만, 노대 등에 출입할 수 없는 구조인 경우에는 그러하지 아니하다.

⑤ 10층 이상인 건축물로서 10층 이상인 층의 바닥면적의 합계가 1만제곱미터 이상인 건축물의 옥상에는 헬리포트를 설치하거나 헬리콥터를 통하여 인명 등을 구조할 수 있는 공간을 확보하여야 한다.

17 건축법령상 국토교통부장관이 국가정책사업으로서 조화롭고 창의적인 건축을 위하여 대통령령으로 정하는 사업구역에서 특례적용이 필요하다고 인정하는 경우에도 불구하고 특별건축구역으로 지정할 수 없는 것을 고른 것은? 제11회

ⓘ 도로법에 따른 접도구역
ⓛ 도시개발법에 따른 도시개발구역
ⓒ 자연공원법에 따른 자연공원
ⓔ 산지관리법에 따른 보전산지
ⓜ 택지개발촉진법에 따른 택지개발지구

---

① ㄱ, ㄷ, ㄹ   ② ㄱ, ㄹ, ㅁ
③ ㄴ, ㄷ, ㄹ   ④ ㄴ, ㄷ, ㅁ
⑤ ㄱ, ㄴ, ㅁ

정답 | 해설

15 ⑤ 건축물과 담장은 건축선의 수직면을 넘어서는 아니 된다. 다만, <u>지표 아래 부분은 그러하지 아니하다.</u>

16 ⑤ <u>11층 이상인 건축물</u>로서 <u>11층 이상인 층</u>의 바닥면적의 합계가 1만제곱미터 이상인 건축물의 옥상에는 헬리포트를 설치하거나 헬리콥터를 통하여 인명 등을 구조할 수 있는 공간을 확보하여야 한다.

17 ① 다음의 어느 하나에 해당하는 지역·구역 등에 대하여는 특별건축구역으로 지정할 수 없다.
- 개발제한구역의 지정 및 관리에 관한 특별조치법에 따른 <u>개발제한구역</u>
- 자연공원법에 따른 <u>자연공원</u>
- 도로법에 따른 <u>접도구역</u>
- 산지관리법에 따른 <u>보전산지</u>

18 건축법령상 위반건축물에 대한 조치 및 이행강제금에 관한 설명으로 옳은 것은?

제20회

① 시정명령을 받고 이행하지 아니한 건축물이 바닥면적 합계가 400제곱미터 미만인 농업용 창고인 경우, 허가권자는 그 건축물에 대하여 다른 법령에 따른 영업이나 그 밖의 행위를 허가·면허·인가·등록·지정 등을 하지 아니하도록 요청할 수 있다.

② 시정명령을 받고 이행하지 아니한 건축물에 대하여 허가권자가 다른 법령에 따른 영업을 허가하지 아니하도록 요청한 경우 그 요청을 받은 자는 특별한 이유가 없으면 요청에 따라야 한다.

③ 허가권자는 시정명령을 받은 자가 이를 이행하면 새로운 이행강제금의 부과 및 이미 부과된 이행강제금의 징수를 즉시 중지하여야 한다.

④ 신축 또는 증축을 하지 않더라도 임대 등 영리를 목적으로 허가 없이 다세대주택이 세대수를 3세대 증가시킨 경우 허가권자는 이행강제금의 금액을 100분의 100의 범위에서 가중할 수 있다.

⑤ 허가권자는 동일인이 최근 3년 내에 2회 이상 법 또는 법에 따른 명령이나 처분을 위반한 경우에는 위반행위 후 소유권이 변경된 경우에도 이행강제금의 금액을 100분의 100의 범위에서 가중할 수 있다.

정답 | 해설

18 ② ① 바닥면적의 합계가 400제곱미터 미만인 <u>축사</u>와 바닥면적의 합계가 400제곱미터 미만인 <u>농업용·임업용·축산업용 및 수산업용</u> 창고인 경우에는 <u>그러하지 아니하다</u>.
③ 이미 부과한 이행강제금은 <u>징수하여야 한다</u>.
④ <u>5세대 이상</u> 증가시킨 경우에 가중할 수 있다.
⑤ 위반행위 후 소유권이 변경된 경우는 <u>가중할 수 없다</u>.

해커스 합격 선배들의
생생한 합격 후기!

전국 최고 점수로 8개월 초단기합격
해커스 커리큘럼을 똑같이 따라가면 자동으로 반복학습을 하게 되는데요. 그러면서 **자신의 부족함을 캐치하고 보완**할 수 있었습니다. 또한 해커스 무료 **모의고사**로 실전 경험을 쌓는 것이 많은 도움이 되었습니다.

전국 수석합격생
최*석 님

해커스는 교재가 **단원별로 핵심 요약정리**가 참 잘되어 있습니다. 또한 커리큘럼도 매우 좋았고, 교수님들의 강의가 제가 생각할 때는 **국보급 강의**였습니다. 교수님들이 시키는 대로, 강의가 진행되는 대로만 공부했더니 고득점이 나왔습니다. 한 2~3개월 정도만 들어보면, 여러분들도 충분히 고득점을 맞을 수 있는 실력을 갖추게 될 거라고 판단됩니다.

해커스 합격생
권*섭 님

해커스는 주택관리사 커리큘럼이 되게 잘 되어있습니다. 저같이 처음 공부하시는 분들도 입문과정, 기본과정, 심화과정, 모의고사, 마무리 특강까지 이렇게 최소 5회독 반복하시면 처음에 몰랐던 것도 알 수 있을 것입니다. 모의고사와 기출문제 풀이가 도움이 많이 되었는데, **실전 모의고사를 실제 시험 보듯이 시간을 맞춰 연습하니 실전에서 도움이 많이 되었습니다.**

해커스 합격생
전*미 님

해커스 주택관리사가 **기본 강의와 교재가 매우 잘되어 있다고 생각**했습니다. 가장 좋았던 점은 가장 기본인 기본서를 뽑고 싶습니다. 다른 학원의 기본서는 너무 어렵고 복잡했는데, 그런 부분을 다 빼고 **엑기스만 들어있어 좋았고** 교수님의 강의를 충실히 따라가니 공부하는 데 큰 어려움이 없었습니다.

해커스 합격생
김*수 님